Grey

D1501255

E L James

Grey

2015 Prometheus Amsterdam

Eerste druk juli 2015
Tweede druk juli 2015
Derde druk juli 2015
Vierde druk augustus 2015

Oorspronkelijke titel *Grey*
© 2015 E L James
© 2015 Nederlandse vertaling Uitgeverij Prometheus en Textcase, Utrecht
Omslagontwerp DPS Design & Prepress Studio/Sqicedragon en Megan
Wilson
Foto omslag RAZ Studio
Opmaak binnenwerk ZetSpiegel, Best
www.uitgeverijprometheus.nl
ISBN 978 90 446 3003 9

Dit boek is opgedragen aan de lezers die er maar om bleven vragen... en vragen... en vragen.

Bedankt voor alles wat jullie voor me gedaan hebben.

Elke dag weer maken jullie mijn leven een feest.

Maandag 9 mei 2011

Ik heb drie auto's. Die gaan heel hard over de vloer. Zo hard. Eentje is er rood. Eentje is er groen. Eentje is er geel. Ik vind de groene mooi. Dat is mijn lievelingsauto. Mammie vindt hem ook mooi. Ik vind het fijn als mammie met mij en de autootjes speelt. Haar lievelingsauto is de rode. Vandaag zit ze op de bank naar de muur te staren. Het groene autootje vliegt het vloerkleed op. De rode gaat erachteraan. Dan de gele. Boem! Maar mammie merkt het niet. Ik mik met de groene op haar voeten. Maar het groene autootje schiet onder de bank. Ik kan er niet bij. Mijn hand is te groot voor de opening. Mammie ziet het niet. Ik wil mijn groene auto hebben. Maar mammie blijft op de bank naar de muur staren. Mammie. Mijn autootje. Ze hoort me niet. Mammie. Ik trek aan haar hand en ze zakt naar achteren en doet haar ogen dicht. Nu niet, Wurmpje. Nu niet, zegt ze. Mijn groene auto ligt nog steeds onder de bank. Hij ligt voor altijd onder de bank. Ik kan hem zien. Maar ik kan er niet bij. Mijn groene auto is pluizig. Bedekt met grijs stof en vuil. Ik wil hem terug. Maar ik kan er niet bij. Ik kan er nooit bij. Mijn groene auto is kwijt. Kwijt. En ik kan er nooit meer mee spelen.

Ik doe mijn ogen open en de droom vervaagt in het vroege ochtendlicht. *Waar sloeg dat verdomme op?* Ik probeer de vervagende flarden te grijpen, maar krijg er geen enkele te pakken.

Ik zet het zoals vrijwel elke ochtend van me af, stap uit bed en haal een schone joggingbroek uit mijn inloopkast. Buiten belooft de loodgrijze lucht regen en ik heb vandaag geen zin om bij het hardlopen nat te worden. Ik loop de trap op naar mijn sportkamer, zet de tv aan voor het zakennieuws van vanochtend en stap op de loopband.

Mijn gedachten dwalen af naar de dag die voor me ligt. Ik heb alleen besprekingen, maar gelukkig komt mijn personal trainer aan het eind van de dag naar mijn kantoor voor een work-out. Bastille vormt altijd een welkome uitdaging. *Zal ik anders Elena bellen? Ja. Misschien.* Eind deze week kunnen we wel uit eten gaan. Buiten adem zet ik de loopband stil en loop ik naar de douche, als begin van de zoveelste saaie dag.

'Morgen,' mompel ik afwerend tegen Claude Bastille, die op de drempel van mijn kantoor staat. 'Golf! Deze week nog, Grey.' Bastille grijnst arrogant, want hij weet dat hij me gegarandeerd inmaakt op de golfbaan. Ik werp hem een dreigende blik toe terwijl hij de deur uit gaat. Zijn afscheidswoorden zijn als zout in mijn wonden, want ondanks mijn heldhaftige pogingen tijdens onze work-out van vandaag heeft mijn personal trainer me ervan langs gegeven. Bastille is de enige die me aankan en nu wil hij me ook op de golfbaan op mijn knieën hebben. Ik vind golf helemaal niks, maar op de fairways wordt zoveel zakengedaan dat ik zijn lessen helaas ook daar nodig heb... en hoewel ik het niet graag toegeef, gaat mijn spel er door het spelen tegen Bastille op vooruit.

Terwijl ik uit het raam naar de skyline van Seattle staar, sluipt de vertrouwde verveling mijn bewustzijn binnen. Mijn stemming is al net zo vlak en grijs als het weer. Mijn dagen vloeien zonder duidelijk onderscheid in elkaar over en ik heb echt een beetje afleiding nodig. Ik heb het hele weekend doorgewerkt en dat ik nu weer op kantoor zit, maakt me enorm rusteloos. Dat zou niet zo moeten zijn na het golfen met Bastille. Maar toch is het zo.

Ik frons mijn wenkbrauwen. De nuchtere waarheid is dat ik de afgelopen tijd alleen interesse heb kunnen opbrengen voor de vraag of ik twee vrachtschepen naar Soedan zou sturen. En dat doet me ergens aan denken. Ros zou me op de hoogte houden van de cijfers en logistiek. *Waar blijft ze, verdomme!* Ik controleer de agenda even en wil de telefoon al pakken.

Shit. Ik moet me eerst nog door dat interview met die hardnekkige mevrouw Kavanagh van het universiteitsblad van Washington

State University worstelen. *Waarom heb ik dat verdomme toegezegd?* Ik vind interviews verschrikkelijk. Domme vragen van nauwelijks voorbereide jaloerse mensen die iets over mijn privéleven willen lospeuteren. *En dan nog een student ook.* De telefoon gaat.

'Ja,' snauw ik tegen Andrea, alsof zij er iets aan kan doen. Ik kan dat interview in elk geval kort houden.

'Mevrouw Anastasia Steele is er, meneer Grey.'

'Steele? Ik verwacht Katherine Kavanagh.'

'Mevrouw Anastasia Steele heeft zich gemeld, meneer.'

Ik haat verrassingen. 'Laat haar maar binnen.'

Zo, zo... mevrouw Kavanagh komt niet opdagen. Ik ken haar vader, Eamon. Eigenaar van Kavanagh Media. We hebben zakengedaan en hij lijkt me een slimme zakenman en een verstandig mens. Dit interview is een gunst aan hem, eentje waarvoor ik zodra het me uitkomt een wederdienst ga vragen. Ik moet toegeven dat ik ook wel een beetje nieuwsgierig was naar zijn dochter en wilde zien of de appel ver van de boom is gevallen.

Geraas bij de deur doet me opspringen. Een werveling van lange, kastanjebruine haren, bleke benen en bruine laarzen valt halsoverkop mijn kantoor binnen. Ik probeer mijn onmiddellijke irritatie om dit soort gestuntel niet te laten merken en loop haastig naar het meisje dat op haar handen en knieën op de grond zit. Ik pak haar bij haar tengere schouders vast en help haar overeind.

Heldere, beschaamde ogen kijken me aan en treffen me als een bliksemschicht. Ze hebben een zeldzame, bijzondere kleur poederblauw, en staan zo onbevangen – een paar helse seconden lang denk ik dat ze recht door me heen kan kijken en voel ik me... kwetsbaar. Een angstaanjagende gedachte, die ik dan ook meteen van me afzet.

Ze heeft een klein, lief gezicht en bloost nu, onschuldige bleekroze blosjes op haar wangen. Ik vraag me vluchtig af of haar huid overal zo is – smetteloos – en hoe roze en warm die zou worden van de striemen van een roede.

Shit.

Ik roep mijn onbeheerste gedachten een halt toe, geschrokken van de richting die ze op gaan. *Wat haal jij je verdomme in je kop, Grey?* Dit meisje is veel te jong. Ze gaapt me aan en ik moet me inhouden om niet met mijn ogen te rollen. *Oké, oké, schatje, het is maar een gezicht en uiterlijk zegt niks.* Ik moet en zal de bewonderende blik uit die ogen verjagen, en daar valt vast wel wat lol aan te beleven! 'Mevrouw Kavanagh. Ik ben Christian Grey. Gaat het? Wilt u misschien gaan zitten?'

Daar heb je die blosjes weer. Nu ik mezelf weer in de hand heb, bekijk ik haar eens goed. Ze is echt aantrekkelijk – tenger, bleek en met een bos donkere haren die nauwelijks met een elastiekje in bedwang te houden is.

Een brunette.

Ja, ze is aantrekkelijk. Ik steek mijn hand uit terwijl ze zich stotterend en beschaamd begint te verontschuldigen, waarna ze haar hand in de mijne legt. Haar huid is koel en zacht, maar haar handdruk is verrassend stevig.

'Mevrouw Kavanagh is verhinderd, dus heeft ze mij gestuurd. Ik hoop dat dat geen probleem is, meneer Grey.' Haar zachte stem heeft een aarzelende zangerigheid en ze knippert af en toe nerveus met haar ogen, waardoor haar lange wimpers trillen.

Het lukt me bijna niet om mijn lachen in te houden als ik terugdenk aan haar niet al te elegante binnenkomst in mijn kantoor. Ik vraag wie ze is.

'Anastasia Steele. Ik studeer Engelse literatuur aan Washington State University in Vancouver, samen met Kate, eh... Katherine... eh... mevrouw Kavanagh.'

Zo'n verlegen boekenwurm, dus? Zo ziet ze er wel uit: slecht gekleed, haar tengere lijf verscholen onder een vormeloze trui, een bruine A-lijn rok en degelijke laarzen. *Heeft ze dan echt geen enkel stijlgevoel?* Ze kijkt nerveus om zich heen – als ze mij maar niet aan hoeft te kijken, merk ik inwendig grinnikend.

Hoe kan deze jonge vrouw journaliste zijn? Ze bezit geen greintje assertiviteit. Ze is in de war, bedeesd... onderdanig. Verbaasd om mijn ongepaste gedachten schud ik mijn hoofd en vraag ik me af of ik op mijn eerste indruk mag afgaan. Ik mompel iets onnozels, vraag haar om te gaan zitten en merk dan dat ze de schilderijen in mijn kantoor kritisch bekijkt. Zonder na te denken, geef ik er uitleg over.

'Een lokale kunstenaar. Trouton.'

'Ze zijn mooi. Ze tillen het gewone naar een buitengewoon niveau,' zegt ze dromerig, meegesleept door de subtiele, verfijnde kunstzinnigheid van Troutons werk. Haar profiel is delicaat – een wipneus, zachte, volle lippen – en met haar eigen woorden heeft ze precies mijn gevoelens uitgedrukt. *Het gewone is tot het buitengewone verheven.* Een scherpzinnige waarneming. Mevrouw Steele is intelligent.

Ik stem ermee in en kijk gefascineerd naar de blos die opnieuw langzaam over haar huid kruipt. Ik ga tegenover haar zitten en probeer mijn gedachten onder controle te krijgen. Ze vist een paar kreukelige vellen papier en een digitaal recordertje uit haar grote tas. Ze heeft twee linkerhanden en laat het stomme ding twee keer op mijn Bauhaus-koffietafel vallen. Het is wel duidelijk dat ze dit nooit eerder heeft gedaan, maar om een onverklaarbare reden vind ik het grappig. Normaal gesproken zou ik me kapot ergeren aan haar onhandigheid, maar nu verberg ik mijn glimlach achter mijn wijsvinger en onderdruk ik de neiging om het ding voor haar in te stellen.

Terwijl ze eraan morrelt, voelt ze zich steeds ongemakkelijker en bedenk ik me dat ik haar motoriek met behulp van een rijzweepje wel zou kunnen verfijnen. Bij deskundig gebruik krijg je daar zelfs de schichtigste vrouw mee in het gareel. Door de opborrelende gedachte ga ik anders op mijn stoel zitten. Ze kijkt me vluchtig aan en bijt op haar volle onderlip.

Shit! Waarom zie ik nu pas hoe uitnodigend die mond is?

'S-Sorry, ik doe dit niet zo vaak.'

Dat zie ik, schatje, maar dat kan me nu geen ruk schelen omdat ik mijn ogen niet van je mond af kan houden.

'Neem alle tijd die u nodig heeft, mevrouw Steele.' Ik heb nog iets meer tijd nodig om mijn gedachten op orde te krijgen.

Grey... ophouden. Nu.

'Vindt u het goed als ik uw antwoorden opneem?' vraagt ze met een open en hoopvolle blik.

Ik schiet bijna in de lach. 'En dat vraag je pas nadat je zo veel moeite hebt gedaan om die recorder aan de praat te krijgen?'

Ze knippert met haar ogen, die heel even groot en wazig worden en ik word overmand door een onbekend schuldgevoel.

Wees toch niet zo'n klootzak, Grey. 'Ja, dat is goed.' Die blik in haar ogen wil ik niet op mijn geweten hebben.

'Heeft Kate, ik bedoel, mevrouw Kavanagh, verteld waarom we u willen interviewen?'

'Ja, voor een artikel in het afstudeernummer van het universiteits-blad, omdat ik de ceremonie van de buluitreiking dit jaar met een lezing open.' Waarom ik me dáár verdomme voor heb laten strik-ken, weet ik niet. Sam van pr beweert dat de vakgroep milieukunde van WSU publiciteit nodig heeft voor de werving van fondsen die in omvang in de buurt komen van mijn eigen donatie aan hen. Sam doet de gekste dingen voor media-aandacht.

Mevrouw Steele knippert weer met haar ogen alsof dit voor haar volslagen nieuw is en ze kijkt afkeurend. Heeft ze zich dan niet in-gelezen voor dit interview? Dit had ze moeten weten. Die gedachte bekoelt mijn enthousiasme enigszins. Het is... een afknapper. Niet wat ik verwacht van iemand die mijn tijd in beslag neemt.

'Fijn. Ik heb wat vragen, meneer Grey.' Ze strijkt een haarlok ach-ter haar oor, waardoor ik mijn ergernis weer vergeet.

'Dat dacht ik al,' zeg ik droogjes. Laat haar maar kronkelen. Dat doet ze ook even, maar dan gaat ze rechtop zitten en recht ze haar tengere schouders. Ze buigt voorover, drukt op de opnameknop van de recorder en fronst haar wenkbrauwen terwijl ze haar kreukelige aantekeningen bekijkt.

'U hebt op erg jonge leeftijd al een enorm imperium opgebouwd. Waar hebt u uw succes aan te danken?'

Kon ze echt niks beters verzinnen? Wat een saaie vraag. Geen greintje originaliteit. Teleurstellend. Ik dreun mijn gebruikelijke ant-woord op over de fantastische mensen die voor me werken. Mensen die ik vertrouw, voor zover ik überhaupt iemand vertrouw, en die ik goed betaal – bla bla bla... Maar, mevrouw Steele, eigenlijk komt het erop neer dat ik geweldig goed ben in wat ik doe. Voor mij is het een eitje. Noodlijdende, slecht geleide bedrijven opkopen en weer op de rails zetten. Een paar houd ik er, maar als ze echt niet te red-den zijn, koppel ik de goedlopende delen los om ze aan de hoogste bieder te verkopen. Dat is gewoon een kwestie van het verschil zien tussen die twee, en dat ligt altijd aan degenen die de leiding hebben. Om te slagen in het bedrijfsleven heb je goede mensen nodig, en ik heb meer mensenkennis dan gemiddeld.

'Misschien hebt u gewoon mazzel gehad,' zegt ze rustig.

Mazzel? Een siddering van ergernis trekt door me heen. *Mazzel?* Waar haalt ze het lef vandaan? Ze ziet er wel bescheiden en rustig uit, maar deze vraag? Niemand heeft ooit gesuggereerd dat ik mazzel had. Hard werken, de juiste mensen uitkiezen, ze goed in de gaten houden en zo nodig hun gangen laten nagaan. En als ze hun werk niet aankunnen, ze dumpen. *Dat doe ik en dat doe ik goed. Dat heeft niets met mazzel te maken! M'n reet.* Ik vertel breedsprakig en citeer de woorden van Andrew Carnegie, mijn favoriete grootindustrieel. 'De groei en ontwikkeling van mensen is de hoogste roeping van het leiderschap.'

'U klinkt als een controlfreak,' zeg ze met een volstrekt serieus gezicht.

Tering! Misschien doorziet ze me echt.

'Controle' is mijn tweede natuur, lieverd.

Ik probeer haar met een vernietigende blik te intimideren. 'O, ik hou alles altijd strak in de hand, mevrouw Steele.' En jou zou ik ook wel eens strak in de hand willen houden. Hier. En nu.

Die aantrekkelijke blos verspreidt zich weer over haar gezicht en ze bijt weer op haar lip. In een poging mezelf van haar mond af te leiden, klets ik een eind weg.

'Immense macht verwerf je bovendien door jezelf er in je geheime mijmeringen van te overtuigen dat je een geboren heer en meester bent.'

'Vindt u dat u immense macht bezit?' vraagt ze op een zachte, rustige toon, maar met een blik die haar afkeuring duidelijk maakt trekt ze een wenkbrauw op. Probeert ze me op te jutten? Word ik nou pissig om haar vragen, om haar kapsones of om het feit dat ik haar aantrekkelijk vind? Mijn ergernis groeit.

'Ik heb meer dan veertigduizend mensen in dienst. Dat brengt een zekere mate van verantwoordelijkheid met zich mee, macht, als je het zo wilt noemen. Als ik op telecommunicatie uitgekeken raak en de hele handel verkoop, hebben twintigduizend mensen binnen een paar maanden moeite om hun hypotheek te betalen.'

Haar mond valt open als ze dat hoort. Dat lijkt er meer op. *Steek die maar in je zak, schatje.* Ik begin mijn evenwicht te hervinden.

'Hebt u geen raad van bestuur waaraan u verantwoording moet afleggen?'

'Dit is mijn eigen bedrijf. Ik hoef aan niemand verantwoording af te leggen.' Dat hoort ze te weten.

'En hebt u interesses buiten uw werk?' gaat ze haastig verder, als ze mijn reactie heeft gepeild. Ze beseft dat ik chagrijnig ben en om een of andere reden bevalt dat me wel.

'Ik heb allerlei interesses, mevrouw Steele. Heel uiteenlopende interesses.' Ik zie flitsen van haar, in allerlei standjes in mijn speelkamer: vastgeketend aan het kruis, met gespreide armen en benen aan het hemelbed vastgebonden, voorover gelegd op mijn geselbank. En kijk eens aan – daar zijn de blosjes weer. Het is net een afweermechanisme.

'Maar als u zo hard werkt, wat doet u dan om te relaxen?'

'Relaxen?' Uit haar intelligente mond klinkt dat woord vreemd, maar ook grappig. Bovendien, wanneer heb ik tijd om te relaxen? Ze heeft geen idee wat ik doe. Maar ze kijkt me weer aan met die argeloze, grote ogen en tot mijn verrassing merk ik dat ik over haar vraag nadenk. *Wat doe ik om te relaxen?* Zeilen, vliegen, neuken... de grenzen van aantrekkelijke brunettes verkennen en ze temmen... Die gedachte zorgt dat ik opnieuw moet verzitten in mijn stoel, maar ik geef neutraal antwoord, hoewel ik een paar hobby's verzwijg.

'U investeert in goederenproductie. Waarom uitgerekend daarin?'

'Ik bouw graag dingen. Ik wil graag weten hoe dingen functioneren: hoe het mechanisme blijft draaien, hoe je iets in elkaar zet en uit elkaar haalt. En ik heb een voorliefde voor schepen. Wat valt daar verder nog over te zeggen?' Ze vervoeren voedsel naar alle uithoeken van de wereld.

'Dat klinkt alsof u uw hart laat spreken en niet van feiten en logica uitgaat.'

Hart? Ik? O nee, lieverd.

Mijn hart is heel lang geleden kapotgemaakt tot er niets herkenbaars van overbleef. 'Misschien. Al zijn er mensen die zouden beweren dat ik geen hart heb.'

'Waarom zouden ze dat denken?'

'Omdat ze me goed kennen.' Ik kijk haar spottend aan. Eigenlijk kent niemand me heel goed, behalve Elena misschien. Ik vraag me af wat zij van deze mevrouw Steele zou vinden. Het meisje is een en al tegenstrijdigheid: verlegen, onhandig, duidelijk intelligent en enorm opwindend.

Goed dan. Ik geef het toe. Ik vind haar fascinerend.

Ze stelt de volgende vraag zonder naar haar aantekeningen te kijken. 'Zouden uw vrienden zeggen dat u gemakkelijk te doorgronden bent?'

'Ik ben erg op mezelf. Ik doe mijn uiterste best om mijn privacy te beschermen. Ik geef niet vaak interviews.' Door wat ik doe en door het leven dat ik heb gekozen, heb ik privacy nodig.

'Waarom nu dan wel?'

'Omdat ik een begunstiger van de universiteit ben en eerlijk gezegd kon ik mevrouw Kavanagh maar niet van me afschudden. Ze bleef mijn pr-mensen maar lastigvallen en dat soort koppigheid bewonder ik.' Maar ik ben blij dat jij bent komen opdagen, en niet zij.

'U investeert ook in landbouwtechnologie. Waar komt die interesse vandaan?'

'Geld kun je niet eten, mevrouw Steele, en er zijn te veel mensen op deze planeet die niet genoeg te eten hebben.'

'Dat lijkt wel heel erg op liefdadigheid. Is dat een passie van u? Uw hongerige medemens te eten geven?' Ze bekijkt me met een peinzende blik, alsof ik een raadsel ben, maar mijn zwarte ziel laat ik haar heus niet zien. Dat is geen gespreksonderwerp. *Korte metten, Grey.*

'Het is een berekenende branche,' mompel ik zogenaamd verveeld en ik stel me voor dat ik die mond neuk om de gedachte aan hongersnood van me af te schudden. Ja, haar mond heeft wat training nodig en ik stel me haar voor terwijl ze op haar knieën voor me zit. Dat is nog eens een aanlokkelijke gedachte.

Ze leest haar volgende vraag voor en sleurt me uit mijn fantasie.

'Hebt u een levensfilosofie? En zo ja, wat is die dan?'

'Ik heb niet echt een levensfilosofie. Misschien een leidraad, die van Carnegie: "Een man die het vermogen ontwikkelt om volledig bezit van zijn eigen geest te nemen, mag al het andere waarop hij recht heeft in bezit nemen." Ik ben erg eigenzinnig en gedreven. Ik hou van controle – over mezelf en over de mensen om me heen.'

'Dus u wilt dingen bezitten?'

Ja, schatje. Jou, bijvoorbeeld. Ik frons mijn wenkbrauwen. De gedachte laat me schrikken.

'Dat moet ik dan wel eerst verdienen. Maar inderdaad, uiteindelijk wil ik ze bezitten.'

'U klinkt als de ultieme consument.' In haar stem klinkt afkeuring door, wat me weer pissig maakt.

'Dat ben ik ook.'

Ze klinkt als een rijkeluiskind dat altijd krijgt wat ze wil, maar als ik haar kleren eens goed bekijk, zie ik dat ze die bij goedkope winkels zoals Old Navy of H&M koopt, dus dat klopt niet. Ze komt niet uit een rijk gezin.

Ik zou je echt alles kunnen geven.

Verdomme, waar komt die gedachte vandaan?

Hoewel, nu ik erbij nadenk heb ik wel een nieuwe Onderdanige nodig. Dat met Susannah is al, hoelang – twee maanden geleden? En nu zit ik hier te kwijlen door deze vrouw. Ik zet een vriendelijke glimlach op. Met consumeren is niets mis, dat stuwt de laatste brokstukken van de Amerikaanse economie tenslotte voort.

'U bent geadopteerd. In hoeverre heeft dat u gevormd tot wie u nu bent?'

Wat heeft dat te maken met de olieprijs? Wat een bespottelijke vraag. Als ik bij de crackhoer was gebleven, was ik nu waarschijnlijk dood geweest. Ik poeier haar met een nietszeggend antwoord af en probeer mijn stem neutraal te houden, maar ze dringt aan en wil weten hoe oud ik was toen ik geadopteerd werd.

Kap haar af, Grey!

Mijn toon wordt ijzig. 'Die informatie is openbaar en zo na te zoeken, mevrouw Steele.'

Dat had ze ook moeten weten. Nu kijkt ze schuldbewust terwijl ze een losgeraakte haarlok achter haar oor strijkt. *Mooi zo.*

'U hebt geen gezin omdat dat niet te combineren is met uw werk.'

'Dat is geen vraag,' snauw ik.

Ze schrikt en is duidelijk gegeneerd, maar heeft het fatsoen om haar excuses aan te bieden en haar vraag opnieuw te formuleren: 'Hebt u moeten kiezen tussen een gezin of uw bedrijf?'

Wat moet ik met een gezin? 'Ik heb al een gezin. Ik heb een broer, een zus en twee lieve ouders. Ik heb niet de behoefte om mijn familie verder uit te breiden.'

'Bent u homo, meneer Grey?'

Wel verdomme!

Ik kan niet geloven dat ze dat hardop heeft gezegd! Ironisch genoeg is het de vraag die zelfs mijn familie niet stelt. Hoe durft ze! Opeens heb ik zin om haar uit haar stoel te sleuren, over mijn knie te leggen, haar er flink van langs te geven en haar dan met haar handen achter haar rug gebonden op mijn bureau te neuken. Dat zou het antwoord op haar bespottelijke vraag zijn. Ik haal diep adem om rustig te worden. Mijn wraaklust zakt een beetje doordat ze zich voor haar eigen vraag lijkt te schamen.

'Nee, Anastasia. Ik ben niet homoseksueel.' Ik trek mijn wenkbrauwen op, maar houd mijn gezicht in de plooi. *Anastasia.* Het is een prachtige naam. De manier waarop mijn tong eromheen rolt bevalt me wel.

'Mijn excuses. Dat is wat hier, eh, staat.' Ze strijkt alwéér haar haren achter haar oor. Blijkbaar een zenuwtrek.

'Zijn dit niet jouw vragen?' vraag ik haar en ze verbleekt. Shit, ze is echt aantrekkelijk, op een soort bescheiden manier.

'Eh... nee. Kate – mevrouw Kavanagh – heeft de vragen opgesteld.'

'Zijn jullie collega's bij het universiteitsblad?'

'Nee. Ze is m'n huisgenote.'

Geen wonder dat ze van de hak op de tak springt. Ik krab aan mijn kin en twijfel erover of ik het haar moeilijk zal maken.

'Heb jij je als vrijwilliger opgeworpen voor dit interview?' vraag ik en word beloond met een onderdanige blik: ze is nerveus over hoe ik zal reageren. Het effect dat ik op haar heb, staat me wel aan.

'Ik ben opgetrommeld. Kate voelde zich niet lekker.' Haar stem is zacht.

'Dat verklaart een hoop.'

Er wordt aangeklopt en Andrea komt binnen.

'Neem me niet kwalijk dat ik stoor, meneer Grey, maar over twee minuten begint uw volgende bespreking.'

'We zijn nog niet klaar, Andrea. Zeg die bespreking maar af.'

Andrea gaapt me aan en ziet er verward uit. Ik staar haar aan. *Eruit! Nu!* Ik ben druk in de weer met mevrouw Steele hier.

'Zoals u wilt, meneer Grey,' zegt ze, zich herpakkend. Ze draait zich om en verdwijnt.

Ik vestig mijn aandacht weer op het intrigerende, frustrerende grietje op mijn bank. 'Waar waren we ook alweer gebleven, mevrouw Steele?'

'Ik wil u niet van uw werk afhouden.'

O nee, schatje. Nu is het mijn beurt. Ik wil weten of er ook geheimen achter dat prachtige gezicht schuilgaan. 'Ik wil meer over jou weten. Dat lijkt me wel zo fair.' Als ik achteroverleun en mijn vingers tegen mijn lippen duw, schiet haar blik naar mijn mond en slikt ze. *Goed zo, het gebruikelijke effect.* Het doet me deugd dat ze niet helemaal blind is voor mijn charmes.

'Er valt niet zoveel te vertellen,' zegt ze met hernieuwde blosjes. Ik intimideer haar. 'Wat zijn de plannen na je afstuderen?'

'Ik heb nog geen plannen gemaakt, meneer Grey. Ik ga me eerst concentreren op mijn laatste tentamens.'

'We hebben hier een uitstekend programma voor trainees.' Wat bezielt me om zoiets te zeggen? Dat is tegen de regels, Grey. Nooit met je personeel neuken... Maar jij neukt niet met dit meisje.

Ze kijkt me verrast aan en duwt haar tanden weer in die onderlip. Waarom is dat zo geil?

'Nou, ik zal het onthouden,' antwoordt ze. 'Maar ik weet niet zeker of ik hier wel zou passen.'

'Waarom denk je dat?' vraag ik. *Wat is er mis met mijn bedrijf?*

'Dat lijkt me toch wel duidelijk, of niet?'

'Voor mij niet.' Ik raak in de war van haar antwoord. Ze is opnieuw van haar stuk gebracht terwijl ze zich vooroverk naar het recordertje buigt.

Shit, ze wil weggaan. In gedachten loop ik mijn agenda van vanmiddag na, maar er is niets wat geen uitstel verdraagt. 'Zal ik je een rondleiding geven?'

'U hebt het vast al druk genoeg, meneer Grey. En ik heb nog een lange rit voor de boeg.'

'Rijd je nu nog terug naar Vancouver?' Ik werp een blik uit het raam. Het is een lange rit en het regent. Ze moet niet gaan rijden met dit weer, maar ik kan het haar niet verbieden. Die gedachte irriteert me. 'Nou, rij voorzichtig dan.' Mijn stem klinkt strenger dan de bedoeling was. Ze morrelt aan de recorder. Ze wil mijn kantoor uit en tot mijn verbazing wil ik niet dat ze gaat.

'Heb je alles wat je nodig had?' vraag ik in een doorzichtige poging om haar langer hier te houden.

'Ja, meneer,' zegt ze rustig. Haar antwoord overrompelt me, zoals die twee woorden klinken uit die intelligente mond. Vluchtig stel ik me voor dat ik de beschikking heb over die mond.

'Bedankt voor het interview, meneer Grey.'

'Het genoegen was geheel aan mijn zijde,' antwoord ik – naar waarheid, want het is lang geleden dat iemand me zo gefascineerd heeft. Die gedachte is verontrustend. Ze staat op en ik steek mijn hand uit, hunkerend naar een aanraking.

'Tot de volgende keer, mevrouw Steele.' Mijn stem is zacht terwijl ze haar hand in de mijne legt. Ja, ik wil dit meisje in mijn speelkamer geselen en neuken. Dat ze vastgebonden naar me snakt... me nodig heeft, me vertrouwt. Ik slik.

Vergeet het maar, Grey.

'Meneer Grey.' Ze knikt en trekt snel haar hand terug, te snel.

Ik kan haar zo niet laten vertrekken. Het is overduidelijk dat ze heel graag weg wil. Dat is irritant, maar als ik de deur van mijn kantoor opendoe, slaat de inspiratie toe.

'Ik zorg even dat u veilig door de deur komt,' zeg ik voor de grap.

Haar lippen vormen een harde lijn. 'Heel attent, meneer Grey,' snauwt ze.

Mevrouw Steele bijt terug! Ik grijns terwijl ze naar buiten loopt en volg haar dan. Zowel Andrea als Olivia kijkt verbluft op. *Ja, ja. Ik laat dat meisje gewoon even uit.*

'Had je een jas bij je?' vraag ik.

'Een jasje.'

Ik werp Olivia een veelbetekenende blik toe en onmiddellijk springt ze op om een marineblauw jasje op te halen. Ze geeft het me met haar gebruikelijke, domme gezichtsuitdrukking aan. Jezus, wat is Olivia toch irritant, altijd maar zwijmelen over mij.

Hm. Het jasje is versleten en goedkoop. Mevrouw Anastasia Steele zou zich beter moeten kleden. Ik houd het voor haar omhoog en terwijl ik het over haar smalle schouders leg, raak ik de huid onder aan haar nek aan. Ze verstijft bij het contact en wordt bleek.

Ja! Ze reageert op me. Dat bevalt me wel. Ik slenter naar de lift en druk op het knopje terwijl ze zenuwachtig naast me staat.

O, die zenuwen kan ik wel tot bedaren brengen, schatje.

De deuren schuiven open en ze stapt haastig naar binnen, waarna ze zich naar me omdraait. Ze is niet alleen aantrekkelijk, ik durf zelfs te beweren dat ze mooi is.

'Anastasia,' zeg ik ter afscheid.

'Christian,' antwoord ze met zachte stem. En de liftdeuren gaan dicht. Mijn naam blijft in de lucht tussen ons in hangen. Het klinkt vreemd en onbekend, maar geweldig sexy.

Ik moet meer over dit meisje te weten komen.

'Andrea,' blaf ik terwijl ik terugloop naar mijn kantoor. 'Bel Welch voor me. Nu meteen.'

Ik ga achter mijn bureau zitten, wacht op het telefoontje en kijk naar de schilderijen aan de muur van mijn kantoor. De woorden van mevrouw Steele komen weer in me op. *'Ze tillen het gewone naar een buitengewoon niveau.'* Alsof ze een beschrijving van zichzelf gaf.

Mijn telefoon gaat. 'Ik heb meneer Welch voor u.'

'Verbind hem maar door.'

'Goed, meneer.'

'Welch, ik wil dat je een doopceel voor me licht.'

Zaterdag 14 mei 2011

ANASTASIA ROSE STEELE
Geboren: 10 september 1989, Montesano, Washington
Adres: 1114 sw Green Street, Appartement 7, Haven Heights, Vancouver, Washington 98888
Mobiel tel.nr.: 360-959-4352
Burgerservicenummer: 987-65-4320
Bank: Wells Fargo Bank, Vancouver, Washington: Rekeningnr.: 309361: $683,16 saldo
Beroep: Student wsu Vancouver College of Arts and Sciences, studierichting Engels
Gemiddeld cijfer: 9
Vooropleiding: Montesano Jr. Sr. High School
SAT-score: 2150
Dienstbetrekking: Clayton's IJzerhandel, nw Vancouver Drive, Portland, Oregon (parttime)
Vader: Franklin A. Lambert, geboren 1 sept. 1969, overleden 11 sept. 1989
Moeder: Carla May Wilks Adams, geboren 18 jul. 1970
gehuwd met Frank Lambert 1 mrt. 1989, weduwe: 11 sept. 1989
gehuwd met Raymond Steele 6 jun. 1990, scheiding: 12 jul. 2006
gehuwd met Stephen M. Morton 16 aug., 2006, scheiding: 31 jan. 2007
gehuwd met Bob Adams 6 apr. 2009
Politieke voorkeur: Niet gevonden
Godsdienst: Niet gevonden
Seksuele geaardheid: Onbekend
Relaties: Niet gevonden

Ik bestudeer het beknopte verslag voor de honderdste keer sinds ik het twee dagen geleden heb gekregen, om wat meer inzicht te krijgen in de raadselachtige mevrouw Anastasia Rose Steele. Ik kan dat meisje niet uit mijn hoofd zetten en dat begint me flink te irriteren. In de afgelopen week, en dan vooral tijdens saaie besprekingen, blijf ik het interview steeds opnieuw in mijn hoofd afspelen. Haar vingers die morrelden aan het recordertje, de manier waarop ze een haarlok achter haar oor streek, het gebijt op haar lip. Ja. Dat bijten blijft me raken.

Nu zit ik in mijn geparkeerde auto voor Clayton's, een familiebedrijf in doe-het-zelfartikelen aan het randje van Portland, waar ze werkt. *Je bent een idioot, Grey. Waarom ben je hier?* Ik wist dat het hierop uit zou lopen. De hele week... Ik wist dat ik haar weer wilde zien. Dat wist ik vanaf het moment dat ze in de lift mijn naam uitsprak. Ik heb nog geprobeerd om het te weerstaan. Ik heb vijf dagen, vijf saaie dagen, gewacht om te kijken of ik haar zou vergeten. *En ik wacht nooit. Ik haat wachten... op wat dan ook.*

Ik heb nog nooit eerder op een vrouw gejaagd. De vrouwen die ik heb gehad, begrepen wat ik van hen verwachtte. Ik ben bang dat mevrouw Steele gewoon te jong is en geen interesse heeft in wat ik te bieden heb. *Of toch wel?* En zou ze wel een goede Onderdanige kunnen worden? Ik schud mijn hoofd. Daar zit ik dan, als een idioot, op een parkeerplaats in een deprimerend deel van Portland.

Haar doopceel heeft weinig opmerkelijks opgeleverd – behalve het laatste feit, dat maar door mijn hoofd blijft spoken. Dat is de reden waarom ik hier ben. *Waarom geen vriendje, mevrouw Steele?* Seksuele geaardheid onbekend – misschien is ze wel lesbisch. Ik glimlach spottend, want dat lijkt me sterk. Ik denk terug aan de vraag die ze tijdens het interview stelde, haar intense schaamte, de bleekroze blos op haar huid... Sinds ik haar heb ontmoet ga ik onder dat soort geile gedachten gebukt.

Daarom ben je hier.

Ik kan niet wachten om haar weer te zien. Die blauwe ogen achtervolgen me, zelfs in mijn dromen. Ik heb het niet met Flynn over haar gehad en daar ben ik blij om, want op dit moment gedraag ik me als een stalker. *Misschien moet ik het hem toch maar vertellen.* Nee. Ik wil niet dat hij me bestookt met zijn oplossingsgerichte therapieshit. Ik heb alleen wat afleiding nodig en op dit moment wil ik alleen worden afgeleid door één bepaalde verkoopster in een ijzerhandel. Je bent hier nu helemaal naartoe gereden. Laten we eens kijken of die mevrouw Steele net zo aantrekkelijk is als in je herinnering. *En nu eropaf, Grey.*

Er klinkt een saaie elektronische zoemtoon als ik de winkel binnen ga. De zaak is veel groter dan je aan de buitenkant kunt zien en ook al is het bijna lunchtijd, het is erg rustig voor een zaterdag. Gangpad na gangpad staat vol met de zooi die je hier verwacht. Ik was de mogelijkheden die een ijzerhandel aan iemand zoals ik biedt haast vergeten. Wat ik nodig heb koop ik meestal online, maar nu ik hier toch ben, kan ik net zo goed wat spullen halen: klittenband, sleutelhangerringen – *Ja.* Ik ga op zoek naar de verrukkelijke mevrouw Steele. Dit wordt vast leuk.

Na drie seconden zie ik haar al. Ze leunt voorover op de toonbank, staart naar een computerscherm en eet intussen haar lunch, een bagel. Verstrooid veegt ze een kruimel van haar mondhoek naar haar lippen en zuigt ze op haar vinger. Als reactie gaat er een schokje door mijn lid.

Hoe oud ben ik nou eigenlijk, veertien?

De reactie van mijn lichaam is irritant. Misschien komt daar een einde aan als ik haar vastketen, neuk en afros... in welke volgorde dan ook. *Ja. Dat heb ik echt nodig.*

Ze is volledig verdiept in haar werk en daardoor krijg ik de gelegenheid om haar eens goed te bestuderen. Ook zonder geile bijgedachten is ze aantrekkelijk, echt aantrekkelijk. Ik heb het goed onthouden.

Ze kijkt op en verstart. Het is net zo spannend als de eerste keer dat ik haar zag. Ze staart me indringend aan, verbluft, denk ik. Ik weet niet of dat een goed of een slecht teken is.

'Mevrouw Steele. Wat een aangename verrassing.'

'Meneer Grey,' zegt ze hees en onzeker. *Ha, een goed teken.*

'Ik was in de buurt. Ik moest mijn voorraad eens aanvullen. Wat fijn u weer te zien, mevrouw Steele.' *Heel erg fijn.* Ze draagt een strak T-shirt en een spijkerbroek, niet die vormeloze troep die ze begin deze week droeg. Ze heeft lange benen, een slanke taille en volmaakte tieten. Haar mond staat nog halfopen van verrassing en ik moet me beheersen om haar kin niet omhoog te duwen en haar mond dicht te doen. Ik heb een vlucht uit Seattle genomen om jou te bekijken, en nu je er zo uitziet, is dat ook echt de moeite van de reis waard. 'Ana. Ik heet Ana. Waar kan ik u mee van dienst zijn, meneer Grey?' Ze haalt diep adem, recht haar schouders net als tijdens het interview en schenkt me een nepglimlach die alleen voor klanten is bestemd, dat weet ik zeker.

Uitdaging aangenomen, mevrouw Steele.

'Ik heb een paar dingen nodig. Om te beginnen wil ik graag een paar kabelbinders.'

Mijn vraag overvalt haar. Ze ziet er verbijsterd uit.

O, dit wordt leuk. Je zou versteld staan van wat ik allemaal met een paar kabelbinders kan doen, schatje.

'We hebben verschillende lengtes op voorraad. Wilt u ze zien?' zegt ze zodra ze een beetje is bijgekomen.

'Graag. Gaat u voor, mevrouw Steele.'

Ze komt achter de toonbank vandaan en gebaart naar een van de gangpaden. Ze draagt gympen. Ik vraag me even af hoe ze eruit zou zien met naaldhakken. Louboutins... alleen Louboutins.

'Ze liggen bij de elektrische apparaten, gangpad acht.' Haar stem trilt even en ze bloost...

Ik heb *echt* vat op haar. Er flakkert een vonkje hoop op.

Ze is dus niet lesbisch. Ik grijns.

'Na u.' Ik gebaar dat ze voorop moet gaan. Als ze voor me loopt, heb ik genoeg afstand en tijd om haar prachtige kont te bewonderen. Haar lange, dikke paardenstaart zwaait als een metronoom heen en weer op de maat van de lichte deining van haar heupen. Ze heeft het allemaal: lief, beleefd en mooi, met alle lichamelijke kenmerken die ik bij een Onderdanige waardeer. Maar de hamvraag is of ze ook mijn Onderdanige kan zijn. Waarschijnlijk weet ze niets over die manier van leven – mijn manier van leven – maar ik wil haar er graag kennis mee laten maken. *Je loopt op de zaken vooruit, Grey.*

'Bent u voor zaken in Portland?' vraagt ze, waarmee ze mijn gedachtegang onderbreekt. Haar stem is hoog, ze probeert te doen alsof ik haar koud laat. Ik schiet bijna in de lach. Vrouwen maken me zelden aan het lachen.

'Ik heb een bezoek gebracht aan de landbouwafdeling van de universiteit. Die zit in Vancouver,' lieg ik. *Eigenlijk ben ik hier alleen om jou op te zoeken, mevrouw Steele.*

Ze kijkt teleurgesteld en ik voel me een klootzak. 'Ik financier op dit moment een onderzoek dat zij doen naar gewasrotatie en bodemwetenschap.' Dat is tenminste wel waar.

'Hoort dat bij uw plan om het wereldvoedselprobleem op te lossen?' Ze trekt geamuseerd een wenkbrauw op.

'Zoiets, ja,' prevel ik. *Lacht ze me uit?* O, dat zou ik heel graag afkappen. Maar hoe pak ik dat aan? Misschien met een etentje in plaats van het gebruikelijke sollicitatiegesprek... dát zou nog eens iets nieuws zijn: een kandidate mee uit eten nemen.

We komen aan bij de kabelbinders, die op lengte en kleur gerangschikt zijn. Verstrooid laat ik mijn vingers over de pakjes glijden. *Ik zou haar gewoon mee uit eten kunnen vragen.* Als date? Zou ze daar op ingaan? Als ik een blik op haar werp, is ze haar verstrengelde vingers aan het bekijken. Ze durft me niet aan te kijken... dat is veelbelovend. Ik kies de langere kabelbinders. Die zijn tenslotte het bruikbaarst, want je kunt er in één keer twee enkels en twee polsen mee vastbinden.

'Deze zijn wel geschikt.'

'Verder nog iets?' vraagt ze snel. Of ze is enorm behulpzaam, óf ze wil me de winkel uit hebben, een van de twee.

'Ik heb nog afplaktape nodig.'

'Bent u aan het schilderen?'

'Nee, dat niet.' *O, je moest eens weten...*

'Loop maar mee,' zegt ze. 'Afplaktape ligt op de schilderafdeling.'

Kom op, Grey. Je hebt niet veel tijd meer. Begin een soort gesprek met haar. 'Werkt u hier al lang?' Natuurlijk weet ik het antwoord al. Sommige mensen trekken niets na, maar ik wel. Om een of andere reden voelt ze zich opgelaten. Jezus, wat is dat meisje verlegen. Ik maak geen schijn van kans. Ze draait zich snel om en loopt door het gangpad naar een afdeling met het bordje SCHILDEREN. Ik volg haar maar al te graag, als een jong hondje.

'Vier jaar,' mompelt ze terwijl we bij de afplaktape blijven staan. Ze bukt en pakt twee rollen van verschillende breedtes.

'Die wil ik.' Bredere tape is veel effectiever om een mond af te plakken. Als ze me de rol aangeeft, raken onze vingertoppen elkaar even. Het trilt door tot in mijn kruis. *Verdomme!* Ze verbleekt. 'Anders nog iets?' Haar stem is zacht en hees. *Jezus, ik heb hetzelfde effect op haar als zij op mij. Misschien...* 'Wat touw, denk ik.' 'Dan moeten we hierheen.' Ze loopt haastig een gangpad in, zodat ik weer de kans heb om haar prachtige kont te bekijken. 'Welke soort zoekt u? We hebben synthetisch en natuurlijk vezeltouw... gevlochten touw... kabeltouw...'

Shit – hou op. Ik kreun inwendig en verzet me tegen het beeld van Anastasia, hangend aan het plafond van mijn speelkamer.

'Ik wil graag vierenhalve meter natuurlijk vezeltouw.' Dat is ruwer en schuurt meer als je je eruit probeert los te wurmen... mijn favoriete soort touw.

Haar vingers trillen even, maar ze meet heel professioneel vierenhalve meter af. Ze haalt een stanleymes uit haar rechterzak, snijdt het touw met een snelle beweging door, rolt het strak op en zet het vast met een schuifknoop. Indrukwekkend.

'Ben je vroeger padvinder geweest?'

'Georganiseerde groepsactiviteiten zijn niet echt mijn ding, meneer Grey.'

'Wat is jouw ding dan wel, Anastasia?' Haar pupillen worden groter terwijl ik haar aanstaar. *Ja!*

'Boeken,' antwoordt ze.

'Wat voor boeken?'

'O, u weet wel. Gewoon. Klassiekers. Vooral Britse literatuur.'

Britse literatuur? De gezusters Brontë en Austen, durf ik te wedden. Al die romantische types met hartjes en bloemetjes.

Geen goed teken.

'Hebt u nog iets anders nodig?'

'Dat weet ik niet. Wat kun je me aanraden?' Ik wil haar reactie zien.

'Voor een doe-het-zelver?'

Ik schiet bijna in de lach. *O, schatje, doe-het-zelven is niks voor mij.* Ik beheers me en knik. Haar ogen vliegen over mijn lichaam en ik raak gespannen. Ze is me aan het keuren!

'Een overall,' flapt ze eruit.

Dat is het verrassendste wat ik heb gehoord sinds haar 'Bent u homo?'-vraag.

'U wilt uw kleren vast niet vernielen.' Ze gebaart naar mijn spijkerbroek.

Ik kan het niet weerstaan. 'Die kan ik natuurlijk ook gewoon uitdoen.'

'Eh.' Ze wordt zo rood als een biet en slaat haar ogen neer. Ik verlos haar uit haar lijden. 'Ik neem wel een overall. Het zou vreselijk zijn als m'n kleding stuk zou gaan.' Zonder iets te zeggen draait ze zich om en loopt ze vastberaden het gangpad in. Ik volg in haar verleidelijke kielzog.

'Verder nog iets?' zegt ze ademloos terwijl ze me een blauwe overall aangeeft. Ze geneert zich en kijkt me nog steeds niet aan. *Jezus, ze raakt me echt.*

'Hoe staat het met het artikel?' vraag ik in de hoop dat ze een beetje ontspant.

Ze kijkt op en glimlacht kort en opgelucht naar me. *Eindelijk.*

'Ik ben niet degene die het stuk schrijft, dat doet Katherine. Mevrouw Kavanagh. Mijn huisgenote is de schrijfster. Ze is er erg blij mee. Ze is redacteur van het universiteitsblad en ze was er kapot van dat ze het interview niet zelf kon doen.'

Dat is de langste zin die ze sinds ik haar ken heeft uitgesproken en ze praat over een ander, niet over zichzelf. *Interessant.*

Voor ik iets kan zeggen, voegt ze eraan toe: 'Ze had alleen nog graag wat nieuw fotomateriaal van u willen hebben.'

De hardnekkige mevrouw Kavanagh wil foto's hebben. Promotiemateriaal zeker? Dat gaat wel lukken. Dat levert me immers meer tijd met de verrukkelijke mevrouw Steele op.

'Wat voor foto's wil ze hebben?'

Ze staart me even aan en schudt dan perplex haar hoofd. Ze weet niet wat ze moet zeggen.

'Nou, ik ben in de buurt. Dus, morgen misschien...' Ik kan wel in Portland overnachten. Vanuit een hotel werken. Een kamer in het Heathman, misschien. Dan laat ik Taylor overkomen, met mijn laptop en wat kleren. Of Elliot – tenzij die weer aan het rondneuken is, zoals altijd in het weekend.

'U bent bereid een fotoshoot te doen?' Ze kan haar verbazing niet verbergen.

Ik knik haar kort toe. *Ja, ik wil meer tijd met jou doorbrengen... Kalm aan, Grey.*

'Daar zal Kate blij mee zijn – als we nog een fotograaf kunnen vinden natuurlijk.' Ze glimlacht en haar gezicht kleurt als een wolkeloze zonsopgang. Ze is adembenemend.

'Laat me maar weten of het morgen kan.' Ik trek mijn portefeuille uit mijn broekzak. 'Mijn visitekaartje. M'n mobiele nummer staat erop. Je moet me dan wel voor tien uur bellen morgenochtend.' En zo niet, dan ga ik terug naar Seattle en vergeet ik deze hele idiote onderneming.

Die gedachte deprimeert me.

'Oké.' Ze glimlacht nog steeds.

'Ana!' We draaien ons allebei om. Helemaal aan het einde van het gangpad staat een jonge man die casual designerkleding draagt. Zijn ogen verslinden mevrouw Anastasia Steele. *Wie is die eikel?*

'Eh, een momentje graag, meneer Grey.' Ze loopt naar hem toe en de klootzak omarmt haar met een gorilla-achtige omhelzing. Het bloed stolt in mijn aderen. Het is een primitieve reactie.

Blijf met je gore poten van haar af.

Ik bal mijn vuisten en kalmeer maar een klein beetje als ze hem niet terug omhelst.

Ze praten op gedempte toon. Misschien klopt het verslag van Welch niet. Misschien is die vent haar vriend. Zo te zien heeft hij er wel de leeftijd voor en hij kan zijn begerige oogjes niet van haar afhouden. Hij pakt haar schouders beet, zet een stapje naar achteren, bestudeert haar en blijft dan met zijn arm om haar schouders staan. Dat lijkt een terloops gebaar, maar ik weet dat hij zijn vlag plant om mij duidelijk te maken dat ik afstand moet houden. Ze lijkt zich te schamen en wipt van de ene voet op de andere.

Shit. Ik moet weg. Ik heb mijn hand overspeeld. Ze heeft iets met die gast. Dan zegt ze weer iets tegen hem en neemt ze afstand. Ze raakt zijn hand niet aan, maar schudt zijn arm van zich af. Het is duidelijk dat ze niets met elkaar hebben.

Mooi.

'Eh, Paul, dit is Christian Grey. Meneer Grey, dit is Paul Clayton.

Zijn broer is de eigenaar van deze zaak.' Ze werpt me een ondoorgrondelijke blik toe die ik niet begrijp en zegt: 'Ik ken Paul al sinds ik hier begon te werken, maar we zien elkaar niet zo vaak. Hij is thuis uit Princeton, waar hij bedrijfskunde studeert.' Ze ratelt maar door en verklaart omstandig dat ze geen relatie hebben, geloof ik. De broer van de baas, geen vriendje. Ik ben opgelucht, maar de hevigheid van mijn opluchting overvalt me, zodat ik mijn wenkbrauwen frons. *Deze vrouw heeft me echt in haar greep.*

'Meneer Clayton,' zeg ik, opzettelijk kortaf.

'Meneer Grey.' Zijn handdruk is slap, net als zijn haar. *Klootzak.*

'Wacht eens – toch niet dé Christian Grey? Van Grey Enterprises Holdings?'

Ja, dat ben ik, eikel.

In luttele seconden zie ik hem van bezitterig naar kruiperig transformeren.

'Wauw, is er iets waar ik u mee kan helpen?'

'Anastasia heeft alles onder controle, meneer Clayton. Ze is erg behulpzaam geweest.' *En nou oprotten.*

'Geweldig,' roept hij overdreven, een en al eerbiedige glimlach. 'Spreek je later, Ana.'

'Oké, Paul,' zegt ze en hij slentert naar de achterkant van de winkel. Ik kijk hem na.

'Hebt u nog iets nodig, meneer Grey?'

'Nee, ik heb alles,' mompel ik. *Shit,* mijn tijd is om en ik weet nog steeds niet of ik haar zal terugzien. Ik moet zeker weten of er ook maar een sprankje hoop is dat ze openstaat voor mijn plannen. Hoe kan ik die aan haar voorleggen? Ben ik wel klaar voor een Onderdanige die van niets weet? Ze heeft heel wat te leren. Ik doe mijn ogen dicht en stel me alle interessante mogelijkheden die dat biedt voor... haar leerschool is al de helft van alle pret. Is ze er wel voor te porren? Of heb ik het helemaal bij het verkeerde eind?

Ze loopt terug naar de toonbank en slaat mijn aankopen aan terwijl ze haar ogen strak op de kassa gericht houdt.

Kijk me aan, verdomme! Ik wil haar gezicht zien om te kunnen peilen wat ze denkt.

Eindelijk kijkt ze dan toch op. 'Dat wordt samen 43 dollar, alstublieft.'

Is dat alles?

'Wilt u er een tasje bij?' vraagt ze terwijl ik haar mijn creditcard aangeef.

'Graag, Anastasia.' Haar naam – een prachtige naam voor een prachtig meisje – ontvouwt zich vloeiend over mijn tong. Ze pakt de spullen snel in. Nu komt het erop aan. Ik moet gaan.

'Bel je me voor de fotoshoot?'

Ze knikt terwijl ze me mijn creditcard teruggeeft.

'Goed. Tot morgen, misschien.' Ik kan niet zomaar vertrekken. Ik moet haar duidelijk maken dat ik interesse heb. 'O – en Anastasia, ik ben blij dat mevrouw Kavanagh het interview niet kon afnemen.' Ze kijkt verrast en gevleid.

Dat is gunstig.

Ik zwaai de tas over mijn schouder en ga de winkel uit. Ja, tegen beter weten in wil ik haar bezitten. Nu moet ik wachten... wachten, verdomme... alweer. Met een wilskracht waar Elena trots op zou zijn, lukt het me om voor me uit te kijken terwijl ik mijn mobiele telefoon uit mijn zak haal en in de huurauto stap. Ik kijk opzettelijk niet naar haar om. Ik kijk niet. Ik kijk niet. Mijn ogen schieten naar de achteruitkijkspiegel, waarin ik de winkeldeur kan zien, maar alleen de ouderwetse gevel is in beeld. Ze staat niet in de etalage naar me te staren.

Wat een teleurstelling.

Ik druk op de eerste sneltoets en nog voordat ik de telefoon heb horen overgaan, neemt Taylor op.

'Meneer Grey,' zegt hij.

'Reserveer een kamer bij het Heathman. Ik logeer dit weekend in Portland. Breng je me mijn wagen, mijn computer en de papieren die eronder liggen, plus een stuk of twee setjes kleren?'

'Goed, meneer. En Charlie Tango?'

'Laat Joe haar naar het vliegveld van Portland brengen.'

'Komt voor elkaar, meneer. Ik ben over een uur of drieënhalf bij u.'

Ik hang op en start de auto. Dan moet ik dus een paar uur in Portland stukslaan terwijl ik wacht of dit meisje belangstelling voor me heeft. Wat zal ik eens doen? Een eind wandelen, denk ik. Misschien kan ik deze vreemde begeerte uit mijn systeem krijgen door te lopen.

Er is vijf uur voorbijgegaan, zonder telefoontje van de verrukkelijke mevrouw Steele. Wat had ik me er eigenlijk van voorgesteld? Ik staar door het raam van mijn suite in het Heathman naar de straat. Ik haat wachten. Dat is altijd zo geweest. Hoewel het nu bewolkt is, was het weer tijdens mijn wandeling door Forest Park goed, maar het lopen heeft mijn rusteloosheid niet verholpen. Het irriteert me dat ze me niet belt, maar ik ben vooral boos op mezelf. Het is idioot dat ik hier ben. Wat een tijdverspilling om achter deze vrouw aan te gaan. Wanneer heb ik ooit achter een vrouw aan gezeten?

Grey, beheers je.

Ik zucht en in de hoop dat ik haar oproep heb gemist pak ik mijn telefoon erbij, maar er is niks gebeurd. In elk geval is Taylor aangekomen en heb ik al mijn spullen. Ik begin Barneys rapport over het onderzoek naar grafeen dat zijn afdeling heeft gedaan te lezen, want ik kan hier in alle rust werken.

Rust? Sinds mevrouw Steele mijn kantoor kwam binnenvallen, heb ik geen moment rust gehad.

Als ik opkijk heeft de schemering mijn suite al in grijze schaduwen gehuld. Het vooruitzicht van een nacht in mijn eentje is deprimerend. Terwijl ik bedenk wat ik zal gaan doen, trilt mijn telefoon op het glanzende hout van het bureau en op het display licht een onbekend, maar vaag vertrouwd nummer met de regiocode Washington op. Opeens bonst mijn hart alsof ik net vijftien kilometer heb gerend.

Zou zij het zijn?

Ik neem op.

'Eh... meneer Grey? Met Anastasia Steele.'

Mijn gezicht splijt door een idiote grijns haast in tweeën. *Kijk, kijk.* Een ademloze, nerveuze, bedeesde mevrouw Steele. Mijn avond is gered.

'Mevrouw Steele. Wat fijn om van u te horen.' Ik hoor haar adem stokken en dat geluid zindert rechtstreeks naar mijn kruis.

Geweldig. Ik heb grip op haar. Net zoals zij grip op mij heeft.

'Eh, we willen graag een afspraak maken voor een fotoshoot voor het artikel. Morgen, als dat kan. Welke locatie zou u het beste schikken, meneer?'

In mijn kamer. Alleen jij, ik en de kabelbinders.

'Ik verblijf in Hotel Heathman in Portland. Zullen we om half-tien morgenochtend afspreken?'

'Prima, dan zien we u daar,' roept ze overdreven enthousiast. Ze kan haar opluchting en blijdschap niet verbergen.

'Ik kijk ernaar uit, mevrouw Steele.' Ik hang op voordat ze merkt hoe opgewonden en tevreden ik ben. Achteroverleunend in mijn stoel staar ik naar de skyline in de schemering en haal mijn handen door mijn haar.

Hoe moet ik deze zaak in godsnaam rond krijgen?

Zondag 15 mei 2011

Met Moby keihard in mijn oren ren ik over Southwest Salmon Street in de richting van de Willamette. Het is halfzeven 's ochtends en ik probeer mijn hoofd helder te krijgen. Afgelopen nacht heb ik over haar gedroomd. Blauwe ogen, hese stem... haar zinnen die eindigen op 'meneer' terwijl ze voor me knielt. Sinds ik haar ken wisselen zulke dromen zich met mijn nachtmerries af. Ik vraag me af wat Flynn daarvan zou vinden. Die gedachte brengt me van mijn stuk, dus negeer ik haar en concentreer ik me op mijn lichaam. Langs de oever van de Willamette verg ik het uiterste van mezelf. Terwijl mijn voeten over het pad vliegen, breekt de zon door de wolken en krijg ik weer hoop.

Twee uur later jog ik terug naar het hotel en kom ik langs een koffiehuisje. Misschien moet ik vragen of ze koffie met me wil drinken. *Een date?* Nou, nee. Geen date. Ik schiet in de lach om die idiote gedachte. Gewoon een gesprekje, een soort sollicitatie. Dan kan ik wat meer te weten komen over deze raadselachtige vrouw en haar interesse in mij, of misschien ontdek ik dat dit een hopeloze exercitie is. Ik ben alleen in de lift en strek mijn spieren. De laatste rekoefeningen doe ik in mijn hotelsuite en ik voel me voor het eerst sinds ik in Portland ben evenwichtig en kalm. Het ontbijt staat al klaar en ik ben uitgehongerd. Ik kan hier niet tegen – nooit. Met mijn sportkleren nog aan ga ik aan tafel en besluit voordat ik ga douchen eerst te eten.

Er wordt hard op de deur geklopt. Ik doe open en zie Taylor in de deuropening staan.

'Goedemorgen, meneer Grey.'

'Morgen. Zijn ze klaar voor me?'

'Ja, meneer. Ze hebben alles in kamer 601 voorbereid.'

'Ik ben er zo.' Ik doe de deur dicht en stop mijn overhemd in mijn grijze broek. Mijn haar is nog nat van het douchen, maar dat kan me geen fuck schelen. Na een blik op de louche vent in de spiegel loop ik mijn kamer uit en volg ik Taylor naar de lift.

Kamer 601 staat stampvol mensen, lampen en camerakoffers, maar ik zie haar meteen. Ze staat aan de zijkant van de kamer. Haar haren zijn los, een weelderige, glanzende haardos die tot over haar borsten valt. Ze draagt een strakke spijkerbroek, gympen en een donker-blauw jasje met daaronder een wit T-shirt. Zijn jeans en gympen kenmerkend voor haar? Dat is niet heel handig, maar haar mooie benen komen er goed in uit. Haar blik is ontwapenend als altijd en haar pupillen worden groot als ik dichterbij kom.

'Mevrouw Steele, fijn dat we elkaar weer zien.' Ze pakt mijn uit-gestoken hand en heel eventjes wil ik haar hand een kneepje geven en naar mijn lippen brengen.

Doe niet zo idioot, Grey.

Ze krijgt die heerlijk roze kleur en zwaait naar haar vriendin, die iets te dicht in de buurt staat te wachten tot ik haar aandacht geef.

'Meneer Grey, dit is Katherine Kavanagh,' zegt ze. Met tegenzin laat ik haar hand los en richt ik me tot de volhardende mevrouw Kavanagh. Ze is lang, opvallend en goed gekleed, net als haar vader, maar ze heeft de ogen van haar moeder. Dankzij haar heb ik de ver-rukkelijke mevrouw Steele leren kennen. Die gedachte stemt me iets vriendelijker.

'De beruchte Katherine Kavanagh. Aangenaam. Ik neem aan dat u zich beter voelt? Anastasia vertelde dat u vorige week ziek was.'

'Ik ben weer beter, meneer Grey. Dank u.'

Ze heeft een stevige, zelfverzekerde handdruk en ik betwijfel of ze ooit ook maar één tegenslag in haar bevoorrechte leventje heeft meegemaakt. Ik vraag me af waarom die twee vrouwen vriendinnen zijn. Ze hebben niets gemeen.

'Bedankt dat u hiervoor tijd vrij wilde maken,' zegt Katherine.

'Geen dank,' antwoord ik en kijk vluchtig naar Anastasia, die me met haar veelzeggende blosjes beloont.

Ben ik de enige die haar laat blozen? Die gedachte staat me wel aan.

'Dit is José Rodriguez, onze fotograaf,' zegt Anastasia. Haar gezicht klaart op als ze hem aan me voorstelt.

Shit. Is dit haar vriend?

Rodriguez leeft op door Ana's lieve glimlach.

Zouden die twee het met elkaar doen?

'Meneer Grey.' Rodriguez werpt me een duistere blik toe terwijl we elkaar een hand geven. Het is een waarschuwing. Hij laat weten dat ik afstand moet houden. Hij mag haar. Hij mag haar graag.

Nou, kom maar op, jochie.

'Meneer Rodriguez, waar wilt u mij hebben?' Mijn toon is een uitdaging en dat hoort hij, maar Katherine komt tussenbeide en gebaart naar een stoel. Aha. Ze heeft graag de touwtjes in handen. Met die grappige gedachte ga ik zitten. Een andere man die met Rodriguez lijkt samen te werken, doet de lampen aan. Even ben ik verblind.

Verdomme!

Het felle licht went en ik speur de kamer af naar de beeldschone mevrouw Steele. Ze staat achter in de kamer en kijkt wat er allemaal gebeurt. Trekt ze zich altijd zo verlegen terug? Misschien is dat de reden waarom ze met Kavanagh bevriend is – zij voelt zich prima op de achtergrond en gunt Katherine de schijnwerpers.

Hm... een geboren Onderdanige.

De fotograaf maakt een professionele indruk en gaat helemaal op in het werk dat hem is opgedragen. Ik kijk naar mevrouw Steele terwijl zij ons tweeën gadeslaat. Onze blikken ontmoeten elkaar, de hare oprecht en onschuldig en even denk ik nog eens over mijn plannen na. Maar dan bijt ze op haar lip en stokt mijn adem in mijn keel.

Hou je gemak, Anastasia. Ik zal zorgen dat ze ophoudt met staren en het lijkt wel alsof ze me kan horen, want ze kijkt als eerste weg.

Brave meid.

Katherine vraagt me op te staan terwijl Rodriguez blijft fotograferen. Dan zijn we klaar en moet ik toeslaan.

'Nogmaals bedankt, meneer Grey.' Katherine stormt naar voren en geeft me een hand, gevolgd door de fotograaf, die me met slecht verborgen afkeuring bekijkt. Ik moet glimlachen om zijn vijandigheid.

O, man... je hebt geen idee.

'Ik kijk uit naar het artikel, mevrouw Kavanagh,' zeg ik met een kort, beleefd knikje. Ana is degene die ik wil spreken. 'Loopt u even met me mee, mevrouw Steele?' vraag ik als ik vlak bij de deur ben. 'Ja hoor,' zegt ze verrast.

Pluk de dag, Grey.

Ik mompel iets onbenulligs tegen de achterblijvers in de kamer en neem haar mee de deur uit om wat afstand tussen haar en Rodriguez te scheppen. In de gang staat ze aan haar haren te plukken en dan met haar vingers te friemelen. Taylor komt ook de kamer uit.

'Ik bel je nog, Taylor,' zeg ik en nog voordat hij buiten gehoorsafstand is, vraag ik Ana of ze een kop koffie met me wil drinken en wacht ik met ingehouden adem op haar antwoord.

Haar lange wimpers fladderen over haar ogen. 'Ik moet iedereen naar huis rijden,' zegt ze ontstemd.

'Taylor,' roep ik hem na, zodat ze een sprongetje van schrik maakt. Blijkbaar maak ik haar nerveus en ik weet niet of dat een goed of een slecht teken is. Ze kan niet ophouden met friemelen. De gedachte aan alle manieren waarop ik haar rustig kan krijgen, leidt me af.

'Wonen ze allemaal in de buurt van de universiteit?' Ze knikt en ik vraag Taylor om haar vrienden naar huis te brengen.

'Zo. Kunnen we nu koffie gaan drinken?'

'Eh, meneer Grey, dit is echt...' Ze zwijgt.

Shit. Het is een 'nee'. Het gaat me niet lukken. Ze kijkt me recht aan, met een heldere blik. 'Ziet u, Taylor hoeft hen niet naar huis te brengen. Ik ruil wel van auto met Kate, als u een ogenblikje heeft.'

Mijn opluchting is zo groot dat ik grijns.

Ik heb een date!

Ik doe de deur open en laat haar de kamer weer binnen terwijl Taylor zijn verwarring probeert te verbloemen.

'Ga jij mijn jasje even halen, Taylor?'

'Zeker, meneer.'

Zijn lippen trillen terwijl hij zich omdraait en de gang in loopt. Ik kijk hem met half dichtgeknepen ogen na tot hij in de lift verdwijnt. Ik leun tegen de muur en wacht op mevrouw Steele.

Wat moet ik in godsnaam tegen haar zeggen?

'Hoe lijkt het je om mijn Onderdanige te zijn?'

Nee. Kalmpjes aan, Grey. Laten we dit stap voor stap doen.

Een paar minuten later is Taylor terug met mijn jasje.

'Kan ik u verder nog van dienst zijn, meneer?'

'Nee, dank je.'

Hij geeft me mijn jasje en vertrekt, zodat ik als een idioot alleen in de gang achterblijf.

Hoelang blijft Anastasia nog weg? Ik kijk op mijn horloge. Ze is vast met Katherine aan het overleggen over de autoruil. Of ze legt Rodriguez uit dat ze alleen maar koffie met me gaat drinken om bij me te slijmen en me zoet te houden tot het artikel is geplaatst. Mijn gedachten worden duister. Misschien kust ze hem wel bij het afscheid. *Verdomme.* Even later loopt ze de gang in en ik voel me meteen weer goed. Ze ziet er niet uit alsof ze net is gekust.

'Zo,' zegt ze vastberaden. 'Op naar de koffie.' Maar haar wangen worden rood en halen haar poging om zelfverzekerd over te komen onderuit.

'Na u, mevrouw Steele.' Ik verberg mijn vreugde terwijl ze voor me uit loopt. Dan ga ik naast haar lopen en ben ik toch wel erg nieuwsgierig naar haar vriendschap met Katherine, vooral naar de zaken die ze gemeen hebben. Ik vraag haar hoelang ze elkaar al kennen.

'Sinds ons eerste jaar aan de universiteit. Ze is een erg goede vriendin.' Haar stem klinkt erg warm. Ana is blijkbaar erg loyaal. Ze is helemaal naar Seattle gekomen om me te interviewen toen Katherine ziek was, en ik merk dat ik hoop dat mevrouw Kavanagh haar met dezelfde loyaliteit en hetzelfde respect behandelt.

Bij de liften druk ik op het knopje en vrijwel meteen schuiven de deuren open. Een hartstochtelijk verstrengeld stelletje laat elkaar onmiddellijk los, gegeneerd dat ze betrapt zijn. We negeren hen en stappen de lift binnen, maar ik zie Anastasia guitig glimlachen.

Tijdens het ritje naar de begane grond is de sfeer zwaar van onvervulde begeerte. En ik weet niet of die afkomstig is van het stelletje achter ons of van mij.

Ja. Ik wil haar hebben. Zal ze zin hebben in wat ik haar te bieden heb?

Ik ben opgelucht als de deuren weer openschuiven en ik pak haar hand, die koel is en niet klam, zoals ik had verwacht. Misschien heb ik toch minder vat op haar dan ik zou willen. Die gedachte is ontmoedigend.

Achter ons is het beschaamde gegiechel van het stelletje te horen. 'Wat is dat toch met liften?' prevel ik. En ik moet toegeven dat het ongecompliceerde en naïeve gegiechel eigenlijk erg charmant is. Mevrouw Steele lijkt al net zo onbevangen als zij en terwijl we doorlopen, trek ik mijn motieven opnieuw in twijfel.

Ze is te jong. Ze is te onervaren, maar verdomme, het is fijn om haar hand in de mijne te voelen.

In het koffiehuis laat ik haar een tafeltje uitzoeken en vraag ik wat ze wil drinken. Hakkelend komt de bestelling eruit. Engelse thee – heet water met het theezakje ernaast. Dat is nieuw voor mij.

'Geen koffie?'

'Ik ben niet zo'n koffiemens.'

'Oké, theezakje ernaast. Zoetje?'

'Nee, dank u,' zegt ze met haar blik strak op haar vingers.

'Iets te eten?'

'Nee, dank u.' Ze schudt haar hoofd en gooit haar glanzende, kastanjebruine haren over haar schouder.

Ik moet wachten in de rij terwijl de twee gemoedelijke, oudere vrouwen achter de toonbank flauwe grapjes maken met elke klant. Dat is frustrerend en houdt me van mijn eigenlijke doel af: Anastasia.

'Hé lekker ding, wat zal het zijn?' vraagt de oudere vrouw met een glinstering in haar ogen. *Het is maar een knap gezicht, lieverd.*

'Een koffie met opgeschuimde melk en Engelse thee. Theezakje ernaast. En een bosbessenmuffin.'

Anastasia krijgt misschien toch zin om iets te eten.

'Op bezoek in Portland?'

'Ja.'

'Dit weekend?'

'Ja.'

'Het weer is flink opgeklaard vandaag.'

'Ja.'

'Hopelijk kunt u eropuit om van de zon te genieten.'

Hou alsjeblieft je mond en schiet verdomme een beetje op.

'Ja,' zeg ik met opeengeklemde kaken en ik werp een blik op Ana, die snel de andere kant op kijkt.

Ze kijkt naar me. Is ze me aan het keuren?

Een sprankje hoop zwelt op in mijn borst.

'Alstublieft.' De vrouw knipoogt en zet mijn bestelling op mijn dienblad. 'Afrekenen bij de kassa, lieffie, en een prettige dag verder.'

Het lukt me om hartelijk te antwoorden. 'Bedankt.'

Aan het tafeltje zit Anastasia naar haar handen te staren, denkend aan god weet wat.

Aan mij?

'Waar zit je aan te denken?' vraag ik.

Er gaat een schokje door haar heen en ze wordt rood terwijl ik haar thee en mijn koffie op tafel zet. Ze zwijgt beschaamd. Waarom? Wil ze liever ergens anders zijn?

'Waar denk je aan?' vraag ik weer. Ze pakt het theezakje.

'Dit is mijn lievelingsthee,' zegt ze en ik sla in mijn geheugen op dat ze van Twinings English Breakfast Tea houdt. Ik kijk toe terwijl ze het theezakje in de theepot laat zakken. Het ziet er allemaal bewerkelijk en rommelig uit. Ze vist het zakje er vrijwel meteen weer uit en legt het op haar schoteltje. Mijn lippen trillen van de ingehouden lach. Dan vertelt ze me dat ze thee graag slap en zwart heeft, en eventjes denk ik dat ze beschrijft wat haar aantrekt in een man.

Beheers je, Grey. Ze heeft het over thee.

Genoeg inleidende kletspraat, het is tijd om ter zake te komen. 'Is hij je vriendje?'

Ze fronst haar wenkbrauwen zodat er een kleine v boven haar neus ontstaat.

'Wie?'

Een veelbelovende reactie.

'De fotograaf. José Rodriguez.'

Ze lacht. Om mij.

Om mij!

En ik weet niet of ze lacht van opluchting of omdat ze me grappig vindt. Dat is irritant. Ik krijg maar geen hoogte van haar. Mag ze me nou of niet? Ze zegt dat hij gewoon een vriend van haar is.

O schatje, hij wil duidelijk meer dan gewoon een vriend zijn.

'Waarom dacht u dat we iets hebben?' vraagt ze.

'De manier waarop je naar hem lachte, en hij naar jou.' *Je hebt echt geen idee, hè?* Die jongen is verliefd op je.

'Hij is meer een soort broer voor me,' zegt ze.

Goed, dus de geilheid is eenrichtingsverkeer. Ik vraag me vluchtig af of ze wel beseft hoe mooi ze is. Ze bekijkt de bosbessenmuffin terwijl ik het papiertje eraf haal en even stel ik me voor dat ze op haar knieën naast me zit en ik haar voer, hapje voor hapje. Die gedachte leidt me af – en windt me op. 'Wil je ook een hapje?' vraag ik.

Ze schudt haar hoofd. 'Nee, dank u.' Haar stem is aarzelend en ze staart alweer naar haar handen. Waarom is ze zo nerveus? Komt dat soms door mij?

'En die jongen van gisteren in de winkel? Hij is ook niet je vriendje?'

'Nee. Paul is gewoon een vriend. Dat zei ik gisteren toch ook?' Wederom fronst ze haar wenkbrauwen alsof ze in de war is en ze slaat haar armen afwerend over elkaar. Ze vindt de vragen over die jongens niet fijn. Ik herinner me weer hoe ongemakkelijk ze zich leek te voelen toen die jongen in de winkel zijn arm om haar heen sloeg en haar claimde. 'Waarom vraagt u dat?' voegt ze eraan toe.

'Je lijkt zenuwachtig als er mannen om je heen zijn.'

Haar ogen worden groot. Ze zijn echt prachtig en hebben de kleur van de oceaan bij Cabo, de allerblauwste van alle blauwe zeeën. Daar zou ik haar mee naartoe willen nemen.

Wat? Waar komt dat vandaan?

'U intimideert me,' zegt ze. Ze slaat haar ogen neer en friemelt weer met haar vingers. Aan de ene kant is ze zo onderdanig, maar aan de andere kant is ze... uitdagend.

'Dat is ook de bedoeling.'

Ja. Dat is het echt. Er zijn niet veel mensen met genoeg moed om tegen me te zeggen dat ik hen intimideer. Ze is eerlijk en dat vertel ik haar – maar als ze haar blik afwendt, weet ik niet wat ze denkt. Dat is frustrerend. Mag ze me? Of is ze enkel als offer koffie met me komen drinken, om Kavanaghs interview een duwtje te geven? Welke van de twee?

'Je bent één groot vraagteken voor me, mevrouw Steele.'

'Ik ben een open boek.'

'Ik vind dat je erg gesloten bent.' Zoals elke goede Onderdanige.

'Behalve als je bloost natuurlijk, en dat gebeurt vaak. Ik wil graag ontdekken waarom je zo bloost.' *Zo.* Nu moet ze wel met een antwoord komen. Ik stop een stukje bosbessenmuffin in mijn mond en wacht op antwoord.

'Maakt u altijd van die persoonlijke opmerkingen?'

Zo persoonlijk is dat toch niet? 'Ik besefte niet dat het zo persoonlijk was. Heb ik je beledigd?'

'Nee.'

'Gelukkig.'

'Maar u bent erg autoritair.'

'Ik ben gewend om mijn zin te krijgen, Anastasia. Op elk gebied.'

'Daar twijfel ik niet aan,' mompelt ze en daarna wil ze weten waarom ik haar niet heb gevraagd om me bij mijn voornaam te noemen. *Wat?*

En dan herinner ik me dat ik haar op kantoor naar de lift bracht – en hoe mijn naam klonk uit haar intelligente mond. Heeft ze me doorzien? Zit ze me opzettelijk op te jutten? Ik vertel haar dat niemand mij Christian noemt, behalve mijn familie.

Ik weet niet eens of het mijn echte naam is.

Niet aan denken, Grey.

Ik verander van gespreksonderwerp. Ik wil meer over haar weten.

'Ben je enig kind?'

Ze knippert een paar keer met haar ogen voordat ze antwoordt dat dat dat inderdaad zo is.

'Vertel me eens over je ouders.'

Ze rolt met haar ogen en ik moet me beheersen om haar geen standje te geven.

'Mijn moeder woont in Georgia met haar nieuwe man, Bob. Mijn stiefvader woont in Montesano.'

Natuurlijk weet ik dit allemaal al door het onderzoekje dat Welch heeft gedaan, maar het is belangrijk om het van haar te horen. Haar lippen ontspannen in een liefdevolle glimlach als ze haar stiefvader noemt.

'Je vader?' vraag ik.

'Die stierf toen ik nog een baby was.'

Heel even beland ik recht in mijn eigen nachtmerries en zie ik een lichaam op een smerige vloer liggen. 'Dat is rot,' mompel ik.

'Ik kan me hem niet meer herinneren,' zegt ze, waardoor ik weer terug in het heden ben. Haar blik is helder en opgewekt zodat ik weet dat Raymond Steele een goede vader voor dit meisje is geweest. Haar relatie met haar moeder, daarentegen... dat valt nog te bezien.

'En je moeder is hertrouwd?'

Haar lach is bitter. 'Dat kun je wel zeggen.' Maar ze gaat er niet dieper op in. Ze is een van de weinige vrouwen die ik ken die stilte kunnen verdragen. Dat is fantastisch, maar op dit moment komt het me slecht uit.

'Je geeft het niet gratis weg, of wel?'

'U ook niet,' weert ze af.

O, mevrouw Steele. Uitdaging aangenomen.

Met een tevreden gevoel en een grijns herinner ik haar eraan dat ze mij al heeft geïnterviewd. 'Ik kan me toch een paar heel indringende vragen herinneren.'

Ja. Je vroeg me of ik homoseksueel ben.

Mijn uitspraak heeft het gewenste effect en ze schaamt zich. Ze begint over zichzelf te kletsen en geeft een paar belangrijke details prijs. Haar moeder is onverbeterlijk romantisch. Voor iemand die vier keer getrouwd is, is hoop kennelijk belangrijker dan ervaring. Lijkt ze op haar moeder? Ik kan me er niet toe zetten om het haar te vragen. Als ze zegt dat dat zo is – dan heb ik geen hoop meer. En ik wil niet dat er een einde aan dit gesprek komt. Daarvoor heb ik het te veel naar mijn zin.

Ik vraag naar haar stiefvader en ze bevestigt mijn vermoeden. Het is overduidelijk dat ze van hem houdt. Haar gezicht licht op als ze over hem praat: zijn beroep (hij is timmerman), zijn hobby's (hij houdt van Europees voetbal en van vissen). Toen haar moeder voor de derde keer trouwde, wilde ze liever bij hem blijven wonen.

Interessant.

Ze recht haar schouders. 'Vertel me eens over úw ouders,' vraagt ze, als poging om het gespreksonderwerp bij haar familie vandaan te krijgen. Ik praat niet graag over de mijne, dus geef ik haar de kale feiten.

'Mijn vader is advocaat, mijn moeder kinderarts. Ze wonen in Seattle.'

'Wat doen uw broers en zussen?'

Wil ze het daarover hebben? Ik geef haar het korte antwoord, dat Elliot in de bouw werkt en Mia een koksopleiding in Parijs doet. Ze luistert geboeid. 'Ik hoor dat Parijs mooi is,' zegt ze met een dromerige blik.

'Het is prachtig. Ben je er wel eens geweest?'

'Ik ben nog nooit van het continent af geweest.' Haar stem hapert even, er klinkt spijt in door. Ik zou haar mee kunnen nemen.

'Wil je er graag heen?'

Eerst Cabo, nu weer Parijs? Zorg dat je jezelf in de hand krijgt, Grey.

'Naar Parijs? Natuurlijk. Maar ik wil vooral een keer naar Engeland reizen.'

Haar gezicht straalt opgetogen. Mevrouw Steele wil graag reizen. Maar waarom naar Engeland? Ik vraag het haar.

'Het is het geboorteland van Shakespeare, Austen, de gezusters Brontë, Thomas Hardy. Ik wil de plaatsen zien die die mensen hebben geïnspireerd om zulke geweldige boeken te schrijven.' Het is wel duidelijk dat dit haar eerste liefde is.

Boeken.

Zoiets zei ze gisteren in de ijzerhandel ook al. Dat betekent dat ik concurrentie heb van Darcy, Rochester en Angel Clare, onmogelijk romantische helden. Dat is het bewijs dat ik nodig had. Ze is onverbeterlijk romantisch, net als haar moeder – en dit heeft geen kans van slagen. Om boven op die teleurstelling ook nog een belediging te stapelen, kijkt ze op haar horloge. Ze vindt het welletjes.

Ik heb de zaak niet rond kunnen krijgen.

'Ik kan beter gaan, ik moet nog studeren,' zegt ze.

Ik bied aan om haar terug te brengen naar de auto van haar vriendin, zodat ik tijdens de wandeling de gelegenheid heb om het nog eens te proberen.

Maar moet ik dat wel doen?

'Bedankt voor de thee, meneer Grey,' zegt ze.

'Geen probleem, Anastasia. Graag gedaan.' Terwijl ik die woorden uitspreek, besef ik dat de afgelopen twintig minuten... leuk waren. Met mijn charmantste glimlach die haar gegarandeerd ontwapent, steek ik mijn hand naar haar uit. 'Kom,' zeg ik. Ze pakt mijn hand en terwijl we teruglopen naar het Heathman kan ik het fijne gevoel van haar hand in de mijne maar niet van me afzetten.

Misschien is het toch mogelijk.

'Draag je altijd spijkerbroeken?' vraag ik.

'Meestal wel,' zegt ze. Dat zijn al twee grote nadelen: een onverbeterlijke romantica die alleen spijkerbroeken draagt... ik wil dat mijn vrouwen rokken dragen. Ik wil dat ze toegankelijk zijn.

'Hebt u een vriendin?' vraagt ze vanuit het niets en dat doet de deur dicht. De zaak is van de baan. Ze wil romantiek en dat kan ik haar niet bieden.

'Nee, Anastasia. Ik doe niet aan vriendinnen.'

Met een diepe frons in haar voorhoofd zwenkt ze opeens opzij en struikelt ze de straat op.

'Shit, Ana!' roep ik. Ik moet haar naar me toe trekken om te voorkomen dat ze voor de wielen van een debiele fietser belandt die aan de verkeerde kant van de straat rijdt. Opeens ligt ze in mijn armen en klemt zich vast aan mijn biceps terwijl ze in mijn ogen staart. Haar ogen staan geschrokken en voor het eerst zie ik een donkerder blauwe ring rondom haar irissen – ze zijn prachtig, nog veel mooier van zo dichtbij. Haar pupillen worden groot en ik weet dat ik me in deze blik zou kunnen verliezen om er nooit meer uit te komen. Ze haalt diep adem.

'Gaat het?' Mijn stem klinkt vreemd, als van een afstandje. Ik besef dat ze me aanraakt en het maakt me niet uit. Mijn vingers strelen haar wang. Haar huid is zacht en glad en mijn adem stokt als ik mijn duim over haar onderlip laat gaan. Haar lichaam ligt tegen het mijne aan gedrukt en het gevoel van haar borsten en haar lichaamswarmte door mijn overhemd heen is zo geil. Ze ruikt fris en gezond, een geur die me doet denken aan de appelboomgaard van mijn grootvader. Met mijn ogen dicht haal ik diep adem en sla ik haar geur op in mijn geheugen. Dan doe ik mijn ogen weer open en ze staart nog steeds naar me, vragend, smekend, met haar ogen op mijn mond gericht.

Shit. Ze wil dat ik haar kus.

En dat wil ik zelf ook. Eén keer maar. Haar lippen hangen losjes van elkaar, ontvankelijk, wachtend. Haar mond leek mijn duim te verwelkomen.

Nee. Nee. Nee. Niet doen, Grey.

Dit meisje is niets voor jou.

44

Ze snakt naar hartjes en bloemetjes en jij doet niet aan dat soort shit.

Ik doe mijn ogen dicht om haar af te weren en de verleiding te weerstaan en als ik ze weer opendoe, staat mijn besluit vast. 'Anastasia,' fluister ik, 'je moet bij me uit de buurt blijven. Ik ben niet de man voor jou.'

De kleine v verschijnt weer tussen haar wenkbrauwen en volgens mij haalt ze geen adem.

'Ademen, Anastasia, ademen.' Ik moet haar loslaten voordat ik iets stoms doe, maar het verbaast me dat ik dat met tegenzin doe. Ik wil haar nog eventjes vasthouden. 'Ik help je staan en daarna laat ik je los.' Ik zet een stap naar achteren en ze laat me los. Haar blik wordt dof van vernedering. Ze schaamt zich omdat ik haar afwijs.

Verdomme, ik had je niet willen kwetsen.

'Het gaat wel,' zegt ze. De teleurstelling klinkt door in haar stem. Ze is beleefd en afstandelijk, maar schudt mijn handen niet van haar schouders af. 'Dank je,' zegt ze.

'Waarvoor?'

'Dat je me hebt gered.'

Ik wil haar vertellen dat ik haar red, uit mijn eigen klauwen... dat dat een nobel gebaar is, maar dat wil ze niet horen. 'Die idioot reed tegen de richting in. Ik ben blij dat ik er was. Ik wil er niet aan denken wat er met je had kunnen gebeuren.' Nu ben ik degene die maar een eind weg kletst en ik kan haar nog steeds niet loslaten. Ik bied aan om even samen met haar in het hotel te gaan zitten zodat ze kan bijkomen, maar ik weet dat dat alleen een truc is om haar langer bij me te houden. Dan pas kan ik haar loslaten.

Ze schudt haar hoofd, houdt haar rug kaarsrecht en slaat haar armen in een beschermend gebaar om zichzelf heen. Even later rent ze naar de overkant van de straat en moet ik snel zijn om haar bij te kunnen houden.

Bij het hotel aangekomen draait ze zich om en kijkt ze me weer aan, met haar gezicht weer in de plooi. 'Bedankt voor de thee en de fotoshoot.' Haar blik is neutraal en ik heb even buikpijn van spijt.

'Anastasia... ik...' Ik weet niet wat ik moet zeggen, behalve dat het me spijt.

'Wat, Christian?' snauwt ze.

Ho! Ze is boos op me en spreekt elke lettergreep van mijn naam met maximale minachting uit. Dat is nieuw voor me. En ze vertrekt. En ik wil niet dat ze weggaat. 'Veel succes met je tentamens.' Haar ogen glanzen van vernedering en verontwaardiging. 'Bedankt,' mompelt ze met verachting in haar stem. 'Tot ziens, meneer Grey.' Ze draait zich om en loopt resoluut in de richting van de ondergrondse garage. Ik kijk haar na in de hoop dat ze nog een keer omkijkt, maar dat doet ze niet. Ze verdwijnt het gebouw in en laat me bedroefd achter, met de herinnering aan haar prachtige blauwe ogen en de geur van een appelboomgaard in de herfst.

Donderdag 19 mei 2011

'Nee!'

Mijn schreeuw weerkaatst tegen de wanden van de slaapkamer en wekt me uit mijn nachtmerrie. Het zweet druipt van me af. Ik heb de geur van verschaald bier, sigaretten en armoede nog in mijn neus en voel een zweem van angst voor dronken geweld. Ik ga rechtop zitten, pak mijn hoofd beet en probeer mijn bonkende hartslag en schokkerige ademhaling onder controle te krijgen. Dit gaat nu al vier nachten zo. Ik werp een blik op de wekker. Het is drie uur.

Ik heb morgen twee belangrijke vergaderingen... vandaag... en ik heb nog een paar uur slaap nodig om helder te kunnen nadenken. *Godverdomme, wat ik wel niet over zou hebben voor een nacht goed slapen.* En dan moet ik ook nog eens met Bastille gaan golfen. Ik zou dat af moeten zeggen. Mijn stemming wordt nog somberder bij de gedachte te verliezen.

Ik stap uit bed, loop de gang door en ga naar de keuken. Ik laat een glas vollopen met water en vang dan een blik op van mezelf, alleen gekleed in een pyjamabroek, in de weerspiegeling van de glazen wand aan de andere kant van de kamer. Ik keer me vol walging om. Je hebt haar afgewezen. Ze wilde je. En je hebt haar afgewezen. *Het was voor haar eigen bestwil.*

Dit zit me nu al dagen dwars. Zonder enige waarschuwing verschijnt haar mooie gezicht pesterig in mijn hoofd. Als mijn psych terug zou zijn van zijn vakantie in Engeland, dan zou ik hem bellen. Bij het horen van zijn wetenschappelijke kletspraatjes zou ik me niet zo belabberd voelen.

Grey, het is gewoon een mooie meid.

Misschien heb ik wat afleiding nodig, een nieuwe Onderdanige. Er is te veel tijd verstreken sinds Susannah. Ik denk erover morgenochtend Elena te bellen. Zij vindt altijd geschikte kandidaten voor me.

Maar de waarheid is dat ik geen ander wil. Ik wil Ana. Haar teleurstelling, haar gekwetste verontwaardiging en haar minachting blijven me nog het meest bij. Ze is weggelopen zonder ook maar één keer om te kijken. Misschien heb ik haar hoop gegeven door haar mee te vragen voor een kop koffie, om haar daarna teleur te stellen. Misschien moet ik op de een of andere manier mijn excuses aanbieden, zodat ik dit hele zielige verhaal kan afsluiten en dat meisje uit mijn hoofd kan zetten. Ik zet het glas in de gootsteen zodat mijn huishoudster het kan afwassen en ga maar weer terug naar bed.

De wekker gaat om kwart voor zes terwijl ik naar het plafond lig te staren. Ik heb niet geslapen en ik ben doodmoe.

Fuck! Dit is belachelijk.

Het radioprogramma is een welkome afleiding, tot het tweede hoofdpunt van het nieuws. Het gaat over de verkoop van een zeldzaam manuscript: *The Watsons*, een onvoltooide roman van Jane Austen wordt in Londen geveild.

Boeken, heeft ze gezegd.

Jezus. Zelfs het nieuws doet me aan Mevrouwtje Boekenwurm denken.

Ze is hopeloos romantisch en houdt van Engelse klassiekers. Maar dat geldt ook voor mij, al is het dan om andere redenen. Ik heb geen eerste drukken van Jane Austen of zelfs van de Brontës... maar ik heb wel twee exemplaren van Thomas Hardy.

Natuurlijk. Dat is het! Dat kan ik doen!

Even later zit ik in mijn bibliotheek met *Jude the Obscure* en een doos met daarin de drie delen van *Tess of the d'Urbervilles* voor me op de biljarttafel. Het zijn allebei sombere verhalen. Hardy had een duistere, verwrongen ziel.

Net als ik.

Ik zet die gedachte van me af en bestudeer de boeken. Ook al verkeert *Jude* in betere staat, het is eigenlijk geen wedstrijd. Er is in *Jude* geen verhaallijn over verlossing, dus ik zal haar *Tess* sturen, met een toepasselijk citaat erbij. Ik weet dat het niet het meest romantische boek is, gezien alle ellende die de heldin meemaakt, maar ze mag in de pastorale idylle van het Engelse platteland in ieder geval kort van de romantische liefde proeven. En Tess neemt wraak op de man die haar slecht heeft behandeld.

Maar dat is niet het punt. Ana heeft gezegd dat Hardy een van haar favorieten is en ik weet zeker dat ze nog nooit een eerste druk heeft gezien, laat staan dat ze er een in haar bezit heeft gehad.

'*U klinkt als de ultieme consument.*' Haar keiharde reactie bij het interview komt weer bij me spoken. Ja, ik houd ervan dingen te bezitten, dingen waarvan de waarde zal stijgen, zoals eerste drukken.

Ik voel me kalmer, een stuk zekerder van mezelf en ik ben ook wel tevreden over mijn plan van aanpak. Ik ga mijn kast weer in en trek mijn hardloopkleren aan.

Achter in mijn auto blader ik op zoek naar een citaat door het eerste deel van de eerste druk van *Tess* en vraag ik me tegelijkertijd af wanneer het laatste examen van Ana is. Ik heb het boek jaren geleden gelezen en het verhaal staat me niet zo helder meer voor ogen. Fictie was mijn toevluchtsoord als tiener. Mijn moeder stond er altijd versteld van dat ik graag las. Elliot deed dat niet zoveel. Ik had de andere wereld die verhalen me boden echt nodig, hij niet.

'Meneer Grey,' zegt Taylor. 'We zijn er, meneer.' Hij stapt uit en trekt mijn portier open. 'Ik sta om twee uur buiten klaar om u naar de golfbaan te brengen.'

Ik knik en loop Grey House in, met de boeken onder mijn arm geklemd.

De jonge receptioniste begroet me met een flirterige zwaai.

Elke dag... Als een of ander lullig liedje dat steeds maar wordt herhaald.

Ik negeer haar en loop naar de lift die me rechtstreeks naar mijn verdieping zal brengen.

'Goedemorgen, meneer Grey,' zegt Barry van de beveiliging terwijl hij op het knopje van de lift drukt.

'Hoe gaat het met je zoon, Barry?'

'Beter, meneer.'

'Goed om te horen.' Ik stap de lift in die naar de twintigste verdieping zoeft.

Andrea staat klaar om me te begroeten.

'Goedemorgen, meneer Grey. Ros wil het Darfur-project met u bespreken. Barney vraagt om een paar minuten o...'

Ik steek mijn hand op om haar het zwijgen op te leggen. 'Laat dat maar even zitten voor dit moment. Bel Welch voor me en informeer wanneer Flynn terug is van vakantie. Als ik Welch heb gesproken kunnen we verdergaan met wat er voor vandaag op de agenda staat.'

'Ja, meneer.'

'En ik wil een dubbele espresso. Laat Olivia die maar maken.' Ik kijk eens om me heen en zie dat Olivia er niet is. Dat is een opluchting. Die meid zit me altijd zwijmelend aan te staren en dat is verdomd irritant.

'Wilt u er melk in, meneer?' vraagt Andrea.

Goed zo, meisje. Ik glimlach. 'Vandaag niet.' Ik laat ze graag in het ongewisse over hoe ik mijn koffie drink.

'Prima, meneer Grey.'

Ze kijkt tevreden, maar daar heeft ze ook reden toe. Ze is de beste assistent die ik ooit heb gehad.

Drie minuten later hangt Welch aan de lijn.

'Welch?'

'Meneer Grey.'

'Die achtergrondcheck die je vorige week voor me hebt gedaan. Anastasia Steele. Studeert aan WSU.'

'Ja, meneer. Ik herinner het me nog.'

'Ik wil graag dat je achterhaalt wanneer ze haar laatste tentamen heeft. Laat me dat zo snel mogelijk weten.'

'Goed, meneer. Verder nog iets?'

'Nee, dat is alles.' Ik hang op en staar naar de boeken op mijn bureau. Ik moet een citaat uitzoeken.

Ros, mijn rechterhand en mijn bedrijfsleidster, is helemaal op dreef. 'We krijgen toestemming van de Soedanese autoriteiten om de zending in Port Sudan aan land te laten komen. Maar onze plaatselijke contacten aarzelen over transport over land naar Darfur. Ze voeren een risicoanalyse uit om te zien hoe haalbaar het is.'

De logistiek moet moeilijk zijn, haar normaal zo opgewekte instelling ontbreekt. 'We kunnen het altijd laten droppen.'

'Christian, een dropping is ongelooflijk duur e...'

'Ik weet het. Laten we maar even afwachten waar onze ngo-vrienden mee komen.'

'Oké,' zegt ze met een zucht. 'Ik wacht ook nog op de toestemming van het ministerie van Buitenlandse Zaken.'

Ik rol met mijn ogen. Al die verrekte regeltjes. 'Als er wat geld moet worden uitgedeeld, of als ik senator Blandino moet inschakelen, laat het me maar weten.'

'Dan is het volgende punt waar de nieuwe fabriek gaat komen. Je weet dat de belastingvoordelen in Detroit enorm zijn. Ik heb je een samenvatting gestuurd.'

'Ik weet het. Maar moet het nou echt in Detroit?'

'Ik weet niet wat je tegen die stad hebt. Ze voldoen daar aan al onze eisen.'

'Oké, laat Bill naar potentiële stedelijke herontwikkelingsgebieden kijken. En laten we nog een keer naar een andere locatie zoeken om te zien of een andere stad nog betere voorwaarden kan bieden.'

'Bill heeft Ruth er al heen gestuurd om met de Detroit Brownfield Redevelopment Authority te overleggen, die trouwens voor de volle honderd procent meewerkt. Maar ik zal Bill vragen nog een laatste keer rond te kijken.'

Mijn mobieltje zoemt. 'Ja,' brom ik tegen Andrea. Ze weet dat ik nooit gestoord wil worden tijdens een bespreking.

'Ik heb Welch voor u aan de lijn.'

Ik kijk op mijn horloge. Halftwaalf. Dat is snel. 'Kom maar door.' Ik gebaar dat Ros moet blijven.

'Meneer Grey?'

'Welch. Wat is het nieuws?'

'Het laatste tentamen van mevrouw Steele is morgen, op 20 mei.'

Verdomme. Dan heb ik niet lang de tijd. 'Geweldig. Dat is alles wat ik hoefde te weten.' Ik hang op. 'Ros, nog één momentje.' Ik pak de telefoon.

Andrea neemt meteen op.

'Andrea, ik heb binnen het uur een blanco kaartje nodig om een boodschap op te schrijven,' zeg ik, en ik hang op. 'Zo, Ros, waar waren we?'

Om halfeen schuifelt Olivia mijn kantoor binnen met de lunch. Ze is een lang, tenger meisje met een mooi gezicht. Helaas kijkt ze er altijd verlangend mee naar mij. Ze draagt een dienblad met daarop hopelijk iets wat eetbaar is. Ik ben uitgehongerd na een drukke ochtend.

Ze beeft als ze het op mijn bureau zet.

Tonijnsalade. Oké, dan heeft ze het een keertje goed gedaan.

Ze legt ook drie verschillende witte kaartjes, van verschillend formaat, op mijn bureau.

'Geweldig,' mompel ik. *En nu wegwezen.*

Ze loopt snel mijn kantoor uit.

Ik neem een hap tonijn om mijn honger te stillen en pak dan een pen. Ik heb een citaat gekozen. Een waarschuwing. Het was de juiste beslissing om bij haar weg te lopen. Niet alle mannen zijn romantische helden. Ik zal het woord 'manvolk' weglaten. Ze begrijpt het wel.

Waarom heb je me niet verteld dat er gevaar was? Waarom heb je me niet gewaarschuwd?
Dames weten waartegen ze zich moeten beschermen, want zij lezen boeken die hun over misleiding vertellen...

Ik schuif het kaartje in de bijbehorende envelop en schrijf Ana's adres erop, dat in mijn geheugen staat gegrift uit het achtergrondverslag van Welch. Ik druk op de knop van de intercom.

'Ja, meneer Grey,' zegt Andrea.

'Kun je even komen?'

'Ja, meneer.'

Even later doet ze de deur open. 'Meneer Grey?'

'Neem deze mee, pak ze in en laat ze naar Anastasia Steele sturen, het meisje dat me vorige week heeft geïnterviewd. Hier is haar adres.'

'Ik doe het meteen, meneer Grey.'

'Ze moeten uiterlijk morgen worden bezorgd.'

'Ja, meneer.'

'En zoek een vervangende set voor me.'

'Van deze boeken?'

'Ja. Eerste edities. Laat Olivia het regelen.'

'Welke boeken zijn dit?'

'*Tess of the d'Urbervilles.*'

'Ja, meneer. Is er verder nog iets?'

'Nee.'

Ze schenkt me een zeldzame glimlach en loopt het kantoor uit. *Waarom glimlacht ze?* Ze glimlacht nooit.

Ik zet die gedachte uit mijn hoofd en vraag me af of dit de laatste keer zal zijn dat ik de boeken zie. Ik moet toegeven dat ik diep vanbinnen hoop dat dat niet het geval is.

Vrijdag 20 mei 2011

Ik heb voor het eerst in vijf dagen goed geslapen. Misschien heb ik dit specifieke hoofdstuk afgesloten, nu ik die boeken naar Anastasia heb gestuurd. Terwijl ik me sta te scheren, staart de klootzak in de spiegel met koele grijze ogen terug. *Leugenaar. Fuck. Oké. Oké.* Ik hoop dat ze me belt. Ze heeft mijn nummer. Mevrouw Jones kijkt op als ik de keuken in loop.

'Goedemorgen, meneer Grey.'

'Morgen, mevrouw Jones.'

'Wat wilt u voor het ontbijt?'

'Een omelet, graag.' Ik ga aan het aanrecht zitten terwijl ze mijn eten bereidt en blader door *The Wall Street Journal* en *The New York Times*, waarna ik *The Seattle Times* doorneem. Ik ben helemaal in de kranten verdiept als mijn mobieltje zoemt. Het is Elliot. Verdomme, wat wil mijn grote broer? 'Elliot?'

'Gast, ik moet dit weekend Seattle uit. Een meid heeft de pik op me en ik moet echt even weg.'

'De pik?'

'Ja. Die zou je wel herkennen als je er zelf een had.'

Ik negeer zijn steek onder water. Er komt een slinkse gedachte bij me op. 'Zin in een flinke hike in de buurt van Portland? We kunnen vanmiddag vertrekken, daar een hotel pakken en dan zondag terugkomen.'

'Klinkt goed. In de chopper of wil je rijden?'

'Het is een helikopter, Elliot, en ik rij wel. Kom rond lunchtijd naar kantoor en dan gaan we.'

'Bedankt, broer. Ik sta bij je in het krijt.' Elliot hangt op.

Elliot heeft altijd al problemen gehad met zijn zelfbeheersing. Net als de vrouwen met wie hij omgaat. Wie de ongelukkige dame ook is, ze is gewoon de recentste in de lange, lange rij van betekenisloze avontuurtjes.

'Meneer Grey. Wat wilt u dit weekend wat betreft het eten?'

'Maak maar iets lichts klaar en zet het in de koelkast. Het kan zijn dat ik op zaterdag al terug ben.'

Of niet.

Ze heeft niet eens naar je omgekeken, Grey.

Na een groot deel van mijn carrière de verwachtingen van anderen te hebben beheerd, zou ik die van mezelf toch beter in bedwang moeten kunnen houden.

Elliot slaapt het grootste deel van de rit naar Portland. Die arme zak moet doodop zijn. Werken en neuken, dat zijn zijn bestaansredenen. Hij hangt onderuitgezakt naast me op zijn stoel en snurkt.

Gezellig, hoor.

Het zal na drieën zijn als we in Portland aankomen, dus ik bel Andrea.

'Meneer Grey,' zegt ze nadat de telefoon twee keer is overgegaan.

'Kun je twee mountainbikes laten bezorgen bij het Heathman?'

'Hoe laat, meneer?'

'Drie uur.'

'De fietsen zijn voor u en uw broer?'

'Ja.'

'Uw broer is ongeveer 1 meter 88?'

'Ja.'

'Ik zal het meteen regelen.'

'Mooi.' Ik hang op en bel dan Taylor.

'Meneer Grey,' zegt hij nadat de telefoon één keer is overgegaan.

'Hoe laat ben je er?'

'Ik zal rond negen uur vanavond contact opnemen.'

'Neem je de R8?'

'Met genoegen, meneer.'

Taylor is ook gek op auto's. 'Goed.' Ik beëindig het gesprek en zet de muziek harder. Eens kijken of Elliot ook door The Verve heen kan slapen. Mijn opwinding neemt toe terwijl we over de I-5 zoeven.

Zijn de boeken al bezorgd? Ik kom haast in de verleiding om

Andrea weer te bellen, maar ik realiseer me dat ik haar met een hele berg werk heb achtergelaten. Trouwens, ik wil mijn personeel geen voer voor geroddel geven. Ik doe dit soort shit normaal nooit.

Waarom heb je ze dan überhaupt gestuurd?

Omdat ik haar weer wil zien.

We rijden langs de afslag naar Vancouver en ik vraag me af of ze al klaar is met haar tentamen.

'Hé, gast, waar zijn we?' zegt Elliot opeens.

'Zie hier, het is wakker,' mompel ik. 'We zijn er bijna. We gaan mountainbiken.'

'O?'

'Ja.'

'Cool. Weet je nog toen we dat met pa deden?'

'Jep.' Ik schud mijn hoofd bij de herinnering. Mijn vader is een zeer veelzijdig man, een waar universeel genie: academisch, sportief, op zijn gemak in de stad, nog meer op zijn gemak in de vrije natuur. Hij heeft drie geadopteerde kinderen in zijn hart gesloten... en ik ben degene die niet aan zijn verwachtingen voldoet.

Maar voordat ik begon te puberen hadden we een band. Hij was toen mijn held. Hij ging dolgraag met ons kamperen en deed alle buitenactiviteiten met ons waar ik nu van geniet: zeilen, kajakken, fietsen, we hebben het allemaal gedaan.

De pubertijd heeft dat allemaal voor me verpest.

'Omdat we halverwege de middag aankomen, dacht ik dat we geen tijd hadden om te gaan hiken.'

'Goed bedacht.'

'En, voor wie ben je op de vlucht?'

'Man, ik ben van de onenightstands. Dat weet je. Geen verplichtingen. Ik weet het niet, hoor, wijven komen erachter dat je een eigen bedrijf hebt en dan halen ze zich gelijk allerlei idiote ideeën in het hoofd.' Hij werpt me een zijlingse blik toe. 'Je hebt gelijk dat je je pik in je broek houdt.'

'Volgens mij hebben we het niet over mijn pik, maar over die van jou en wie daar de laatste tijd mee te maken heeft gehad.'

Elliot hinnikt even. 'Ik ben de tel kwijt. Maar genoeg over mij. Hoe gaat het in de wereld van handel en financiën voor gevorderden?'

'Wil je dat echt weten?' Ik kijk hem snel even aan.

'Neuh,' verzucht hij meteen.

Ik moet lachen om zijn apathie en gebrek aan welbespraaktheid.

'Hoe gaat het met de zaak?' vraag ik.

'Even je investering controleren?'

'Altijd.' Dat is mijn werk.

'Nou, de eerste spade is vorige week in de grond gegaan bij het Spokani Eden-project en alles ligt op schema, maar we zijn pas een week bezig.' Hij haalt zijn schouders op.

Onder zijn ietwat nonchalante uiterlijk is mijn broer een natuurliefhebber. Zijn passie voor duurzaam leven zorgt regelmatig voor verhitte gesprekken tijdens maaltijden met de familie op zondag, en zijn laatste project is een milieuvriendelijk bouwproject van betaalbare woningen ten noorden van Seattle.

'Ik wil eigenlijk dat nieuwe grijswatersysteem installeren waar ik je over heb verteld. Dat zou betekenen dat alle huizen hun waterverbruik en de rekening met vijfentwintig procent kunnen verlagen.'

'Indrukwekkend.'

'Dat hoop ik wel.'

We rijden in stilte het centrum van Portland in en net als we de ondergrondse garage van het Heathman in gaan – de laatste plek waar ik haar heb gezien – mompelt Elliot: 'Je weet toch dat we vanavond de wedstrijd van de Mariners missen.'

'Misschien kun je eens een keer een avondje voor de tv doorbrengen. Geef je lul wat rust en kijk lekker naar honkbal.'

'Klinkt goed.'

Elliot bijhouden is een uitdaging. Hij vliegt over het pad met dezelfde roekeloze houding die hij bijna altijd heeft. Elliot kent geen angst, daarom bewonder ik hem ook. Maar door op dit tempo te fietsen krijg ik helemaal niet de kans om van de omgeving te genieten. Ik ben me vaag bewust van het weelderige groen dat voorbijflitst, maar mijn blik is op het pad gericht zodat ik de gaten kan ontwijken.

Tegen het einde van de rit zitten we allebei onder het vuil en zijn we uitgeput.

'Zo veel lol heb ik in geen tijden gehad met mijn kleren aan,' zegt Elliot, terwijl we de fietsen aan de piccolo van het Heathman geven.

'Ja,' mompel ik, en dan herinner ik me het gevoel van Anastasia in mijn armen toen ik haar van die fietser redde. Haar warmte, haar borsten die tegen me aan drukten, haar geur die mijn neus prikkelde. Op dat moment had ik mijn kleren aan... 'Ja,' mompel ik weer.

Tijdens de reis in de lift omhoog checken we allebei onze mobieltjes.

Ik heb e-mails, een paar sms'jes van Elena die vraagt wat mijn plannen voor dit weekend zijn, maar geen gemiste oproepen van Anastasia. Het is bijna zeven uur, ze heeft die boeken nu toch wel ontvangen. Dat is een deprimerende gedachte: ik ben weer helemaal voor niets naar Portland gekomen.

'Jezus, dat wijf heeft me vijf keer gebeld en me vier sms'jes gestuurd. Weet ze niet hoe wanhopig dat overkomt?' zeurt Elliot.

'Misschien is ze zwanger.'

Elliot verbleekt en ik barst in lachen uit.

'Dat is niet grappig, eikel,' bromt hij. 'Trouwens, zo lang ken ik haar niet en zo vaak hebben we het niet gedaan.'

Na een snelle douche loop ik naar de suite van Elliot. Daar kijken we samen de rest van de wedstrijd van de Mariners tegen de San Diego Padres. We bestellen biefstuk, salade, friet en een paar biertjes. Ik heb me erbij neergelegd dat Anastasia niet gaat bellen. De Mariners staan voor en het belooft een geweldige wedstrijd te worden.

Dat is het helaas niet, ook al winnen de Mariners met vier tegen een. *Hup, Mariners!*

Elliot en ik proosten met onze bierflesjes.

Tijdens de analyse na de wedstrijd die maar voortkabbelt, zoemt mijn telefoon en het telefoonnummer van mevrouw Steele verschijnt op het scherm.

Ze belt!

'Anastasia?' Ik verberg mijn verrassing en mijn vreugde niet. Het is rumoerig op de achtergrond en het klinkt alsof ze op een feestje is of in een kroeg. Elliot kijkt naar me, dus ik sta op en loop tot ik buiten zijn gehoorbereik ben.

'Waarom heb je me die boeken gestuurd?'

Ze praat wat onduidelijk en ik krijg hier een slecht gevoel bij.

'Anastasia, is alles goed met je? Je klinkt zo vreemd.'

'Ik ben niet degene die vreemd doet, dat ben jij,' zegt ze op beschuldigende toon.

'Anastasia, ben je dronken?' *Verdomme.* Is er iemand bij haar? De fotograaf? Waar is haar vriendin Kate?

'Gaat je niks aan.'

Ze klinkt chagrijnig en strijdlustig, en ik weet gewoon dat ze aangeschoten is, maar ik moet er zeker van zijn dat het goed met haar gaat. 'Ik ben – nieuwsgierig. Waar ben je?'

'In een bar.'

'Welke bar?' *Zeg het.* De paniek slaat toe. Ze is een dronken jonge vrouw, ergens in Portland. Het is daar niet veilig voor haar.

'Een bar in Portland.'

'Hoe ga je naar huis?' Ik knijp met duim en wijsvinger in mijn neusbrug in de vergeefse hoop dat het me zal afleiden van het feit dat ik op het punt sta mijn geduld te verliezen.

'Ik vind wel een manier.'

Wat? Dat meen je niet. Gaat ze zelf rijden? Ik vraag haar nogmaals in welke kroeg ze zit en ze negeert mijn vraag.

'Waarom heb je me die boeken gestuurd, Christian?'

'Anastasia, waar ben je? Ik wil het nu weten.' Hoe komt ze thuis?

'Je bent zo... dominant.' Ze giechelt.

In elke andere situatie zou ik dit charmant vinden. Maar op dit moment... Ik wil haar nu alleen maar laten zien hoe dominant ik echt kan zijn. Ze maakt me gewoon gek. 'Ana, waar ben je, verdomme?'

Ze giechelt weer.

Shit, ze zit me uit te lachen! Alweer!

'Ik ben in Portland... da's best ver van Seattle vandaan.'

'Waar in Portland?'

'Goedenavond, Christian.' En dan klinkt de kiestoon.

'Ana!' Ze heeft opgehangen! Ik staar ongelovig naar mijn telefoon. Niemand heeft ooit eerder tijdens een gesprek opgehangen. *What the fuck?*

'Wat is het probleem?' roept Elliot vanaf de bank.

'Ik ben net gebeld door een dronken vrouw.' Ik kijk hem aan. Zijn mond zakt verrast open. 'Jij?'

'Jep.' Ik druk op de toets om haar terug te bellen en probeer rustig te blijven.

'Hoi,' zegt ze, heel ademloos en timide.

Ze is zo te horen op een rustigere plek. 'Ik kom je halen,' zeg ik op ijskoude toon terwijl ik probeer niet te ontploffen. Ik klap mijn mobieltje dicht. 'Ik moet dit meisje ophalen en haar naar huis brengen. Zin om mee te gaan?'

Elliot staart me aan alsof ik opeens drie hoofden heb. 'Jij? En een meid? Dit moet ik zien.' Hij pakt zijn sneakers en trekt die aan.

'Ik moet alleen even een telefoontje plegen.' Ik loop naar zijn slaapkamer terwijl ik overweeg of ik Barney of Welch moet bellen. Barney is de beste ingenieur van de telecommunicatieafdeling van mijn bedrijf. Hij is een technisch genie, maar wat ik wil is niet helemaal legaal.

Hier kan ik het bedrijf maar beter niet bij betrekken. Ik druk op de knop voor het nummer van Welch.

Binnen enkele seconden antwoordt zijn schorre stem. 'Meneer Grey?'

'Ik wil graag weten waar Anastasia Steele op dit moment is.'

'Ik begrijp het.' Hij zwijgt even. 'Laat dat maar aan mij over, meneer Grey.'

Ik weet dat dit verboden is, maar ze zou echt in de problemen kunnen zitten. 'Bedankt.'

'U hoort binnen een paar minuten van me.'

Ik loop weer naar de woonkamer.

Elliot wrijft zelfvoldaan in zijn handen en hij heeft een idiote grijns op zijn gezicht.

O, godsamme.

'Dit zou ik voor geen goud willen missen,' zegt hij, zich verkneukelend.

'Ik ga even mijn autosleutels pakken. Ik zie je over vijf minuten in de garage,' brom ik. Ik negeer de triomfantelijke uitdrukking op zijn gezicht maar.

Het is ontzettend druk in het café. Er staan overal studenten die vastberaden zijn om zich te vermaken. Er wordt keihard een of andere indiezooi gespeeld en de dansvloer staat vol heftig bewegende lichamen.

Ik voel me oud. *Ze is hier ergens.*

Elliot is me door de voordeur naar binnen gevolgd. 'Zie je haar?' schreeuwt hij boven het lawaai uit.

Ik kijk de ruimte rond en dan zie ik Katherine Kavanagh. Ze zit samen met een groep vrienden, allemaal mannen, in een zitje. Ana is nergens te bekennen, maar de tafel staat vol shotglaasjes en biervazen. Nou, eens kijken of mevrouw Kavanagh net zo loyaal naar haar vriendin toe is als Ana.

Ze kijkt verrast op als we bij haar tafeltje aankomen.

'Katherine,' zeg ik ter begroeting. Ze onderbreekt me voor ik haar kan vragen waar Ana is.

'Christian, wat een verrassing jou hier te zien,' roept ze boven de muziek uit.

De drie kerels aan het tafeltje kijken Elliot en mij vijandig aan.

'Ik was in de buurt.'

'En wie is dit?' Ze onderbreekt me weer en glimlacht te stralend naar Elliot.

Wat een vermoeiende vrouw. 'Dit is mijn broer Elliot. Elliot, Katherine Kavanagh. Waar is Ana?'

Haar glimlach voor Elliot wordt nog breder.

Maar wat me verrast is zijn grijns.

'Volgens mij is ze naar buiten gegaan om een frisse neus te halen,' antwoordt Kavanagh.

Maar ze kijkt niet naar mij. Ze heeft alleen maar oog voor meneer Onenightstand. Nou ja, dat is haar probleem. 'Buiten? Waar?' roep ik.

'O. Die kant op.' Ze wijst naar een stel dubbele deuren aan de andere kant van de zaak.

Ik baan me een weg door de menigte en laat drie ontevreden mannen achter. Kavanagh en Elliot staan als idioten naar elkaar te grijnzen.

Voorbij de dubbele deuren staat een rij voor het damestoilet en erachter is een deur die naar buiten leidt. Ironisch genoeg komt die aan de achterkant van de kroeg uit op het parkeerterrein waar Elliot en ik net vandaan komen. Ik loop naar buiten en ik sta op een soort terrasje naast het parkeerterrein. Een hangplek die wordt afgebakend door verhoogde bloembakken, waar een aantal mensen rookt, drinkt en kletst. En zoent. Ik zie haar.

Godver! Ze staat daar met de fotograaf, denk ik, al is dat lastig te zien in het schemerige licht. Hij heeft zijn armen om haar heen, maar ze lijkt zich te willen lostrekken. Hij mompelt iets tegen haar, iets wat ik niet versta, en dan kust hij haar langs haar kaaklijn.

'José, nee,' zegt ze.

En dan is het me duidelijk. Ze probeert hem van zich af te duwen. *Ze wil dit niet.* Heel even wil ik zijn kop van zijn romp rukken. Ik been met mijn gebalde vuisten langs mijn zij naar hen toe. 'Ik geloof dat de dame nee heeft gezegd.' Mijn stem klinkt koud en sinister in de relatieve stilte, terwijl ik uit alle macht probeer mijn woede te beheersen.

Hij laat Ana los.

Ze kijkt me met samengeknepen ogen en een verdwaasde uitdrukking op haar gezicht aan.

'Grey,' zegt hij gespannen.

Het kost me al mijn zelfbeheersing om de teleurstelling niet van zijn gezicht te rammen.

Ana kokhalst, buigt zich abrupt voorover en geeft over.

O, shit!

'Gatver – *dios mío,* Ana!' José springt vol walging naar achteren.

Verdomde idioot. Ik negeer hem. Ik pak haar haar vast terwijl ze alles eruit gooit wat ze vanavond heeft gedronken. Tot mijn ergernis valt het me op dat ze blijkbaar niets heeft gegeten. Ik sla mijn arm om haar schouders en stuur haar weg bij de pottenkijkers, naar een van de bloembakken. 'Als je weer moet overgeven, doe het dan hier. Ik hou je vast.' Het is hier donkerder en ze kan er in alle rust kotsen.

Ze geeft keer op keer over, steunt met haar handen op de stenen. Als haar maag eenmaal leeg is, moet ze nog lange tijd kokhalzen.

Het is zielig. *Jezus, ze heeft het echt zwaar te pakken.*

Eindelijk ontspant haar lichaam zich. Volgens mij is ze klaar. Ik laat haar los en geef haar mijn zakdoek, die wonderbaarlijk genoeg in mijn binnenzak zit. *Bedankt, mevrouw Jones.*

Ze veegt haar mond ermee af, draait zich om en leunt tegen de stenen. Ze vermijdt oogcontact omdat ze zich schaamt.

En toch ben ik zo blij om haar te zien. Mijn woede op de fotograaf is weg. Ik ben dolblij hier op het parkeerterrein van een studentenkroeg in Portland bij mevrouw Anastasia Steele te staan.

Ze laat haar hoofd in haar handen zakken, krimpt even ineen en gluurt dan beschaamd naar me op. Ze draait zich iets naar de deur toe en kijkt kwaad over mijn schouder.

Ik neem aan naar haar 'vriend'.

'Ik, eh... zie je binnen wel,' zegt José.

Ik neem de moeite niet om hem intimiderend aan te kijken en tot mijn grote genoegen negeert ze hem ook. In plaats daarvan kijkt ze mij aan.

'Het spijt me,' zegt ze uiteindelijk, terwijl ze het zachte linnen tussen haar vingers verfrommelt.

Oké, tijd voor een beetje lol. 'Waar heb je spijt van, Anastasia?'

'Het telefoontje. Overgeven. Ach, de lijst is eindeloos,' mompelt ze.

'Iedereen heeft dit wel eens meegemaakt, nou ja, misschien niet zo dramatisch als jij.' Waarom is het toch zo leuk om deze jonge vrouw te plagen? 'Je moet je grenzen kennen, Anastasia. Ik bedoel, ik ben iemand die zijn grenzen ook graag verkent, maar dit gaat echt te ver. Gedraag je je vaker zo?'

Misschien heeft ze een drankprobleem. Dat is een verontrustende gedachte. Zou ik mijn moeder moeten bellen voor een verwijzing naar een afkickkliniek?

Ana fronst even haar wenkbrauwen, alsof ze boos is. Er verschijnt een kleine v tussen haar wenkbrauwen.

Ik onderdruk de neiging haar daar te kussen.

'Nee,' zegt ze schuldbewust. 'Ik ben nog nooit dronken geweest en op dit moment voel ik niet de aandrang om het ooit nog te worden.'

Ze kijkt me met een glazige blik in haar ogen aan en staat op haar benen te zwaaien. Ze zou kunnen flauwvallen, dus ik til haar op zonder er verder over na te denken. Ze is verrassend licht. Te licht. Dat zit me niet lekker. Geen wonder dat ze dronken is. 'Kom, ik breng je thuis.'

'Ik moet Kate op de hoogte brengen,' zegt ze, en dan legt ze haar hoofd tegen mijn schouder.

'Mijn broer vertelt het haar wel.'

'Wat?'

'Mijn broer Elliot praat met mevrouw Kavanagh.'

'O?'

'Hij was bij me toen je me belde.'

'In Seattle?'

'Nee. Ik was in het Heathman.' *Ik ben dus toch niet voor niets gekomen.*

'Hoe heb je me gevonden?'

'Ik heb je mobieltje laten traceren, Anastasia.' Ik loop naar de auto toe. Ik wil haar naar huis brengen. 'Had je een jasje of handtas bij je?'

'Eh... ja, beide. Christian, alsjeblieft. Ik moet het Kate vertellen, anders wordt ze ongerust.'

Ik blijf staan en houd mijn mond. Kavanagh maakte zich er anders niet zo druk over dat ze hierbuiten was met de al te amoureuze fotograaf. *Rodriguez.* Zo heet die gast. Wat voor een vriendin is ze eigenlijk? De verlichting van de kroeg belicht Ana's gespannen gezicht. Hoe irritant ik dit ook vind, ik zet haar neer en geef haar haar zin. We lopen hand in hand de kroeg weer in en blijven bij Kates tafel staan. Een van de mannen zit er nog. Hij ziet er geërgerd en eenzaam uit.

'Waar is Kate?' roept Ana over de harde muziek heen.

'Aan het dansen,' zegt de jongen. Hij staart met zijn donkere ogen naar de dansvloer.

Ana pakt haar jasje en tas en grijpt dan onverwachts mijn arm beet. Ik verstijf.

Shit.

Mijn hartslag schiet omhoog terwijl de duisternis naar boven komt, zich uitrekt en zijn klauwen om mijn keel knijpt.

'Ze is aan het dansen,' roept ze.

Haar woorden kietelen in mijn oor, leiden me af van mijn angst. En opeens verdwijnt de duisternis en kalmeert het gebonk in mijn borst.

Wat?

Ik rol met mijn ogen om mijn verwarring te verbergen en neem haar mee naar de bar. Ik bestel een groot glas water en geef dat aan haar. 'Drinken.'

Ze kijkt me even over de rand van het glas aan, maar neemt dan voorzichtig een slokje.

'Helemaal leegdrinken,' beveel ik. Hopelijk zal dit de schade zodanig beperken dat ze morgenochtend geen gigantische kater heeft. Wat had er met haar kunnen gebeuren als ik me er niet mee had bemoeid? Mijn stemming verslechtert meteen. En dan denk ik aan wat er net met me is gebeurd. *Haar aanraking. Mijn reactie.* Mijn stemming wordt nog slechter.

Ana staat nog steeds een beetje te tollen op haar benen terwijl ze drinkt, dus ik leg ter ondersteuning een hand op haar schouder. Dit is fijn, haar zo aanraken. Ze is als olie op mijn verraderlijke, diepe, donkere water.

Hmm... poëtisch, Grey.

Ze neemt de laatste slok.

Ik pak het glas aan en zet het op de bar. Oké. Ze wil met haar zogenaamde vriendin praten. Ik bestudeer de drukke dansvloer, slecht op mijn gemak bij de gedachte aan al die lichamen om me heen terwijl we ons er een weg doorheen banen. Ik zet me mentaal schrap, pak haar hand en neem haar mee.

Ze aarzelt, maar als ze met haar vriendin wil praten, dan is er maar één manier: ze zal met me moeten dansen.

Als Elliot eenmaal in beweging komt, is hij niet meer te stuiten. Dat was dan zijn rustige avondje binnenshuis. Ik trek zachtjes aan Ana's hand en dan sluit ik haar in mijn armen. Dit kan ik aan. Als ik weet dat ze me gaat aanraken, dan is het oké. Ik kan het hebben, vooral zo met mijn jasje aan. Ik stuur ons door de menigte heen naar de plek waar Elliot en Kate zichzelf voor gek zetten.

Elliot leunt al dansend halverwege een pas naar me toe als we bij hen komen en neemt ons met een ongelovige blik in zich op.

'Ik breng Ana naar huis. Zeg het even tegen Kate,' schreeuw ik in zijn oor.

Hij knikt en trekt Kavanagh in zijn armen.

Oké. Ik zal Mevrouwtje Dronken Boekenwurm naar huis brengen, al lijkt ze om de een of andere reden wat te aarzelen. Ze kijkt met een bezorgde blik naar Kavanagh. Eenmaal van de dansvloer af kijkt ze om naar Kate, dan naar mij, wankelend op haar benen en een beetje verdwaasd.

'Fuck!' Het is een wonder dat ik haar nog kan opvangen als ze midden in de kroeg van haar stokje gaat. Het is verleidelijk om haar over mijn schouder te gooien, maar dat zou te veel opvallen en dus ik til haar weer op, houd haar tegen mijn borst en breng haar zo naar mijn auto buiten. 'Jezus,' mopper ik terwijl ik de sleutel uit de zak van mijn spijkerbroek vis en haar vast probeer te houden. Het lukt me om haar op de passagiersstoel te zetten en haar de gordel om te doen. 'Ana.' Ik schud haar iets heen en weer omdat ze zorgelijk stil is. 'Ana!'

Ze mompelt iets onsamenhangends.

Ze is bij bewustzijn. Ik weet dat ik haar naar huis zou moeten brengen, maar het is een lange rit naar Vancouver, en ik weet niet of ze nog een keer gaat overgeven. Ik wil niet dat mijn Audi naar braaksel ruikt. Haar kleren stinken al.

Ik rij naar het Heathman en maak mezelf wijs dat ik dit voor haar eigen bestwil doe.

Ja, maak dat jezelf maar wijs, Grey.

In de lift van de garage naar boven slaapt ze in mijn armen. Die spijkerbroek en schoenen moeten nodig uit. De penetrante stank van braaksel vult de ruimte. Ik zou haar graag in bad doen, maar dan zou ik te ver gaan.

En dat doe je nu niet?

Eenmaal in mijn suite laat ik haar tas op de bank vallen. Dan loop ik naar de slaapkamer en zet haar op bed neer.

Ze mompelt iets, maar wordt niet wakker.

Ik trek snel haar schoenen en sokken uit en stop die in de plastic waszak van het hotel. Daarna rits ik haar spijkerbroek open, trek die uit en ik controleer nog even de zakken voor ik de broek in de waszak stop.

Ze ploft ruggelings op het bed en ligt daar met haar bleke armen en benen uitgestrekt, als een zeester.

Heel even stel ik me die benen om mijn middel voor terwijl haar polsen aan mijn andreaskruis gebonden zijn. Er zit nog een vage blauwe plek op haar knie en ik vraag me af of ze die heeft overgehouden aan die val in mijn kantoor.

Ze is sinds dat moment getekend, net als ik.

Ik hijs haar overeind.

Ze doet haar ogen open.

'Hallo, Ana,' fluister ik, terwijl ik langzaam, zonder haar medewerking, haar jasje uittrek.

'Grey. Lippen,' mompelt ze.

'Ja, liefje.' Ik help haar te gaan liggen. Ze doet haar ogen weer dicht en rolt zich op haar zij, maar dit keer maakt ze zich heel klein, waardoor ze er teer en kwetsbaar uitziet. Ik trek de lakens over haar heen en druk een kus op haar haren. Nu ze haar vieze kleren niet meer draagt, ruik ik weer een zweem van haar eigen geur: appels, de herfst, fris en heerlijk... Ana.

Haar lippen wijken van elkaar, haar donkere wimpers rusten tegen bleke wangen, en haar huid ziet er smetteloos uit.

Ik sta mezelf toe haar nog een keer aan te raken en strijk met de achterkant van mijn wijsvinger over haar wang. 'Slaap lekker,' fluister ik. Daarna loop ik naar de woonkamer om de waslijst in te vullen. Als dat is gebeurd, plaats ik de stinkende zak op de gang zodat de inhoud wordt opgehaald en gewassen.

Voordat ik mijn e-mail check, sms ik Welch met de vraag om te controleren of José Rodriguez bekend is bij de politie. Ik ben nieuwsgierig. Ik wil weten of hij misbruik maakt van dronken jonge vrouwen. Dan regel ik kleren voor mevrouw Steele. Ik stuur Taylor een kort mailtje.

Van: Christian Grey
Onderwerp: Mevrouw Anastasia Steele
Datum: 20 mei 2011, 23:46
Aan: J B Taylor

Goedemorgen.
Haal alsjeblieft de volgende kledingstukken voor mevrouw Steele en laat die voor 10 uur bij mijn gebruikelijke kamer bezorgen.

Spijkerbroek: Blauw, maat 34
Blouse: Blauw. Mooi. Maat 34
Converse: Zwart, maat 37½
Sokken: Maat 38
Lingerie: Slip – maat small. Beha – ongeveer 75D.

Bedankt.

Christian Grey
Directeur, Grey Enterprises Holdings, Inc.

Als die is verstuurd, sms ik Elliot:

> Ana is bij mij. Geef dat door aan Kate als je nog bij haar bent.

Hij stuurt een antwoord.

> Doe ik. Hoop dat je een beurt krijgt. Die heb je echt zooo erg nodig. ;)

Ik snuif eens.

Echt wel, Elliot. Zo ontzettend erg.

Ik open mijn zakelijke e-mailaccount en lees het eerste berichtje.

Zaterdag 21 mei 2011

Ik ga bijna twee uur later naar bed. Het is net iets na kwart voor twee. Ze slaapt vast en heeft zich zo te zien niet bewogen. Ik trek mijn kleren uit, doe mijn pyjamabroek en een T-shirt aan en klim naast haar in bed. Ze ligt bijna in een coma, dus ze zal vast niet heel erg gaan woelen en me aanraken. Ik aarzel even terwijl de duisternis in me groeit, maar die komt niet helemaal boven en ik weet dat het komt doordat ik naar het hypnotiserende rijzen en dalen van haar borst staar en tegelijk met haar adem. In. Uit. In. Uit. In. Uit. Seconden, minuten, uren, ik weet het niet. Ik kijk naar haar. Terwijl ze slaapt, bestudeer ik elke prachtige centimeter van haar mooie gezicht. Haar donkere wimpers bewegen kort, haar lippen wijken heel even iets van elkaar zodat ik haar regelmatige witte tanden zie. Ze mompelt iets onverstaanbaars. Het puntje van haar tong schiet naar buiten en ze likt langs haar lippen. Het is opwindend, erg opwindend. Uiteindelijk val ik in een diepe, droomloze slaap.

Het is stil als ik mijn ogen opendoe en ik weet even niet waar ik ben. O ja, in het Heathman. De wekker op het nachtkastje geeft aan dat het bijna kwart voor acht is.

Wanneer was de laatste keer dat ik tot zo laat heb geslapen?

Ana.

Ik draai mijn hoofd langzaam een kwartslag.

Ze ligt met haar gezicht naar me toe. Haar schitterende trekken zijn zacht en ontspannen.

Ik heb nooit eerder met een vrouw geslapen. Ik heb er ontzettend veel geneukt, maar naast een aantrekkelijke jonge vrouw wakker worden is een nieuwe en stimulerende ervaring. Mijn lid is het met me eens.

Dit is niet goed.

Ik klim met tegenzin uit bed en trek mijn hardloopkleren aan. Ik moet deze... deze overtollige energie verbranden. Tijdens het omkleden besef ik dat ik me de laatste keer niet kan herinneren dat ik zo lekker heb geslapen. Eenmaal in de woonkamer zet ik mijn laptop aan. Ik check mijn e-mail en beantwoord twee berichtjes van Ros en een van Andrea. Ik doe er wat langer over dan normaal, aangezien ik word afgeleid door de wetenschap dat Ana in de kamer naast me slaapt. Hoe zal ze zich voelen als ze wakker wordt?

Ah. Ze zal een kater hebben. In de minibar tref ik een flesje sinaasappelsap aan en ik giet het leeg in een glas.

Ze slaapt nog steeds als ik binnenkom. Haar mahoniekleurige lokken liggen uitgespreid over haar kussen en de lakens zijn tot onder haar middel gezakt. Haar T-shirt is opgekropen waardoor haar buik en haar navel ontbloot zijn. Bij die aanblik reageert mijn lichaam meteen.

Sta daar verdomme niet zo verlekkerd naar dat meisje te staren, Grey.

Ik moet hier weg zien te komen, voordat ik iets doe waar ik spijt van krijg. Ik zet het glas op het nachtkastje, loop even snel naar de badkamer, grabbel twee pijnstillers uit mijn toilettas en leg die naast het glas sinaasappelsap. Na een laatste blik op Anastasia Steele – de eerste vrouw met wie ik heb geslapen – vertrek ik om te gaan hardlopen.

Als ik terugkom, staat er een tas in de woonkamer van een winkel die ik niet ken. Ik spiek er even in. Het zijn de kleren voor Ana. Zo te zien heeft Taylor het goed gedaan, en dat allemaal voor negen uur. *Die man is een held.*

Haar tas ligt nog op de bank op de plek waar ik die vannacht heb laten vallen en de deur van de slaapkamer is dicht, dus ik neem aan dat ze er nog is en dat ze nog steeds slaapt.

Dat is een opluchting. Ik verdiep me in het roomservicemenu en besluit dan wat te eten te bestellen. Ze zal trek hebben als ze wakker wordt, maar ik heb geen idee wat ze lekker vindt en dus besluit ik in een zeldzame vlaag van toegeeflijkheid allerlei gerechten van de ontbijtkaart te bestellen. Er wordt me verteld dat het een halfuur gaat duren.

Tijd om de heerlijke mevrouw Steele wakker te maken, ze heeft lang genoeg geslapen.

Ik pak mijn sporthanddoek en het tasje, klop op de deur en ga naar binnen. Tot mijn genoegen zit ze rechtop in bed. De pijnstillers zijn weg en het glas is leeg.

Grote meid.

Ze verschiet van kleur als ik de kamer verder in slenter. *Doe maar nonchalant, Grey. Je wilt niet worden aangeklaagd wegens kidnapping.*

Ze doet haar ogen dicht.

Kennelijk geneert ze zich. 'Goedemorgen, Anastasia. Hoe voel je je?'

'Beter dan ik verdien,' zegt ze zachtjes.

Ik zet het tasje op de stoel.

Als ze me aankijkt lijken haar ogen onmogelijk groot en blauw te zijn, en haar haren zitten helemaal door elkaar... ze is oogverblindend.

'Hoe ben ik hier beland?' vraagt ze, alsof ze bang is voor het antwoord.

Stel haar gerust, Grey.

Ik ga op de rand van het bed zitten en vertel haar de waarheid. 'Nadat je was flauwgevallen, wilde ik geen risico lopen met mijn leren autostoelen door helemaal naar je appartement te rijden. Dus heb ik je hierheen gebracht.'

'Heb je me in bed gestopt?'

'Ja?'

'Heb ik nog een keer overgegeven?'

'Nee.' Godzijdank.

'Heb jij me uitgekleed?'

'Ja.' *Wie had dat anders moeten doen?*

Ze bloost en eindelijk heeft ze weer wat kleur op haar gezicht. Ze bijt met haar perfecte voortanden op haar onderlip.

Ik onderdruk een kreun.

'We hebben toch niet...?' fluistert ze terwijl ze naar haar handen staart.

Jezus, denkt ze soms dat ik een beest ben? 'Anastasia, je was in coma. Necrofilie is niet mijn ding. Ik heb mijn vrouwen graag bij bewustzijn en ontvankelijk.'

Ze ademt opgelucht uit.

Ik vraag me af of dit haar eerder is overkomen, dat ze het bewustzijn heeft verloren en bij een vreemde in bed wakker is geworden om
tot de ontdekking te komen dat hij haar zonder haar toestemming
heeft geneukt. Misschien werkt die fotograaf zo. Die gedachte vind
ik maar niets. Maar dan herinner ik me haar biecht van gisteravond,
dat ze nooit eerder dronken was geweest. Godzijdank dat ze hier
geen gewoonte van heeft gemaakt.

'Het spijt me zo,' zegt ze bedeesd.

Shit. Misschien moet ik niet zo hard zijn. 'Het was een erg onder-
houdende avond. En die ik niet snel zal vergeten.' Hopelijk klinkt
dat verzoenend.

Ze fronst haar wenkbrauwen. 'Je had me niet hoeven opsporen
met dat James Bond-spul dat je ontwikkelt voor de hoogste bieder.'

Wacht eens even! Nu is ze pissig. Waarom? 'Ten eerste kun je die
technologie overal op het internet vinden.' *Nou ja, dan moet je wel
heel goed zoeken...* 'Ten tweede financiert of produceert mijn bedrijf
geen bewakingsapparatuur.' Ik begin echt mijn geduld te verliezen,
maar ik ben nu lekker bezig. 'En ten derde, als ik je niet was komen
halen, dan was jij waarschijnlijk wakker geworden in het bed van die
fotograaf. En van wat ik me daarvan kan herinneren, liep je niet echt
warm voor zijn aanhoudende avances.'

Ze knippert een paar keer met haar ogen en giechelt dan.

Ze lacht me weer uit.

'Uit welke middeleeuwse kroniek ben jij ontsnapt? Je klinkt als
een hoffelijke ridder.'

Ze is betoverend. Ze daagt me uit... alweer, en haar gebrek aan
eerbied is verfrissend, echt verfrissend. Maar ik maak me geen illu-
sies dat ik een ridder in een blinkend harnas ben. Dan heeft ze echt
de verkeerde indruk. En hoewel het niet in mijn voordeel zal werken, moet ik haar toch waarschuwen dat er niets ridderlijks of ver-
hevens aan me is. 'Anastasia, dat denk ik niet. Een donkere ridder
misschien.' Als ze het toch eens wist... en waarom hebben we het
trouwens over mij? Tijd voor een ander onderwerp. 'Heb je gisteravond überhaupt iets gegeten?'

Ze schudt haar hoofd.

Ik wist het! 'Je moet eten. Daarom was je zo ziek. Echt, Anastasia, dat is regel nummer één als je gaat drinken.'

'Blijf je me overal uitbranders voor geven?'

'Doe ik dat?'

'Dat vind ik wel.'

'Je mag blij zijn dat het daarbij blijft.'

'Wat bedoel je?'

'Als je de mijne zou zijn, zou je een week lang niet op je billen kunnen zitten na wat je gisteren hebt uitgespookt. Je hebt niets gegeten, werd dronken en hebt jezelf in gevaar gebracht.' Mijn angst verrast me. Ze heeft zich ook zo onverantwoord en roekeloos gedragen. 'Ik wil niet weten wat er met je had kunnen gebeuren.'

Ze fronst haar voorhoofd. 'Dat was wel goed gekomen. Kate was er ook.'

Ja, en aan haar had je ook echt wat! 'En de fotograaf?' kaats ik terug.

'José ging gewoon iets te ver,' zegt ze, waarmee ze mijn bezorgdheid afwimpelt. Ze gooit haar warrige haar over haar schouder.

'Nou, de volgende keer dat hij te ver gaat, zou iemand hem eens wat manieren moeten bijbrengen.'

'Je brengt nogal graag discipline bij,' snauwt ze.

'O, Anastasia, je moest eens weten.' Een beeld van haar aan mijn bank geketend, met een stuk geschilde gember in haar kont zodat ze haar billen niet kan samenknijpen duikt op in mijn hoofd. En daarna dan stevig met een riem eroverheen. *Ja...* Dat zou haar leren zich niet zo onverantwoord te gedragen. Dat is een heel aanlokkelijke gedachte.

Ze staart me met grote ogen ietwat verdwaasd aan.

Ik krijg er een ongemakkelijk gevoel bij. *Kan ze mijn gedachten lezen? Of staart ze gewoon naar een knappe kop.* 'Ik ga een douche nemen. Of wil jij eerst?' vraag ik, maar ze blijft maar staren. Zelfs met haar mond open is ze best mooi. Ik kan haar maar moeilijk weerstaan en sta mezelf toe haar aan te raken, met mijn duim langs haar wang te strijken. Haar adem stokt terwijl ik haar zachte onderlip streel. 'Ademen, Anastasia,' mompel ik. Dan ga ik staan en ik vertel haar dat het ontbijt over een kwartier wordt gebracht.

Ze zegt niets. Ze houdt een keertje haar mond.

In de badkamer adem ik eens diep in, trek mijn kleren uit en ga onder de douche staan. Ik kom in de verleiding me af te trekken, maar de bekende angst van vroeger om betrapt te worden en dat er openlijk over wordt gesproken, weerhoudt me ervan. Elena zou er niet blij mee zijn. *Oude gewoontes.*

Terwijl het water over mijn hoofd stroomt, denk ik na over mijn laatste ontmoeting met de interessante mevrouw Steele. Ze is nog hier, in mijn bed, dus dan vindt ze me toch niet helemaal afstotelijk. Ik zag wel dat haar adem stokte en hoe ze me met haar blik door de kamer volgde. *Ja.* Er is hoop.

Maar zou ze een goede Onderdanige zijn?

Het is me wel duidelijk dat ze niets van die manier van leven weet. Ze kon niet eens 'neuken' of 'seks' zeggen, of wat leesgrage studenten vandaag de dag ook als eufemisme voor naaien gebruiken. Ze is vrij onschuldig. Ze heeft waarschijnlijk wel een paar onhandige vrijpartijtjes met jongens als die fotograaf moeten ondergaan. Dat idee zit me niet lekker.

Ik zou haar ook gewoon kunnen vragen of ze interesse heeft.

Nee. Dan zou ik haar moeten laten zien waar ze aan zou beginnen als ze in zou stemmen met een relatie met mij. Laten we eerst maar eens kijken hoe het ontbijt verloopt.

Ik spoel de zeep van me af onder de hete straal en bereid me voor op de tweede ronde met Anastasia Steele. Ik draai de kraan dicht, stap de douche uit en pak een handdoek. Na een snelle blik in de bestoomde spiegel besluit ik me vandaag niet te scheren. Het ontbijt komt zo en ik heb trek. Ik poets nog snel mijn tanden.

Als ik de deur van de badkamer opendoe, zie ik dat ze op is. Ze is gezien haar lange, blote benen vast op zoek naar haar spijkerbroek.

Ze kijkt met grote ogen op als het spreekwoordelijke verschrikte hert.

'Als je je spijkerbroek zoekt, die heb ik met de was meegestuurd.' Ze heeft echt geweldige benen. Ze zou die niet in een broek moeten verbergen. Ze knijpt haar ogen een beetje dicht en ik krijg de indruk dat ze met me in discussie wil gaan dus ik vertel haar waarom ik dat heb gedaan. 'Er zaten spetters braaksel op.'

'O,' zegt ze.

Ja. 'O.' En had u daar nog wat op te zeggen, mevrouw Steele? 'Ik heb

74

Taylor een nieuwe broek en een paar schoenen laten halen. Ze zitten in een tas op die stoel daar.' Ik knik naar het tasje.

Ze trekt haar wenkbrauwen op.

Verrast, denk ik zo.

'Eh... ik ga douchen,' prevelt ze. Als een nagekomen bericht voegt ze eraan toe: 'Dank je.' Ze grist het tasje mee, rent om me heen, verdwijnt snel de badkamer in en doet de deur op slot.

Hmm... Ze kon niet snel genoeg in de badkamer komen. Bij mij uit de buurt. Misschien ben ik te optimistisch.

Ik droog me vlug af en kleed me ontmoedigd aan. In de woonkamer check ik mijn mail, maar er is niets dringends. Ik word gestoord door een klopje op de deur.

Daar staan twee jonge vrouwen van de roomservice. 'Waar wilt u het ontbijt hebben, meneer?'

'Zet het maar op de eettafel.'

Ik loop terug de slaapkamer in. Ik vang nog net hun steelse blikken op, maar ik negeer ze en onderdruk het schuldgevoel omdat ik zo veel eten heb besteld. Dat kunnen we nooit allemaal op. 'Het ontbijt is er,' roep ik met een klopje op de deur.

'O-oké.'

Ana's stem klinkt wat gedempt.

Terug in de woonkamer staat ons ontbijt op tafel klaar. Een van de vrouwen, ze heeft diepe, donkere ogen, geeft me de cheque om te ondertekenen en ik trek een paar briefjes van twintig uit mijn portemonnee als fooi. 'Bedankt, dames.'

'Belt u maar als u de tafel wilt laten afruimen, meneer,' zegt mevrouw met de Donkere Ogen met een kokette blik, alsof ze me meer aanbiedt.

Mijn ijskoude glimlach maakt duidelijk dat dat laatste niet nodig zal zijn.

Ik ga met de krant aan tafel zitten, schenk een kop koffie voor mezelf in en begin aan mijn omelet. Mijn mobiel zoemt: een sms van Elliot.

Kate wil weten of Ana nog leeft.

Ik grinnik. Het doet me goed dat Ana's zogenaamde vriendin aan haar denkt. Het is wel duidelijk dat Elliot zijn pik geen pauze heeft

75

gegund, ondanks zijn plechtige verklaring gisteren. Ik sms hem terug.

Springlevend ;)

Een paar minuten later verschijnt Ana met nat haar. Ze draagt de mooie blauwe blouse die zo mooi bij haar ogen staat. Taylor heeft het goed gedaan, ze ziet er prachtig uit. Ze kijkt om zich heen en ziet dan haar tas. 'O shit, Kate!' 'Ze weet dat je hier bent en dat je nog leeft. Ik heb Elliot ge-sms't.' Ze glimlacht wat onzeker terwijl ze naar de tafel komt. 'Ga zitten,' zeg ik en ik wijs naar waar er voor haar is gedekt. Ze fronst als ze de hoeveelheid eten ziet die op tafel staat, waardoor ik me alleen nog maar lulliger voel. 'Ik wist niet wat je lekker vindt, dus ik heb het hele ontbijtmenu besteld,' mompel ik verontschuldigend.

'Een beetje overdreven,' zegt ze.

'Je hebt gelijk.' Dat verrekte schuldgevoel ook! Maar als ze voor de pannenkoeken, roerei en bacon met ahornsiroop kiest en lekker begint te eten, vergeef ik het mezelf. Het is goed haar te zien genieten. 'Thee?'

'Alsjeblieft,' zegt ze tussen twee happen door.

Ze heeft duidelijk erge trek. Ik geef haar de kleine theepot met water.

Ze glimlacht heel lief als ze de Twinings English Breakfast Tea ziet.

Mijn adem stokt bij het zien van de uitdrukking op haar gezicht. En ik krijg er een ongemakkelijk gevoel van. Het geeft me hoop. 'Je haar is nog erg nat,' zeg ik.

'Ik kon de haardroger niet vinden,' zegt ze gegeneerd. 'Bedankt dat je die kleren voor me hebt geregeld.'

'Graag gedaan, Anastasia. Die kleur staat je goed.'

Ze staart naar haar vingers.

'Weet je, je zou toch eens moeten leren een compliment te accepteren.' Misschien krijgt ze die niet zo vaak... maar waarom niet? Ze is op een subtiele manier bloedmooi.

'Laat me je geld geven voor die kleren.'

Wat? Ik kijk haar boos aan.

Ze gaat snel verder. 'Je hebt me die boeken al gegeven, die ik natuurlijk niet kan aannemen. Maar deze kleren... laat me je alsjeblieft terugbetalen.'

Wat een schatje. 'Anastasia, maak je geen zorgen. Ik kan het betalen.'

'Daar gaat het niet om. Waarom zou jij ze voor mij moeten kopen?'

'Omdat ik dat kan.' *Ik ben een erg rijke man, Ana.*

'Dat wil niet zeggen dat je het ook moet doen.'

Haar stem klinkt zacht, maar ik vraag me opeens af of ze door me heen kan kijken en mijn meest verdorven verlangens heeft gezien.

'Waarom heb je me die boeken gestuurd, Christian?'

Omdat ik je weer wilde zien, en hier zit je dan...

'Nou, toen je bijna werd overreden door die fietser – en ik je vasthield en je naar me opkeek – zo van "kus me, kus me, Christian"...' Ik zwijg even als ik in gedachten dat moment opnieuw beleef, haar lichaam tegen dat van mij. *Shit.* Ik zet die herinnering snel van me af.

'Ik vond dat ik je een excuus en een waarschuwing verschuldigd was. Anastasia, ik doe niet aan hartjes en bloemen, ik ben niet romantisch. Ik heb nogal eigenaardige voorkeuren. Het is beter voor je als je bij me uit de buurt blijft. Maar er is iets bijzonders aan jou, waardoor ik niet bij je uit de buurt kan blijven. Ik denk dat je dat al wel doorhebt.'

'Doe het dan niet,' fluistert ze.

Wat? 'Je weet niet wat je zegt.'

'Leg het me dan uit.'

Het effect van haar woorden is meteen voelbaar in mijn kruis. *Fuck.* 'Je bent dus niet celibatair?'

'Nee, Anastasia, dat ben ik niet.' En als ik je mocht vastbinden dan zou ik je dat nu meteen bewijzen.

Ze zet grote ogen op en er verschijnt een blos op haar wangen.

O, Ana. Ik zal het haar moeten laten zien. Dat is de enige manier waarop ik het zeker zal weten. 'Wat zijn je plannen voor de komende paar dagen?'

'Vanmiddag moet ik werken vanaf twaalf uur. Hoe laat is het?' roept ze opeens paniekerig.

'Het is iets na tien uur – je hebt tijd genoeg. En morgen?'

'Kate en ik gaan beginnen met inpakken. We verhuizen volgend weekend naar Seattle en ik werk de hele week bij Clayton's.'

'Heb je al woonruimte in Seattle?'

'Ja.'

'Waar?'

'Ik kan me het adres niet zo herinneren. In het Pike Market District.'

'Dat is niet ver bij mij vandaan.' *Mooi zo!* 'Waar ga je werken in Seattle?'

'Ik heb gesolliciteerd op een aantal traineeplaatsen. Ik wacht nog op een reactie.'

'Heb je bij mijn bedrijf gesolliciteerd, zoals ik had voorgesteld?'

'Eh, nee.'

'Wat is er dan mis met mijn onderneming?'

'Met je onderneming of met je ondernéming?' Ze trekt haar wenkbrauw iets op.

'Maak je me belachelijk, mevrouw Steele?' Ik kan niet verbergen dat ik dit grappig vind. *O, het zou geweldig zijn om haar te trainen... deze uitdagende, gekmakende vrouw.*

Ze staart nadenkend naar haar bord en kauwt op haar onderlip.

'Ik zou graag op die lip van je bijten,' fluister ik, want dat is de waarheid.

Ze kijkt meteen op en verzit in haar stoel. Ze heft haar kin op en kijkt me vol zelfvertrouwen aan. 'Waarom niet?' zegt ze rustig.

O, breng me niet in de verleiding, schatje. Ik kan het niet. Nog niet.

'Omdat ik je niet aanraak, Anastasia – niet voordat jij me jouw schriftelijke toestemming hebt gegeven om dat te doen.'

'Wat bedoel je daarmee?'

'Precies wat ik zeg. Ik moet het je laten zien, Anastasia. Hoe laat ben je klaar met werken vanavond?'

'Rond acht uur.'

'We zouden vanavond of zaterdag naar Seattle kunnen gaan om bij mij thuis te dineren. Dan zal ik je op de hoogte brengen van alles. De keus is aan jou.'

'Waarom kun je het me niet gewoon nu vertellen?'

'Omdat ik nu geniet van m'n ontbijt en van jouw gezelschap. Zodra je weet wat ik je wil vertellen, wil je me waarschijnlijk nooit meer zien.'

Ze denkt hier even met een frons over na. 'Vanavond,' zegt ze.

Oké! Nou, daar had ze ook niet lang voor nodig. 'Je bent net Eva, zo ongeduldig om van de boom der wijsheid te eten,' zeg ik pestend.

'Drijft u de spot met mij, meneer Grey?' vraagt ze.

Ik kijk haar met samengeknepen ogen aan. *Oké, schatje, je hebt erom gevraagd.* Ik pak mijn mobieltje en bel Taylor.

Hij neemt vrijwel meteen op. 'Meneer Grey.'

'Taylor. Ik heb Charlie Tango nodig.'

Ze houdt me nauwlettend in de gaten terwijl ik alles regel om mijn EC135 naar Portland te laten brengen. Ik zal haar wel eens laten zien wat ik in gedachten heb... en dan is het verder aan haar. Het is goed mogelijk dat ze naar huis wil als ze het eenmaal weet. Ik zal het zo regelen dat Stephan, mijn piloot, stand-by staat, zodat hij haar terug naar Portland kan vliegen als ze besluit dat ze niets meer met me te maken wil hebben. Ik hoop maar dat dat niet gebeurt. En dan dringt het tot me door hoe geweldig het is dat ik haar in Charlie Tango naar Portland kan brengen. *Dat zal haar eerste keer zijn.*

'Piloot stand-by vanaf 22:30 uur,' bevestig ik en ik hang op.

'Doen mensen altijd alles wat jij ze opdraagt?' vraagt ze met overduidelijke afkeuring in haar stem.

Geeft ze me nu een standje? Die opmerking zit me dwars. 'Als ze hun baan willen houden wel.' *Zet geen vraagtekens bij hoe ik met mijn personeel omga.*

'En als ze niet voor jou werken?' vraagt ze.

'Ach, Anastasia, ik heb erg veel overredingskracht. Eet je ontbijt op. En dan zet ik je thuis af. Ik pik je om acht uur op bij Clayton's. We vliegen naar Seattle.'

'Vliegen?'

'Ja. Ik heb een helikopter.'

Haar mond valt open van verbazing. Het is een aangenaam moment.

'We gaan naar Seattle met een helikopter?'

'Ja.'

'Waarom?'

'Omdat ik dat kan.' Ik grijns. Soms is het gewoon verrekte gaaf om mij te zijn. 'Eet je ontbijt op.'

Ze is zo te zien sprakeloos.

'Eet op,' zeg ik dwingender. 'Anastasia, ik kan er niet tegen als mensen voedsel verspillen... dus eet.'

'Ik kan dit echt niet allemaal op.' Ze kijkt naar al het eten dat nog op tafel staat.

Ik voel me opnieuw schuldig. Ja, er is veel te veel eten. 'Eet je bord dan leeg. Als je gisteren goed gegeten had, zou je hier niet zijn en zou ik niet zo snel open kaart spelen.' *Shit. Dit zou wel eens een enorme vergissing kunnen zijn.*

Ze werpt me een schuine blik toe terwijl ze met een vork het eten van haar bord prikt. Haar lippen krullen op.

'Wat is er zo grappig?'

Ze schudt haar hoofd en stopt het laatste stukje pannenkoek in haar mond.

Ik probeer niet te lachen. Ze verrast me altijd. Ze is onbeholpen, onverwacht en charmant. Ze maakt me aan het lachen. Zelfs om mezelf. 'Goed gedaan, meisje,' zeg ik. 'Zodra je je haar hebt gedroogd, breng ik je thuis. Ik wil niet dat je ziek wordt.'

Je zult al je energie nodig hebben voor vanavond, voor wat ik je wil laten zien.

Ze gaat abrupt staan.

Ik moet me inhouden om niet te zeggen dat ze daar nog geen toestemming voor heeft. *Ze is je Onderdanige niet, Grey. Nog niet...*

Ze loopt naar de slaapkamer, maar blijft bij de bank nog even staan.

'Waar heb jij vannacht geslapen?'

'In mijn bed.' *Bij jou.*

'O.'

'Ja, voor mij was het ook nieuw.'

'Geen... seks gehad.'

Ze heeft het s-woord gezegd... en daar komt de blos op haar wangen al.

'Nee.' Hoe kan ik haar dit vertellen zonder dat het raar klinkt? *Zeg het nou maar, Grey.* 'Met iemand slapen.' Ik doe heel nonchalant alsof ik me weer op het sportkatern en het verslag van de wedstrijd van gisteravond concentreer, maar kijk haar dan na tot ze de slaapkamer in verdwijnt.

Nee, dat klonk helemaal niet raar.

Nou ja, ik heb nog een afspraakje met mevrouw Steele. Nee, het is geen afspraakje. Ze moet het weten. Ik zucht eens diep en drink het laatste restje sinaasappelsap op. Dit gaat een heel interessante dag worden. Ik hoor tot mijn genoegen en mijn verrassing het blazen van de föhn. Dan heeft ze toch mijn bevel opgevolgd.

Terwijl ik op haar wacht, bel ik de valet zodat mijn auto straks klaarstaat en ik controleer nog een keer haar adres op Google Maps. Daarna sms ik Andrea de vraag of ze me een geheimhoudingsverklaring stuurt via de mail. Als Ana alles wil weten, zal ze er daarna wel haar mond over moeten houden. Mijn mobieltje zoemt. Het is Ros.

Tijdens het gesprek komt Ana de slaapkamer uit en pakt ze haar tas. Ros heeft het over Darfur, maar mevrouw Steele heeft mijn aandacht. Ze rommelt in haar handtas en glimlacht als ze een elastiekje vindt.

Ze heeft schitterend haar. Lang. Dik. Weelderig. Ik vraag me af hoe het zou zijn om het te vlechten.

Ze doet het in een staart en trekt haar jasje aan. Dan gaat ze op de bank zitten wachten tot ik klaar ben.

'Goed, doen we het zo. Houd me op de hoogte.' Ik beëindig mijn gesprek met Ros. Ze heeft bergen verzet en het ziet ernaar uit dat onze lading voedsel naar Darfur kan gaan. 'Klaar voor vertrek?' vraag ik.

Ze knikt.

Ik pak mijn jasje en autosleutels en volg haar de deur uit, de gang in.

Ze werpt me een zijdelingse blik toe van onder haar lange wimpers terwijl we naar de lift lopen en er verschijnt een verlegen glimlach om haar lippen.

Ik moet ook glimlachen. *Wat doet ze in hemelsnaam met me?*

De liftdeuren glijden open en ik laat haar als eerste instappen. Ik druk op de knop voor de begane grond en de deuren gaan weer dicht. Door de beslotenheid van de lift ben ik me honderd procent van haar bewust. Een zweem van haar zoete geur dringt mijn neus binnen...

Haar ademhaling stokt een beetje en ze kijkt me met een uitnodigende, heldere blik aan.

Shit.

Ze bijt op haar lip.

Dat doet ze expres. Ik ga even helemaal op in haar betoverende, sensuele blik.

Ze krabbelt niet terug.

Ik heb een stijve. Zo gemakkelijk.

Ik wil haar. Hier. Nu. In de lift.

'Jezus, vergeet het papierwerk.' De woorden floepen er zo uit en ik grijp haar instinctief beet en duw haar tegen de wand. Ik pak allebei haar polsen en houd die met een hand boven haar hoofd zodat ze me niet kan aanraken. Met mijn vrije hand grijp ik haar haren vast terwijl ik mijn lippen op die van haar druk.

Ze kreunt.

Wat een verleidelijk geluid. Eindelijk kan ik haar proeven: munt en thee en een boomgaard van zachte fruitige smaken. Ze smaakt net zo goed als ze eruitziet. Als overvloed. *Lieve hemel.* Ik moet haar hebben. Ik pak haar kin, verdiep de kus, en dan raakt haar tong voorzichtig die van mij aan... Verkennend. Nadenkend. Aftastend. Dan kust ze me terug.

Mijn god! 'Je. Bent. Zo. Lekker,' mompel ik tegen haar lippen. Ik ben helemaal bedwelmd door haar smaak en haar geur.

De lift stopt en de deuren gaan open.

Beheers je, Grey.

Ik duw me van haar af en ga buiten haar bereik staan.

Ze hijgt.

Ik ook. *Wanneer heb ik voor het laatst mijn zelfbeheersing verloren?*

Drie mannen in pakken werpen ons veelbetekenende blikken toe terwijl ze naar binnen stappen.

En ik staar naar de poster die boven de knoppen van de lift hangt, waarop een advertentie staat voor een sensueel weekend in het Heathman. Ik gluur naar Ana en zucht diep.

Ze grijnst.

En mijn lippen krullen op. *Wat heeft ze verdomme met me gedaan?*

De lift stopt op de eerste verdieping. De mannen stappen uit en laten me alleen achter met mevrouw Steele.

'Je hebt je tanden gepoetst,' zeg ik droogjes.

'Ik heb jouw tandenborstel gebruikt,' vertelt ze met stralende ogen.

Natuurlijk... en om de een of andere reden vind ik dat een fijn idee, te fijn. Ik onderdruk mijn glimlach. 'O, Anastasia Steele, wat moet ik toch met jou?' Als de liftdeuren opengaan pak ik haar hand.

'Wat is dat toch met liften?'

Ze kijkt me veelbetekenend aan terwijl we over de glanzende marmeren vloer van de lobby lopen.

De auto wacht op een van de parkeerplekken voor het hotel, de valet ijsbeert over de stoep. Ik geef hem een obsceen grote fooi en maak het portier open voor Ana, die op het moment maar stilletjes is. Maar ze is niet weggerend. Ook al heb ik haar in de lift besprongen. Ik zou iets moeten zeggen over wat er daar is gebeurd, maar wat dan? *Sorry? Hoe was het voor jou? Wat doe je verdomme met me?*

Ik start de motor en besluit dat ik er het beste niets over kan zeggen. De kalmerende klanken van 'Het Bloemenduet' van Delibes vullen de auto en ik begin me te ontspannen.

'Waar luisteren we naar?'

Ik draai net Southwest Jefferson Street op. Ik vertel het haar en vraag dan of ze het mooi vindt.

'Christian, het is prachtig.'

Het is een zeldzaam genoegen om mijn naam over haar lippen te horen rollen. Ze heeft die nu al zo'n keer of zes gezegd, en elke keer op een andere manier. Vandaag is het vol verwondering, vanwege de muziek. Het is geweldig dat ze dit zo mooi vindt: het is een van mijn lievelingsstukken. Ik betrap mezelf erop dat ik zit te grijnzen, ze neemt me de uitbarsting in de lift overduidelijk niet kwalijk.

'Mag ik het nog een keer luisteren?'

'Natuurlijk.' Ik tik op het touchscreen om de muziek opnieuw af te spelen.

'Houd je van klassieke muziek?' vraagt ze.

We rijden net over de Fremont Bridge en dit is het begin van een ontspannen gesprek over mijn muzieksmaak. Maar dan krijg ik een oproep via de handsfree. 'Grey.'

'Meneer Grey, u spreekt met Welch. Ik heb de informatie die u nodig heeft. O ja, en details over de fotograaf.'

'Goed gedaan. E-mail het me maar. Wilde je verder nog iets zeggen?'

'Nee, meneer.'

Ik druk het gesprek weg en de muziek gaat verder.

We gaan allebei op in de rauwe klanken van Kings of Leon. Maar dat duurt niet lang. Ons luistergenot wordt weer onderbroken door de handsfree. *Jezus!* 'Grey,' snauw ik.

'De geheimhoudingsovereenkomst is per e-mail opgestuurd, meneer Grey.'

'Mooi zo. Dat was alles, Andrea.'

'Prettige dag, meneer.'

Ik werp een zijdelingse blik op Ana, om te zien of ze iets van het gesprek heeft opgevangen, maar ze bestudeert de omgeving. Ik heb zo het vermoeden dat ze dat uit beleefdheid doet. Het is lastig om mijn ogen op de weg te houden. Ik wil naar haar staren. Ook al komt ze soms wat klungelig over, ze heeft een elegant lichaam. De lijn van haar hals is schitterend. Ik zou er wel vanaf haar oorlel tot aan haar schouder kusjes op willen drukken.

Verdomme. Ik verschuif even op mijn stoel. Ik hoop dat ze die overeenkomst tekent en accepteert wat ik haar te bieden heb.

Als ik de 1-5 op rijd, wordt er weer gebeld. Het is Elliot.

'Hé Christian, heb je nog geneukt?'

O... heel gelikt, gast, heel gelikt. 'Hallo, Elliot – de telefoon staat op luidspreker en ik ben niet alleen in de auto.'

'Wie heb je bij je?'

'Anastasia Steele.'

'Hoi, Ana!'

'Hallo, Elliot,' zegt ze opgewekt.

'Ik heb al veel over jou gehoord,' zegt Elliot.

Shit. Wat heeft hij dan gehoord?

'Geloof geen woord van wat Kate zegt,' antwoordt ze vrolijk. Elliot lacht.

'Ik breng Anastasia thuis. Zal ik je oppikken?' onderbreek ik ze.

Elliot wil er ongetwijfeld zo snel mogelijk vandoor.

'Tuurlijk.'

'Tot zo.' Ik hang op.

'Waarom wil je me per se Anastasia noemen?' vraagt ze.

'Omdat dat je naam is.'

'Ik vind Ana leuker.'

'O, is dat zo?'

'Ana' is te gewoontjes voor haar. En te bekend. Die drie letters hebben de macht om me te verwonden... En op dat moment besef ik dat haar afwijzing, als die komt, me zwaar zal vallen. Het is eerder gebeurd, maar ik heb me nooit eerder zo... betrokken gevoeld. Ik ken dit meisje niet eens, maar ik wil haar wel leren kennen, door en door. Misschien komt het omdat ik nog nooit achter een vrouw aan heb moeten zitten.

Grey, beheers je en houd je aan de regels, anders gaat dit compleet naar de haaien. 'Anastasia,' zeg ik. Ik negeer haar afkeurende blik. 'Wat er gebeurd is in de lift – dat zal niet nog eens gebeuren, tenzij het gepland is.'

Ze zwijgt terwijl ik voor haar gebouw parkeer. Voordat ze kan reageren stap ik uit. Ik loop om de auto heen en maak haar portier open.

Ze stapt uit en werpt me snel een blik toe. 'Ik vond het wel leuk wat er in de lift gebeurde.'

Echt? Door haar bekentenis blijf ik abrupt staan. Ik ben alweer aangenaam verrast door Mevrouwtje Steele.

Ze loopt de trap naar de voordeur op.

Ik moet me haasten om haar bij te houden.

Elliot en Kate kijken op als we binnenkomen. Ze zitten aan een eettafel in een verder vrij kaal ingerichte kamer, wat bij een stel studentes past. Er staat een aantal verhuisdozen naast een boekenplank.

Elliot ziet er relaxed uit en hij lijkt geen haast te hebben om hier weg te komen. Dat is verrassend.

Kavanagh springt overeind en neemt mij eens kritisch in zich op terwijl ze Ana omhelst.

Wat dacht ze dat ik met haar zou doen? *Ik weet wel wat ik graag met haar zou willen doen...*

Kavanagh houdt Ana op armslengte afstand en bekijkt haar van top tot teen.

Dat stelt me enigszins gerust. Misschien geeft ze dan toch ook om Ana.

'Goedemorgen, Christian,' zegt ze op koele, minachtende toon.

'Mevrouw Kavanagh.' Ik wil eigenlijk iets sarcastisch zeggen over het feit dat ze eindelijk wat interesse in haar vriendin toont, maar ik houd me in.

'Christian, ze heet Kate,' zegt Elliot wat geërgerd.

'Kate,' mompel ik om beleefd te zijn.

Elliot geeft Ana een knuffel en houdt haar net iets te lang vast.

'Hoi, Ana,' zegt hij met een brede grijns.

'Hoi, Elliot.' Ze glimlacht stralend.

Oké, nu wordt het ondraaglijk. 'Elliot, we moeten gaan.' *En hou je handen thuis.*

'Tuurlijk,' zegt hij. Hij laat Ana los. Dan grijpt hij Kavanagh vast en maakt er een heel spektakel van haar te zoenen.

O, Jezus, man. Moet dat nou?

Ana vindt het wat gênant om naar ze te kijken.

Dat kan ik heel goed begrijpen. Maar dan kijkt ze me onderzoekend, met ietwat samengeknepen ogen aan. Waar denkt ze nu aan?

'Later, schatje,' zegt Elliot, waarna hij Kavanagh nog eens uitgebreid kust.

Gast, gedraag je een beetje, alsjeblieft. Ana kijkt me met een verwijtende blik aan en heel even weet ik niet of het komt door het wellustige toneelstukje van Elliot en Kate of – *shit.*

Dit is wat zij ook wil. Het hof worden gemaakt. *Romantiek is niets voor mij, liefje.*

Er is een lokje haar aan haar staart ontsnapt en dat strijk ik zonder nadenken achter haar oor.

Ze leunt met haar gezicht tegen mijn vingers. Het tedere gebaar verrast me. Ik streel met mijn duim als vanzelf over haar zachte onderlip, die ik dolgraag weer zou zoenen. Maar dat kan niet. Niet tot ik haar toestemming heb.

'Later, schatje,' fluister ik.

De uitdrukking op haar gezicht verzacht en ze glimlacht.

'Ik haal je om acht uur op.' Ik draai me met tegenzin om en trek de voordeur open. Elliot zit me vlak op de hielen.

'Man, ik heb echt slaap nodig,' zegt Elliot zodra we in de auto zitten. 'Die vrouw is gulzig.'

'Echt...' Het sarcasme druipt van mijn stem. Het laatste wat ik wil is een gedetailleerd verslag van zijn avontuurtje.

'En hoe zit het met jou, knapperd? Heeft ze je ontmaagd?'

Ik kijk hem even giftig aan.

Elliot lacht. 'Gast, je bent echt veel te gestrest.' Hij trekt zijn pet over zijn ogen en nestelt zich in zijn stoel voor een dutje.

Ik draai het volume van de muziek verder omhoog.

Probeer daar maar eens doorheen te slapen, Lelliot!

Ja, ik ben jaloers op mijn broer, op hoe gemakkelijk hij met vrouwen omgaat, op zijn vermogen om te slapen... en op het feit dat hij niet de klootzak in deze ruimte is.

Het onderzoek naar José Rodriguez levert alleen een bekeuring op voor marihuanabezit. Op zijn strafblad staat niks over seksuele intimidatie. Als ik niet had ingegrepen, was daar gisteravond misschien verandering in gekomen. En dat lulletje rookt wiet? Ik hoop niet dat hij rookt waar Ana bij is. En ik hoop dat zij helemaal niet rookt.

Ik open Andrea's e-mail en stuur het geheimhoudingscontract naar de printer in mijn studeerkamer, thuis in Escala. Ana zal het moeten ondertekenen voordat ik haar mijn speelkamer laat zien. In een moment van zwakte, overmoed of ongehoord optimisme – ik kan niet kiezen – vul ik haar naam en adres in op mijn standaardcontract tussen Meester en Onderdanige en stuur dat ook naar de printer.

Er wordt op de deur geklopt.

'Hee topper, laten we gaan wandelen,' roept Elliot door de deur.

Ha... het kind is wakker geworden.

De geur van dennenbomen, vochtige aarde en het late voorjaar verwent mijn zintuigen. Het doet me denken aan die onstuimige dagen uit mijn jeugd, rennend door het bos met Elliot en Mia, onder het toeziend oog van onze adoptieouders. De rust, de ruimte, de vrijheid... het knarsen van droge dennennaalden onder je voeten.

Hier, buiten in de natuur, kon ik alles vergeten.

Dit was een schuilplaats voor mijn nachtmerries.

Elliot babbelt honderduit en heeft alleen af en toe een instemmende grom van me nodig om door te blijven praten. Terwijl we verder lopen langs de ongelijke oevers van de Willamette, dwalen mijn gedachten af naar Anastasia. Voor het eerst in lange tijd kijk ik ergens reikhalzend naar uit. Ik ben opgewonden.

Gaat ze 'ja' zeggen tegen mijn voorstel?

Ik beeld me in hoe ze naast me ligt te slapen, zacht en klein... mijn lid schokt verwachtingsvol. Ik had haar wakker kunnen maken en haar toen kunnen neuken. Dat zou voor het eerst geweest zijn.

Ik ga haar nog wel neuken.

Ik ga haar vastbinden en neuken met een prop in haar bijdehante mond.

Het is rustig bij Clayton's. De laatste klant is vijf minuten geleden vertrokken. Ik wacht, opnieuw, en trommel met mijn vingers op mijn dijen. Geduld is niet mijn sterkste kant. Zelfs de lange wandeling met Elliot heeft mijn rusteloosheid niet kunnen verminderen. Hij gaat vanavond met Kate uit eten bij het Heathman. Twee afspraakjes met dezelfde vrouw achter elkaar, dat is niet zijn stijl. Plotseling gaan de tl-lichten in de winkel knipperend uit. De voordeur zwaait open en Ana stapt naar buiten, de milde avond van Portland in. Mijn hart begint te bonken. Dit is hét moment: het begin van een nieuwe relatie of het begin van het einde. Ze zwaait naar een jonge man die met haar mee naar buiten is gelopen. Het is niet dezelfde als de man die ik hier de vorige keer ontmoet heb. Hij kijkt hoe ze naar de auto loopt, zijn ogen gericht op haar kont. Taylor leidt me af door aanstalten te maken om uit de auto te stappen, maar ik houd hem tegen. Dit is mijn taak. Als ik buiten de autodeur voor haar openhoud, is de nieuwe jongen de winkel op slot aan het doen. Hij staart niet langer naar mevrouw Steele.

Haar lippen krullen zich tot een verlegen glimlach als ze dichterbij komt, met haar haren in een zwierige paardenstaart die heen en weer deint in de avondbries.

'Goedenavond, mevrouw Steele.'

'Meneer Grey,' zegt ze. Ze draagt een zwarte spijkerbroek... Weer een spijkerbroek. Ze groet Taylor terwijl ze op de achterbank van de auto plaatsneemt.

Als ik naast haar zit, pak ik haar hand, terwijl Taylor de lege weg op rijdt en koers zet naar de helikopterhaven van Portland. 'Hoe was het op je werk?' vraag ik, genietend van het gevoel van haar hand in de mijne.

'Het duurde heel lang,' zegt ze met een hese stem.

'Ja, voor mij is het ook een lange dag geweest.'

Het wachten maakte de afgelopen uren tot een hel!

'Wat heb je gedaan?' vraagt ze.

'Ik ben op pad geweest met Elliot.' Haar hand is warm en zacht.

Ze werpt een blik op onze ineengestrengelde vingers en ik streel on-
ophoudelijk met mijn duim over haar knokkels. Ze komt op adem
en haar ogen ontmoeten die van mij. Ik zie er begeerte en verlangen
in... en haar gevoel van verwachting. Ik hoop maar dat ze mijn voorstel accepteert.

Godzijdank is het een kort ritje naar de helikopterhaven. Als we
uit de auto zijn gestapt, pak ik haar hand weer vast. Ze lijkt een beetje
verward.

Ah. Ze vraagt zich af waar de helikopter is.

'Klaar?' vraag ik. Ze knikt, en ik neem haar mee het gebouw in,
op weg naar de lift. Ze werpt een korte, veelbetekenende blik op
me.

Ze denkt aan de kus van vanochtend en... ik ook.

'Het is maar drie verdiepingen,' mompel ik.

Als we binnen staan, beloof ik mezelf dat ik haar een keer in een
lift ga neuken. Als ze tenminste akkoord gaat met mijn voorstel.

Op het dak staat Charlie Tango, net binnengekomen van Boeing
Field, klaar om te vliegen. Stephan, die haar hierheen heeft gebracht,
is nergens te bekennen. Maar Joe, die de helikopterhaven in Portland beheert, zit in het kantoortje. Hij begroet me als ik hem zie.
Hij is ouder dan mijn opa en weet alles van vliegen. Hij vloog
Sikorsky's in Korea om gewonden te evacueren, en geloof me, hij
heeft angstaanjagende dingen meegemaakt.

'Hier is uw vliegplan, meneer Grey,' zegt Joe. Zijn raspende stem
verraadt zijn leeftijd. 'Alle externe checks zijn gedaan. Ze is klaar om
te vertrekken, meneer. U kunt meteen gaan.'

'Bedankt, Joe.'

Een snelle blik op Ana vertelt me dat ze opgewonden is... net als
ik. Dit is haar eerste keer in een helikopter.

'We gaan.' Met haar hand opnieuw in de mijne leid ik Ana naar
Charlie Tango. Het is de veiligste Eurocopter die er is en ze is een
genot om te besturen. Ze is mijn grote trots. Ik houd de deur open
voor Ana. Ze klautert naar binnen en ik klim achter haar aan.

'Daar,' gebied ik, terwijl ik naar de voorste passagiersstoel wijs.
'Ga zitten. Niks aanraken.' Het verbaast me dat ze doet wat ik haar
zeg.

Als ze eenmaal zit, onderzoekt ze de instrumenten met een mengeling van ontzag en enthousiasme. Ik hurk naast haar en maak haar riemen vast, terwijl ik probeer om me niet in te beelden dat ze naakt voor me zit. Ik doe er langer over dan nodig, omdat dit misschien mijn laatste kans is om zo dicht bij haar te zijn, mijn laatste kans om haar zoete, verleidelijke geur op te snuiven. Als ze eenmaal weet van mijn voorkeuren zal ze er misschien vandoor gaan... aan de andere kant, misschien omarmt ze mijn lifestyle. De mogelijkheden die dit biedt, zijn bijna overweldigend. Ze kijkt aandachtig naar me, ze is zo dichtbij... zo heerlijk. Ik klik de laatste riem vast. Ze gaat nergens heen. Het komende uur in elk geval niet.

Ik onderdruk mijn opwinding en fluister: 'Je zit vast. Ontsnappen kan niet meer.' Ze ademt haastig in. 'Blijf ademen, Anastasia,' voeg ik toe, en ik streel haar wang. Terwijl ik haar kin ondersteun, buig ik voorover en geef haar een snelle kus. 'Dit harnas bevalt me,' mompel ik. Ik wil haar vertellen dat ik er nog meer heb, van leer, waarin ik haar vastgebonden wil zien, hangend aan het plafond. Maar ik gedraag mezelf, ga zitten en maak mijn riemen vast.

'Zet je doppen op.' Ik wijs naar de koptelefoon die voor haar hangt. 'Ik loop alle controlestappen even door.' Alle instrumenten zien er goed uit. Ik duw de gashendel naar 1500 rpm, zet het positiebaken aan en zet de transponder op stand-by. Alles is klaar voor vertrek.

'Weet je wel wat je doet?' vraagt ze nieuwsgierig. Ik vertel haar dat ik al vier jaar een volledig gekwalificeerd piloot ben. Haar glimlach is aanstekelijk.

'Bij mij ben je veilig,' stel ik haar gerust, en voeg eraan toe, 'tenminste, zolang we vliegen.' Ik geef haar een knipoog, ze straalt, en ik ben erdoor verblind.

'Ben je er klaar voor?' vraag ik, en ik kan nauwelijks geloven hoe opgewonden ik ben omdat ze hier naast me zit.

Ze knikt.

Ik praat met de toren – ze zijn wakker – en duw de gashendel naar 2000 rpm. Nadat we toestemming hebben gekregen, doe ik mijn laatste checks. De olietemperatuur staat op 104. Goed. Ik verhoog de druk naar 14, de motor naar 2500 rpm, en trek de hendel achteruit. En, zoals het een elegante vogel betaamt, klimt Charlie Tango de lucht in.

Anastasia hapt naar adem als de grond onder ons verdwijnt, maar ze maakt geen geluid, in trance door de vervagende lichten van Portland. Al snel zijn we omhuld door duisternis. Het enige wat licht geeft, zijn de instrumenten voor ons. De rood-groene gloed verlicht Ana's gezicht terwijl ze naar buiten staart.

'Griezelig hè?'

Ik vind van niet. Voor mij is dit comfortabel. Niets kan me hier pijn doen.

Ik ben veilig en verstopt in het donker.

'Hoe weet je dat je de goede kant op gaat?' vraagt Ana.

'Hier.' Ik wijs naar het dashboard. Ik wil haar niet vervelen met gepraat over instrumentvliegvoorschriften, maar het komt erop neer dat alle apparatuur voor mijn neus ons naar onze bestemming loodst: de hoogtemeter, de dwars- en langshellingsaanwijzer, de variometer en natuurlijk de gps. Ik vertel haar over Charlie Tango en zeg ook dat ze geschikt is voor nachtvluchten.

Ana kijkt me bewonderend aan.

'Er is een helikopterhaven op het gebouw waarin ik woon. Daar gaan we heen.'

Ik kijk weer naar het dashboard en check alle gegevens. Hier houd ik van: de controle, mijn veiligheid en gezondheid volledig in handen van mijn beheersing van de technologie. 'Als je 's nachts vliegt, vlieg je blind. Je moet vertrouwen op de instrumenten,' vertel ik haar.

'Hoelang duurt de vlucht?' vraagt ze, een beetje buiten adem.

'Minder dan een uur. De wind staat gunstig.' Ik kijk weer haar kant op. 'Gaat het, Anastasia?'

'Ja,' zegt ze, opvallend kortaf.

Zou ze nerveus zijn? Of misschien heeft ze spijt van haar beslissing om hier met mij te zijn? De gedachte is verontrustend. Ze heeft me geen kans gegeven. Ik word even afgeleid door de luchtverkeersleiding. Dan, als we de wolken achter ons laten, zie ik in de verte Seattle liggen, een baken in de duisternis.

'Kijk, daar.' Ik leid Ana's aandacht naar de heldere lichten.

'Maak je altijd op deze manier indruk op vrouwen? Een stukje vliegen in je helikopter?'

'Ik heb nog nooit een meisje meegenomen, Anastasia. Ook dit is voor mij een eerste keer. Ben je onder de indruk?'

'Ik ben betoverd, Christian,' fluistert ze.

'Betoverd?' Mijn glimlach is spontaan. En ik herinner me hoe Grace, mijn moeder, mijn haar streelde terwijl ik hardop voorlas uit *The Once and Future King*.

'*Christian, dat was prachtig. Ik ben betoverd, lieve jongen.*' Ik was zeven, en ik was pas net begonnen met praten.

'Je bent gewoon zo... zo bekwaam,' vervolgt Ana.

'Dank u wel, mevrouw Steele.' Mijn gezicht gloeit van plezier na haar onverwachte compliment. Ik hoop dat ze het niet doorheeft.

'Je hebt er duidelijk plezier in,' zegt ze even later.

'Waarin?'

'Vliegen.'

'Het vereist controle en concentratie.' Twee kwaliteiten waar ik het meest van houd. 'Hoe kan ik er geen plezier in hebben? Al moet ik zeggen dat zweven mijn favoriet is.'

'Zweven?'

'Ja. Zweefvliegen. Helikopters en zweefvliegtuigen, ik doe het allebei.'

Misschien moet ik een keer met haar gaan zweven?

Je loopt op de zaken vooruit, Grey.

En sinds wanneer neem je mensen mee uit zweven?

Sinds wanneer neem je mensen mee in Charlie Tango?

De luchtverkeersleiding onderbreekt mijn afgedwaalde gedachten en vestigt mijn aandacht weer op de vliegroute, terwijl we de buitenwijken van Seattle bereiken. We zijn in de buurt. En ik ben dichter bij het antwoord op de vraag of dit een luchtkasteel is of niet. Ana staart gebiologeerd uit het raam.

Ik kan mijn ogen niet van haar afhouden.

Zeg alsjeblieft 'ja'.

'Mooi hè?' vraag ik, zodat ze zich om zal draaien en ik haar gezicht kan zien. Dat doet ze, met een enorme, erectieopwekkende grijns. 'We zijn er over een paar minuten,' voeg ik toe.

Plotseling verandert de sfeer in de cabine. Ik ben me erg bewust van haar aanwezigheid. Ik haal diep adem, ruik haar geur en voel de verwachting. Ana's verwachting. En die van mij.

Terwijl we dalen, stuur ik Charlie Tango over de binnenstad richting Escala, mijn huis, en mijn hart gaat sneller kloppen. Ana begint te friemelen met haar vingers. Ze is ook zenuwachtig. Ik hoop dat ze er niet vandoor gaat.

Als de helikopterhaven in zicht komt, haal ik nog een keer diep adem.

Dit is het.

We landen probleemloos en ik zet de motor af, zodat de wieken langzaam tot stilstand komen. Het enige wat ik hoor is de ruis op onze koptelefoons, terwijl we in stilte naast elkaar zitten. Ik zet mijn koptelefoon af en haal ook die van Ana weg. 'We zijn er,' zeg ik zacht. Haar gezicht is bleek in het schijnsel van de landingslichten. Haar ogen stralen.

Mijn god, ze is prachtig.

Ik gesp mijn harnas los en buig opzij om ook het hare los te maken. Ze staart omhoog naar mij. Vol vertrouwen. Jong. Zoet. Haar heerlijke geur wordt bijna mijn ondergang.

Kan ik dit met haar doen?

Ze is volwassen.

Ze kan haar eigen beslissingen nemen.

En ik wil dat ze ook op deze manier naar me kijkt als ze me eenmaal kent... als ze weet waartoe ik in staat ben. 'Je hoeft niets tegen je zin te doen. Dat weet je toch?' Het is belangrijk dat ze dit begrijpt. Ik wil haar onderwerping, maar vooral ook haar toestemming.

'Ik zou nooit iets tegen mijn zin doen, Christian.' Ze klinkt oprecht en ik wil haar geloven. Terwijl haar geruststellende woorden in mijn hoofd rondzingen, klim ik uit mijn stoel en open ik de deur, waarna ik op het platform spring. Ik pak haar hand als ze uit de helikopter stapt. De wind blaast haar haren rond haar gezicht en ze ziet er angstig uit. Ik weet niet of het komt doordat ze hier met mij is, alleen, of omdat we op een gebouw van dertig verdiepingen staan. Ik weet dat het duizelingwekkend is om hier te zijn.

'Kom.' Ik sla mijn arm om haar heen om haar te beschermen tegen de wind en leid haar naar de lift.

We zijn allebei stil op onze tocht naar het penthouse. Ze draagt een mat, lichtgroen shirt onder haar zwarte jasje. Het staat haar goed. Ik vertel mezelf dat ik blauw en groen terug moet laten komen in de kleding die ik haar geef als ze instemt met mijn voorwaarden. Ze zou zich beter moeten kleden. Haar ogen ontmoeten de mijne in de spiegels van de lift als de deur naar mijn appartement opengaat.

Ze volgt me door de hal en de gang naar de woonkamer. 'Kan ik je jas aannemen?' vraag ik. Ana schudt haar hoofd en pakt de punten van haar kraag vast om te benadrukken dat ze haar jas aan wil houden. *Oké.*

'Wil je iets drinken?' Ik gooi het over een andere boeg en besluit dat ik iets moet drinken om mijn zenuwen in bedwang te krijgen. *Waarom ben ik zo nerveus?*

Omdat ik haar wil...

'Ik neem een glas witte wijn. Wil jij dat ook?'

'Ja, graag,' zegt ze.

In de keuken trek ik mijn jasje uit en open de wijnkoelkast. Een sauvignon blanc zou een goede ijsbreker zijn. Terwijl ik een geschikte Pouilly-Fumé pak, zie ik hoe Ana door de balkondeuren naar het uitzicht kijkt. Als ze zich omdraait en terugloopt naar de keuken vraag ik of ze tevreden is over de wijn die ik heb uitgekozen.

'Ik weet niks over wijn, Christian. Hij is vast prima.' Ze klinkt ingetogen.

Shit. Dit gaat niet goed. Is ze overweldigd? Is dat het?

Ik schenk twee glazen in en loop naar haar toe. Ze staat in het midden van mijn woonkamer en ziet eruit als een offerlam. De ontwapenende vrouw is verdwenen. Ze staat er verloren bij.

Net als ik...

'Hier.' Ik geef haar het glas en ze neemt onmiddellijk een slok. Ze sluit haar ogen en geniet duidelijk van de wijn. Als ze het glas laat zakken, zijn haar lippen vochtig.

Goede keuze, Grey.

'Je bent erg stil, en je bloost niet eens. Ik denk zelfs dat ik je nog nooit zo bleek heb gezien, Anastasia. Heb je honger?'

Ze schudt haar hoofd en neemt nog een slok. Misschien heeft ze, net als ik, behoefte aan een hartversterkertje. 'Wat is het hier groot,' zegt ze timide.

'Groot?'

'Groot.'

'Het is groot.' Ik kan dat niet ontkennen. Het is bijna duizend vierkante meter.

'Kun je spelen?' Ze kijkt naar de piano.
'Ja.'
'Goed?'
'Ja.'
'Uiteraard. Is er iets waar je niet goed in bent?'
'Ja... een paar dingen.'
Koken.
Grappen vertellen.
Een luchtig en gemakkelijk gesprek voeren met een vrouw die ik
aantrekkelijk vind.
Aangeraakt worden...
'Wil je zitten?' Ik gebaar naar de sofa. Een vlug knikje maakt dui-
delijk dat ze dat wil. Ik pak haar hand en breng haar erheen. Terwijl
ze gaat zitten, werpt ze me een schalkse blik toe.
'Wat is er zo grappig?' vraag ik, terwijl ik naast haar ga zitten.
'Waarom heb je me *Tess of the d'Urbervilles* gegeven?'
O. Waar gaat dit heen? 'Nou, je zei dat je Thomas Hardy goed
vond.'
'Is dat de enige reden?'
Ik wil haar niet vertellen dat ze mijn eerste exemplaar heeft, en
dat het een betere keuze was dan *Jude the Obscure.* 'Het leek me toepasselijk. Ik zou je kunnen houden aan een onmogelijk ideaal zoals
Angel Clare, of je compleet kunnen vernederen zoals Alec d'Urber-
ville.' Mijn antwoord is deels waar en is ook ironisch. Wat ik straks
ga voorstellen is, vermoed ik, iets totaal anders dan wat ze verwacht.
'Als er maar twee keuzes zijn, dan ga ik voor de vernedering,' fluistert ze.
Verdomme. Is dat niet wat je wilt, Grey?
'Anastasia, stop alsjeblieft met op je lip te bijten. Het leidt heel
erg af. Je weet niet wat je zegt.'
'Dat is waarom ik hier ben,' zegt ze, terwijl haar tanden kleine
deukjes achterlaten in een door wijn bevochtigde onderlip.
En daar is ze weer: ontwapenend, verrassend bij elke wending.
Mijn pik knikt instemmend.
We staan op het punt om een deal te sluiten, maar voordat we het
over de details kunnen hebben, moet ik ervoor zorgen dat ze de
papieren tekent. Ik verontschuldig mezelf en loop naar mijn stu-

deerkamer. Het contract en de geheimhoudingsverklaring liggen klaar op de printer.

Ik laat het contract liggen op mijn bureau – ik heb geen idee of we er ooit aan toekomen – en niet de geheimhoudingsverklaring aan elkaar, waarna ik hem mee terug neem naar Ana.

'Dit is een geheimhoudingscontract.' Ik leg het voor haar neer op de koffietafel. Ze kijkt verward en verrast. 'Mijn advocaat staat erop,' verduidelijk ik. 'Als je voor optie twee gaat, vernedering, dan moet je dit ondertekenen.'

'En wat als ik niks wil ondertekenen?'

'Dan worden het de onmogelijke idealen van Angel Clare. Tenminste, voor het grootste deel van het boek.' En dan kan ik je niet aanraken. Ik stuur je naar huis met Stephan, en ik zal mijn uiterste best doen om je te vergeten. Paniek overweldigt me. Deze deal zou volledig kunnen mislukken.

'Wat houdt deze verklaring in?'

'Het betekent dat je niks over ons mag vertellen. Niks, tegen niemand.'

Ze bestudeert mijn gezicht en ik weet niet of ze verward of geïrriteerd is.

Dit kan nog alle kanten op.

'Oké, ik teken,' zegt ze.

Zo, dat ging makkelijk. Ik geef haar mijn Mont Blanc en ze plaatst de pen onder aan het document.

'Ga je het niet eens lezen?' vraag ik, plotseling geërgerd.

'Nee.'

'Anastasia, je moet altijd alles lezen voordat je iets ondertekent.'

Hoe kan ze zo onnozel zijn? Hebben haar ouders haar niks geleerd?

'Christian, wat jij blijkbaar niet begrijpt is dat ik sowieso met niemand over ons zou praten. Zelfs niet met Kate. Dus het maakt niet uit of ik wel of geen contract onderteken. Als het voor jou zoveel betekent, of voor je advocaat, met wie *jij* er blijkbaar over praat, prima. Dan teken ik wel.'

Ze heeft overal een antwoord op. Het is verfrissend. 'Daar heeft u een goed punt, mevrouw Steele,' merk ik droogjes op.

Met een snelle, afkeurende blik tekent ze het document.

En nog voordat ik aan mijn presentatie kan beginnen, vraagt ze:

'Betekent dit dat we vanavond de liefde gaan bedrijven, Christian?'

Wat?

Ik?

De liefde bedrijven?

O, Grey, help haar onmiddellijk uit deze droom. 'Nee, Anastasia. Dat betekent het niet. Om te beginnen, ik bedrijf de liefde niet. Ik neuk. Hard.'

Ze hapt naar lucht. Ik heb haar aan het denken gezet. 'Ten tweede moet er nog veel meer papierwerk ingevuld worden. En ten derde weet je nog niet wat je te wachten staat. Je kan hier nog steeds schreeuwend wegrennen. Kom, ik wil je mijn speelkamer laten zien.'

Ze weet zich geen houding te geven. Er vormt zich een kleine v tussen haar wenkbrauwen. 'Wil je gaan gamen?'

Ik lach hardop.

O, schatje.

'Nee, Anastasia. Geen Xbox, geen PlayStation. Kom.' Staand reik ik haar de hand, die ze gewillig aanpakt. Ik leid haar door de gang naar boven. We stoppen bij de deur van mijn speelkamer, terwijl mijn hart in mijn keel bonkt.

Dit is het. Ja of nee. Ben ik ooit eerder zo nerveus geweest? Ik realiseer me dat mijn verlangens afhangen van het omdraaien van deze sleutel. Ik doe de deur open en op dat moment moet ik haar opnieuw geruststellen. 'Je kunt op elk moment vertrekken. De helikopter staat klaar om je mee te nemen wanneer je wilt. Je kan blijven slapen en morgenochtend naar huis gaan. Het maakt niet uit, jij mag het zeggen.'

'Doe gewoon die stomme deur open, Christian,' zegt ze met een koppige blik en haar armen over elkaar.

Dit is het beslissende moment. Ik wil niet dat ze wegrent. Maar ik heb me nog nooit zo kwetsbaar gevoeld. Zelfs niet in de handen van Elena... en ik weet dat het komt doordat ze niets weet van deze manier van leven.

Ik open de deur en volg haar mijn speelkamer in.

Mijn veilige plek.

De enige plaats waar ik echt mezelf ben.

Ana staat in het midden van de kamer en bestudeert alle spullen die zo'n groot deel uitmaken van mijn leven: de zwepen, de rietjes, het bed, de bank... Ze is stil, neemt het in zich op, en alles wat ik hoor is het oorverdovende gebonk van mijn hart terwijl het bloed langs mijn trommelvliezen raast.

Nu weet je het.

Dit ben ik.

Ze draait zich om en staart me doordringend aan. Ik wacht tot ze iets zegt, maar ze rekt mijn doodsangst en loopt verder de kamer in, waardoor ik haar wel moet volgen.

Haar vingers glijden langs een zweepje van suède, een van mijn favorieten. Ik vertel haar hoe het heet, maar ze reageert niet. Ze loopt naar het bed en onderzoekt het met haar handen. Ze strijkt met haar vingers over een van de bewerkte pilaren.

'Zeg iets,' vraag ik. Haar stilzwijgen is ondraaglijk. Ik moet weten of ze weggaat.

'Doe je dit bij mensen of doen zij het bij jou?'

Eindelijk!

'Mensen?' Ik wil schreeuwen. 'Ik doe dit bij vrouwen die het willen.' Ze is bereid tot een dialoog. Er is hoop.

Ze fronst. 'Als je geïnteresseerde vrijwilligers hebt, waarom ben ik hier dan?'

'Omdat ik dit met jou wil doen. Heel erg graag.' Visioenen van haar, vastgebonden in verschillende posities in de kamer, overspoelen mijn fantasie: aan het kruis, op het bed, over de bank...

'O,' zegt ze, en ze slentert naar de bank. Mijn ogen worden aangetrokken door haar onderzoekende vingers die over het leer glijden. Haar aanraking is nieuwsgierig, langzaam en sensueel – heeft ze dat überhaupt door?

'Je bent een sadist?' zegt ze. Ik sta perplex.

Fuck. Ze heeft me door.

'Ik ben een Dominant,' zeg ik snel, in de hoop dat we dit gesprek kunnen afronden.

'Wat houdt dat in?' wil ze weten, volgens mij geschokt.

'Het betekent dat ik wil dat jij je vrijwillig aan mij overgeeft, op alle vlakken.'

'Waarom zou ik dat doen?'

'Om mij te behagen,' fluister ik. *Dit is wat ik van je wil.* 'Heel simpel gezegd, ik wil dat je mij wilt behagen.'

'Hoe doe ik dat?' fluistert ze hees.

'Ik heb regels en ik wil dat jij je daaraan onderwerpt. Ze zijn er in jouw voordeel en voor mijn plezier. Als je deze regels naar mijn tevredenheid opvolgt, zal ik je belonen. Zo niet, dan straf ik je en dan leer je het vanzelf.'

En ik kan niet wachten om je te trainen. Op elke manier.

Ze staart naar de rietjes achter de bank. 'En waar is dit allemaal voor bedoeld?' Ze zwaait naar de spullen om haar heen.

'Het is allemaal onderdeel van het pakket aan prikkels. Zowel beloning als straf.'

'Dus jij kickt erop om mij jouw wil op te leggen.'

Bingo, mevrouw Steele.

'Het gaat erom dat ik jouw vertrouwen en respect win, zodat jij me toestaat mijn wil aan jou op te leggen.' *Ik heb je toestemming nodig, schatje.* 'Ik zou een heleboel plezier halen, vreugde zelfs, uit jouw onderwerping. Hoe onderdaniger je bent, hoe groter mijn genot. Het is een heel simpele rekensom.'

'Oké, en wat krijg ik ervoor terug?'

'Mij.' Ik haal mijn schouders op. *Dat is alles, schatje. Alleen mij. Mij, helemaal. En jij zal ook genot ervaren...*

Haar pupillen worden iets groter terwijl ze me zwijgzaam aanstaart. Om gek van te worden. 'Je geeft niks prijs, Anastasia. Laten we weer naar beneden gaan, zodat ik me beter kan concentreren. Het leidt me heel erg af om jou hier te zien.'

Ik steek mijn hand naar haar uit. Voor het eerst gaat haar blik van mijn hand naar mijn gezicht, besluiteloos.

Shit.

Ik heb haar bang gemaakt. 'Ik zal je geen pijn doen, Anastasia.'

Aarzelend geeft ze mij haar hand. Ik ben dolblij. Ze is niet weggerend.

Opgelucht besluit ik om haar de slaapkamer van de Onderdanige te laten zien.

'Als je dit doet... wacht, ik laat het je zien.' Ik wandel met haar door de gang. 'Dan wordt dit jouw kamer. Je mag hem inrichten hoe je wilt, je mag hier alles hebben.'

'Mijn kamer? Je verwacht dat ik bij jou kom wonen?' piept ze ongelovig.

Oké. Misschien had ik hier nog even mee moeten wachten.

'Niet de hele tijd,' stel ik haar gerust. 'Gewoon, laten we zeggen, van vrijdagavond tot zondag. Daar moeten we over praten. Onderhandelen. Als je dit wilt doen.'

'Ik ga hier slapen?'

'Ja.'

'Maar niet met jou.'

'Nee. Zoals ik al zei, ik slaap met niemand, behalve met jou als je bewusteloos bent door de drank.'

'Waar slaap jij?'

'Mijn kamer is beneden. Kom, je zal wel honger hebben.'

'Gek genoeg heb ik opeens geen trek meer,' verklaart ze, met haar gebruikelijke koppige blik.

'Je moet wat eten, Anastasia.'

Haar eetgewoonten zijn een van de eerste punten waaraan ik ga werken als ze instemt om de mijne te zijn... dat, en haar gefriemel.

Niet op de zaken vooruitlopen, Grey!

'Ik ben me ervan bewust dat het een donker pad is waar ik je naartoe leid, Anastasia. Daarom wil ik dat je er goed over nadenkt.'

Ze volgt me naar beneden, terug naar de woonkamer. 'Je zal vast vragen hebben. Je hebt je geheimhoudingscontract getekend, je mag me alles vragen en ik geef er antwoord op.'

Om dit te laten werken, zal ze met mij moeten communiceren. In de koelkast in de keuken vind ik een groot bord kaas en wat druiven. Mevrouw Jones verwachtte niet dat ik bezoek zou krijgen, en dit is niet genoeg... misschien moet ik wat eten bestellen. Of zal ik haar mee uit nemen?

Een soort date.

Nog een date.

Ik wil geen verwachtingen scheppen.

Ik doe niet aan dates.

Behalve met haar...

De gedachte irriteert me. Er ligt een verse baguette in de broodmand. We moeten het doen met brood en kaas. Trouwens, ze zegt dat ze geen trek heeft.

'Ga zitten.' Ik wijs naar een van de barkrukken. Ana gaat zitten en kijkt me rustig aan.

'Je had het over papierwerk,' zegt ze.

'Klopt.'

'Wat voor papierwerk?'

'Nou, los van de geheimhoudingsverklaring is er een contract nodig waarin staat wat we wel en niet willen doen. Ik moet jouw grenzen kennen en jij die van mij. Dit is wederzijds, Anastasia.'

'En als ik dit niet wil doen?'

Shit.

'Dat is geen probleem,' lieg ik.

'Maar we krijgen geen relatie met elkaar?'

'Nee.'

'Waarom?'

'Dit is de enige soort relatie waarin ik geïnteresseerd ben.'

'Waarom?'

'Zo ben ik.'

'Hoe ben je zo geworden?'

'Waarom is iemand hoe hij is? Dat is een nogal lastige vraag. Waarom houden sommige mensen van kaas en hebben anderen er een hekel aan? Lust jij kaas? Mevrouw Jones, mijn huishoudster, heeft dit achtergelaten.' Ik zet het bord voor haar neer.

'Aan welke regels moet ik me houden?'

'Ik heb ze opgeschreven. We nemen ze door nadat we gegeten hebben.'

'Ik heb echt geen honger,' fluistert ze.

'Je gaat wat eten.'

Haar blik is rebels.

'Wil je nog een glas wijn?' vraag ik, bij wijze van zoenoffer.

'Ja, graag.'

Ik schenk haar glas bij en ga naast haar zitten. 'Neem wat te eten, Anastasia.'

Ze pakt een paar druiven.

Dat is het? Dat is alles wat je eet?

'Ben je al lang zo?' vraagt ze.

'Ja.'

'Is het makkelijk om vrouwen te vinden die dit willen doen?'

O, je moest eens weten. 'Je zou versteld staan,' zeg ik veelbetekenend.

'Dus waarom ik? Ik begrijp het echt niet.' Ze is volkomen verbijsterd.

Schatje, je bent prachtig. Waarom zou ik dit niet met jou willen doen? 'Anastasia, ik heb het je verteld. Er is iets bijzonders aan jou. Ik kan je niet met rust laten. Ik ben als een mot die naar een vlam vliegt. Ik wil je ontzettend graag, helemaal nu, als je weer op je lip bijt.' 'Ik geloof dat je dat cliché omdraait,' zegt ze zachtjes. Dat is een verontrustende gedachte voor me.

'Eet!' gebied ik, om van onderwerp te veranderen.

'Nee. Ik heb nog niks getekend, dus ik denk dat ik nog even van mijn vrije wil gebruik blijf maken, als je dat niet erg vindt.'

O... haar grote mond.

'Zoals u wenst, mevrouw Steele.' Ik onderdruk mijn grijns.

'Hoeveel vrouwen?' vraagt ze, en ze stopt een druif in haar mond.

'Vijftien.' Ik moet de andere kant op kijken.

'Voor langere tijd?'

'Sommige wel, ja.'

'Heb je wel eens iemand pijn gedaan?'

'Ja.'

'Heel erg?'

'Nee.' Met Dawn ging het prima, hoewel ze een beetje geschokt was door de ervaring. Als ik eerlijk ben, was ik zelf ook een beetje geschokt.

'Ga je mij pijn doen?'

'Hoe bedoel je?'

'Lichamelijk, ga je mij pijn doen?'

Niet meer dan wat je aankunt.

'Ik zal je straffen als je erom vraagt en dat zal pijnlijk zijn.'

Als je dronken wordt en jezelf in gevaar brengt, bijvoorbeeld.

'Ben je zelf ooit geslagen?' vraagt ze.

'Ja.'

Heel erg vaak. Elena was duivels handig met een rietje. Het is de enige aanraking waar ik tegen kan.

Haar pupillen worden groter. Ze legt de druiven op haar bord en neemt nog een slok wijn. Haar gebrek aan eetlust is irritant en verpest ook die van mij. Misschien moet ik gewoon maar in het diepe springen en haar de regels laten zien.

'Laten we verder praten in mijn studeerkamer. Ik wil je iets laten zien.'

Ze volgt me en gaat zitten in de leren stoel achter mijn bureau, waar ik met mijn armen over elkaar tegenaan leun.

Dit is wat ze wil weten. Het is maar goed dat ze nieuwsgierig is – ze is nog niet gevlucht. Ik pak een van de pagina's van het contract dat op mijn bureau ligt en geef het aan haar. 'Dit zijn de regels. Ze kunnen nog veranderen. Ze zijn onderdeel van het contract, dat je ook mag inzien. Lees deze regels en laten we het erover hebben.'

Haar ogen bestuderen het vel papier. 'Harde grenzen?' vraagt ze.

'Ja. Wat jij niet wilt doen, wat ik niet wil doen. Dat moeten we specificeren in ons contract.'

'Ik weet niet of ik kleedgeld wil aannemen. Het voelt verkeerd.'

'Ik wil geld aan jou uitgeven. Laat me wat kleding voor je kopen. Misschien moet je met me mee naar sociale gelegenheden.'

Grey, wat zeg je nu weer? Dat zou voor het eerst zijn. 'En ik wil dat je goed gekleed bent. Het lijkt me sterk dat je salaris, als je een baan vindt, hoog genoeg is om de kleding te kunnen kopen die ik wil dat je draagt.'

'Ik hoef die kleding niet te dragen als ik niet met jou ben?'

'Nee.'

'Oké. Ik heb geen zin om vier keer per week te sporten.'

'Anastasia, je moet lenig en sterk zijn en uithoudingsvermogen hebben. Geloof me, je moet sporten.'

'Maar toch niet vier keer per week. Wat vind je van drie keer?'

'Ik wil dat je vier keer per week sport.'

'Ik dacht dat we zouden onderhandelen?'

Ze ontwapent me weer en zet me op mijn plek. 'Oké mevrouw Steele, weer een goed punt. Wat vind je van drie dagen een uur, en één dag een halfuur?'

'Drie dagen, drie uur. Ik heb het idee dat jij me in beweging gaat houden als ik hier ben.'

O, ik hoop van wel.

'Dat ga ik zeker doen. Oké, afgesproken. Weet je zeker dat je geen stage wilt lopen bij mijn bedrijf? Je bent een goede onderhandelaar.'

'Nee, dat lijkt me geen goed idee.'

Ze heeft natuurlijk gelijk. Het is mijn gulden regel: nooit je personeel neuken.

'Dus, grenzen. Dit zijn die van mij.' Ik geef haar de lijst. Dit is het moment. Alles of niets. Ik ken mijn grenzen uit mijn hoofd en streep ze in gedachten af terwijl ik toekijk hoe ze de lijst doorleest. Haar gezicht wordt bleker en bleker naarmate ze bij het einde komt.

Fuck, ik hoop dat ze niet bang wordt.

Ik wil haar. Ik wil haar onderwerping... heel erg graag. Ze slikt en kijkt zenuwachtig naar me op. *Hoe kan ik haar ertoe overhalen om dit te proberen?* Ik moet haar geruststellen, laten zien dat ik in staat ben zorgzaam te zijn.

'Is er iets wat je toe zou willen voegen?'

Diep vanbinnen hoop ik dat ze niks toevoegt. Ik wil carte blanche met haar. Ze staart me aan, nog steeds zonder een woord te zeggen. Het is irritant. Ik ben niet gewend om te wachten op antwoord. 'Is er iets wat je niet wilt doen?' zeg ik bemoedigend.

'Ik weet het niet.'

Niet het antwoord waarop ik had gerekend.

'Hoe bedoel je? Wat weet je niet?'

Ze schuift in haar stoel, niet op haar gemak. Haar tanden spelen met haar onderlip. Alweer. 'Ik heb nog nooit zoiets gedaan.'

Nee, natuurlijk niet.

Geduld, Grey. Verdomme. Je hebt een heleboel informatie over haar uitgestort. Ik ga verder met mijn voorzichtige benadering. Het is nieuw voor me.

'Als je seks hebt, is er dan iets wat je niet prettig vindt?' Ik denk aan de fotograaf die gisteren zijn handen niet van haar af kon houden.

Ze bloost, en mijn interesse is gewekt. Wat heeft ze gedaan dat ze niet prettig vond? Is ze avontuurlijk in bed? Ze lijkt zo... onschuldig. Normaal gesproken vind ik dat niet aantrekkelijk.

'Je kan het me vertellen, Anastasia. We moeten eerlijk zijn tegen elkaar, anders gaat dit niet werken.' Ik moet haar echt aansporen om wat losser te worden. Ze wil niet eens over seks praten. Ze zit weer te wiebelen en staart naar haar vingers.

Kom op, Ana.

'Vertel op,' beveel ik. *Goeie genade, wat is ze frustrerend.*

'Nou, ik heb nog nooit seks gehad, dus ik weet het niet,' fluistert ze.

Het hele universum komt tot stilstand.

Ik kan het niet geloven.

Hoe?

Waarom?

Fuck!

'Nog nooit?' vraag ik ongelovig.

Ze schudt haar hoofd, met grote ogen.

'Je bent nog maagd?' Ik geloof het niet.

Ze knikt beschaamd. Ik sluit mijn ogen. Ik kan haar niet aankijken. *Hoe heb ik dit in godsnaam zo verkeerd kunnen inschatten?* Boosheid baant zich een weg door mijn lichaam. *Wat moet ik met een maagd?* Ik staar haar aan terwijl woede zich van mij meester maakt.

'Waarom heb je dat verdomme niet eerder gezegd?' grom ik, en ik begin door de kamer te ijsberen. *Wat heb ik aan een maagd?* Ze weet niks te zeggen en haalt verontschuldigend haar schouders op.

'Ik begrijp niet waarom je dit niet verteld hebt.' Mijn stem verraadt duidelijk ergernis.

'Het onderwerp is nooit ter sprake gekomen,' zegt ze. 'En ik maak er geen gewoonte van om mijn seksuele status te bespreken met iedereen die ik tegenkom. Ik bedoel, we kennen elkaar amper.'

Zoals gebruikelijk heeft ze een goed punt. Ik kan niet geloven dat ik haar een rondleiding heb gegeven door mijn speelkamer. Godzijdank heeft ze het geheimhoudingscontract getekend.

'Nou, je weet nu veel meer over mij,' snauw ik. 'Ik wist dat je onervaren was, maar een maagd! Jezus, Ana, ik liet je net...'

Ik heb haar niet alleen de speelkamer laten zien. Ook mijn regels, mijn grenzen. Ze weet niks. Hoe kon ik dit doen? 'God vergeef me,' stamel ik onhoorbaar. Ik weet me geen raad.

Een ontstellende gedachte komt bij me op. Onze enige kus in de lift, waar ik haar ter plekke had kunnen neuken – was dat haar eerste kus?

'Ben je wel eens gekust, behalve door mij?' Zeg alsjeblieft ja.

'Natuurlijk.' Ze lijkt beledigd. Ja, ze is eerder gekust, maar niet vaak. En om de een of andere reden is die gedachte... prettig.

'En je bent nog nooit versierd door een leuke jongen? Ik begrijp het gewoon niet. Je bent eenentwintig, bijna tweeëntwintig. Je ziet er prachtig uit.' Waarom is niemand nog met haar naar bed geweest? Shit, misschien is ze gelovig. Nee, Welch zou dat ontdekt hebben. Ze staart omlaag naar haar vingers en volgens mij glimlacht ze. Vindt ze dit grappig? Ik kan mezelf wel voor mijn kop slaan. 'Je bent serieus aan het bespreken wat ik wil doen, terwijl je nul ervaring hebt.' Ik ben sprakeloos. Hoe kan dit?

'Hoe heb je seks kunnen vermijden? Leg het me uit, alsjeblieft.' Want ik snap het niet. Ze studeert. En van mijn studententijd herinner ik me dat iedereen neukte als konijnen.

Iedereen. Behalve ik.

Het is een duistere gedachte, maar ik schuif hem voor nu aan de kant.

Ana haalt haar ranke schouders op. 'Niemand heeft nog echt, weet je...' Ze dwaalt af.

Niemand heeft nog echt wat? Gezien hoe aantrekkelijk je bent? Niemand heeft nog aan je verwachtingen voldaan, behalve ik?

Ik?

Ze heeft echt geen idee. Hoe kan ze ooit een Onderdanige zijn als ze niks weet over seks? Dit gaat nooit werken... en al mijn voorbereidende werk is voor niks geweest. Ik kan deze deal niet afronden.

'Waarom ben je zo boos op me?' fluistert ze.

Natuurlijk vraagt ze zich dat af. *Maak het goed, Grey.*

'Ik ben niet boos op jou, ik ben boos op mezelf. Ik ging er gewoon van uit dat...' *Waarom zou ik in godsnaam boos op jou zijn?* Wat een zooitje is dit. Ik haal mijn handen door mijn haar, in een poging om mijn boosheid te beteugelen.

'Wil je gaan?' vraag ik ongerust.

'Nee, tenzij je wilt dat ik ga,' zegt ze zacht, met spijt in haar stem.

'Natuurlijk niet. Ik vind het leuk dat je hier bent.' De verklaring verrast me terwijl ik hem uitspreek. Ik vind het echt leuk dat ze hier is, dat ik bij haar ben. Ze is zo... anders. En ik wil haar neuken en een pak slaag geven, en haar roomblanke huid roze zien worden onder mijn handen. Dat is nu uitgesloten... toch? Misschien niet het neuken... misschien kan ik dat wel doen. Die gedachte is een openbaring. Ik kan haar mee naar bed nemen. Haar ontmaagden. Het zou voor ons allebei een nieuwe ervaring zijn. Zou ze dat willen? Ze heeft me al gevraagd of ik de liefde met haar zou bedrijven. Ik zou het kunnen proberen, zonder haar vast te binden.

Maar misschien raakt ze me aan.

Fuck. Ik werp een blik op mijn horloge en zie dat het laat is. Ik kijk weer naar haar, naar hoe ze speelt met haar onderlip. Het windt me op.

Ik wil haar nog steeds, ondanks haar onschuld. Zou ik met haar naar bed kunnen gaan? Zou ze dat willen, nu ze weet wat ze weet over mij? Jezus, ik heb geen idee. Vraag ik het haar gewoon? Maar ze maakt me hard, opnieuw bijtend op haar lip. Ik merk het op en ze verontschuldigt zich.

'Je hoeft geen sorry te zeggen. Het is gewoon dat ik er ook in wil bijten. Hard.'

Haar ademhaling stokt.

O. Misschien is ze geïnteresseerd. *Ja. Ik doe het.* Mijn besluit staat vast.

'Kom,' bied ik aan, en ik steek mijn hand uit.

'Wat?'

'We gaan deze situatie meteen rechtzetten.'

'Hoe bedoel je? Welke situatie?'

'Jouw situatie. Ana, ik ga de liefde met je bedrijven. Nu.'

'O.'

'Als je dat wilt tenminste. Ik bedoel, ik wil mijn hand niet overspelen.'

'Ik dacht dat je de liefde niet bedreef. Ik dacht dat je hard neukte,' zegt ze, haar stem hees en zo ontzettend verleidelijk, haar ogen wijd open, met grote pupillen. Ze wordt overspoeld door verlangen. Zij wil dit ook.

Een volledig onverwachte sensatie maakt zich meester van mijn lichaam. 'Ik kan een uitzondering maken. Of, wie weet, misschien een combinatie van allebei. Ik wil heel graag met je vrijen. Ga alsjeblieft met me naar bed. Ik wil onze overeenkomst laten lukken, maar eerst moet je een beetje weten wat je te wachten staat. We kunnen vanavond aan je training beginnen, met de basisprincipes. Het betekent niet dat ik opeens een romanticus ben geworden. Het is een praktische oplossing, maar wel eentje die ik graag wil, en jij hopelijk ook.' De woorden vliegen als een stortvloed naar buiten.

Grey! Hou jezelf in bedwang.
Haar wangen kleuren roze.
Kom op Ana, ja of nee. Ik ga kapot hier.
'Maar ik heb niet alles gedaan waar je om vroeg in je lijst met regels.' Haar stem klinkt timide. Is ze bang? Ik hoop van niet. Ik wil niet dat ze bang is.
'Vergeet die regels. Vanavond hoef je niet aan al die details te denken. Ik wil jou. Ik wil je al sinds je mijn kantoor binnenstapte en ik weet dat jij ook naar mij verlangt. Je zou hier niet rustig staan praten over straffen en harde grenzen als dat niet zo was. Alsjeblieft, Ana, breng de nacht met me door.'
Ik reik haar opnieuw de hand en deze keer pakt ze hem aan. Ik trek haar in mijn armen en druk haar tegen mijn lichaam. Ze hijgt, verrast, en ik voel haar dicht tegen me aan. De duisternis voelt stil, de geluiden worden wat gedempt door mijn opwinding. Ik wil haar. Ze is zo verleidelijk. Dit meisje laat me versteld staan, elke keer opnieuw. Ik heb mijn duistere geheim onthuld, en toch is ze nog hier. Ze is niet gevlucht.
Mijn vingers gaan door haar haren. Ik trek haar gezicht naar dat van mij en staar in twee betoverende ogen.
'Je bent een dappere jongedame,' hijg ik. 'Ik bewonder je.' Ik buig voorover en kus haar zacht. Met mijn tanden plaag ik haar onderlip. 'Ik wil in deze lip bijten.' Ik trek harder aan haar haren en ze kreunt. Mijn pik wordt er hard van.
'Alsjeblieft, Ana, laat me de liefde met je bedrijven,' fluister ik tegen haar.
'Ja,' antwoordt ze. Mijn lichaam gloeit als een olielamp.
Verman je, Grey. We hebben geen overeenkomst, geen afgesproken grenzen, ik kan niet met haar doen wat ik wil. En toch ben ik opgewonden. Het is een onbekend maar opwindend gevoel, hoe mijn verlangen naar deze vrouw door mijn lichaam jaagt. Ik zit op het hoogste punt van een enorme achtbaan.
Vanilleseks?
Kan ik dit?
Zonder nog iets te zeggen leid ik haar uit mijn studeerkamer, door de woonkamer, via de gang naar mijn slaapkamer. Ze volgt me en houdt mijn hand stevig vast.

Shit. Anticonceptie. Ik weet wel zeker dat ze de pil niet slikt... Gelukkig heb ik condooms achter de hand. Ik hoef me in elk geval geen zorgen te maken over alle pikken waarmee ze in bed heeft gelegen. Ik laat haar los naast het bed, loop naar mijn ladekast en trek mijn horloge, schoenen en sokken uit.

'Ik ga ervan uit dat je niet aan de pil bent.'

Ze schudt haar hoofd.

'Dat dacht ik al.' Uit de ladekast haal ik een pakje condooms, zodat ze weet dat ik voorbereid ben. Ze bestudeert me, haar ogen onmogelijk groot in haar beeldschone gezicht, en heel even twijfel ik. Dit zou een speciaal moment voor haar moeten zijn, toch? Ik herinner me mijn eerste keer met Elena, hoe gênant dat was... maar wat een ongelooflijke opluchting. Diep vanbinnen weet ik dat ik haar naar huis zou moeten sturen. Maar de simpele waarheid is dat ik niet wil dat ze gaat. Ik wil haar. En ik zie hoe mijn verlangen wordt weerspiegeld in haar gezichtsuitdrukking, in haar donkere ogen.

'Zal ik de lamellen dichtdraaien?' vraag ik.

'Hoeft niet,' zegt ze. 'Ik dacht dat je niemand anders in je bed liet slapen?'

'Wie zegt dat we gaan slapen?'

'O.' Haar lippen vormen een perfecte 'o'. Mijn pik wordt harder. Ja, ik zou die mond wel willen neuken, die 'o'. Ik sluip naar haar toe alsof ze mijn prooi is. *O schatje, ik wil mezelf in jou begraven.* Haar ademhaling gaat snel en oppervlakkig. Haar wangen zijn rozig... ze is op haar hoede, maar opgewonden. Ze is aan mij overgeleverd en die wetenschap geeft me een machtig gevoel. Ze heeft geen idee wat ik met haar ga doen. 'Zullen we dit jasje uitdoen?' Ik duw haar jas zachtjes van haar schouders, vouw hem op en leg hem op mijn stoel.

'Heb je enig idee hoe graag ik jou wil, Ana Steele?'

Haar lippen wijken van elkaar als ze inademt en ik reik omhoog om haar wang aan te raken. Haar huid voelt als een bloemblaadje terwijl mijn vingertoppen omlaag glijden naar haar kin. Ze is in trance, de weg kwijt door mijn betovering. Ze is al van mij. Het is bedwelmend.

'Heb je enig idee wat ik met je ga doen?' zeg ik zacht en ik houd haar kin tussen mijn duim en wijsvinger. Ik buig voorover en kus haar stevig, haar lippen vormend naar de mijne. Ze beantwoordt mijn kus, zacht en zoet en gewillig, en ik voel een overweldigende drang om haar te zien, helemaal. Ik maak korte metten met haar knoopjes, stroop langzaam haar blouse af en laat hem op de grond vallen. Ik stap achteruit om naar haar te kijken. Ze draagt de lichtblauwe bh die Taylor heeft gekocht.

Ze is schitterend.

'O, Ana. Je hebt de prachtigste huid, bleek en foutloos. Ik wil elke centimeter ervan kussen.' Er is geen enkel vlekje te zien.

Die gedachte verontrust me. Ik wil haar zien met vlekken... roze... misschien met de kleine, dunne striemen van een zweep.

Ze kleurt prachtig roze – van schaamte, zonder twijfel. Ik ga haar in elk geval leren om zich niet te schamen voor haar lichaam. Ik reik omhoog, trek haar elastiekje los en laat haar kastanjebruine haren vrij. Ze vallen weelderig langs haar gezicht omlaag naar haar borsten.

'Hmm, ik hou van brunettes.' Ze is beeldschoon, buitengewoon, een juweel.

Terwijl ik haar hoofd vasthoud, laat ik mijn vingers door haar haren glijden en trek haar naar me toe, waarna ik haar kus. Ze kreunt tegen me aan en opent haar lippen, waardoor ik toegang krijg tot haar warme, natte mond. Haar zoete, dankbare geluiden echoën door mijn lichaam, tot het uiteinde van mijn pik. Haar tong ontmoet verlegen die van mij en dringt weifelend mijn mond binnen, en om een of andere reden is haar klungelige onervarenheid heel opwindend.

Ze smaakt heerlijk. Wijn, druiven en onschuld – een krachtige, onstuimige mix van smaken. Ik vouw mijn armen stevig om haar heen, opgelucht dat ze alleen mijn bovenarmen vastpakt. Met één hand in haar haren houd ik haar op haar plaats, terwijl mijn andere hand langs haar rug omlaag glijdt naar haar kont en haar tegen me aan drukt, tegen mijn erectie. Ze kreunt weer. Ik blijf haar zoenen en moedig haar onervaren tong aan om mijn mond te onderzoeken, terwijl ik hetzelfde doe bij haar. Mijn lichaam spant zich aan als ze met haar handen omhooggaat langs mijn armen, en even maak ik me zorgen over waar ze me hierna aan zal raken. Ze streelt mijn wang, daarna mijn haren. Ik word er een beetje zenuwachtig van. Maar als ze haar vingers door mijn haar haalt en er zachtjes aan trekt...

Wauw, dat voelt goed.

Ik kreun instemmend, maar ik kan haar niet door laten gaan. Voordat ze me nog een keer aanraakt, duw ik haar tegen het bed en laat ik me door mijn knieën zakken. Ik wil haar broek uitdoen. Ik wil haar uitkleden, verder opwinden, en... haar handen van me af houden. Ik grijp haar heupen vast en leid mijn tong vanaf net boven haar riem tot haar navel. Ze verstijft en ademt scherp in. Fuck, wat ruikt en smaakt ze lekker, naar een appelboomgaard, en ik wil mijn portie. Haar handen grijpen opnieuw in mijn haar. Dit vind ik niet erg. Sterker nog, ik vind het lekker. Ik bijt in haar heup en zij grijpt mijn haar steviger vast. Haar ogen zijn dicht, haar mond hangt open en ze hijgt. Als ik de knoop van haar spijkerbroek losmaak, doet ze haar ogen open, en kijken we elkaar aan. Ik trek de rits langzaam omlaag en leg mijn handen om haar kont. Ze glippen haar broek in, en met mijn handpalmen tegen haar zachte billen trek ik haar spijkerbroek naar beneden.

Ik kan mezelf niet tegenhouden. Ik wil haar laten schrikken... haar grenzen verkennen. Zonder haar ogen los te laten, lik ik mijn lippen, waarna ik voorover leun, mijn neus tegen het midden van haar slipje druk en haar opgewondenheid opsnuif. Met gesloten ogen proef ik haar.

God, wat is ze verleidelijk.

'Je ruikt zo lekker.' Mijn stem is hees van verlangen en mijn broek begint extreem oncomfortabel te worden. Ik moet hem uittrekken. Ik duw haar zachtjes tegen het bed en terwijl ik haar rechtervoet vasthoud, trek ik behendig haar sportschoen en sok uit. Om haar te plagen, ga ik met de nagel van mijn duim over haar wreef. Ze kronkelt bevredigend op het bed, met open mond, terwijl ze gefascineerd naar me kijkt. Voorover leunend stuur ik mijn tong langs haar wreef, en mijn tanden schrapen langs het kleine streepje dat de nagel van mijn duim heeft achtergelaten. Ze ligt achterover op het bed, met haar ogen dicht, kreunend. Het is heerlijk hoe snel en uitbundig ze reageert.

'O Ana, wat ik met jou zou kunnen doen,' fluister ik, terwijl beelden van haar, onder mij kronkelend in mijn speelkamer, door mijn gedachten flitsen. Vastgebonden aan mijn hemelbed, gebogen over de tafel, hangend aan het kruis. Ik zou haar kunnen plagen en martelen tot ze smeekt om haar vrijheid... de gedachten maken mijn spijkerbroek nog strakker om het kruis.

Jezus.

Ik pak snel haar andere schoen en sok en trek haar broek uit. Ze ligt bijna naakt op mijn bed, haar haren als een perfecte omlijsting rond haar gezicht, haar lange, bleke benen verwachtingsvol uitgestrekt. Ik moet rekening houden met haar gebrek aan ervaring. Maar ze hijgt. Ze wil me. Haar ogen zijn op mij gefixeerd.

Ik heb nog nooit iemand in mijn bed geneukt. *Opnieuw een primeur voor mevrouw Steele.*

'Je bent ontzettend mooi, Anastasia Steele. Ik kan niet wachten om in jou te zijn.' Mijn stem is teder. Ik wil haar nog wat meer plagen, uitvinden wat ze al weet. 'Laat me zien hoe je jezelf bevredigt,' vraag ik, terwijl ik haar aandachtig bekijk.

Ze fronst.

'Doe niet alsof je verlegen bent, Ana. Laat het me zien.' Ergens wil ik haar verlegenheid voor straf met vlakke hand uit haar slaan.

Ze schudt haar hoofd. 'Ik weet niet wat je bedoelt.'

Speelt ze een spelletje?

'Hoe laat je jezelf klaarkomen? Ik wil het zien.'

Ze blijft muisstil. Ik heb haar duidelijk weer gechoqueerd. 'Ik doe dat niet,' brengt ze uiteindelijk uit, hijgend. Ik kijk haar ongelovig aan. Zelfs ik masturbeerde vroeger, voordat Elena me in haar klauwen kreeg.

Ze heeft waarschijnlijk nog nooit een orgasme gehad, hoewel ik dit nauwelijks kan geloven. Wauw. Ik ben verantwoordelijk voor haar eerste keer en haar eerste orgasme. Ik kan dit maar beter goed doen.

'Nou, we moeten maar eens kijken wat we daaraan kunnen doen.'

Ik ga je laten komen als een goederentrein, schatje.

Jezus. Ze heeft waarschijnlijk ook nog nooit een naakte man gezien. Terwijl ik haar diep in haar ogen blijf kijken, maak ik de knoop van mijn spijkerbroek los en laat hem op de grond zakken. Ik kan het niet riskeren om ook mijn shirt uit te trekken, want dan zou ze me aan kunnen raken.

Maar als ze dat zou doen... zou dat zo erg zijn... nee toch? Aangeraakt worden?

Ik verdring die gedachte voordat de duisternis tevoorschijn komt, pak haar enkels vast en spreid haar benen. Haar ogen worden groter en haar handen grijpen mijn lakens.

Juist. Hou je handen daar, schatje.

Ik kruip langzaam het bed op, tussen haar benen. Ze kronkelt onder me.

'Niet bewegen,' zeg ik tegen haar, en leun naar voren om de gevoelige huid aan de binnenkant van haar dij te zoenen. Ik trek een spoor van kussen omhoog langs haar dijen, over haar slipje, over haar buik, bijtend en zuigend. Ze siddert onder me.

'We moeten je leren om stil te blijven liggen, schatje.'

Als je me de kans geeft.

Ik ga haar leren om het genot te absorberen en niet te bewegen, waardoor elke aanraking, elke kus, elke beet intenser wordt. Alleen al die gedachte is genoeg om mezelf in haar te willen begraven, maar voordat ik dat doe, wil ik weten hoe ze reageert. Tot nu toe heeft ze zich niet ingehouden.

Ze geeft me de vrije hand over haar lichaam. Ze aarzelt geen moment. Ze wil dit... ze wil dit heel graag. Ik duw mijn tong in haar navel en vervolg mijn langzame reis naar boven, helemaal van haar genietend. Ik verander van positie en ga naast haar liggen, met een been nog steeds tussen de hare. Mijn hand glijdt omhoog langs haar lichaam, over haar heup, langs haar middel naar haar borsten. Zachtjes pak ik haar borst vast en probeer haar reactie te peilen. Ze verstijft niet. Ze houdt me niet tegen... ze vertrouwt me. Kan ik haar vertrouwen zo ver krijgen dat ze me de volledige heerschappij gunt over haar lichaam... over haar? De gedachte windt me op.

'Je past perfect in mijn hand, Anastasia.' Ik laat mijn vinger in de cup van haar bh glijden en trek hem omlaag, waarmee ik haar borst bevrijd. De tepel is klein, lichtroze, en hij is al hard. Ik duw de cup verder omlaag zodat de stof en de beugel onder haar borst terechtkomen en hem omhoog dwingen. Ik herhaal het proces met de andere cup en kijk gefascineerd toe hoe haar tepels groeien onder mijn onophoudelijke blik. Wauw... ik heb haar nog niet eens aangeraakt.

'Heel mooi,' fluister ik bewonderend. Ik blaas zachtjes naar de dichtstbijzijnde tepel en zie met genoegen hoe hij harder en groter wordt. Anastasia doet haar ogen dicht en kromt haar rug.

Niet bewegen schatje. Gewoon het genot absorberen, dan voelt het zoveel intenser.

Terwijl ik naar de ene tepel blaas, rol ik de andere zachtjes tussen mijn duim en wijsvinger. Ze grijpt de lakens stevig vast als ik vooroverbuig en zuig. Hard. Haar lichaam kromt zich weer en ze schreeuwt het uit.

'Laten we eens kijken of we je zo klaar kunnen laten komen,' fluister ik, en ik ga door. Ze begint te jammeren.

O ja, schatje... voel dit. Haar tepels groeien verder en ze begint met haar heupen te draaien, rond en rond. *Niet bewegen schatje. Ik ga je leren om niet te bewegen.*

'O, alsjeblieft,' smeekt ze. Haar benen worden stijf. Het werkt. Ze is dicht bij haar hoogtepunt. Ik ga verder met mijn wellustige aanval. Ik concentreer me op elke tepel, kijk naar haar reactie en voel haar genot aan. Het maakt me gek. God, ik wil haar.

'Laat je gaan, schatje,' grom ik, en ik trek met mijn tanden aan haar tepel. Ze schreeuwt het uit terwijl ze klaarkomt.

Ja! Ik beweeg snel omhoog om haar te kussen en vang haar kreten in mijn mond. Ze hijgt, buiten adem, verloren in haar genot... Van mij. Ik bezit haar eerste orgasme, en die gedachte geeft me belachelijk veel voldoening.

'Je bent erg gevoelig. Dat moet je onder controle leren houden en het wordt erg leuk om je dat te leren.' Ik kan niet wachten... maar op dit moment wil ik haar. Haar, helemaal. Ik zoen haar nog een keer en laat mijn hand over haar lichaam glijden, omlaag naar haar vrouwelijkheid. Ik houd haar vast en voel haar warmte. Ik laat mijn wijsvinger langs het kant van haar slipje glippen en cirkel langzaam om haar heen... *fuck, ze is doorweekt.*

'Je bent zo heerlijk nat. God, ik wil je.' Ik stoot mijn vinger bij haar naar binnen en ze schreeuwt het uit. Ze is heet en strak en nat en ik wil haar. Ik duw mijn vinger opnieuw naar voren en vang haar kreten in mijn mond. Ik druk mijn handpalm tegen haar clitoris... duw naar beneden... beweeg in het rond. Ze schreeuwt en kronkelt onder me. *Fuck, ik wil haar.* Nu. Ze is er klaar voor. Rechtop zittend trek ik haar slipje uit, daarna mijn boxershort. Ik pak een condoom. Ik kniel tussen haar benen en duw die verder uit elkaar. Anastasia kijkt naar me... met wat? Angst? Ze heeft waarschijnlijk nog nooit een stijve pik gezien.

'Maak je geen zorgen. Ook jij wordt wijder,' mompel ik. Ik strek me boven haar uit en zet mijn handen aan weerszijden van haar hoofd, met mijn gewicht op mijn ellebogen. God, ik verlang naar haar... maar ik check of ze nog steeds wil. 'Wil je dit echt doen?' vraag ik.

Verdomme, zeg alsjeblieft geen nee.

'Alsjeblieft,' smeekt ze.

'Trek je knieën op,' instrueer ik haar. Zo gaat het makkelijker. Ben ik ooit zo opgewonden geweest? Ik kan me nauwelijks beheersen. Ik snap het niet... het moet aan haar liggen.

Waarom?

Grey, concentreer je!

Ik ga zo liggen dat ik haar kan nemen wanneer ik wil. Haar ogen staan wijd open en kijken smachtend naar me. Ze wil dit echt... net zo graag als ik. Moet ik teder zijn en het lijden verlengen, of ga ik ervoor?

Ik ga ervoor. Ik moet haar in bezit nemen.

'Nu ga ik u neuken, mevrouw Steele. Hard.'

Met één stoot ben ik in haar.

F.U.C.K.

Ze is zo ongelooflijk strak. Ze schreeuwt het uit.

Shit! Ik heb haar pijn gedaan. Ik wil bewegen, mezelf in haar verliezen en ik moet al mijn zelfbeheersing inzetten om te stoppen. 'Je bent zo nauw. Gaat het?' vraag ik met hese stem, bezorgd fluisterend, en ze knikt met grote ogen in haar blozende gezicht. Ze is de hemel op aarde, zo strak om me heen. En ook al hebben haar handen mijn onderarmen vast, het maakt me niet uit. De duisternis sluimert, misschien omdat ik haar al zo lang wil. Ik heb nooit eerder zoveel verlangd naar iemand, deze... *honger* overvalt me. Het is een nieuw gevoel, splinternieuw. Ik wil zoveel van haar: haar vertrouwen, haar gehoorzaamheid, haar onderwerping. Ik wil dat ze van mij is, maar op dit moment... ben ik van haar.

'Ik ga bewegen, schatje.' Mijn stem klinkt gespannen terwijl ik langzaam achteruit beweeg. Het is zo'n buitengewoon, volmaakt gevoel: haar lichaam dat mijn pik vasthoudt. Ik duw weer bij haar naar binnen en neem bezit van haar, in de wetenschap dat niemand dit ooit gedaan heeft. Ze jammert.

Ik stop. 'Meer?'

'Ja,' hijgt ze, na een korte stilte.

Deze keer stoot ik dieper bij haar naar binnen.

'Nog een keer?' vraag ik, terwijl het zweet op mijn lichaam parelt.

'Ja.'

Haar vertrouwen in mij is plotseling overweldigend en ik begin te bewegen, echt te bewegen. Ik wil dat ze komt. Ik stop niet voordat ze komt. Ik wil deze vrouw bezitten, lichaam en geest. Ik wil dat ze zich om me heen klemt.

Fuck. Ze begint elke stoot te beantwoorden, precies in mijn ritme. *Zie je hoe goed we bij elkaar passen, Ana?* Ik grijp haar hoofd vast en houd haar op haar plek, terwijl ik haar lichaam claim en haar hard kus, bezit nemend van haar mond. Ze verstijft onder me... *fuck ja.* Haar orgasme is dichtbij.

'Kom klaar voor mij, Ana,' beveel ik, en ze schreeuwt het uit terwijl ze klaarkomt, haar hoofd achterover, haar mond open, haar ogen dicht... en alleen de aanblik van haar extase is al genoeg. Ik explodeer in haar, volledig buiten mezelf, terwijl ik haar naam schreeuw en heftig in haar klaarkom.

Als ik mijn ogen open en hijgend op adem probeer te komen, liggen we met onze voorhoofden tegen elkaar en staart ze me aan.

Fuck. Ik ben mezelf niet.

Ik geef een vlugge kus op haar voorhoofd, trek me uit haar terug en ga naast haar liggen.

Ze trekt een pijnlijke grimas als ik me terugtrek, maar verder lijkt ze in orde.

'Heb ik je pijn gedaan?' vraag ik. Ik streel haar haren achter haar oor langs, want ik wil haar blijven aanraken.

Ana straalt ongeloof uit. 'Vraag je of je me pijn hebt gedaan?'

Even begrijp ik niet waarom ze zo grijnst.

O. Mijn speelkamer.

'O ja, dat is ironisch,' stamel ik. Zelfs nu brengt ze me in de war.

'Ik meen het, is alles oké?'

Ze rekt zich naast me uit, onderzoekt haar lichaam en plaagt me met een even geamuseerde als verzadigde blik.

'Je geeft geen antwoord,' grom ik. Ik moet weten of ze het lekker vond. Alle signalen wijzen op een 'ja', maar ik moet het uit haar mond horen. Terwijl ik wacht op haar antwoord verwijder ik het condoom. God, wat haat ik die dingen. Ik laat het discreet op de grond vallen.

Ze tuurt naar me omhoog. 'Dat zou ik graag nog een keer willen doen,' giechelt ze verlegen.

Wat?

Nog een keer?

Nu al?

'Is dat zo, mevrouw Steele?' Ik kus haar mondhoek. 'Je bent een veeleisend type, of niet? Draai je op je buik.'

Dan weet ik zeker dat je me niet aanraakt.

Ze schenkt me een korte, zoete glimlach en gaat op haar buik liggen. Mijn pik komt goedkeurend in beweging. Ik maak haar bh los en laat mijn hand over haar rug naar haar zwierige achterste glijden. 'Je hebt echt een prachtige huid,' zeg ik terwijl ik het haar uit haar gezicht veeg en haar benen uit elkaar duw. Zachtjes en teder kus ik haar schouder.

'Waarom heb je je shirt aan?' vraagt ze.

Ze is zo verdomd nieuwsgierig. Zolang ze op haar buik ligt kan ze me niet aanraken, dus ik leun achterover, trek mijn shirt over mijn hoofd en gooi het op de grond. Helemaal naakt ga ik boven op haar liggen. Haar huid is warm en smelt tegen de mijne.

Hmm... hier kan ik wel aan wennen.

'Dus je wilt dat ik je nog een keer neuk?' fluister ik in haar oor, terwijl ik haar blijf kussen. Ze kronkelt heerlijk tegen me aan.

O, dit gaat nooit werken. Niet bewegen, schatje.

Ik glijd met mijn hand langs haar lichaam tot de binnenkant van haar knie en trek hem omhoog, zodat ze met wijd gespreide benen onder me ligt. Haar adem stokt, hopelijk van verwachting. Ze stopt met bewegen.

Eindelijk!

Ik grijp haar kont terwijl mijn gewicht op haar rust. 'Ik ga je van achteren nemen, Anastasia.' Met mijn andere hand grijp ik haar haren vast, vlak boven haar nek, en zachtjes trekkend hou ik haar op haar plek. Ze kan niet bewegen. Haar handen liggen hulpeloos op de lakens, met de palmen omhoog, ongevaarlijk.

'Je bent van mij,' fluister ik. 'Alleen van mij. Vergeet dat niet.'

Mijn vrije hand beweegt van haar kont naar haar clitoris en begint langzaam rondjes te draaien.

Haar spieren spannen zich onder me aan als ze probeert te bewegen, maar mijn gewicht houdt Ana op haar plaats. Ik ga met mijn tanden langs haar kaaklijn. Haar zoete geur overstemt de geur van onze seks. 'Je ruikt goddelijk,' fluister ik, terwijl ik achter haar oor snuffel. Ze begint met haar heupen tegen mijn bewegende hand te draaien.

'Lig stil,' waarschuw ik.

Anders stop ik misschien...

Zachtjes duw ik mijn duim bij haar naar binnen en begin rondjes te draaien, waarbij ik speciale aandacht besteed aan de voorwand van haar vagina.

Ze kreunt en spant zich onder me, en ze probeert weer te bewegen. 'Vind je dit lekker?' plaag ik, en mijn tanden gaan langs de rand van haar oor. Mijn vingers blijven haar clitoris bewerken, maar ik begin nu mijn duim in en uit haar te bewegen. Ze verstijft, maar kan zich niet verroeren.

Ze kreunt hard, haar ogen dichtgeknepen.

'Je bent zo snel zo nat, je reageert zo lekker snel. O, Anastasia, daar hou ik van. Dat vind ik heerlijk.'

Juist. We gaan kijken hoe ver je gaat.

Ik trek mijn duim terug uit haar vagina. 'Doe je mond open,' beveel ik, en als ze dat doet duw ik mijn duim tussen haar lippen. 'Proef jezelf. Zuig, schatje.'

Ze zuigt aan mijn duim... hard.

Fuck.

Even stel ik me voor dat het mijn pik is die in haar mond zit.

'Ik wil je mond neuken, Anastasia, en dat ga ik binnenkort ook doen.' Ik ben buiten adem.

Ze klemt haar tanden op elkaar en bijt me hard.

Auw! Fuck.

Ik grijp haar haren stevig vast en ze stopt met bijten. 'Stout, braaf meisje.' In mijn gedachten schieten verschillende straffen voorbij die passend zouden zijn voor zo'n brutale handeling en die ik, als ze mijn Onderdanige was, aan haar op zou kunnen leggen. Mijn pik ontploft bijna als ik eraan denk. Ik laat haar los en ga achterover op mijn knieën zitten.

'Blijf stilliggen, niet bewegen.' Ik pak weer een condoom van de tafel naast mijn bed, scheur het folie open en rol het plastic over mijn erectie.

Als ik naar haar kijk zie ik dat ze niet beweegt, met uitzondering van het op en neer gaan van haar rug terwijl ze hijgt van verwachting. Ze is schitterend.

Ik leun weer boven haar, grijp haar haren beet en houd haar vast zodat ze haar hoofd niet kan bewegen.

'We doen het deze keer heel langzaam, Anastasia.'

Ze snakt naar adem, en ik ga zachtjes bij haar naar binnen tot ik niet verder kan.

Fuck. Wat voelt ze lekker aan.

Ik trek me terug, draai met mijn heupen en glijd langzaam weer naar binnen. Ze jammert en haar ledematen spannen zich onder me als ze probeert te bewegen.

O nee, schatje.

Ik wil dat je stil blijft liggen.

Ik wil dat je dit voelt.

Neem al het genot in je op.

'Je voelt zo goed,' vertel ik haar, en ik herhaal de beweging, draaiend met mijn heupen. Langzaam. In. Uit. In. Uit. Ze begint van binnenuit te trillen.

'O nee, schatje. Nog niet.'

Mooi niet dat ik je laat klaarkomen.

Niet nu ik hier zo veel plezier aan beleef.

'O, alsjeblieft,' jankt ze.

'Ik wil dat je rauw wordt, schatje.' Ik trek me terug en zink weer bij haar naar binnen. 'Iedere keer dat jij je morgen beweegt, wil ik dat je voelt dat ik hier ben geweest. Alleen ik. Je bent van mij.'

'Alsjeblieft, Christian,' smeekt ze.

'Wat wil je, Anastasia? Zeg het.' Ik ga door met mijn trage marteling. 'Zeg het.'

'Jou, alsjeblieft.' Ze is wanhopig.

Ze wil mij.

Braaf meisje.

Ik voer het tempo op en haar binnenste begint onmiddellijk te sidderen.

Tussen elke stoot slaak ik een woord. 'Jij. Bent. Zo. Lekker. Ik. Verlang. Zo. Hevig. Naar. Jou. Jij. Bent. Van. Mij.' Haar ledematen trillen van de inspanning die het kost om stil te blijven liggen. Ze is er bijna. 'Kom voor me klaar, schatje,' grom ik.

En op commando trilt ze om me heen, terwijl haar orgasme door haar lichaam trekt, en ze mijn naam schreeuwt in het matras. Mijn naam op haar lippen is mijn ondergang. Ik kom klaar en stort boven op haar.

'Jezus, Ana,' fluister ik, uitgeput maar verrukt. Ik trek me vrijwel direct uit haar terug en rol op mijn rug. Ze krult zich tegen mij aan, en terwijl ik het condoom afrol, doet ze haar ogen dicht en valt in slaap.

Zondag 22 mei 2011

Ik word vol schuldgevoel wakker, alsof ik een verschrikkelijke zonde heb begaan. *Is dat omdat ik Anastasia Steele geneukt heb? De maagd?* Ze ligt opgekruld naast me, diep in slaap. Ik kijk op de wekker: het is na drieën. Mijn lichaam wordt ook wakker als ik naar haar kijk.

Ik zou haar wakker kunnen maken.

Haar opnieuw kunnen neuken.

Er zitten zeker voordelen aan dat ze hier in mijn bed ligt.

Grey. Hou op met deze onzin.

Haar neuken was alleen maar een middel tot een doel en een aangename afleiding.

Ja. Heel aangenaam.

Eigenlijk zelfs ongelofelijk.

Het was net seks, verdomme.

Ik doe mijn ogen dicht in wat waarschijnlijk een vruchteloze poging tot slapen is. Maar de kamer is te vol met Ana: haar geur, het zachte geluid van haar ademhaling en de herinnering aan mijn eerste vanilleseks. Beelden van Ana die haar hoofd in extase achterover gooit, van haar terwijl ze mijn naam nauwelijks nog herkenbaar uitschreeuwt en van haar ongeremde enthousiasme voor seks overweldigen me.

Mevrouw Steele is een zinnelijk schepsel.

Het zal geweldig zijn om haar te trainen.

Mijn pik is het daarmee eens en trekt samen.

Fuck.

Ik kan niet slapen, hoewel het vannacht geen nachtmerries zijn die me wakker houden. Het is de kleine mevrouw Steele. Ik klim uit bed, raap de gebruikte condooms op, leg er een knoop in en gooi ze in de prullenbak. Uit een la pak ik een pyjamabroek en trek die aan. Met een trage blik op de prachtige vrouw in mijn bed loop ik de keuken in. Ik heb dorst.

Nadat ik een glas water heb ingeschonken, doe ik wat ik altijd doe als ik niet kan slapen – ik check mijn e-mail in mijn studeerkamer. Taylor is teruggekomen en vraagt of hij Charlie Tango weg kan zetten. Stephan ligt boven waarschijnlijk al te slapen. Ik mail hem terug dat het goed is, hoewel dat op dit tijdstip nogal voor de hand ligt.

Terug in de woonkamer ga ik achter mijn piano zitten. Dit is mijn troost, waarin ik mezelf urenlang kan verliezen. Ik kan sinds mijn negende goed spelen, maar pas toen ik een eigen piano had, in mijn eigen huis, werd het echt een passie. Als ik alles wil vergeten is dit wat ik doe. En op dit moment wil ik niet denken aan het feit dat ik een maagd een voorstel heb gedaan, haar geneukt heb of dat ik mijn manier van leven aan iemand zonder ervaring onthuld heb. Met mijn handen op de toetsen begin ik te spelen en verlies mezelf in de eenzaamheid van Bach.

Een beweging leidt me af van de muziek en als ik opkijk staat Ana bij de piano. Gehuld in een sjaal, met haar haren wild en golvend over haar rug en in haar ogen een heldere blik ziet ze er verbluffend uit.

'Sorry,' zegt ze. 'Ik wilde je niet storen.'

Waarom zegt ze sorry? 'Dat zou ik ook tegen jou kunnen zeggen.' Ik speel de laatste noten en leg mijn handen op haar benen. 'Je zou in bed moeten liggen,' vermaan ik.

'Dat was een prachtig stuk. Bach?'

'De transcriptie is van Bach, maar het is oorspronkelijk een hobo-concert van Alessandro Marcello.'

'Het was prachtig, maar erg droevig, een heel melancholische melodie.'

Melancholisch? Het zou niet de eerste keer zijn dat iemand dat woord gebruikte om mij te beschrijven.

'Mag ik vrijuit spreken? Meneer.' Leila knielt naast me terwijl ik werk.

'Dat mag.'

'Meneer, u bent zeer melancholiek vandaag.'

'Is dat zo?'

'Ja, meneer. Is er iets wat ik voor u kan doen...?'

Ik schud de herinnering van me af. Ana zou in bed moeten liggen. Ik zeg haar dat nog eens.

'Je was er niet toen ik wakker werd.'

'Ik heb moeite om in slaap te komen en ik ben er niet aan gewend om met iemand samen te slapen.' Ik heb haar dit al verteld – en waarom ben ik mezelf aan het verdedigen? Ik vouw mijn arm om haar blote schouders en genietend van het gevoel van haar huid leid ik haar terug naar de slaapkamer.

'Hoelang speel je al? Je speelt prachtig.'

'Vanaf mijn zesde.' Ik ben kortaf.

'O,' zegt ze. Ik denk dat ze de hint begrijpt – ik wil niet over mijn jeugd praten.

'Hoe voel je je?' vraag ik terwijl ik het bedlampje aanknip.

'Ik voel me prima.'

Er zit bloed op mijn lakens. Haar bloed. Bewijs van haar niet meer bestaande maagdelijkheid. Haar ogen flitsen van de vlekken naar mij en ze kijkt weg, gegeneerd.

'Nou, dat zal mevrouw Jones iets geven om over na te denken.'

Ze kijkt me vol afschuw aan.

Het is je lichaam maar, liefje. Ik pak haar kin en duw haar hoofd een beetje naar achteren zodat ik haar gezichtsuitdrukking kan zien. Ik sta op het punt haar een korte les over hoe ze zich niet voor haar lichaam moet schamen te geven als ze haar arm uitstrekt om mijn borst aan te raken.

Fuck.

Ik stap buiten haar bereik als de duisternis in me naar boven komt.

Nee. Raak me niet aan.

'Ga in bed liggen,' beveel ik, botter dan ik bedoelde, maar ik hoop dat ze mijn angst niet opmerkt. Haar pupillen worden wijd van verwarring en mogelijk pijn.

Verdomme.

'Ik kom bij je liggen,' voeg ik snel toe, als zoenoffer, en trek een shirt uit de kast dat ik als bescherming aantrek.

Ze staat nog steeds, staart naar me. 'Bed,' beveel ik nu krachtiger. Ze kruipt mijn bed in en gaat liggen. Ik ga achter haar liggen en sla mijn armen om haar heen. Ik begraaf mijn gezicht in haar haren en adem haar zoete geur in: herfst en appelbomen. Met haar gezicht de andere kant op kan ze me niet aanraken, en ik besluit zo lepeltje lepeltje te blijven liggen tot ze slaapt. Dan zal ik opstaan en wat werk doen. 'Slaap, lieve Anastasia.' Ik kus haar en doe mijn ogen dicht. Haar geur vult mijn neusgaten, herinnert me aan een fijne tijd en laat me verzadigd... zelfs tevreden achter...

Mammie is gelukkig vandaag. Ze zingt.
Zingt een liedje, iets over wat de liefde ermee te maken heeft.
En ze kookt. En ze zingt.
Mijn maag knort. Ze bakt bacon en wafels.
Het ruikt lekker. Mijn buik houdt van bacon en wafels.
Het ruikt zo lekker.

Als ik mijn ogen opendoe stroomt er licht door de ramen en komt er een aroma uit de keuken dat me doet watertanden. Bacon.
Ik ben even in de war. Is mevrouw Jones terug van haar zus?
Dan herinner ik me haar.
Ana.
Een blik op de klok leert me dat het al laat is. Ik spring uit bed en volg mijn neus naar de keuken.
Daar is Ana. Ze draagt mijn shirt, heeft haar haren gevlochten en danst op muziek. Alleen kan ik die niet horen. Ze heeft oortjes in. Onopgemerkt ga ik aan de keukentafel zitten en kijk naar het tafereel. Ze klutst eieren, maakt ontbijt, haar vlechten dansen als ze van haar ene voet op de andere wipt en ik realiseer me dat ze geen ondergoed draagt.
Brave meid.
Ze moet een van de meest ongecoördineerde vrouwen zijn die ik ooit heb gezien. Het is amusant, charmant en vreemd genoeg opwindend, allemaal tegelijkertijd en ik denk aan alle manieren waarop ik haar coördinatie kan verbeteren. Als ze zich omdraait en me ziet, blijft ze abrupt staan.
'Goedemorgen, mevrouw Steele. U bent zeer... energiek deze morgen.' Ze ziet er met die vlechten nog jonger uit.
'Ik-ik heb goed geslapen,' stamelt ze.
'Ik kan me niet voorstellen waardoor,' spot ik, terwijl ik aan me-

zelf toegeef dat ook ik goed geslapen heb. Het is na negenen. Wanneer sliep ik voor het laatst tot later dan halfzeven?

Gisteren.

Nadat ik met haar naar bed geweest was.

'Heb je trek?' vraagt ze.

'Enorm.' Ik weet niet of ik trek heb in ontbijt of in haar.

'Pannenkoeken, bacon, eieren?' vraagt ze.

'Klinkt goed.'

'Ik weet niet waar je de placemats hebt,' zegt ze, een beetje verloren, en ik heb het gevoel dat ze zich een beetje schaamt omdat ik haar betrapt heb tijdens het dansen. Ik heb medelijden met haar en bied aan de tafel te dekken voor het ontbijt en voeg daaraan toe: 'Wil je dat ik wat muziek opzet, zodat je door kunt gaan met je... eh... dansen?'

Ze bloost en kijkt naar de vloer.

Fuck. Ik heb haar van streek gemaakt. 'Alsjeblieft, stop niet door mij. Het is erg grappig.'

Met een pruillip keert ze me de rug toe en gaat enthousiast verder met het klutsen van de eieren. Ik vraag me af of ze enig idee heeft hoe respectloos dat is voor iemand als ik... maar dat heeft ze natuurlijk niet en om een onbegrijpelijke reden laat dat me glimlachen. Ik schuif naar haar toe en trek zachtjes aan een van haar vlechten. 'Ik ben dol op deze vlechten. Ze zullen je niet beschermen.'

Niet tegen mij. Niet nu ik je gehad heb.

'Hoe heb je je eieren het liefst?' Haar toon is onverwacht uit de hoogte. En ik wil hardop lachen, maar weersta de verleiding.

'Flink geklutst en geklopt,' probeer ik zonder succes emotieloos te antwoorden.

Haar glimlach is betoverend.

Snel leg ik de placemats neer en vraag me af wanneer ik dat voor het laatst voor iemand anders deed.

Nog nooit.

Normaal gesproken zou mijn Onderdanige in het weekend alle huishoudelijke taken voor haar rekening nemen.

Vandaag niet, Grey, omdat ze je Onderdanige niet is... nog niet.

Ik schenk glazen sinaasappelsap in en zet het koffiezetapparaat aan. Ze drinkt geen koffie, alleen thee. 'Wil je een kop thee?'

'Ja, graag. Als je thee hebt.'

In het keukenkastje vind ik de zakjes Twinings die ik mevrouw Jones gevraagd had voor me te kopen. Zo, zo, wie had gedacht dat ik ze ooit zou gebruiken? Ze fronst als ze ze ziet. 'Ik was een beetje een uitgemaakte zaak, of niet?'

'Is dat zo? Ik weet niet zeker of we er al uit zijn gekomen, mevrouw Steele,' antwoord ik met een strenge blik.

En praat niet op die manier over jezelf.

Ik zet haar onzekerheid op de lijst van gedragingen waar we aan moeten werken.

Ze vermijdt mijn blik, is druk met het opdienen van het ontbijt. Twee borden worden op de placemats neergezet. Vervolgens haalt ze de ahornsiroop uit de koelkast.

Als ze naar me opkijkt, wacht ik tot ze gaat zitten. 'Mevrouw Steele.' Ik wijs aan waar ze moet gaan zitten.

'Meneer Grey,' antwoordt ze met gemaakte formaliteit en ze krimpt ineen als ze gaat zitten.

'Hoeveel pijn heb je eigenlijk?' Een ongemakkelijk schuldgevoel verrast me. Ik wil haar opnieuw neuken, het liefst meteen na het ontbijt, maar als ze te rauw is, is dat geen optie. Misschien zou ik dit keer haar mond kunnen gebruiken.

Haar gezicht wordt rood. 'Nou, om eerlijk te zijn, ik heb niets om dit mee te vergelijken,' zegt ze kattig. 'Wilde je je medeleven betuigen?' Haar sarcastische ondertoon verrast me. Als ze de mijne was, zou dit haar op z'n minst op een pak slaag komen te slaan, misschien wel over de keukentafel.

'Nee. Ik vroeg me af of we door moeten gaan met je basistraining.'

'O.' Ze schrikt.

Ja, Ana, we kunnen ook overdag seks hebben. En ik zou die bijdehante mond van jou wel eens willen vullen.

Ik neem een hap van mijn ontbijt en sluit genietend mijn ogen. Het smaakt verdomd goed. Als ik mijn hap doorslik, staart ze me nog steeds aan. 'Eet, Anastasia,' beveel ik. 'Dit is toevallig verrukkelijk.'

Ze kan koken, en goed ook.

Ana neemt een hapje van haar eten en schuift dan haar ontbijt heen en weer over haar bord. Ik vraag haar op te houden op haar lip te bijten. 'Het leidt enorm af en ik weet toevallig dat je niets aanhebt onder mijn overhemd.'

Ze friemelt met haar theezakje en de theepot en negeert mijn irritatie. 'Wat voor basistraining had je in gedachten?' vraagt ze.

Ze is heel nieuwsgierig – laten we eens kijken hoe ver ze zal gaan. 'Nou, omdat je pijn hebt, denk ik dat we het maar bij mondelinge vaardigheden moeten houden.'

Ze proest in haar theekopje.

Shit. Ik wil haar niet laten stikken. Zachtjes klop ik haar op haar rug en geef haar een glas sinaasappelsap. 'Als je wilt blijven, tenminste.' Ik moet niet te ver gaan nu.

'Ik zou vandaag graag blijven. Als je dat goed vindt. Morgen moet ik werken.'

'Hoe laat moet je morgen op je werk zijn?'

'Negen uur.'

'Ik zorg dat je morgen om negen uur op je werk bent.'

Wat? Wil ik dat ze blijft?

Het is een verrassing voor me.

Ja, ik wil dat ze blijft.

'Ik moet vanavond naar huis – ik heb schone kleren nodig.'

'Die kunnen we hier wel voor je kopen.'

Ze schudt met haar haar en knaagt nerveus op haar lip... alweer.

'Wat is er?' vraag ik.

'Ik moet vanavond thuis zijn.'

Man, ze is koppig. Ik wil niet dat ze gaat, maar in dit stadium, zonder contract, kan ik niet eisen dat ze blijft. 'Oké, vanavond. Eet dan nu je ontbijt op.'

Ze bestudeert haar eten.

'Eet, Anastasia. Je hebt gisteravond niets gegeten.'

'Ik heb niet zo'n honger,' zegt ze.

Dit is frustrerend. 'Ik zou echt graag willen dat je je ontbijt opeet.' Mijn stem is diep.

'Wat is dat toch met jou en eten?' snauwt ze.

O, schatje, dat wil je echt niet weten.

'Ik heb je gezegd dat ik moeite heb met voedselverspilling. Eet.' Ik kijk haar bozig aan. *Push me hiermee niet, Ana.* Ze schenkt me een eigenwijze glimlach en begint te eten.

Terwijl ik toekijk hoe ze een vork vol ei in haar mond stopt ontspan ik. Ze is heel uitdagend op haar eigen manier. En dat is uniek. Ik heb hier nooit eerder mee te maken gehad. *Ja.* Dat is het. Ze is iets nieuws voor me. Dat is de fascinatie... toch?

Als ze klaar is met eten, pak ik haar bord.

'Jij hebt gekookt, ik zal afruimen.'

'Dat is heel democratisch van je,' zegt ze, terwijl ze een wenkbrauw optrekt.

Ja. Dat is niet mijn gebruikelijke stijl. Als ik hiermee klaar ben, gaan we in bad.'

En dan kan ik haar mondelinge vaardigheden testen. Ik haal diep adem om de opwinding die deze gedachte me bezorgt onder controle te houden.

Fuck.

Haar telefoon rinkelt en ze loopt naar de andere kant van de kamer, diep in gesprek. Ik stop bij de gootsteen en kijk naar haar. Het morgenlicht vormt een silhouet van haar lichaam in mijn witte overhemd terwijl ze tegen de glazen muur leunt. Ik krijg een droge mond. Ze is slank, met lange benen, perfecte borsten en een perfecte kont.

Nog steeds aan de telefoon draait ze zich naar me om en ik doe alsof mijn aandacht ergens anders op gericht is. Om de een of andere reden wil ik niet dat ze ziet dat ik naar haar kijk.

Wie bevindt zich aan de andere kant van de lijn?

Ik hoor Kavanaghs naam vallen en ik verstijf. *Wat zegt ze?* Onze ogen vinden elkaar.

Wat zeg je, Ana?

Ze draait zich om en hangt even later op. Ze loopt naar me toe, haar heupen wiegen in een zacht, verleidelijk ritme onder mijn overhemd.

Moet ik haar zeggen wat ik kan zien?

'Dekt de geheimhoudingsovereenkomst alles?' vraagt ze, terwijl ze me stopt als ik het keukenkastje dichtdoe.

'Waarom?' *Waar wil ze heen? Wat heeft ze Kavanagh verteld?*

Ze haalt diep adem. 'Nou, ik zit met wat vragen, over seks, weet je wel. En die wil ik graag aan Kate stellen.'

'Je kunt het mij vragen.'

'Christian, met alle respect...' Ze stopt.

Schaamt ze zich?

'Het gaat alleen over techniek. Ik zal niets zeggen over de Rode Kamer van Pijn,' zegt ze haastig.

'Rode Kamer van Pijn?'

Wat de...?

'Het gaat vooral over genot, Anastasia. Geloof me. Bovendien doet jouw huisgenote het met mijn broer. Ik heb echt liever dat je dat niet doet.'

Ik wil niet dat Elliot iets te weten komt over mijn seksleven. Hij zou er nooit meer over ophouden.

'Weet je familie van je... eh, voorkeuren?'

'Nee. Dat gaat ze geen zak aan.'

Er brandt een vraag op haar lippen.

'Wat wil je weten?' vraag ik terwijl ik voor haar sta en haar gezicht bestudeer.

Wat is het, Ana?

'Op dit moment niets specifieks,' fluistert ze.

'We kunnen beginnen met: hoe vond je het gisteravond?' Mijn ademhaling is oppervlakkig als ik op haar antwoord wacht. De hele deal zou van dat antwoord kunnen afhangen.

'Heerlijk,' zegt ze, en ze schenkt me een zachte, sexy glimlach.

Dat is wat ik wil horen.

'Voor mij ook. Ik had nog nooit eerder vanilleseks gehad. Er valt veel voor te zeggen. Maar dat komt misschien doordat het met jou is.'

Ze is blij verrast door mijn woorden. Ik strijk met mijn duim over haar volle onderlip. Ik wil haar echt graag aanraken... opnieuw.

'Kom, we gaan in bad.' Ik kus haar en neem haar mee naar mijn slaapkamer.

'Blijf hier,' beveel ik. Ik draai de kraan open en voeg geurige olie aan het stomende hete water toe. De badkuip vult zich snel terwijl ze naar me kijkt. Normaal gesproken zou ik verwachten dat een vrouw met wie ik op het punt stond in bad te gaan haar ogen zedig neergeslagen had.

Maar dat doet Ana niet.

Ze kijkt niet naar beneden. Haar ogen glimmen van verwachting en nieuwsgierigheid. Maar ze heeft haar armen om zichzelf heen geslagen, ze is verlegen.

Het is opwindend.

Te bedenken dat ze nog nooit met een man in bad is gegaan.

Ik kan nog een keer een primeur claimen.

Als het bad vol is trek ik mijn T-shirt uit en steek mijn hand naar haar uit. 'Mevrouw Steele.'

Ze neemt mijn uitnodiging aan en stapt het bad in.

'Draai je om, kijk me aan,' instrueer ik. 'Ik weet dat die lip verrukkelijk is, daar kan ik over meepraten, maar kun je ophouden erop te bijten? Als je erop kauwt, krijg ik zin om je te neuken en je hebt pijn, oké?'

Haar adem stokt en ze laat haar lip los.

'Precies, jij snapt het.'

Nog steeds staand geeft ze me een begripvol knikje.

'Mooi.' Ze heeft nog steeds mijn overhemd aan en ik haal de iPod uit het borstzakje om hem op de wasbak te leggen. 'Water en iPods – dat is geen goede combinatie.' Ik grijp de zoom van het hemd en trek het van haar af. Als ik een stap achteruit zet om haar te bewonderen, laat ze onmiddellijk haar hoofd hangen.

'Hé.' Mijn stem is zacht en moedigt haar aan naar me op te kijken. 'Anastasia, je bent een mooie vrouw, in alle opzichten. Laat je hoofd niet hangen alsof je je schaamt. Je hebt niets om je voor te schamen en het is een waar genoegen om hier te staan en naar je te kijken.' Ik houd haar kin vast en til haar hoofd op.

Verstop je niet voor me, schatje.

'Je mag nu gaan zitten.'

Ze gaat snel zitten en huivert als haar pijnlijke lijf het water raakt.

Oké...

Ze houdt haar ogen dicht als ze achterover ligt, maar als ze die weer opent, lijkt ze iets meer op haar gemak. 'Waarom kom je er niet bij?' vraagt ze met een schuchter lachje.

'Ik denk dat ik dat doe. Schuif eens op.' Ik kleed me uit en klim achter haar, trek haar tegen mijn borst en leg mijn benen om de hare, mijn voeten over haar enkels, en dan trek ik haar benen uit elkaar.

Ze wringt zich tegen me aan, maar ik negeer haar bewegingen en begraaf mijn neus in haar haren. 'Je ruikt zo lekker, Anastasia,' fluister ik.

Ze maakt het zich gemakkelijker en ik pak de douchezeep van het plankje naast ons. Ik knijp wat zeep in mijn hand, wrijf het tot een schuimende massa en begin haar nek en schouders te masseren. Ze kreunt en laat haar hoofd onder mijn tedere regime opzij vallen.

'Lekker?' vraag ik.

'Hmm,' murmelt ze tevreden.

Ik was haar armen en onderarmen en bereik mijn eerste doel: haar borsten.

O god, hoe dat voelt.

Ze heeft perfecte borsten. Ik kneed en plaag ze. Ze kreunt en kantelt haar heupen. Haar ademhaling versnelt. Ze is opgewonden. Mijn lijf reageert op dezelfde manier en groeit onder haar.

Mijn handen glijden over haar romp en buik naar mijn tweede doel. Voor ik haar schaamhaar bereik, stop ik en pak ik een washandje. Ik doe wat zeep op het washandje en begin haar langzaam tussen haar benen te wassen. Zachtjes, maar met stevige druk, wrijvend, wassend, schoonmakend, stimulerend. Ze begint te hijgen en haar heupen bewegen synchroon met mijn handen. Haar hoofd rust op mijn schouder, haar ogen dicht, haar mond open in een stille kreun terwijl ze zich overgeeft aan mijn meedogenloze handen.

'Voel het schatje.' Ik bijt zachtjes in haar oorlelletje. 'Voel het voor me.'

'O, alsjeblieft,' jammert ze, en ze probeert haar benen te strekken, maar ik heb ze vastgepind onder de mijne.

Genoeg.

Nu ze zo opgewonden is, ben ik klaar om verder te gaan.

'Ik denk dat je nu schoon genoeg bent,' kondig ik aan en ik haal mijn handen van haar af.

'Waarom stop je?' protesteert ze terwijl ze haar ogen opent en frustratie en teleurstelling laat zien.

'Omdat ik andere plannen met je heb, Anastasia.'

Ze hijgt en als ik me niet vergis, pruilt ze ook.

Heel fijn.

'Draai je om. Ik moet ook gewassen worden.'

Ze draait zich om, haar gezicht rozig, haar ogen helder, haar pupillen groot.

Terwijl ik mijn heupen omhoog breng, grijp ik mijn pik. 'Ik wil dat je mijn favoriete en meest gekoesterde lichaamsdeel goed leert kennen, misschien wel beste vriendjes wordt. Ik ben er erg aan gehecht.' Haar mond valt open terwijl ze van mijn penis naar mijn gezicht kijkt... en weer terug. Ik kan het niet helpen dat ik een verdorven grijns voel opkomen. Haar gezicht is het toonbeeld van maagdelijke verontwaardiging.

Maar terwijl ze me aanstaart, verandert haar gezichtsuitdrukking. Eerst bedenkelijk, dan de situatie in zich opnemend en als haar ogen de mijne vinden is de uitdaging duidelijk te zien.

O, kom maar op, mevrouw Steele.

Haar glimlach is er een van genot als ze naar de douchezeep reikt. Ze neemt haar tijd en knijpt wat zeep op haar hand. Zonder me los te laten met haar blik wrijft ze haar handen over elkaar. Ze doet haar lippen open, bijt op haar onderlip en likt met haar tong over de deukjes die haar tanden achterlieten.

Ana Steele, duivelse verleidster!

Mijn pik reageert waarderend, wordt nog harder. Ze buigt voorover en grijpt me vast, haar hand in een vuist om mijn lid. Mijn adem ontsnapt sissend door mijn opeengeklemde tanden en ik doe mijn ogen dicht, genietend van het moment.

Kijk, ik vind het niet erg om aangeraakt te worden.

Nee, ik vind het helemaal niet erg... Ik leg mijn hand over de hare en laat haar zien wat ze moet doen. 'Zo.' Mijn stem is schor als ik haar leid. Ze verstevigt haar grip op me en haar hand beweegt op en neer onder de mijne.

O, ja.

'Zo ja, schatje.'

Ik laat haar los en laat haar verdergaan, doe mijn ogen dicht en geef me over aan het ritme dat ze gestart is.

O god.

Wat is het aan deze onervarenheid dat zo opwindend is? Geniet ik simpelweg van alle dingen die ze voor het eerst doet?

Plotseling duwt ze me in haar mond, hard zuigend, me kwellend met haar tong.

Fuck.

'Wauw... Ana.'

Ze zuigt harder. Haar ogen vol vuur en vrouwelijke sluwheid. Dit is haar wraak, haar voor wat hoort wat. Ze ziet er overweldigend uit.

'Christus,' grom ik en ik doe mijn ogen dicht zodat ik niet onmiddellijk klaarkom.

Ze vervolgt haar bitterzoete kwelling en terwijl haar zelfvertrouwen groeit, kantel ik mijn heupen en duw mezelf dieper haar mond in.

Hoe ver kan ik gaan, schatje?

Het is stimulerend om naar haar te kijken, zo stimulerend. Ik grijp haar haar en begin haar mond te bewerken terwijl ze zichzelf ondersteunt met haar handen op mijn heupen.

'O. Schatje. Dat. Voelt. Zo. Goed.'

Ze bedekt haar tanden met haar lippen en trekt me nog eens diep haar mond in.

'Ah!' Ik kreun en vraag me af hoe diep ze me zal toelaten. Haar mond kwelt me, haar bedekte tanden bijten hard. En ik wil meer. 'Jezus. Hoe ver kun je gaan?'

Haar ogen ontmoeten de mijne en ze fronst. Dan glijdt ze met een vastberaden blik over me heen tot ik de achterkant van haar keel raak.

Jezusmina.

'Anastasia, ik ga in je mond klaarkomen,' waarschuw ik haar, buiten adem. 'Als je dat niet wilt, moet je nu stoppen.' Ik stoot keer op keer in haar, zie hoe mijn pik in haar mond verdwijnt en weer tevoorschijn komt. Het is meer dan geil. Ik ben zo dichtbij. Plotseling ontbloot ze haar tanden en knijpt zacht. En dan is het gebeurd. Ik kom achter in haar keel klaar en schreeuw het uit van genot.

Fuck.

Mijn ademhaling is zwaar. Ze heeft me volledig ontwapend... alweer!

Als ik mijn ogen open, straalt ze van trots.

En terecht. Dat was een fenomenale pijpbeurt.

'Heb je geen neiging om te kokhalzen?' Ik staar in verwondering naar haar terwijl ik op adem kom. 'Jezus, Ana... dat was lekker... echt heel lekker. Onverwacht, dat wel. Weet je, je blijft me verbazen.' Lof voor een goed uitgevoerde taak.

Wacht even, dat was zo goed... misschien had ze toch al wat ervaring? 'Heb je dat wel eens eerder gedaan?' vraag ik, en ik ben er niet zeker van of ik het antwoord wil horen.

'Nee,' zegt ze met onverholen trots.

'Fijn.' Ik hoop dat mijn opluchting niet te duidelijk is. 'Weer een primeur, mevrouw Steele. Je krijgt een 10 voor mondelinge vaardigheden. Kom, we gaan naar bed, ik ben je een orgasme schuldig.'

Ik klim nog een beetje beduusd het bad uit en wikkel een handdoek om mijn middel. Ik grijp nog een handdoek en houd die omhoog terwijl ik haar uit bad help. Dan vang ik haar in de handdoek, zodat ze geen kant op kan. Ik houd haar tegen me aan en kus haar, ik kus haar stevig. Ik verken haar mond met mijn tong.

Ik proef mijn zaad in haar mond. Ik houd haar hoofd vast en verdiep de kus.

Ik wil haar.

Ik wil haar helemaal.

Haar lichaam en haar ziel.

Ik wil dat ze de mijne is.

Terwijl ik in haar verbijsterde ogen kijk, vraag ik haar: 'Zeg ja?'

'Waarop?' fluistert ze.

'Ja op onze regeling. Dat je van mij bent. Alsjeblieft, Ana.' Dichter bij smeken ben ik al lange tijd niet gekomen. Ik kus haar opnieuw en stop al mijn passie in de kus. Ik pak haar hand. Ze ziet er verfomfaaid uit.

Verfomfaai haar nog wat meer, Grey.

In mijn slaapkamer laat ik haar los. 'Vertrouw je me?' vraag ik. Ze knikt.

'Brave meid.'

Brave. Prachtige. Meid.

Ik loop naar mijn kast en kies een van mijn stropdassen uit. Als ik weer voor haar sta trek ik haar handdoek van haar af en gooi 'm op de grond. 'Hou je handen vóór je en tegen elkaar aan.'

Ze likt over haar lippen in wat ik denk dat een moment van onzekerheid is en steekt dan haar handen uit. Behendig bind ik haar polsen met de das samen. Ik trek aan de knoop. *Ja.* Hij zit goed vast.

Tijd voor wat training, mevrouw Steele.
Haar lippen gaan van elkaar terwijl ze ademhaalt... ze is opgewonden.

Zachtjes trek ik aan haar vlechten. 'Je ziet er zo jong uit, hiermee.' Maar dat gaat me niet tegenhouden. Ik laat mijn handdoek vallen. 'O, Anastasia, wat zal ik eens met je doen?' Ik pak haar bovenarmen vast en duw haar voorzichtig op het bed, haar vasthoudend zodat ze niet valt. Zodra ze uitgestrekt ligt, ga ik naast haar liggen, grijp haar vuisten en til ze boven haar hoofd. 'Hou je handen daar en beweeg ze niet, begrepen?'

Ze slikt.

'Geef antwoord.'

'Ik zal mijn handen niet bewegen,' zegt ze schor.

'Braaf meisje.' Ik kan een glimlach niet onderdrukken. Ze ligt naast me, met haar polsen vastgebonden, hulpeloos. *De mijne.*

Niet de mijne om te doen wat ik wil – nog niet – maar we komen in de buurt.

Ik leun over haar heen en kus haar lichtjes, laat haar weten dat ik haar overal ga kussen.

Ze zucht als mijn lippen van haar oor naar het kuiltje aan de onderkant van haar nek glijden. Ik word beloond met haar waarderende gekreun. Abrupt laat ze haar armen zakken zodat ze een cirkel om mijn nek vormen.

Nee. Nee. Nee. Zo gaan we dit niet doen, mevrouw Steele.

Terwijl ik haar boos aankijk, plaats ik haar handen ruw terug boven haar hoofd.

'Beweeg je handen niet, anders moeten we weer helemaal opnieuw beginnen.'

'Ik wil je aanraken,' fluistert ze.

'Dat weet ik.' *Maar dat mag je niet.* 'Hou je handen boven je hoofd.'

Haar mond is open en haar borst gaat bij elke snelle ademhaling op en neer. Ze is opgewonden.

Heel goed.

Ik pak haar kin vast en begin me een weg naar beneden te kussen. Mijn hand beweegt over haar borsten, mijn lippen in hete achtervolging. Met een hand op haar buik, waarmee ik haar op haar plek houd, breng ik een hommage aan haar beide tepels, zachtjes zuig en bijt ik op ze en geniet ik ervan dat ze in reactie daarop harder worden.

Ze kreunt en begint haar heupen te bewegen.

'Blijf stilliggen,' waarschuw ik tegen haar huid. Ik plant kussen over haar hele buik, waar mijn tong de smaak en diepte van haar navel verkent.

'Ah,' kreunt en kronkelt ze.

Ik zal haar moeten bijbrengen dat ze stil blijft liggen... Mijn tanden verkennen haar huid. 'Hmm. Je bent zo zoet, mevrouw Steele.' Ik knijp zachtjes tussen haar navel en haar schaamhaar en ga dan tussen haar benen zitten. Ik grijp haar beide enkels en spreid haar benen wijd open. Zo, naakt en kwetsbaar, is ze een genot om naar te kijken. Terwijl ik haar linkervoet vasthoud, buig ik haar knie en breng haar tenen naar mijn mond. Ik verlies haar gezicht geen seconde uit het oog. Ik kus elke teen en bijt in de kussentjes ervan.

Haar ogen zijn groot en haar mond is open, afwisselend een kleine o en een hoofdletter O. Als ik wat harder op haar kleine teentje bijt, kantelt ze haar bekken en jammert ze. Ik trek met mijn tong een spoor van haar wreef naar haar enkel. Ze knijpt haar ogen dicht, haar hoofd beweegt van links naar rechts terwijl ik haar blijf kwellen.

'O, alsjeblieft,' smeekt ze wanneer ik op haar kleine teentje zuig en bijt.

'Alles op zijn tijd, mevrouw Steele,' plaag ik.

Als ik bij haar knie aankom, stop ik niet, maar ga ik door. Likkend, zuigend en bijtend vervolg ik mijn weg naar de binnenkant van haar dij terwijl ik haar benen wijd openspreid. Ze trilt, in shock, als ze zich opmaakt voor het moment dat mijn tong het topje van haar dij bereikt.

O nee... nog niet, mevrouw Steele.

Ik richt mijn aandacht op haar linkerbeen, kus haar, bijt van haar knie naar de binnenkant van haar dij.

Ze spant haar spieren als ik uiteindelijk tussen haar benen lig. Maar ze houdt haar handen boven haar hoofd.

Braaf meiske.

Voorzichtig beweeg ik mijn neus op en neer over haar venusheuvel.

Ze spartelt onder me.

Ik stop. Ze moet leren stil te blijven liggen.

Ze tilt haar hoofd op om me te kunnen zien.

'Weet je wel hoe betoverend je ruikt, mevrouw Steele?' Terwijl ik haar blik met de mijne vasthoud, duw ik mijn neus in haar schaamhaar en adem diep in. Ze laat haar hoofd in het kussen vallen en gromt.

Ik blaas zacht heen en weer over haar schaamhaar. 'Dit bevalt me wel,' prevel ik. Het is al een tijdje geleden dat ik voor het laatst schaamhaar van zo dichtbij gezien heb. Ik trek er zachtjes aan. 'Misschien moeten we dit maar zo houden.'

Hoewel het ongeschikt is voor een spelletje met kaarsvet...

'O, alsjeblieft,' smeekt ze.

'Hmm, ik vind het fijn als je me smeekt, Anastasia.'

Ze kreunt.

'Voor wat hoort wat is doorgaans niet mijn stijl, mevrouw Steele,' fluister ik tegen haar vlees. 'Maar je hebt me vandaag genot geschonken en je verdient een beloning.' Ik houd haar dijen naar beneden gedrukt, open haar voor mijn tong. Langzaam begin ik rondjes te draaien om haar clitoris.

Ze schreeuwt het uit en haar lichaam komt van het bed omhoog. Maar ik houd niet op. Mijn tong is meedogenloos. Haar benen verstijven, haar tenen spannen zich aan.

Ah, ze is er bijna en langzaam laat ik mijn middelvinger in haar glijden.

Ze is nat.

Nat en gewillig.

'O, schatje. Ik vind het heerlijk dat je zo nat van me bent.' Ik begin mijn vinger met de klok mee te bewegen, rek haar op. Mijn tong blijft haar clitoris plagen, opnieuw en opnieuw. Ze verstijft onder me en schreeuwt als haar orgasme uiteindelijk over haar heen walst.

Ja!

Ik ga op mijn knieën zitten en grijp een condoom. Zodra ik het om heb gedaan, glijd ik in haar.

Fuck, ze voelt zo goed.

'Hoe voelt dit?' informeer ik.

'Goed, lekker.' Haar stem is hees.

O... Ik begin te bewegen, genoegen scheppend in het gevoel haar om me heen te hebben, onder me te hebben. Opnieuw en opnieuw, sneller en sneller, mezelf in deze vrouw verliezend. Ik wil dat ze opnieuw komt.

Ik wil haar bevredigen.

Ik wil dat ze gelukkig is.

Uiteindelijk verstijft ze nog een keer en jammert.

'Kom voor me, schatje,' stoot ik uit met mijn tanden op elkaar en ze explodeert om me heen.

'Godzijdank,' schreeuw ik uit en ik laat me gaan, vind mijn eigen zoete ontlading. Kort zak ik op haar neer, gloriërend in haar zachtheid. Ze wil haar handen om mijn hals leggen, maar omdat ze vastgebonden is, kan ze me niet aanraken.

Ik haal diep adem en laat mijn gewicht op mijn armen rusten. Ik staar verwonderd naar haar onder me.

'Zie je hoe goed we bij elkaar passen? Als jij je aan mij geeft, wordt het nog veel beter. Geloof me, Anastasia, ik kan je meenemen naar plaatsen waarvan je het bestaan niet eens vermoedt.' Onze voorhoofden raken elkaar en ik doe mijn ogen dicht.

Zeg alsjeblieft ja.

We horen stemmen buiten.

Wat nu weer?

Het zijn Taylor en Grace.

'Shit! Dat is mijn moeder.'

Ana krimpt ineen als ik me uit haar terugtrek.

Terwijl ik uit bed spring, gooi ik het condoom in de prullenbak.

Wat doet mijn moeder hier in godsnaam?

Taylor heeft haar afgeleid, godzijdank. Nou, ze staat op het punt een verrassing te krijgen.

Ana ligt nog steeds uitgestrekt op het bed. 'Kom, we moeten ons aankleden – tenminste, als je mijn moeder wilt ontmoeten.' Ik grijns naar Ana terwijl ik mijn jeans aantrek. Ze ziet er schattig uit.

'Christian – ik kan me niet bewegen,' protesteert ze, maar ze grijnst ook.

Ik buig over haar heen, maak de das los en kus haar voorhoofd.

Mijn moeder zal opgetogen zijn.

'Weer een primeur,' fluister ik, niet in staat mijn grijns kwijt te raken.

'Ik heb hier geen schone kleren.'

Ik trek een wit T-shirt aan en als ik me omdraai is ze gaan zitten, met haar armen om haar knieën. 'Misschien moet ik hier blijven.'

'Echt niet, niets daarvan,' waarschuw ik. 'Je kunt iets van mij aantrekken.'

Ik vind het leuk als ze mijn kleren draagt.

Ze kijkt bezorgd.

'Anastasia, zelfs als je een zak aantrekt, zie je er nog geweldig uit. Maak je alsjeblieft geen zorgen. Ik wil graag dat je mijn moeder leert kennen. Kleed je aan. Ik ga alvast naar haar toe om haar gerust te stellen. Ik verwacht je over vijf minuten in de woonkamer, anders kom ik je halen en sleep ik je deze kamer uit, ongeacht wat je aanhebt. Mijn T-shirts liggen in deze la. Mijn overhemden hangen in de kast. Zoek maar wat uit.'

Haar ogen worden groot.

Jep, ik meen het, schatje.

Ik waarschuw haar met een scherpe blik en open de deur om mijn moeder te zoeken.

Grace staat in de hoek tegenover de deur naar de hal en Taylor praat met haar. Haar gezicht licht op als ze me ziet. 'Lieverd, ik had er geen idee van dat je gezelschap zou hebben,' roept ze uit, een beetje beschaamd.

'Hallo, mam.' Ik kus de wang die ze me aanbiedt. 'Ik regel het verder,' zeg ik tegen Taylor.

'Ja, meneer Grey.' Hij knikt en gaat terug naar zijn kantoor. Hij ziet er getergd uit.

'Dank je, Taylor,' roept Grace hem na en richt dan haar volledige aandacht op mij. 'Regel het verder?' zegt ze verontwaardigd. 'Ik was aan het winkelen in de stad en dacht even langs te komen voor een kop koffie.' Ze stopt. 'Als ik had geweten dat je niet alleen was...' Ze haalt op een ongemakkelijke, meisjesachtige manier haar schouders op.

Ze is vaak genoeg bij me langsgekomen terwijl er hier een vrouw *was*... ze wist het alleen nooit.

'Ze komt zo bij ons,' zeg ik. 'Wil je gaan zitten?' Ik gebaar in de richting van de sofa.

'Zij?'

'Ja, mam. Zij.' Mijn toon is droog en ik probeer niet te lachen. En voor deze ene keer is ze eens stil als ze door de woonkamer loopt. 'Ik zie dat je ontbeten hebt,' merkt ze op terwijl ze naar de vuile pannen kijkt.

'Wil je koffie?'

'Nee. Dank je, lieverd.' Ze gaat zitten. 'Ik maak kennis met je... vriendin en dan ga ik weer. Ik wil je niet storen. Ik had het vermoeden dat je jezelf aan het afbeulen zou zijn in je studeerkamer. Je werkt te hard, lieverd. Ik dacht dat ik je misschien even bij je werk weg kon halen.' Ze ziet er bijna verontschuldigend uit als ik naast haar op de sofa ga zitten.

'Maak je geen zorgen.' Ik vind haar reactie vermakelijk. 'Waarom ben je vanmorgen niet in de kerk?'

'Carrick moest werken, dus we waren van plan naar de avondmis te gaan. Het is misschien te veel gevraagd om te hopen dat je met ons meegaat.'

Ik trek mijn wenkbrauw in cynische verachting op. 'Mam, je weet dat dat niets voor mij is.'

God en ik hebben elkaar lang geleden al de rug toegekeerd.

Ze zucht, maar dan verschijnt Ana – gekleed in haar eigen kleren staat ze verlegen in de deuropening. De spanning tussen moeder en zoon is tot mijn opluchting afgewend. 'Daar is ze dan.'

Grace draait zich om en staat op.

'Mam, dit is Anastasia Steele. Anastasia, dit is Grace Trevelyan-Grey.'

Ze schudden elkaar de hand.

'Wat leuk om je te ontmoeten,' zegt Grace met naar mijn smaak net iets te veel enthousiasme.

'Dokter Trevelyan-Grey,' zegt Ana beleefd.

'Je mag me Grace noemen,' zegt mam, opeens heel amicaal en informeel.

Wat? Nu al?

Grace vervolgt, 'Ik ben meestal dokter Trevelyan en mevrouw Grey is mijn schoonmoeder.' Ze knipoogt naar Ana en gaat zitten.

Ik gebaar naar Ana en klop op het kussen naast me. Ze komt naar me toe en gaat zitten.

'Hoe hebben jullie elkaar leren kennen?' vraagt Grace.

'Anastasia heeft me geïnterviewd voor het universiteitsblad van WSU omdat ik daar deze week de buluitreiking doe.'

'Studeer je deze week af?' vraagt Grace en kijkt Ana glunderend aan.

'Ja.'

Ana's telefoon begint te rinkelen en ze excuseert zich om op te nemen.

'En ik zal de afstudeerrede houden,' zeg ik tegen Grace, maar mijn aandacht is bij Ana.

Wie belt er?

'Luister, José, het komt nu even niet uit,' hoor ik haar zeggen.

Die verdomde fotograaf. Wat moet hij van haar?

'Ik heb een bericht achtergelaten voor Elliot en kwam er toen achter dat hij in Portland was. Ik heb hem sinds vorige week niet gezien,' zegt Grace.

Ana hangt op.

Grace gaat door als Ana zich weer bij ons voegt, '... en Elliot belde om te zeggen dat je hier was – ik heb je al twee weken niet gezien, lieverd.'

'O ja, is dat zo, heeft Elliot dat gedaan?' vraag ik.

Wat wil die fotograaf?

'Ik dacht dat we misschien samen konden lunchen, maar ik zie dat je andere plannen hebt en ik wil je planning niet in de war sturen.' Grace staat op en voor de verandering ben ik eens dankbaar dat ze een goede intuïtie heeft en een situatie snel aanvoelt. Ik kus haar gedag.

'Ik moet Ana terugbrengen naar Portland.'

'Natuurlijk, lieverd.' Grace keert haar stralende – en als ik me niet vergis, dankbare – glimlach naar Ana.

Het is irritant.

'Anastasia, het was me een genoegen.' Grace straalt en pakt Ana's hand. 'Ik hoop dat we elkaar nog eens zien.'

'Mevrouw Grey?' Taylor verschijnt in de deuropening.

'Dankjewel, Taylor,' antwoordt Grace en hij begeleidt haar de kamer uit en door de dubbele deuren naar de foyer.

Oké, dat was interessant.
Mijn moeder heeft altijd gedacht dat ik homo was. Maar zoals altijd heeft ze mijn grenzen gerespecteerd en heeft ze het me nooit gevraagd.
Nou, nu weet ze het.
Ana bijt op haar onderlip en straalt angst uit... en terecht.
'Dus de fotograaf heeft gebeld?' Ik klink nors.
'Ja.'
'Wat wilde hij?'
'Hij wilde gewoon sorry zeggen – voor vrijdag.'
'Ik begrijp het.' Misschien wil hij het nog een keer bij haar proberen. Die gedachte is hoogst onaangenaam.
Taylor schraapt zijn keel. 'Meneer Grey, er is een probleem met de zending naar Darfur.'
Shit. Dit is mijn straf omdat ik vanmorgen mijn e-mail niet gecheckt heb. Ik was te druk met Ana bezig.
'Is Charlie Tango terug op Boeing Field?' vraag ik Taylor.
'Ja, meneer.'
Taylor geeft Ana een knikje. 'Mevrouw Steele.'
Ze schenkt hem een brede glimlach en hij gaat weg.
'Woont hij hier? Taylor?' vraagt Ana.
'Ja.'
Als ik terugga naar de keuken, pak ik mijn telefoon en controleer snel mijn e-mail. Er is een belangrijk bericht van Ros en een paar sms'jes. Ik bel haar meteen.
'Ros, wat is het probleem?'
'Christian, hoi. De berichten uit Darfur zijn niet goed. Ze kunnen de veiligheid van de lading en de bemanning niet garanderen en Buitenlandse Zaken is niet bereid de hulpgoederen te bekrachtigen zonder de steun van de ngo.'
Fuck.
'Ik wil geen enkele bemanning risico laten lopen.' Ros weet dit.
'We kunnen proberen huursoldaten in te zetten,' zegt ze.
'Nee, annuleren...'
'Maar de kosten,' protesteert ze.
'We droppen wel vanuit de lucht.'
'Ik wist dat je dat zou zeggen, Christian. Ik werk aan een plan.'

Het zal prijzig zijn. In de tussentijd kunnen de containers van Philadelphia naar Rotterdam worden vervoerd en dan kunnen we van daaruit verder kijken. Dat was het.'

'Mooi.' Ik hang op. Wat meer steun van Buitenlandse Zaken zou fijn zijn. Ik besluit Blandino te bellen om dit verder te bespreken.

Mijn aandacht richt zich weer op mevrouw Steele, die in mijn woonkamer staat en me wantrouwend aankijkt. Ik moet ons weer op de rit krijgen.

Ja. Het contract. Dat is de volgende stap in onze onderhandeling.

In mijn studeerkamer verzamel ik de papieren op mijn bureau en stop ze in een bruine envelop.

Ana is nog steeds waar ik haar achterliet in de woonkamer. Misschien denkt ze aan de fotograaf... mijn stemming verslechtert dramatisch.

'Dit is het contract.' Ik houd de envelop omhoog. 'Lees het en we bespreken het volgend weekend. Ik stel voor dat je wat onderzoek doet, zodat je weet waar het om gaat.' Ze kijkt van de bruine envelop naar mij, met een bleek gezicht. 'Tenminste, als je instemt. En ik hoop echt dat je dat doet,' voeg ik toe.

'Onderzoek?'

'Je zult versteld staan van wat je allemaal op internet kunt vinden.' Ze fronst.

'Wat is er?' vraag ik.

'Ik heb geen computer. Ik gebruik meestal de computers op school. Ik kijk wel of ik Kates laptop kan gebruiken.'

Geen computer? Hoe kan een student nu zonder computer leven? Is ze zo blut? Ik geef haar de envelop. 'Ik weet zeker dat ik je er wel een kan... eh, lenen. Pak je spullen. We rijden terug naar Portland en gaan onderweg wel ergens lunchen. Ik moet me aankleden.'

'Ik moet even bellen,' zegt ze, haar stem zacht en aarzelend.

'De fotograaf?' snauw ik. Ze kijkt schuldig.

Wat de...? 'Ik hou niet van delen, mevrouw Steele. Onthoud dat maar.' Voordat ik nog iets kan zeggen, storm ik de kamer uit.

Valt ze op hem?

Heeft ze mij alleen maar gebruikt als oefening?

Fuck.

Misschien gaat het haar om mijn geld. Dat is een deprimerende gedachte... hoewel ze niet op me overkomt als een golddigger. Ze wilde niet dat ik kleren voor haar kocht. Daar was ze vrij stellig in. Ik trek mijn jeans uit en een boxershort aan. Mijn Brioni-das ligt op de grond. Ik buk om hem op te rapen. Ze reageerde goed op het vastbinden... *Er is hoop, Grey. Hoop.* Ik prop de das en twee andere dassen samen met sokken, ondergoed en condooms in een aktetas.

Waar ben ik mee bezig?

Diep vanbinnen weet ik dat ik de hele volgende week in het Heathman zal zijn... om dicht bij haar te zijn. Ik zoek een paar hemden en pakken bij elkaar die Taylor van de week kan brengen. Ik zal een pak nodig hebben voor de buluitreiking.

Ik trek schone jeans aan en grijp een leren jack. Mijn telefoon zoemt. Het is een sms van Elliot.

Ik rijd vandaag terug in jouw auto. Hoop dat dat je plannen niet in de war schopt.

Ik sms terug.

Nee. Ik kom nu terug naar Portland. Laat Taylor weten wanneer je aankomt.

Ik piep Taylor op via het interne telefoonsysteem.

'Meneer Grey?'

'Elliot brengt de SUV later vanmiddag terug. Breng de auto morgen naar Portland. Ik blijf in het Heathman tot de buluitreiking. Ik heb wat kleren neergelegd waarvan ik wil dat je ze meeneemt.'

'Ja, meneer.'

'O, en bel Audi. Ik heb de A3 misschien eerder nodig dan gedacht.'

'Hij is gereed, meneer Grey.'

'O. Mooi. Bedankt.'

Dus dat is geregeld, nu de computer nog. Ik bel Barney, aannemend dat hij op kantoor is, omdat ik weet dat hij een splinternieuwe laptop heeft liggen.

'Meneer Grey?' antwoordt hij.

'Wat doe je op kantoor, Barney? Het is zondag.'

'Ik werk aan het ontwerp voor de tablet. Dat probleem met de zonnecellen zit me dwars.'

'Je hebt een privéleven nodig.'

Barney heeft het fatsoen te lachen. 'Wat kan ik voor u doen, meneer Grey?'

'Heb je ergens nieuwe laptops?'

'Ik heb er hier twee van Apple.'

'Mooi. Ik heb er een nodig.'

'Oké.'

'Kun je hem aanmelden met een e-mailaccount voor Anastasia Steele? De laptop is voor haar.'

'Hoe spel je dat?'

'S.T.E.E.L.E.'

'Cool.'

'Mooi. Andrea neemt vandaag contact met je op om de bezorging te regelen.'

'Gaan we regelen, meneer.'

'Bedankt, Barney – en ga naar huis.'

'Ja, meneer.'

Ik sms Andrea met instructies om de laptop naar Ana's huisadres te sturen en loop terug naar de woonkamer. Ana zit op de bank en friemelt met haar vingers. Ze werpt een voorzichtige blik op me en staat op.

'Klaar?' vraag ik.

Ze knikt.

Taylor komt uit zijn kantoor tevoorschijn. 'Morgen dan,' zeg ik hem.

'Ja, meneer. Welke auto neemt u, meneer?'

'De R8.'

'Veilige reis, meneer Grey. Mevrouw Steele,' zegt Taylor terwijl hij de foyerdeuren voor ons opent. Ana beweegt zenuwachtig als we op de lift wachten, haar tanden bijten op haar ronde onderlip.

Het herinnert me aan haar tanden op mijn pik.

'Wat is er, Anastasia?' vraag ik, terwijl ik haar kin vastpak. 'Stop met op je lip bijten, of ik neuk je in de lift en het kan me niet schelen wie er verder nog instapt,' grom ik.

Ze is geschokt, denk ik – maar waarom zou ze nog geschokt zijn na alles wat we gedaan hebben... Mijn stemming verzacht.

'Christian, ik zit ergens mee,' zegt ze.

'O?'

In de lift druk ik op de knop naar de garage.

'N-Nou,' stottert ze onzeker. Dan recht ze haar schouders. 'Ik moet met Kate praten. Ik heb zo veel vragen over seks en jij bent te betrokken. Als je wilt dat ik al die dingen doe, hoe weet ik dan...?' Ze stopt, alsof ze haar woorden afweegt. 'Ik heb gewoon geen vergelijkingsmateriaal.'

Niet dit weer. Hier hebben we het al over gehad. Ik wil niet dat ze met iemand praat. Ze heeft een geheimhoudingsovereenkomst getekend. Maar ze vraagt het. Opnieuw. Dus het moet wel belangrijk voor haar zijn. 'Praat dan met haar, als het per se moet. Maar zorg dat ze niets tegen Elliot zegt.'

'Dat zou ze nooit doen en ik zou jou niets vertellen van wat zij mij over Elliot vertelt – als ze me al iets zou vertellen,' verzekert ze me.

Ik herinner haar eraan dat ik niets hoef te weten over Elliots seksleven, maar zeg haar dat ze kan praten over wat we tot nu toe gedaan hebben. Haar kamergenote zou mijn ballen eraf hakken als ze mijn ware intenties kende.

'Oké,' zegt Ana en ze glimlacht breed naar me.

'Hoe sneller ik jouw overgave heb, hoe beter het is. Dan kunnen we ophouden met dit hele gedoe.'

'Ophouden met wat voor gedoe?'

'Dat jij me steeds uitdaagt.' Ik kus haar vlug en haar lippen op de mijne vrolijken me meteen op.

'Leuke auto,' zegt ze als we op de r8 in de ondergrondse garage af lopen.

'Dat weet ik.' Ik grijns en word beloond met een nieuwe glimlach – voordat ze met haar ogen rolt. Ik doe de deur voor haar open en vraag me af of ik haar moet aanspreken op dat rollen met haar ogen.

'Wat voor auto is dit?' vraagt ze als ik achter het stuur zit.

'Dit is een Audi r8 Spyder. Het is een mooie dag. We kunnen het dak naar beneden doen. Daarin ligt een honkbalpetje. Er horen er zelfs twee in te liggen.'

Ik start de motor en schuif het dak open. The Boss vult de auto. 'Iedereen houdt van Bruce.' Ik grijns naar Ana en rijd de R8 van haar veilige plek in de garage.

Manoeuvrerend tussen het verkeer op de 1-5 rijden we naar Portland. Ana is stil. Ze luistert naar de muziek en staart uit het raam. Ik kan haar gezichtsuitdrukking niet goed zien achter de grote zonnebril en onder mijn Mariners-petje. De wind giert om ons heen terwijl we langs Boeing Field snellen.

Tot nu toe was dit weekend erg onverwacht. Maar wat verwachtte ik eigenlijk? Ik had gedacht dat we zouden eten, over het contract zouden spreken, en dan...? Misschien was het wel onvermijdelijk geweest om haar te neuken.

Ik kijk opzij.

Ja... En ik wil haar opnieuw neuken.

Ik wilde dat ik wist wat ze nu dacht. Ze geeft maar weinig prijs, maar ik heb al het een en ander over Ana geleerd. Ondanks haar onervarenheid is ze bereid te leren. Wie had ooit gedacht dat er onder dat verlegen uiterlijk de ziel van een sirene schuilgaat? Het beeld van haar lippen om mijn lul dringt zich op en ik onderdruk een kreun.

Ja... Ze is meer dan bereid.

De gedachte is opwindend.

Ik hoop dat ik haar nog kan zien voor komend weekend.

Zelfs nu jeuken mijn handen om haar weer aan te raken. Ik strek mijn arm uit en leg mijn hand op haar knie.

'Heb je honger?'

'Niet echt,' antwoordt ze zacht.

Dit begint vervelend te worden.

'Je moet eten, Anastasia. Ik weet een leuk tentje in de buurt van Olympia. We stoppen daar wel.'

Cuisine Sauvage is klein en zit vol stelletjes en families die van een zondagse brunch genieten. Met Ana's hand in de mijne volgen we de hostess naar onze tafel. De laatste keer dat ik hier was, was ik met Elena. Ik vraag me af wat ze van Anastasia zou vinden.

'Ik ben hier al lang niet meer geweest. Ze hebben hier geen kaart. Ze bereiden wat ze hebben gevangen of geplukt,' zeg ik met een grimas van gemaakte afschuw. Ana lacht.

Waarom voel ik me alsof ik twee meter lang ben als ik haar aan het lachen maak?

'Twee glazen pinot grigio,' bestel ik bij de serveerster, die me amper aan durft te kijken. Het is irritant.

Ana kijkt geërgerd.

'Wat?' vraag ik. Zou de serveerster haar ook irriteren?

'Ik wilde een cola light.'

Waarom zei je dat dan niet? Ik frons. 'De pinot grigio hier is goed te doen. Hij past goed bij de maaltijd, wat we dan ook krijgen.'

'Wat we dan ook krijgen?' vraagt ze gealarmeerd.

'Ja.' Ik geef haar mijn enorme grijns om goed te maken dat ik haar niet haar eigen drankje heb laten bestellen. Ik ben gewoon niet gewend om dat te vragen... 'Mijn moeder vond je aardig,' voeg ik eraan toe, in de hoop dat ze dat fijn vindt, denkend aan Grace' reactie op Ana.

'Echt?' vraagt ze. Ze ziet er gevleid uit.

'Ja, echt wel. Ze heeft altijd gedacht dat ik homo was.'

'Waarom?'

'Omdat ze me nog nooit met een meisje gezien heeft.'

'O, zelfs niet met een van de vijftien?'

'Dat heb je onthouden. Nee, geen van de vijftien.'

'O.'

Ja... alleen jou, schatje. Die gedachte is verontrustend.

'Weet je, Anastasia, ook voor mij is het een weekend vol primeurs geweest.'

'Is dat zo?'

'Ik heb nog nooit met iemand geslapen, nog nooit seks gehad in mijn bed, nog nooit met een meisje in Charlie Tango gevlogen, nog nooit een vrouw voorgesteld aan mijn moeder. Wat doe je toch met me?'

Ja. Wat doe je in godsnaam met me? Dit ben ik niet.

De serveerster brengt ons de gekoelde wijn en Ana neemt meteen een slokje, terwijl ze haar heldere ogen op mij gericht houdt. 'Ik vond het heel fijn dit weekend,' zegt ze met verlegen plezier in haar stem. Ik ook, en ik besef dat ik al een tijdje niet van een weekend genoten heb... sinds Susannah en ik onze eigen wegen gingen. Ik zeg haar dat.

'Wat is vanilleseks?' vraagt ze.

Ik lach om de onverwachte vraag en de complete verandering van onderwerp.

'Gewoon rechttoe-rechtaan seks, Anastasia. Zonder speeltjes of extra's.' Ik haal mijn schouders op. 'Je weet wel... of, nou ja, eigenlijk weet je dat niet, maar dat betekent het dus.'

'O,' zegt ze, en ze kijkt een beetje beteuterd.

Wat nu weer?

De serveerster leidt ons af door twee kommen vol groene soep voor ons neer te zetten. 'Brandnetelsoep,' kondigt ze aan en beent terug de keuken in. Een snelle hap leert ons beiden dat de soep verrukkelijk is. Ana giechelt bij mijn overdreven opluchting.

'Wat een heerlijk geluid,' zeg ik zacht.

'Waarom heb je nooit eerder vanilleseks gehad? Heb je altijd gedaan wat je doet?' Ze is nieuwsgierig als altijd.

'Min of meer.' En dan vraag ik me af of ik hier verder op door moet gaan. Ik wil niets liever dan dat ze openhartig is, me dingen vraagt, ik wil dat ze me vertrouwt. Ik ben nooit zo openhartig, maar ik heb het gevoel dat ik haar kan vertrouwen, dus ik kies mijn woorden zorgvuldig.

'Een van de vriendinnen van mijn moeder heeft me verleid toen ik vijftien was.'

'O.' Ana's lepel pauzeert halverwege de weg van de kom naar haar mond.

'Ze had nogal bijzondere voorkeuren. Ik ben zes jaar lang haar Onderdanige geweest.'

'O,' hapt ze naar adem.

'Ik weet dus wat erbij komt kijken, Anastasia.' *Meer dan jij weet.* 'Ik heb niet echt een standaardintroductie tot seks gehad.' Ik kon er niet tegen aangeraakt te worden. Nog steeds niet.

Ik wacht op haar reactie, maar ze gaat verder met haar soep terwijl ze peinst over dit kleine stukje informatie. 'Dus je hebt nooit een vriendinnetje gehad op de middelbare school?' vraagt ze als ze haar laatste hap opheeft.

'Nee.'

De serveerster onderbreekt ons om de lege soepkommen op te ruimen. Ana wacht tot ze weg is. 'Waarom niet?'

'Wil je dat echt weten?'

'Ja.'

'Ik had er geen zin in. Zij was alles wat ik wilde, alles wat ik nodig had. Bovendien zou ze me verrot hebben geslagen.'

Ze knippert een paar keer met haar ogen terwijl ze dit nieuwtje verwerkt. 'Ze was dus een vriendin van je moeder. Hoe oud was ze dan?'

'Oud genoeg om beter te weten.'

'Heb je nog steeds contact met haar?' Ze klinkt geschokt.

'Ja.'

'Zijn jullie nog steeds... ehm...' Ze wordt zo rood als een biet en kijkt naar beneden.

Ik wil niet dat ze een verkeerd beeld krijgt van mijn relatie met Elena. 'Ze is een heel goede vriendin,' stel ik haar snel gerust.

'O. Weet je moeder ervan?'

'Natuurlijk niet.'

Mijn moeder zou me vermoorden – en Elena ook.

De serveerster komt terug met het hoofdgerecht: ree. Ana neemt een grote slok van haar wijn. 'Maar dat was toch zeker niet de hele tijd zo?' Ze negeert haar eten.

'Eigenlijk wel, hoewel ik niet de hele tijd bij haar was. Het was... moeilijk. Ik zat natuurlijk nog gewoon op school en ging daarna studeren. Eet je eten op, Anastasia.'

'Ik heb niet echt honger, Christian,' zegt ze.

Ik knijp mijn ogen samen. 'Eet.' Mijn stem is laag, ik probeer me te beheersen.

'Geef me nog even,' zegt ze, haar toon net zo zacht als de mijne.

Wat is haar probleem? Elena?

'Oké,' stem ik in. Ik vraag me af of ik haar te veel verteld heb en neem een hap van mijn ree.

Uiteindelijk pakt ze haar mes en vork op en begint te eten.

Heel goed.

'Gaat onze, eh... relatie er zo uitzien?' vraagt ze. 'Dat jij me bevelen geeft?' Ze bestudeert het eten voor haar neus in detail.

'Ja.'

'Ik begrijp het.' Ze gooit haar paardenstaart over haar schouder.

'Sterker nog, je gaat willen dat ik dat doe.'

'Dat is een grote stap,' zegt ze.

'Inderdaad.' Ik doe mijn ogen dicht. Ik wil dit met haar doen, nu meer dan ooit. Wat kan ik zeggen om haar ervan te overtuigen dat ze onze overeenkomst een kans moet geven? 'Anastasia, je moet je gevoel volgen. Doe onderzoek, lees het contract – ik bespreek met alle liefde alle aspecten ervan. Ik ben tot vrijdag in Portland als je er al eerder over wilt praten. Bel me – misschien kunnen we samen eten – woensdagavond bijvoorbeeld? Ik wil heel graag dat dit wat wordt. Eigenlijk heb ik nog nooit iets zo graag gewild. Ik wil dat het slaagt.'

Wauw. Grote woorden, Grey. Heb je haar net mee uit gevraagd?

'Wat is er met de vijftien gebeurd?' vraagt ze.

'Verschillende dingen, maar het komt er uiteindelijk op neer dat we niet bij elkaar pasten.'

'En je denkt dat jij en ik wel bij elkaar passen?'

'Ja.'

Dat hoop ik...

'Dus je hebt met geen van hen nog contact?'

'Nee, Anastasia. Ik ben monogaam in mijn relaties.'

'Ik begrijp het.'

'Doe onderzoek, Anastasia.'

Ze legt haar mes en vork neer, als teken dat ze klaar is met eten.

'Is dat alles? Is dat alles wat je eet?'

Ze knikt en legt haar handen in haar schoot, haar mond in die koppige grijns van haar... en ik weet dat het een strijd wordt om haar ertoe te bewegen haar bord leeg te eten. Geen wonder dat ze zo slank is. Haar issues met eten zijn iets waar we aan moeten werken, als ze ermee akkoord gaat de mijne te worden. Terwijl ik verder eet, werpt ze elke paar seconden een blik op me en langzaam kleuren haar wangen rood.

O, wat is dit?

'Ik zou er alles voor overhebben om te weten wat je nu denkt.' Ze denkt duidelijk aan seks. 'Ik kan er wel naar raden,' plaag ik.

'Ik ben blij dat je mijn gedachten niet kunt lezen.'

'Je gedachten kan ik inderdaad niet lezen, Anastasia, maar je lichaam – *dat* ken ik sinds gisteren behoorlijk goed.' Ik werp haar een wolfachtige grijns toe en vraag om de rekening.

Als we weggaan ligt haar hand stevig in de mijne. Ze is stil – in gedachten verzonken, lijkt het – en dat blijft ze helemaal tot aan Vancouver. Ik heb haar een hoop gegeven om over na te denken.

Maar ze heeft mij ook een hoop gegeven om over na te denken.

Zou ze dit met me willen doen?

Verdomme, ik hoop het.

Het is nog licht als we bij haar huis aankomen, maar de zon zakt langzaam achter de horizon en schijnt een roze-paarse gloed over Mount St. Helens. Ana en Kate wonen op een schilderachtige plek met een waanzinnig uitzicht.

'Wil je binnenkomen?' vraagt ze nadat ik de motor uitgezet heb.

'Nee. Ik heb nog werk te doen.' Ik weet dat als ik op haar uitnodiging inga, ik een grens overga die ik niet over wil gaan. Ik ben niet geschikt als vriendje – en ik wil haar geen valse hoop geven over het soort relatie dat ze met mij zou hebben.

Teleurstelling trekt over haar gezicht en ze kijkt van me weg.

Ze wil niet dat ik wegga.

Het maakt me nederig. Ik strek me uit, grijp haar hand en kus haar knokkels in de hoop de angel uit mijn afwijzing te halen.

'Bedankt voor dit weekend, Anastasia. Het was... fantastisch.' Ze kijkt me met stralende ogen aan. 'Woensdag?' vervolg ik. 'Zal ik je bij je werk ophalen, of waar dan ook?'

'Woensdag,' zegt ze, en de hoop in haar stem is verontrustend.

Shit. Het is geen date.

Ik kus haar hand opnieuw en klim de auto uit om het portier voor haar open te doen. Ik moet hier weg, voordat ik iets doe waar ik spijt van krijg.

Als ze uit de auto stapt, licht haar gezicht op, een heel contrast met hoe ze er een paar seconden geleden nog uitzag. Ze beent naar de voordeur, maar net voordat ze het trapje bereikt draait ze zich plotseling om. 'O... trouwens, ik draag jouw ondergoed,' zegt ze triomfantelijk en ze trekt de tailleband op zodat ik de woorden 'Polo' en 'Ralph' boven haar jeans kan zien uitsteken.

Ze heeft mijn ondergoed gestolen!

Ik sta perplex. En op dat moment wil ik niets liever dan haar in mijn boxershort zien... en niks anders dan mijn boxershort.

Ze gooit haar haar naar achteren en paradeert het appartement in terwijl ze mij geschokt op de stoep achterlaat, starend als een idioot.

Ik schud mijn hoofd, klauter de auto weer in en terwijl ik de motor start, kan ik het niet helpen onnozel te grijnzen.

Ik hoop dat ze 'ja' zegt.

Ik rond mijn werk af en neem een slokje van de heerlijke sancerre, gebracht door die vrouw van roomservice met de intense, donkere ogen. Het lezen en beantwoorden van mijn e-mail leidde me plezierig af van mijn gedachten aan Anastasia. En nu ben ik lekker moe. Door die vijf uurtjes werk? Of is het alle seks van gisteravond en vanmorgen? Herinneringen aan de verrukkelijke mevrouw Steele dringen zich op: in Charlie Tango, in mijn bed, in mijn bad, dansend in mijn keuken. En dan te bedenken dat het hier vrijdag allemaal is begonnen... en nu denkt ze na over mijn voorstel.

Heeft ze het contract gelezen? Doet ze haar huiswerk?

Ik kijk nog een keer naar mijn telefoon of ik een sms'je of gemiste oproep heb, maar uiteraard is dat niet zo.

Zal ze akkoord gaan?

Ik hoop het...

Andrea heeft me Ana's nieuwe e-mailadres gestuurd en me verzekerd dat de laptop morgenochtend wordt afgeleverd. Met dat in gedachten, tik ik een mailtje.

Van: Christian Grey
Onderwerp: Uw nieuwe computer
Datum: 22 mei 2011, 23:15
Aan: Anastasia Steele

Beste mevrouw Steele,

Ik ga ervan uit dat u goed hebt geslapen. Ik hoop dat u deze laptop op nuttige wijze gebruikt, zoals wij hebben besproken.
Ik kijk uit naar ons etentje op woensdag.

Ik beantwoord voor die tijd graag eventuele vragen, via e-mail, indien u dat wenst.

Christian Grey
Directeur, Grey Enterprises Holdings, Inc.

Er komt geen foutmelding, dus het e-mailadres werkt. Ik vraag me af hoe Ana zal reageren als ze het leest. Ik hoop dat ze blij is met de laptop. Dat zal ik morgen wel horen. Ik pak het boek waar ik in bezig ben en installeer me op de bank. Het is geschreven door twee vooraanstaande economen die onderzoeken waarom arme mensen denken en reageren zoals ze doen. Een beeld van een jonge vrouw die haar lange donkere haren borstelt, komt bij me boven. Haar haren glanzen in het licht van een gebarsten, vergeeld raam en er dansen stofdeeltjes in de lucht. Ze zingt zachtjes, als een kind.
Ik ril even.
Niet aan denken, Grey.
Ik sla het boek open en begin te lezen.

Maandag 23 mei 2011

Het is na enen als ik naar bed ga. Ik lig naar het plafond te staren, moe, ontspannen, maar ook opgewonden. Ik kijk uit naar wat deze week zal brengen. Hopelijk een nieuw project: mevrouw Anastasia Steele.

Mijn voeten dansen over het trottoir op Main Street als ik naar de rivier jog. Het is vijf over halfzeven 's ochtends en de zonnestralen flikkeren tussen de hoge gebouwen door. De bomen langs het trottoir zijn lichtgroen met verse lenteblaadjes. De lucht is schoon, het verkeer rustig. Ik heb goed geslapen. 'O Fortuna' uit Orffs *Carmina Burana* knalt uit mijn oordopjes. Vandaag zijn de straten geplaveid met mogelijkheden.

Zal ze mijn e-mail beantwoorden?

Het is te vroeg, nog veel te vroeg voor een antwoord, maar ik voel me lichter dan ik me in weken heb gevoeld. Ik ren langs het beeld van de eland en naar de rivier.

Om kwart voor acht zit ik achter mijn laptop. Ik ben gedoucht en heb ontbijt besteld. Ik mail Andrea om haar te laten weten dat ik deze week vanuit Portland werk en vraag haar om vergaderingen zo nodig te verzetten, zodat ik die per telefoon of video kan houden. Ik mail mevrouw Jones om haar te laten weten dat ik op zijn vroegst donderdagavond thuis ben. Daarna werk ik me door mijn inbox heen, waar ik onder meer een voorstel voor een joint venture met een scheepswerf in Taiwan aantref. Ik stuur het door naar Ros zodat zij het op de lijst kan zetten van dingen die we moeten bespreken.

Dan richt ik mijn aandacht op een ander openstaand punt: Elena. Ze heeft me in het weekend een paar sms'jes gestuurd en ik heb ze niet beantwoord.

Van: Christian Grey
Onderwerp: Het weekend
Datum: 23 mei 2011, 08:15
Aan: Elena Lincoln

Goedemorgen Elena,

Sorry dat ik niet heb gereageerd. Ik ben het hele weekend druk geweest en blijf nog deze hele week in Portland. Volgend weekend weet ik nog niet, maar als ik tijd heb, laat ik het je weten. De laatste cijfers van het schoonheidsinstituut zien er veelbelovend uit. Goed werk, dame...
Groet,
C

Christian Grey
Directeur, Grey Enterprises Holdings, Inc.

Ik klik op 'verzenden' en vraag me opnieuw af wat Elena van Ana zou vinden... en andersom. Ik hoor mijn laptop piepen als er weer een mailtje binnenkomt.
Het is Ana.

Van: Anastasia Steele
Onderwerp: Uw nieuwe computer (te leen)
Datum: 23 mei 2011, 08:20
Aan: Christian Grey

Dank u, om een of andere vreemde reden heb ik erg goed geslapen, meneer.
Ik had begrepen dat ik deze computer te leen heb en dat hij dus niet van mij is.
Ana

Meneer, toe maar, mevrouw heeft dingen gelezen, misschien wel wat onderzoek gedaan. En ze praat nog steeds met me. Ik grijns onnozel naar het mailtje. Dit is goed nieuws. Hoewel ze me ook laat weten dat ze de computer niet wil hebben. *Nou, dat is wel frustrerend.* Ik schud mijn hoofd, geamuseerd.

Van: Christian Grey
Onderwerp: Uw nieuwe computer (te leen)
Datum: 23 mei 2011, 08:22
Aan: Anastasia Steele

De computer is aan u geleend. Voor onbepaalde tijd, mevrouw Steele.
Uit uw toon maak ik op dat u de documentatie die ik u heb gegeven, hebt gelezen.
Heeft u tot nu toe al vragen?

Christian Grey
Directeur, Grey Enterprises Holdings, Inc.

Ik klik op 'verzenden'. Hoelang zal het duren voordat ze reageert? Terwijl ik op haar antwoord wacht, lees ik ter afleiding mijn mail verder door. Er is een managementrapport van Fred, het hoofd van mijn telecomdivisie, binnengekomen over de ontwikkeling van onze tablet op zonne-energie – een van mijn favoriete projecten. Het is ambitieus. Maar weinig projecten zijn zo belangrijk voor me als deze en ik ben er enthousiast over. Betaalbare nieuwe technologie naar derdewereldlanden brengen, dat is wat ik wil.
Ik hoor een ping op mijn computer.
Nog een mailtje van mevrouw Steele.

Van: Anastasia Steele
Onderwerp: Leergierige geesten
Datum: 23 mei 2011, 08:25
Aan: Christian Grey

Ik heb veel vragen, maar die zijn niet geschikt voor e-mail en sommige mensen moeten werken voor hun levensonderhoud.
Ik wil geen computer voor onbepaalde tijd en heb die ook niet nodig.

Tot later. Fijne dag. *Meneer.*
Ana

Ik moet glimlachen om de toon van haar mailtje, maar kennelijk moet ze naar haar werk, dus dit zal voorlopig het laatste bericht wel zijn. Haar tegenzin om de computer te accepteren irriteert me. Maar ik neem aan dat het betekent dat ze niet hebberig is. Ze is niet op mijn geld uit – dat is zeldzaam bij de vrouwen die ik heb gekend... hoewel Leila net zo was.

'Meneer, ik verdien deze prachtige jurk niet.'
'Dat doe je wel. Hier. En ik wil er niets meer over horen. Begrepen?'
'Ja, Meester.'
'Goed. Deze stijl past bij jou.'

Ach, Leila. Ze was een goede Onderdanige, maar ze hechtte zich te veel aan me en ik was de verkeerde man voor haar. Gelukkig duurde dat niet lang. Ze is nu gelukkig getrouwd. Ik richt mijn aandacht weer op de mail van Ana en lees hem nog een keer.
'Sommige mensen moeten werken voor hun levensonderhoud.'
Dat brutale wicht beweert dus dat ik niet werk.
Nou, dat zullen we nog wel eens zien!
Ik heb het gortdroge rapport van Fred nog op mijn scherm staan en besluit om de zaak eerst recht te zetten bij Ana.

Van: Christian Grey
Onderwerp: Uw nieuwe computer (nogmaals te leen)
Datum: 23 mei 2011, 08:26
Aan: Anastasia Steele

Later, schatje.
PS Ook ik werk voor mijn levensonderhoud.

Christian Grey
Directeur, Grey Enterprises Holdings, Inc.

Ik kan me niet op mijn werk concentreren en wacht tot ik de ping hoor die een nieuw mailtje van Ana aankondigt. Als dat gebeurt, kijk ik direct op – maar het bericht is van Elena. Mijn teleurstelling verbaast me.

Van: Elena Lincoln
Onderwerp: Het weekend
Datum: 23 mei 2011, 08:33
Aan: Christian Grey

Christian,

Je werkt te hard. Waarom ben je in Portland? Werk?
Ex

ELENA LINCOLN
ESCLAVA
For The Beauty That Is You™

Zal ik het haar vertellen? Als ik dat doe, belt ze me meteen met nieuwsgierige vragen en ik ben er nog niet klaar voor om mijn belevenissen van dit weekend te delen. Ik tik snel een mailtje om te zeggen dat het voor mijn werk is en ga verder met lezen.

Andrea belt me om negen uur en we nemen mijn agenda door. Omdat ik toch in Portland ben, vraag ik haar om een bespreking te regelen met de directeur en het hoofd economische ontwikkeling bij WSU, voor overleg over het bodemkundige project dat we hebben opgezet. Ik wil weten of ze nog extra fondsen nodig hebben in het komende schooljaar. Ze belooft mijn sociale verplichtingen voor deze week af te zeggen en verbindt me dan door voor mijn eerste videovergadering van de dag.

Om drie uur 's middags ben ik de ontwerpen voor de tablet aan het bestuderen die Barney me gestuurd heeft, als ik word gestoord door een klop op mijn deur. De onderbreking is vervelend, maar heel even hoop ik dat het mevrouw Steele is. Het is Taylor.

'Hallo.' Ik hoop dat hij niet aan mijn stem hoort hoe teleurgesteld ik ben.

'Ik heb uw kleding voor u, meneer Grey,' zegt hij beleefd.

'Kom binnen. Kun je het even in de kast hangen? Ik zit op mijn volgende telefonische vergadering te wachten.'

'Natuurlijk, meneer.' Hij haast zich met een paar kledingzakken en een tas naar de slaapkamer.

Als hij terugkomt, wacht ik nog steeds op mijn gesprek.

'Taylor, ik denk niet dat ik je de komende paar dagen nodig heb. Waarom ga je niet even bij je dochter langs?'

'Dat is heel aardig van u, meneer, maar haar moeder en ik...' Hij zwijgt beschaamd.

'O. Zit het zo?' vraag ik.

Hij knikt. 'Ja, meneer. Dat wordt een lastig gesprek.'

'Oké. Is woensdag beter?'

'Ik zal het vragen. Dank u wel, meneer.'

'Kan ik iets doen?'

'U doet al genoeg, meneer.'

Hij wil er niet over praten. 'Oké. Ik denk dat ik hier een printer nodig heb. Kun jij dat regelen?'

'Ja, meneer.' Hij knikt. Hij vertrekt en trekt de deur zachtjes achter zich dicht. Ik denk even na. Ik hoop dat zijn ex-vrouw het hem niet te lastig maakt. Ik betaal het schoolgeld van zijn dochter, nog een manier om hem in dienst te houden. Het is een goede vent en ik wil hem niet kwijt. De telefoon rinkelt. Het is mijn telefonische vergadering met Ros en senator Blandino.

Ik rond mijn laatste gesprek pas om 17:20 uur af. Ik rek me uit in mijn stoel en denk na over mijn productieve dag. Het is verbazingwekkend hoeveel meer ik gedaan krijg als ik niet op kantoor ben. Nu alleen nog een paar rapporten lezen en dan ben ik klaar voor vandaag. Als ik uit het raam naar de grijzer wordende lucht kijk, dwalen mijn gedachten af naar een zekere potentiële Onderdanige.

Ik vraag me af hoe haar dag bij Clayton's is geweest, met het prijzen van kabelbinders en het afknippen van meters touw. Ik hoop dat ik die op een dag bij haar kan gebruiken. Die gedachte tovert een beeld voor mijn ogen van haar, vastgebonden in mijn speelkamer. Ik blijf even bij deze gedachte hangen... en stuur haar dan snel een mailtje. Al dat wachten, werken en mailen maakt me rusteloos. Ik weet wel hoe ik die opgekropte energie zou willen ontladen, maar ik kan nu alleen een stuk gaan hardlopen.

Van: Christian Grey
Onderwerp: Werken voor levensonderhoud
Datum: 23 mei 2011, 17:24
Aan: Anastasia Steele

Beste mevrouw Steele,
Ik hoop dat u een goede dag op uw werk hebt gehad.

Christian Grey
Directeur, Grey Enterprises Holdings, Inc.

Ik trek mijn hardloopkleding weer aan. Taylor heeft twee joggingbroeken meegebracht. Ik weet zeker dat mevrouw Jones dat geregeld heeft. Als ik naar de deur loop, kijk ik nog even naar mijn mail. Ze heeft geantwoord.

Van: Anastasia Steele
Onderwerp: Werken voor levensonderhoud
Datum: 23 mei 2011, 17:48
Aan: Christian Grey

Meneer... ik heb een heel goede dag op mijn werk gehad.
Dank u.
Ana

Maar ze heeft haar huiswerk niet gedaan. Ik mail haar terug.

Van: Christian Grey
Onderwerp: Aan het werk!
Datum: 23 mei 2011, 17:50
Aan: Anastasia Steele

Mevrouw Steele,
Ik ben blij dat u een goede dag hebt gehad.
Maar terwijl u e-mailt, doet u geen onderzoek.

Christian Grey
Directeur, Grey Enterprises Holdings, Inc.

In plaats van weg te gaan, wacht ik op haar antwoord. Ze laat me niet lang wachten.

Van: Anastasia Steele
Onderwerp: Lastpost
Datum: 23 mei 2011, 17:53
Aan: Christian Grey

Meneer Grey, houd op met mij te mailen, dan kan ik met mijn huiswerk beginnen.
Ik wil graag nog een 10.
Ana

Ik lach hardop. *Ja.* Die 10, dat was nog eens wat. Als ik mijn ogen sluit, zie en voel ik haar mond weer om mijn pik. *Jezus.* Ik roep mijn lijf weer tot orde en verzend mijn antwoord. Dan wacht ik.

Van: Christian Grey
Onderwerp: Ongeduldig
Datum: 23 mei 2011, 17:55
Aan: Anastasia Steele

Mevrouw Steele,
Houd op met mij te mailen en doe uw huiswerk.
Ik geef graag nog een 10.
De eerste was zó dik verdiend. ;)

Christian Grey
Directeur, Grey Enterprises Holdings, Inc.

Haar antwoord komt niet onmiddellijk. Ik voel me een beetje teleurgesteld en besluit te gaan hardlopen. Maar als ik de deur opendoe, trekt de ping van mijn laptop me weer terug naar binnen.

Van: Anastasia Steele
Onderwerp: Internetonderzoek
Datum: 23 mei 2011, 17:59
Aan: Christian Grey

Meneer Grey,
Wat is volgens u de beste zoekterm?
Ana

Verdomme! Waarom heb ik daar niet aan gedacht? Ik had haar een paar boeken kunnen geven. Ik kan allerlei websites bedenken, maar ik wil haar niet afschrikken. Misschien zou ze kunnen beginnen met de meest vanilleachtige...

Van: Christian Grey
Onderwerp: Internetonderzoek
Datum: 23 mei 2011, 18:02
Aan: Anastasia Steele

Mevrouw Steele,
Begin altijd met Wikipedia.
En geen e-mail meer, tenzij u vragen hebt. Begrepen?

Christian Grey
Directeur, Grey Enterprises Holdings, Inc.

Ik sta op van mijn bureau, ervan uitgaand dat ze niet zal antwoorden, maar zoals gewoonlijk verrast ze me en doet ze het wel. Ik kan er geen weerstand aan bieden.

Van: Anastasia Steele
Onderwerp: Bazig!
Datum: 23 mei 2011, 18:04
Aan: Christian Grey

Ja... *Meneer.*
U bent zo bazig.
Ana

Klopt helemaal, schatje.

Van: Christian Grey
Onderwerp: De baas
Datum: 23 mei 2011, 18:06
Aan: Anastasia Steele

Anastasia, je moest eens weten.
Nou ja, misschien heb je nu wel een flauw vermoeden.
Ga aan het werk.

Christian Grey
Directeur, Grey Enterprises Holdings, Inc.

Hou je een beetje in, Grey. Voordat ze me weer kan afleiden, ben ik de deur uit. Met de Foo Fighters keihard in mijn oren ren ik naar de rivier. Ik heb de Willamette 's ochtends vroeg gezien, nu wil ik de rivier in de avondschemering zien. Het is een mooie avond: er lopen stelletjes langs de rivier, er zitten er een paar op het gras en er fietsen een paar toeristen heen en weer over het plein. Ik ontwijk ze, de muziek bonkt in mijn oren.

Mevrouw Steele heeft vragen. Ze is dus nog in het spel – dit is geen 'nee'. Onze mailwisseling heeft me hoop gegeven. Als ik onder de Hawthorne Bridge loop, mijmer ik over het feit dat ze zich schriftelijk zo gemakkelijk kan uiten. Beter dan met het gesproken woord. Nou ja, ze studeert natuurlijk ook Engelse literatuur. Ik hoop dat ze weer een mailtje heeft gestuurd tegen de tijd dat ik terug ben, misschien met vragen, misschien nog wat meer van haar onbeschaamde geplaag.

Jep. Dat is iets om naar uit te kijken.

Terwijl ik door Main Street sprint, hoop ik dat ze mijn voorstel aanvaardt. Die gedacht is opwindend, opwekkend zelfs. Ik verhoog mijn snelheid en ren terug naar het Heathman.

Het is kwart over acht als ik achteroverleun in mijn stoel. Ik heb de wilde Oregon-zalm genomen voor het diner, weer gebracht door Mevrouw Intens Donkere Ogen. Erbij staat een half glas sancerre dat ik nog op moet drinken. Mijn laptop staat open voor het geval er belangrijke e-mails binnenkomen. Ik pak het rapport dat ik heb uitgeprint, over het herontwikkelingsproject in Detroit. 'Het moest natuurlijk in Detroit zijn,' mopper ik hardop. Ik begin te lezen.

Een paar minuten later hoor ik een ping. Het is een e-mail met als onderwerp 'In shock van WSUV'.

Van: Anastasia Steele
Onderwerp: In shock van WSUV
Datum: 23 mei 2011, 20:33
Aan: Christian Grey

Oké, ik heb genoeg gezien.
Het was fijn je gekend te hebben.
Ana

Shit!

Ik lees het nog een keer.

Verdomme.

Het is een 'nee'. Ik staar ongelovig naar het scherm.

Dat was het dan?

Geen discussie?

Niets.

Gewoon 'Leuk om je gekend te hebben'?

God. Ver. Domme.

Ik zak achterover in mijn stoel, helemaal overdonderd.

Fijn?

Fijn.

FIJN.
Ze vond het meer dan fijn toen ze haar hoofd achterover gooide terwijl ze klaarkwam.
Niet zo haastig, Grey.
Misschien is het grappig bedoeld?
Lekker grappig!
Ik trek mijn laptop naar me toe om een antwoord te schrijven.

Van: Christian Grey
Onderwerp: FIJN?
Datum: 23 mei 2011
Aan: Anastasia Steele

Maar terwijl ik naar het scherm staar, aarzelen mijn vingers boven de toetsen. Ik kan niet bedenken wat ik moet zeggen. Hoe kan ze me zo simpel afwijzen?
Haar eerste keer.
Even rustig nadenken, Grey. Wat zijn je opties? Misschien moet ik bij haar langsgaan, om er zeker van te zijn dat dit een 'nee' is. Misschien kan ik haar nog ompraten. Ik weet in ieder geval niet hoe ik op deze e-mail moet reageren. Misschien heeft ze naar een paar extra heftige sites zitten kijken. Waarom heb ik haar niet een paar boeken gegeven? Ze moet me recht in de ogen kijken en dan 'nee' zeggen.
Jep. Ik wrijf over mijn kin terwijl ik een plan bedenk. Even later sta ik bij mijn kledingkast om een stropdas te pakken.
Die stropdas.
De zaak is nog niet afgeblazen. Uit mijn koerierstas haal ik een paar condooms, die ik in de achterzak van mijn pantalon stop. Dan pak ik mijn jas en een fles witte wijn uit de minibar. Verdomme, het is chardonnay – het is niet anders. Ik grijp mijn kamersleutel, sluit de deur en loop naar de lift om mijn auto bij de valet op te halen.

Als ik mijn R8 voor het appartement dat ze met Kavanagh deelt parkeer, vraag ik me af of dit een goede zet is. Ik heb nooit een van mijn vorige Onderdanen in hun eigen huis opgezocht – ze kwamen altijd naar mij toe. Ik overschrijd nu grenzen die ik voor mezelf heb gesteld. Ik doe de deur van de auto open en stap uit. Het voelt niet goed, het is roekeloos en te opdringerig van me om hier te komen. Aan de andere kant: ik ben hier al twee keer geweest, al was dat maar voor een paar minuten. Als ze akkoord gaat, zal ik haar verwachtingen moeten bijstellen. Dit gaat niet weer gebeuren.

Je loopt op de zaken vooruit, Grey.

Je bent hier omdat je denkt dat het een 'nee' is.

Kavanagh doet open als ik op de deur klop. Ze is verbaasd om me te zien. 'Hallo, Christian. Ana heeft niet gezegd dat je zou komen.' Ze zet een stap opzij om me binnen te laten. 'Ze is op haar kamer. Ik roep haar wel even.'

'Nee. Ik wil haar graag verrassen.' Ik werp haar mijn eerlijkste en meest innemende blik toe en als reactie knippert ze een paar keer met haar ogen. *Wauw. Dat ging soepel. Wie had dat gedacht?* Heel bevredigend. 'Waar is haar kamer?'

'Daar doorheen, dan de eerste deur.' Ze wijst naar een deur in de verder lege woonkamer.

'Bedankt.'

Ik laat mijn jas en de gekoelde wijn op een van de verhuisdozen achter. Als ik de deur opendoe, zie ik een kleine hal waar twee kamers op uitkomen. Ik ga ervan uit dat de ene de badkamer is, dus ik klop op de andere deur. Ik wacht even, duw de deur open en daar zie ik Ana. Ze zit aan een klein bureau papieren te lezen. Het papier ziet eruit als ons contract. Ze heeft oordopjes in en trommelt met haar vingers mee met een ritme dat ik niet kan horen. Ik blijf even staan om naar haar te kijken. Haar blik is geconcentreerd, haar haren zijn gevlochten en ze draagt een joggingbroek. Misschien is ze ook wezen hardlopen vanavond... misschien lijdt ze ook aan een teveel aan energie. Die gedachte bevalt me wel. Haar kamer is klein, netjes en meisjesachtig. Wit, crème, lichtblauw. De kamer baadt in het zachte licht van de lamp naast haar bed. De ruimte is verder nogal leeg, maar ik zie een dichte verhuisdoos waarop ANA'S KAMER gekrabbeld staat. Ze heeft wel een tweepersoonsbed – met een wit gietijzeren ledikant. Dat biedt mogelijkheden.

Ana springt opeens overeind, geschrokken van mijn aanwezigheid.

Ja. Ik ben hier vanwege je mailtje.

Ze trekt haar oordopjes uit haar oren en het geluid van blikkerige muziek vult de stilte die tussen ons in hangt.

'Goedenavond, Anastasia.'

Ze staart me niet-begrijpend aan, haar ogen opengesperd.

'Ik vond dat jouw e-mail een persoonlijk antwoord verdiende.' Ik probeer mijn stem neutraal te houden. Haar mond gaat open en dicht, maar ze blijft stil.

Mevrouw Steele is met stomheid geslagen. Dat bevalt me wel.

'Mag ik gaan zitten?'

Ze knikt en blijft ongelovig naar me staren als ik op haar bed ga zitten.

'Ik vroeg me al af hoe je kamer eruit zou zien,' zeg ik om het ijs te breken, hoewel ik niet goed ben in koetjes en kalfjes. Ze kijkt haar kamer rond alsof ze die voor de eerste keer ziet. 'Het is hier erg rustig en vredig,' voeg ik eraan toe, hoewel ik me op dit moment allesbehalve rustig en vredig voel. Ik wil weten waarom ze 'nee' heeft gezegd op mijn voorstel, zonder met me te overleggen.

'Hoe...?' fluistert ze, maar stopt dan weer. Haar ongeloof is nog steeds hoorbaar in haar stem.

'Ik zit nog in het Heathman.' Dat weet ze.

'Wil je iets drinken?' piept ze.

'Nee, dank je, Anastasia.' *Mooi.* Ze heeft haar manieren teruggevonden. Maar ik wil het hebben over de huidige kwestie: haar zorgwekkende e-mail. 'Dus het was *fijn* mij gekend te hebben?' Ik benadruk het woord in die zin dat me het meest tegenstaat.

Fijn? Echt?

Ze bestudeert haar handen op haar schoot, haar vingers trommelen zenuwachtig op haar dijen. 'Ik dacht dat je via e-mail zou reageren,' zegt ze, met een stem zo klein als haar kamer.

'Bijt je nu expres op je onderlip?' wil ik weten. Mijn stem klinkt strenger dan mijn bedoeling was.

'Ik was me er niet van bewust dat ik op mijn lip beet,' fluistert ze, haar gezicht bleek.

We staren elkaar aan.

De lucht tussen ons in knettert.

Verdomme.

Voel je dit, Ana? Deze spanning. Deze aantrekkingskracht. Mijn ademhaling wordt oppervlakkig als ik zie hoe haar pupillen groter worden. Langzaam, behoedzaam, reik ik naar haar haren. Ik trek zachtjes aan het elastiek en maak een van haar vlechten los. Ze kijkt naar me, betoverd, haar ogen laten me geen moment los. Ik maak haar andere vlecht los.

'Dus je besloot wat te gaan sporten?' Mijn vingers gaan langs de zachte schelp van haar oor. Heel voorzichtig knijp ik in de vlezige huid van haar oorlel. Ze draagt geen oorbellen, maar ze heeft wel gaatjes. Ik vraag me af hoe ze eruit zal zien als daar een diamant in flonkert. Met zachte stem vraag ik haar waarom ze gesport heeft. Haar ademhaling versnelt.

'Ik had tijd nodig om na te denken,' zegt ze.

'Nadenken waarover, Anastasia?'

'Jou.'

'En toen besloot je dat het fijn was om me te hebben leren kennen? Bedoel je me leren kennen in de Bijbelse zin van het woord?' Haar wangen kleuren roze. 'Ik wist niet dat je de Bijbel kende.'

'Ik heb op zondagsschool gezeten, Anastasia. Daar heb ik veel geleerd.'

Catechismus. Schuld. En dat God me al lang geleden in de steek heeft gelaten.

'Ik heb in de Bijbel anders nooit iets gelezen over tepelklemmen. Misschien kreeg jij les uit een moderne vertaling,' plaagt ze me. Haar ogen stralen uitdagend.

O, die bijdehante mond.

'Nou, ik dacht dat ik maar langs moest komen om je eraan te herinneren hoe fijn het was om me te leren kennen.' Ik hoor uitdaging in mijn stem en er hangt nu een zekere spanning tussen ons in. Haar mond valt open van verbazing, maar mijn vingers gaan naar haar kin en ik duw hem weer dicht. 'Wat hebt u daarop te zeggen, mevrouw Steele?' fluister ik terwijl we naar elkaar staren.

Plotseling stuift ze op me af.

Shit.

Ik weet haar armen vast te pakken voordat ze me aan kan raken en draai haar zodat ze op het bed terechtkomt, onder mij, terwijl ik haar armen boven haar hoofd vasthoud. Ik draai haar gezicht naar het mijne toe en kus haar hard. Mijn tong onderzoekt en herontdekt haar. Haar lichaam reageert en komt omhoog als ze me met net zo veel vuur terug kust.

O Ana, wat doe je toch met me?

Als ik merk dat ze naar meer snakt, stop ik om naar haar te kijken. Het is tijd voor plan B.

'Vertrouw je me?' vraag ik als haar oogleden openschieten. Ze knikt enthousiast. Uit de achterzak van mijn pantalon haal ik de stropdas, op zo'n manier dat ook zij hem ziet. Dan ga ik boven op haar zitten en bind haar beide polsen samen. Ik pak haar polsen beet en bind ze aan een van de ijzeren spijlen aan het hoofdeinde van haar bed vast.

Ze wriemelt onder me, probeert de knopen uit, maar ze zitten goed vast. Ze kan geen kant meer op.

Ik pak haar rechtervoet beet en begin haar veters los te maken.

'Nee,' kreunt ze beschaamd. Ze probeert haar voet terug te trekken. Ik weet dat ze dat doet omdat ze is wezen hardlopen en niet wil dat ik haar schoenen uittrek. Denkt ze nu echt dat wat zweet me afschrikt?

Liefje!

'Als je je verzet, bind ik ook je voeten vast. Anastasia, en als je ook maar één geluid maakt, snoer ik je de mond. Hou je stil. Katherine zit waarschijnlijk te luisteren in de kamer hiernaast.'

Ze stopt. En ik weet dat ik gelijk heb. Ze maakt zich zorgen om haar voeten. Wanneer zal ze begrijpen dat dat soort dingen me helemaal niet storen?

Ik trek snel haar schoenen, sokken en joggingbroek uit. Dan verschuif ik haar zodat ze languit op haar lakens ligt, niet op die schattige, zelfgemaakte quilt. Want het gaat een kliederboel worden.

Hou op met bijten op je verdomde lip.

Ik strijk met mijn vinger over haar mond bij wijze van lichamelijke waarschuwing. Ze tuit haar lippen als voor een kus en ik moet lachen. Ze is een beeldschoon, sensueel schepsel.

Nu ik haar heb waar ik haar hebben wil, trek ik mijn schoenen en sokken uit. Ik maak de knoop van mijn pantalon los en trek mijn overhemd uit. Ze kan haar blik niet van mij losmaken.

'Volgens mij heb je al te veel gezien.' Ik wil dat ze blijft raden, dat ze niet weet wat er gaat komen. Het zal een lichamelijke traktatie zijn. Ik heb haar niet eerder geblinddoekt, dus dit telt mee voor haar training. *Als ze ja zegt, tenminste.*

Ik ga weer boven op haar zitten, grijp de zoom van haar T-shirt en rol het over haar bovenlijf. In plaats van het uit te trekken, laat ik het opgerold over haar ogen zitten: zo werkt het effectief als blinddoek.

Ze ziet er fantastisch uit, languit liggend en vastgebonden. 'Mmm, het wordt steeds beter. Ik ga iets te drinken halen,' fluister ik. Ik kus haar. Ze slaakt een kreetje als ik van het bed af stap. Ik laat de deur op een kiertje staan en loop de woonkamer in om de fles wijn te pakken.

Kavanagh kijkt op van de bank, waar ze zit te lezen. Haar wenkbrauwen gaan van verbazing omhoog. *Vertel me nu niet dat je nog nooit een man met ontbloot bovenlijf gezien hebt, Kavanagh, want daar geloof ik niks van.* 'Kate, waar vind ik glazen, ijs en een kurkentrekker?' vraag ik, haar geschokte gezichtsuitdrukking negerend.

'Eh, in de keuken. Ik pak ze wel even. Waar is Ana?'

Aha, ze is bezorgd om haar vriendin. Mooi.

'Ze kan zich nu even niet losmaken, maar ze wil iets drinken.' Ik pak de fles chardonnay.

'Oké, ik snap het,' zegt Kavanagh. Ik volg haar naar de keuken, waar ze me wat glazen wijst op het aanrecht. Alle glazen staan bij elkaar, waarschijnlijk om te worden ingepakt voor de verhuizing. Ze geeft me een kurkentrekker, haalt een ijsblokjesvorm uit het vriesvak en wrikt wat ijsblokjes los.

'We moeten dit allemaal nog inpakken. Zoals je weet, helpt Elliot ons met verhuizen.' Haar toon is kritisch.

'Is dat zo?' zeg ik ongeïnteresseerd en ik open intussen de wijn. 'Doe het ijs maar in de glazen.' Met mijn kin wijs ik naar twee glazen. 'Het is chardonnay. Dat is beter te drinken met wat ijs.'

'Ik had jou meer ingeschat als een type voor rode wijn,' zegt ze als ik de wijn inschenk. 'Kom je Ana nog helpen met de verhuizing?' Haar grijze ogen twinkelen. Ze daagt me uit.

Leg haar het zwijgen op, Grey.

'Nee, ik kan niet.' Mijn stem is afgemeten, want ze irriteert me en bezorgt me een schuldgevoel. Haar lippen zijn dun en ik draai me om om de keuken uit te lopen, maar zie nog net de afkeuring op haar gezicht.

Rot op, Kavanagh.

Ik ga echt niet helpen. Ana en ik hebben niet zo'n relatie. En trouwens, ik heb er helemaal geen tijd voor.

Ik keer terug naar Ana's kamer en doe de deur achter me dicht zodat ik Kavanagh en haar misprijzen buitensluit. De aanblik van de betoverende Ana Steele, ademloos afwachtend op haar bed, kalmeert me direct. Ik zet de wijn op het nachtkastje, haal het foliepakketje uit mijn broek en leg het naast de wijn. Dan laat ik mijn broek en onderbroek op de vloer zakken zodat mijn erectie vrijkomt.

Ik neem een slokje wijn – tot mijn verrassing is hij niet slecht – en kijk neer op Ana. Ze heeft geen woord gezegd. Haar gezicht is naar mij gericht, haar lippen staan iets open, ze kijkt afwachtend. Ik pak het glas en ga weer boven op haar zitten. 'Heb je dorst, Anastasia?'

'Ja,' verzucht ze.

Ik neem een slokje wijn, leun voorover en kus haar, waarbij ik de wijn in haar mond laat lopen. Ze slikt het door en diep in haar keel hoor ik vaag een goedkeurend gezoem.

'Meer?' vraag ik.

Ze knikt, glimlachend, en ik voldoe aan haar wens.

'Laten we niet te ver gaan. We weten immers dat jij niet zo goed tegen alcohol kunt, Anastasia,' plaag ik. Nu grijnst ze breeduit. Ik leun voorover en laat haar nog een keer uit mijn mond drinken. Ze wriemelt onder me.

'Is dit *fijn*?' vraag ik als ik naast haar ga liggen.

Ze ligt nu stil, opeens uiterst serieus, maar haar lippen gaan iets uit elkaar als ze diep inademt.

Ik neem nog een slok wijn, deze keer met twee ijsklontjes. Als ik haar kus, duw ik een klein stukje ijs tussen haar lippen. Dan trek ik een spoor van ijzige kusjes over haar zoet ruikende huid, van haar hals tot haar navel. Daar doe ik het andere stukje ijs in, samen met een beetje wijn.

Ze houdt haar adem in.

'Nu moet je stil blijven liggen. Anastasia. Als je beweegt, ligt er allemaal wijn in je bed.' Mijn stem is zacht en ik kus haar weer, net boven haar navel. Haar heupen bewegen. 'O nee. Als u de wijn morst, krijgt u straf, mevrouw Steele.'

Als antwoord kreunt ze even en begint aan de stropdas te trekken. *Al het goede, Ana...* Ik bevrijd haar borsten een stukje uit haar bh, zo dat ze nog gesteund worden door de beugels. Haar borsten zijn pront en kwetsbaar, zo zie ik ze graag. Ik plaag ze beide met mijn lippen.

'Hoe *fijn* is dit?' fluister ik. Ik blaas zachtjes op een tepel. Uit haar mond ontsnapt een geluidloos 'Ah.' Ik neem nog een stukje ijs in mijn mond en trek een spoor van haar borstbeen naar haar tepel, waar ik een paar keer omheen cirkel met het ijs. Ze kreunt onder me. Ik neem het ijs tussen mijn vingers en blijf elke tepel kwellen met koele lippen en de rest van het ijsklontje, dat tussen mijn vingers wegsmelt.

Ze kreunt en hijgt onder me, ze verstrakt, maar weet stil te blijven liggen. 'Als je de wijn morst, laat ik je niet klaarkomen,' waarschuw ik haar.

'O... alsjeblieft... Christian... Meneer... Alstublieft,' smeekt ze.

Om haar die woorden te horen gebruiken.

Er is hoop.

Dit is geen 'nee'.

Ik streel met mijn vingers over haar lichaam naar haar slipje, haar zachte huid plagend. Plotseling verschuift ze haar heupen iets, waardoor de wijn en het nu gesmolten ijs uit haar navel weglekken. Ik reageer snel en lik het op met mijn tong. Ik kus en zuig het van haar lichaam af.

'O jee, Anastasia, je hebt je bewogen. Wat zal ik nu met je doen?' Ik beweeg mijn vingers in haar slipje en streel daarbij haar clitoris.

'Ah!' jammert ze.

'O, schatje,' fluister ik vol ontzag. Ze is nat. Ontzettend nat.

Zie je wel? Zie je nu hoe fijn dit is?

Ik duw mijn wijsvinger en middelvinger bij haar naar binnen en ze trilt.

'Je bent zo snel klaar voor me,' mompel ik. Ik beweeg mijn vingers langzaam bij haar naar binnen en naar buiten, wat haar een langgerekte, zoete kreun ontlokt. Ze tilt haar bekken op om mijn vingers tegemoet te komen.

O, ze wil dit.

'Je bent een gulzig meisje.' Mijn stem is nog steeds zacht en ze past zich aan het tempo aan als ik haar clitoris begin te omcirkelen met mijn duim. Ik plaag en kwel haar.

Ze schreeuwt het uit, haar lichaam steigert onder mij. Ik wil haar gezicht zien en reik met mijn andere hand omhoog om het T-shirt van haar hoofd te schuiven. Ze doet haar ogen open en knippert even in het zachte licht.

'Ik wil je aanraken,' zegt ze, met een hese stem, vervuld van verlangen.

'Dat weet ik,' adem ik tegen haar lippen. Ik kus haar terwijl ik ondertussen het meedogenloze ritme van mijn duim en vingers volhoud. Ze smaakt naar wijn en verlangen en Ana. Ze kust me terug met een honger die ik nog niet eerder in haar heb gevoeld. Ik houd haar hoofd vast om haar op haar plek te houden en blijf haar kussen en vingeren. Als haar benen verstijven, vertraag ik het tempo van mijn hand.

O nee schatje, je gaat nog niet klaarkomen.

Dit doe ik nog drie keer, terwijl ik haar warme, zoete mond blijf kussen. De vijfde keer houd ik mijn vingers stil in haar en ik brom zachtjes in haar oor: 'Dit is je straf, zo dichtbij en toch zo veraf. Is dit *fijn?*'

'Alsjeblieft,' piept ze.

Mijn god, ik vind het heerlijk om haar te horen smeken.

'Hoe zal ik je neuken, Anastasia?'

Mijn vingers beginnen opnieuw te bewegen, haar benen trillen en ik houd mijn hand weer stil.

'Alsjeblieft,' hijgt ze weer, zo zachtjes dat ik het woord nauwelijks kan verstaan.

'Wat wil je, Anastasia?'

'Jou... nu,' smeekt ze.

'Zal ik je zo neuken? Of zo? Of misschien toch zo? De keuzes zijn legio,' mompel ik. Ik trek mijn hand terug, grijp het condoom van het nachtkastje en kniel tussen haar benen. Ik blijf haar aankijken als ik haar slipje uittrek en op de grond gooi. Haar pupillen zijn donker, vol van belofte en hunkering. Ze worden groter als ik traag het condoom omdoe.

'Hoe *fijn* is dit?' vraag ik, als ik mijn vuist om mijn erectie heen sla.

'Ik bedoelde het als grapje,' piept ze.

Grapje?

God. Zij. Dank.

Alles is nog niet verloren.

'Een grapje?' vraag ik, terwijl ik met mijn vuist mijn pik bewerk.

'Ja. Alsjeblieft, Christian,' smeekt ze.

'Moet je nu lachen?'

'Nee.' Haar stem is amper hoorbaar, maar een kleine hoofdbeweging vertelt me alles wat ik wil weten.

Als ik zie hoe ze naar me verlangt... Ik zou in mijn hand kunnen exploderen door alleen maar naar haar te kijken. Ik pak haar beet, gooi haar op haar buik met dat heerlijke, heerlijke kontje in de lucht. Het is té verleidelijk. Ik geef een klap op haar billen, flink hard, en ram dan bij haar naar binnen.

O shit, ze is er zo klaar voor.

Ze verstrakt om me heen en schreeuwt het uit als ze klaarkomt.

Shit. Dat is veel te snel.

Ik houd haar heupen op hun plaats en neuk haar hard, dwars door haar orgasme heen. Ik klem mijn tanden op elkaar en blijf pompen, steeds opnieuw, totdat het zich weer begint op te bouwen.

Kom op, Ana. Nog een keer, moedig ik haar aan, terwijl ik blijf stoten.

Ze kreunt en jammert onder me en er vormt zich een laagje zweet op haar rug.

Haar benen beginnen te trillen.

Ze zit er dicht tegenaan.

'Kom, Anastasia, nog een keer,' grom ik en als bij wonder slingert haar orgasme zich door haar lichaam en het mijne. *Allejezus.* Ik kom klaar en leeg mezelf in haar.

Lieve god. Ik zak boven op haar in elkaar. Dat was uitputtend.

'Hoe *fijn* was dat?' sis ik in haar oor, terwijl ik lucht mijn longen in zuig.

Als ze plat op het bed ligt, hijgend, trek ik me uit haar terug en verwijder ik het verdomde condoom. Ik stap uit bed en kleed me snel aan. Als ik klaar ben, maak ik mijn stropdas los zodat ze weer vrij is. Ze draait zich om, strekt haar handen en vingers en trekt haar bh weer goed. Ik bedek haar met de sprei en ga naast haar liggen, steunend op mijn elleboog.

'Dat was erg fijn,' zegt ze met een ondeugende glimlach.

'Daar heb je dat woord weer.'

'Hou je dan niet van dat woord?'

'Nee. Daar heb ik helemaal niets mee.'

'O – ik weet het niet... het lijkt toch een heel gunstige uitwerking op je te hebben.'

'Ben ik nu opeens een gunstige uitwerking? Kunt u mijn ego nog dieper kwetsen, mevrouw Steele?'

'Volgens mij is er helemaal niets mis met jouw ego.' Heel even is er een frons.

'Zou je denken?'

Daar zou dokter Flynn vast nog wel iets over te zeggen hebben.

'Waarom vind je het niet fijn om aangeraakt te worden?' vraagt ze, haar stem lief en zacht.

'Daar hou ik gewoon niet van.' Ik kus haar voorhoofd om haar af te leiden. 'Dus die e-mail was als grapje bedoeld.'

Ze kijkt me verlegen aan en haalt verontschuldigend haar schouders op.

'Ik snap het. Dus je overweegt mijn voorstel nog steeds?'

'Je oneerbare voorstel... ja, inderdaad.'

Nou, de duvel zij dank.

Onze deal is nog niet van de baan. Mijn opluchting is tastbaar, ik kan het bijna proeven.

'Maar er zijn wel wat dingen waar ik mee zit,' voegt ze eraan toe.

'Het zou me tegenvallen als dat niet zo was.'

'Ik wilde ze naar je mailen, maar je hebt me min of meer onderbroken.'

'Coïtus interruptus.'

'Zie je wel, ik wist wel dat je ergens vanbinnen gevoel voor humor had.' In haar ogen dansen pretlichtjes.

'Niet alles is grappig, Anastasia. Ik dacht dat je nee zei, zonder het te willen bespreken.'

'Ik weet het nog niet. Ik heb nog niets besloten. Doe je me een halsband om?'

Haar vraag verbaast me. 'Je hebt je onderzoek gedaan. Ik weet het niet, Anastasia. Ik heb nog nooit iemand een halsband omgedaan.'

'Heb jij een halsband om gehad?' vraagt ze.

'Ja.'

'Bij Mrs. Robinson?'

'Mrs. Robinson?' Ik begin hardop te lachen. Anne Bancroft in *The Graduate*. 'Ik zal haar zeggen dat jij dat zei. Dat vindt ze vast geweldig.'

'Spreek je haar dan nog regelmatig?' Haar stem klinkt schel, geschokt en verontwaardigd.

'Ja.' Waarom is dat zo belangrijk?

'Ik begrijp het.' Nu is haar stem afgemeten. Is ze boos? Waarom? Ik begrijp het niet. 'Dus jij hebt iemand met wie je je alternatieve levensstijl kunt bespreken, maar ik mag dat niet.' Haar toon is nukkig, maar ze roept mij opnieuw ter verantwoording voor mijn klerezooi.

'Zo heb ik het eigenlijk nooit bekeken. Mrs. Robinson maakte deel uit van die manier van leven. Ik heb je toch al gezegd dat ze nu een goede vriendin is. Als je wilt, kan ik je wel voorstellen aan een van mijn vroegere Onderdanigen. Dan kun je met haar praten.'

'Bedoel jij dít als grapje?' wil ze weten.

'Nee, Anastasia.' Ik ben verbaasd door haar felheid en schud mijn hoofd om mijn ontkenning te benadrukken. Het is normaal voor Onderdanigen om met de exen van hun nieuwe Dominant te spreken, zodat ze weten dat hij weet wat hij doet.

'Nee – ik doe dit zelf wel, dankjewel,' valt ze uit. Ze pakt haar sprei en quilt en trekt ze op tot aan haar kin.

Wat? Is ze boos?

'Anastasia, ik... Ik wilde je niet beledigen.'

'Ik ben niet beledigd. Ik ben ontzet.'

'Ontzet?'

'Ik wil niet praten met een van je ex-vriendinnen... slavin... Onderdanige... of hoe je ze dan ook noemt.'

O.

'Anastasia Steele, ben je jaloers?' Ik klink verbijsterd... omdat ik dat ook ben. Ze wordt knalrood en ik realiseer me dat ik de kern van haar probleem gevonden heb. Hoe kan ze nu in godsnaam jaloers zijn?

Liefje, ik heb een leven vóór jou gehad.
Een heel actief leven.
'Blijf je hier?' vraagt ze vinnig.
Wat? Natuurlijk niet. 'Ik heb morgenochtend een ontbijtbespreking in het Heathman. Bovendien heb ik je al gezegd dat ik niet met vriendinnen, slavinnen, Onderdanigen of wie dan ook slaap. Vrijdag en zaterdag waren uitzonderingen. Dat zal niet meer gebeuren.'
Ze perst haar lippen op elkaar met een koppige uitdrukking.
'Nou, ik ben nu moe,' zegt ze.
Shit.
'Schop je me eruit?'
Dit is niet hoe het zou moeten gaan.
'Ja.'
Wat gebeurt er nu?
Opnieuw ontwapend, door mevrouw Steele. 'Dat is dan weer een eerste keer,' mompel ik.
Eruit geschopt. Ik kan het niet geloven.
'Dus er is niets wat je nu wilt bespreken? Over het contract?' vraag ik als excuus om nog even te blijven.
'Nee,' gromt ze. Haar nukkigheid is irritant. Als ze werkelijk van mij was, zou ik dit niet tolereren.
'God, wat zou ik jou nu graag een goed pak slaag willen geven. Je zou je een stuk beter voelen en ik ook,' laat ik haar weten.
'Dat soort dingen mag je niet zeggen... Ik heb nog niets ondertekend.' Haar ogen flitsen uitdagend.
O schatje, ik kan het wel zeggen. Ik kan het alleen niet doen. Niet totdat jij het toestaat. 'Een man mag toch wel dromen, Anastasia. Woensdag?' Ik wil dit nog steeds. Waarom weet ik eigenlijk niet, ze is zo lastig. Ik geef haar snel een kus.
'Woensdag,' bevestigt ze en ik ben weer opgelucht. 'Ik laat je er wel even uit,' voegt ze eraan toe, op zachtere toon. 'Als je even kunt wachten.' Ze duwt me van het bed en trekt haar t-shirt aan. 'Kun je me mijn joggingbroek aangeven?' vraagt ze, met een vinger wijzend.
Wauw. Mevrouw Steele kan behoorlijk bazig zijn.
'Ja, mevrouw,' grap ik terwijl ik me afvraag of ze de referentie snapt. Maar ze knijpt haar ogen half dicht. Ze weet dat ik een grapje

maak, maar ze zegt niets als ze haar broek aantrekt.

Het voelt eigenlijk wel grappig dat ik er nu uit word gegooid. Ik volg haar door de woonkamer naar de voordeur.

Wanneer is dit voor het laatst gebeurd?

Nooit.

Ze doet de deur open, maar blijft naar haar handen staren.

Wat is er aan de hand?

'Gaat het?' vraag ik. Ik streel met mijn duim over haar onderlip. Misschien wil ze niet dat ik wegga – of misschien kan ze niet wachten tot ik wegga?

'Ja,' zegt ze zachtjes en bedrukt. Ik weet niet zeker of ik haar geloof.

'Woensdag,' herinner ik haar. Dan zie ik haar weer. Ik buig me om haar te kussen en ze doet haar ogen dicht. En ik wil niet weggaan. Niet met haar onzekerheid in mijn gedachten. Ik houd haar hoofd vast en kus haar dieper. Ze reageert door haar mond aan mij over te geven.

O schatje, geef het niet op met mij. Geef het een kans.

Ze grijpt me bij mijn armen, ze kust me terug en ik wil niet ophouden. Ze is bedwelmend en de duisternis is stil, kalm, door de jonge vrouw die voor me staat. Met tegenzin maak ik me los. Ik laat mijn voorhoofd tegen het hare rusten.

Ze is buiten adem, net als ik. 'Anastasia, wat doe je toch met me?'

'Ik kan hetzelfde aan jou vragen,' fluistert ze.

Ik weet dat ik moet gaan. Ze heeft me onderuit gehaald, maar ik weet niet waarom. Ik kus haar voorhoofd en loop langs het pad naar de R8. Ze blijft in de deuropening staan kijken. Ze is niet naar binnen gegaan. Ik glimlach, blij dat ze nog steeds kijkt, en stap in de auto.

Als ik weer omkijk, is ze weg. *Shit. Wat is er gebeurd. Niet zwaaien bij het afscheid?* Ik start de auto en begin aan de terugrit naar Portland, analyserend wat er tussen ons is gebeurd. Ze heeft me gemaild. Ik ben naar haar toe gegaan. We hebben geneukt. Ze heeft me eruit gegooid voordat ik klaar was om te gaan. Voor de eerste keer – nou ja, misschien niet de eerste keer – voel ik me enigszins gebruikt, voor seks. Dat is een ongemakkelijk gevoel, dat me herinnert aan mijn tijd met Elena. *Jezus!* Mevrouw Steele heeft de touwtjes in handen en ze beseft het niet eens. En ik, sukkel die ik ben, ik laat het gewoon toe. Ik moet hier iets aan doen. Deze zachte aanpak brengt me in de war. Maar ik wil haar. Ze moet gewoon tekenen. Is het alleen de sport? Is dat het wat me opwindt? Of is zij het? *Jezus,* ik weet het niet. Maar ik hoop dat ik woensdag wijzer word. En aan de positieve kant, dat was een geweldig *fijne* manier om een avond door te brengen. Ik grijns in de achteruitkijkspiegel en rijd de garage van het hotel binnen. Als ik weer op mijn kamer ben, ga ik achter mijn laptop zitten. *Focus je op wat je wilt, op waar je wilt zijn.* Is dat niet waar dokter Flynn me altijd mee lastigvalt, met zijn oplossingsgerichte onzin?

Van: Christian Grey
Onderwerp: Vanavond
Datum: 23 mei 2011, 23:16
Aan: Anastasia Steele

Mevrouw Steele,
Ik kijk ernaar uit om uw opmerkingen over het contract te ontvangen.
Tot die tijd, slaap lekker, schatje.

Christian Grey
Directeur, Grey Enterprises Holdings, Inc.

Ik zou er nog aan willen toevoegen: *Dank je voor weer een bijzondere avond...* maar dat lijkt me iets te ver gaan. Ik duw mijn laptop opzij omdat Ana waarschijnlijk toch al slaapt. Ik pak het rapport over Detroit en ga verder met lezen.

Dinsdag 24 mei 2011

De gedachte dat we de elektronicafabriek in Detroit gaan bouwen is deprimerend. Ik haat Detroit. Aan die stad heb ik alleen maar slechte herinneringen. Aan gebeurtenissen die ik uit alle macht probeer te vergeten. Ze komen weer boven, vooral 's nachts, om me eraan te herinneren wie ik ben en waar ik vandaan kom. Maar Michigan biedt wel uitstekende belastingfaciliteiten. Ik kan moeilijk negeren wat ze in dit rapport bieden. Ik gooi het op de eettafel en neem een slok van mijn sancerre. *Shit.* Die is warm. Het is al laat. Ik moet gaan slapen. Als ik opsta en me uitrek, hoor ik een ping op mijn computer. Een e-mail. Die zou van Ros kunnen zijn, dus ik kijk snel even.

Hij is van Ana. Waarom is ze nog wakker?

Van: Anastasia Steele
Onderwerp: Punten
Datum: 24 mei 2011, 00:02
Aan: Christian Grey

Beste meneer Grey,
Hier is mijn lijst met punten. Ik kijk ernaar uit om deze uitgebreider te bespreken tijdens ons diner op woensdag.
De getallen verwijzen naar de clausules:

Ze verwijst naar de clausules? Mevrouw Steele is grondig te werk gegaan. Ik open het document op mijn scherm zodat ik mee kan lezen.

OVEREENKOMST
Aangegaan op _____ 2011 ('de aanvangsdatum')

TUSSEN

Dhr. CHRISTIAN GREY, 301 Escala, Seattle, WA 98889
('de Dominant')

Mevr. ANASTASIA STEELE, 1114 SW Green Street, Appartement 7,
Haven Heights, Vancouver, WA 98888
('de Onderdanige')

DE PARTIJEN KOMEN HET VOLGENDE OVEREEN

1 Hieronder staan de bepalingen van een bindende overeenkomst tussen de Dominant en de Onderdanige.

GRONDBEPALINGEN

2 Het gronddoel van deze overeenkomst is om de Onderdanige
haar sensualiteit en grenzen op een veilige wijze te laten verkennen, met respect voor en inachtneming van haar behoeften, haar
grenzen en haar welzijn.

3 De Dominant en de Onderdanige komen overeen en erkennen
dat alles wat gebeurt krachtens de bepalingen van deze overeenkomst met wederzijdse instemming en vertrouwelijk is en over-
eenstemt met de overeengekomen grenzen en veiligheidsprocedures die in deze overeenkomst worden bepaald. Er kunnen
schriftelijk aanvullende grenzen en veiligheidsprocedures worden overeengekomen.

4 De Dominant en de Onderdanige garanderen beiden dat zij
niet lijden aan enige seksueel overdraagbare, ernstige, besmette-
lijke of levensbedreigende aandoening, met inbegrip van onder
meer hiv, herpes en hepatitis. Indien bij een partij gedurende de
termijn (zoals hieronder gedefinieerd) of een verlengde termijn
van deze overeenkomst de diagnose wordt gesteld, of indien hij
of zij zich bewust wordt van een dergelijke aandoening, verplicht hij of zij zich ertoe om de ander hiervan onmiddellijk in
kennis te stellen, in elk geval voorafgaand aan elke vorm van
fysiek contact tussen de partijen.

5 Naleving van de bovengenoemde garanties, afspraken en verplichtingen (en alle aanvullende grenzen en veiligheidsprocedures die zijn overeengekomen krachtens clausule 3 hierboven)
is van essentieel belang voor deze overeenkomst. Elke inbreuk
daarop maakt deze overeenkomst met onmiddellijke ingang nietig en iedere partij stemt ermee in dat hij of zij volledig aanspra-

kelijk is jegens de andere partij voor het gevolg van een inbreuk.

6 Alles in deze overeenkomst moet worden gelezen en geïnterpreteerd in het licht van het gronddoel en de grondbepalingen van clausules 2-5 hierboven.

ROLLEN

7 De Dominant neemt de verantwoordelijkheid voor het welzijn en de juiste training, begeleiding en disciplinering van de Onderdanige. Hij bepaalt de aard van die training, begeleiding en disciplinering en de tijd en plaats van uitvoering daarvan, overeenkomstig de overeengekomen bepalingen, beperkingen en veiligheidsprocedures die in deze overeenkomst worden genoemd of die extra worden overeengekomen krachtens clausule 3 hierboven.

8 Indien de Dominant zich op enig moment niet houdt aan de overeengekomen bepalingen, beperkingen en veiligheidsprocedures die in deze overeenkomst worden genoemd of die extra worden overeengekomen krachtens clausule 3 hierboven, mag de Onderdanige deze overeenkomst onmiddellijk beëindigen en de dienst van de Dominant verlaten zonder kennisgeving.

9 Overeenkomstig die bepaling en clausule 2-5 hierboven, moet de Onderdanige de Dominant in alles dienen en gehoorzamen. In overeenstemming met de overeengekomen bepalingen, beperkingen en veiligheidsprocedures die in deze overeenkomst worden bepaald of die extra worden overeengekomen krachtens clausule 3 hierboven, zal zij de Dominant, zonder vragen of aarzelen, al het genoegen bieden dat hij kan verlangen en aanvaardt zij, zonder vragen of aarzelen, zijn training, begeleiding en disciplinering in ongeacht welke vorm.

AANVANG EN TERMIJN

10 De Dominant en Onderdanige gaan deze overeenkomst aan op de aanvangsdatum, waarbij zij zich volledig bewust zijn van de aard daarvan en zich ertoe verplichten om zich zonder uitzondering te houden aan de voorwaarden daarvan.

11 Deze overeenkomst is van kracht voor een periode van drie kalendermaanden vanaf de aanvangsdatum ('de termijn'). Bij afloop van de termijn zullen de partijen bespreken of deze overeenkomst en de regelingen die zij hebben getroffen krachtens deze overeenkomst naar tevredenheid zijn en of er is voldaan aan de behoeften

van beide partijen. Elke partij mag voorstellen om deze overeenkomst te verlengen, op basis van aanpassingen van de bepalingen daarvan of de afspraken die zij krachtens de overeenkomst hebben gemaakt. Indien er geen overeenstemming over verlenging wordt bereikt, wordt deze overeenkomst beëindigd en staat het beide partijen vrij om hun leven afzonderlijk te hervatten.

BESCHIKBAARHEID

12 De Onderdanige stelt zich gedurende de termijn elke week ter beschikking van de Dominant, van vrijdagavond tot en met zondagmiddag, op tijdstippen die door de Dominant worden gespecificeerd ('de gereserveerde tijd'). Andere gereserveerde tijd kan wederzijds ad hoc worden overeengekomen.

13 De Dominant behoudt zich het recht voor om de Onderdanige op ongeacht welk moment en om ongeacht welke reden uit zijn dienst te ontslaan. De Onderdanige mag op ongeacht welk moment verzoeken om haar vrijlating, welk verzoek wordt gehonoreerd naar goeddunken van de Dominant en alleen op basis van de rechten van de Onderdanige krachtens clausules 2- 5 en 8 hierboven.

LOCATIE

14 De Onderdanige stelt zichzelf beschikbaar gedurende de gereserveerde tijd en overeengekomen extra tijd op locaties die worden bepaald door de Dominant. De Dominant zorgt ervoor dat alle reiskosten die de Onderdanige voor dat doeleinde maakt, door de Dominant worden vergoed.

DIENSTVERRICHTINGEN

15 De volgende dienstverrichtingen zijn besproken en overeengekomen en zullen door beide partijen worden nageleefd gedurende de termijn. Beide partijen aanvaarden dat er bepaalde kwesties naar voren kunnen komen die niet zijn opgenomen in de bepalingen van deze overeenkomst of de dienstverrichtingen, of dat er over bepaalde kwesties opnieuw moet worden onderhandeld. In die omstandigheden kunnen er nadere bepalingen worden voorgesteld in de vorm van een amendement. Alle verdere bepalingen of amendementen moeten worden overeengekomen, gedocumenteerd en ondertekend door beide partijen en hierop zijn de grondbepalingen van de bovenstaande clausules 2-5 van toepassing.

15.1 Voor de Dominant zijn de gezondheid en veiligheid van de Onderdanige te allen tijde een prioriteit. De Dominant zal op geen enkel moment van de Onderdanige eisen, verlangen, toestaan of verzoeken om in handen van de Dominant deel te nemen aan de activiteiten die zijn gespecificeerd in bijlage 2 of aan enige handeling die een van de partijen onveilig acht. De Dominant zal geen handeling ondernemen of laten ondernemen die ernstig letsel of enig risico voor het leven van de Onderdanige kan veroorzaken. De resterende subclausules van de onderhavige clausule 15 moeten worden gelezen in het licht van deze bepaling en de grondbepalingen die zijn overeengekomen in clausules 2-5 hierboven.

15.2 De Dominant aanvaardt de Onderdanige als de zijne, om haar te bezitten, te beheersen, te domineren en te disciplineren gedurende de termijn. De Dominant mag het lichaam van de Onderdanige op ongeacht welk moment gedurende de gereserveerde tijd of alle overeengekomen extra tijd gebruiken op elke wijze die hij geschikt acht, seksueel of anderszins.

15.3 De Dominant verstrekt aan de Onderdanige alle benodigde training en begeleiding met betrekking tot hoe zij de Dominant op de juiste wijze dient.

15.4 De Dominant zorgt voor een stabiele en veilige omgeving waarin de Onderdanige haar plichten in dienst van de Dominant kan uitvoeren.

15.5 De Dominant mag de Onderdanige zo nodig straffen om ervoor te zorgen dat de Onderdanige zich volledig bewust is van haar rol van ondergeschikte ten opzichte van de Dominant en om onaanvaardbaar gedrag te ontmoedigen. De Dominant mag de Onderdanige naar eigen goeddunken slaan, spanken, zweepslagen geven of anderszins lichamelijk straffen voor het doeleinde van discipline, voor zijn eigen persoonlijke genoegen of om enige andere reden, die hij niet hoeft te verstrekken.

15.6 Bij de training en disciplinering zorgt de Dominant ervoor dat er geen permanente merktekens op het lichaam van de Onderdanige worden aangebracht en evenmin verwondingen die medische zorg behoeven.

15.7 Bij de training en disciplinering zorgt de Dominant ervoor dat de straf en de instrumenten voor het doeleinde van disciplinering veilig zijn, niet zodanig worden gebruikt dat deze ernstige schade toebrengen en op geen enkele wijze de grenzen overschrijden die in deze overeenkomst zijn gedefinieerd en gespecificeerd.

15.8 In gevallen van ziekte of letsel zorgt de Dominant voor de Onderdanige en zorgt hij voor haar gezondheid en veiligheid en stimuleert en regelt, indien nodig, medische zorg wanneer de Dominant dit nodig acht.

15.9 De Dominant zorgt dat hij in goede gezondheid verkeert en verkrijgt zo nodig medische zorg om een risicovrije omgeving te behouden.

15.10 De Dominant zal zijn Onderdanige niet uitlenen aan een andere Dominant.

15.11 De Dominant mag de Onderdanige in bedwang houden, boeien of vastbinden op ongeacht welk moment gedurende de gereserveerde tijd of overeengekomen extra tijd om ongeacht welke reden en gedurende langere tijdsperiodes, met de juiste inachtneming van de gezondheid en veiligheid van de Onderdanige.

15.12 De Dominant zorgt ervoor dat alle instrumenten die worden gebruikt voor het doeleinde van training en disciplinering te allen tijde in een schone, hygiënische en veilige staat worden gehouden.

ONDERDANIGE

15.13 De Onderdanige aanvaardt de Dominant als haar Meester, met dien verstande dat zij nu het eigendom van de Dominant is, met wie kan worden omgegaan zoals het de Dominant behaagt gedurende de termijn in het algemeen, maar in het bijzonder gedurende de gereserveerde tijd en alle extra overeengekomen gereserveerde tijd.

15.14 De Onderdanige is gehoorzaam aan de regels ('de regels') die worden genoemd in bijlage 1 bij deze overeenkomst.

15.15 De Onderdanige dient de Dominant op elke wijze die de Dominant geschikt acht en zet zich ervoor in om de Dominant te allen tijde naar haar beste vermogen te behagen.

15.16 De Onderdanige onderneemt alle nodige maatregelen om haar goede gezondheid te behouden en verzoekt om medische zorg wanneer dit nodig is, waarbij zij de Dominant te allen tijde op de hoogte houdt van eventuele gezondheidsproblemen die kunnen optreden.

15.17 De Onderdanige zorgt ervoor dat zij zich orale contraceptie verschaft en zorgt ervoor dat zij deze inneemt zoals en wanneer dit voorgeschreven is om zwangerschap te voorkomen.

15.18 De Onderdanige aanvaardt zonder vragen alle disciplinaire maatregelen die de Dominant nodig acht en denkt te allen tijde aan haar status en rol ten opzichte van de Dominant.

15.19 De Onderdanige mag zichzelf niet seksueel aanraken of genot bezorgen zonder toestemming van de Dominant.

15.20 De Onderdanige onderwerpt zich aan alle seksuele activiteiten die de Dominant verlangt en doet dit zonder aarzeling of tegenwerping.

15.21 De Onderdanige aanvaardt zweepslagen, slagen met de hand, caning of slagen met peddels of elke andere straf die de Dominant besluit toe te dienen en doet dit zonder aarzeling, vraag of klacht.

15.22 De Onderdanige mag de Dominant niet recht in de ogen kijken, behalve wanneer zij hier specifieke instructies voor krijgt. De Onderdanige houdt haar ogen neergeslagen en gedraagt zich rustig en respectvol in de aanwezigheid van de Dominant.

15.23 De Onderdanige gedraagt zichzelf altijd op respectvolle wijze tegenover de Dominant en spreekt hem alleen aan als meneer, meneer Grey of een andere titel die de Dominant kan aangeven.

15.24 De Onderdanige raakt de Dominant niet aan zonder zijn uitdrukkelijke toestemming om dit te doen.

ACTIVITEITEN

16 De Onderdanige neemt geen deel aan activiteiten of seksuele handelingen die een van de partijen onveilig acht of activiteiten die worden beschreven in bijlage 2.

17 De Dominant en de Onderdanige hebben de activiteiten besproken die zijn vermeld in bijlage 3 en hebben in bijlage 3 hun overeenkomst hierover schriftelijk vastgelegd.

STOPWOORDEN

18 De Dominant en de Onderdanige erkennen dat de Dominant dingen van de Onderdanige kan verlangen die niet kunnen worden gedaan zonder het oplopen van lichamelijke, mentale, emo-

tionele, spirituele of andere schade op het moment dat deze van de Onderdanige worden verlangd. In dergelijke omstandigheden mag de Onderdanige gebruikmaken van een stopwoord ('het/de stopwoord(en)'). Er worden twee stopwoorden gebruikt, afhankelijk van de ernst van de eisen.

19 Het stopwoord 'geel' wordt gebruikt om de Dominant erop te wijzen dat de Onderdanige haar grens van volharding bijna heeft bereikt.

20 Het stopwoord 'rood' wordt gebruikt om de Dominant erop te wijzen dat de Onderdanige geen verdere eisen meer verdraagt. Als dit woord wordt gezegd, stopt de Dominant onmiddellijk met zijn handelingen.

AFSLUITING

21 Wij, ondergetekenden, hebben de bepalingen van deze overeenkomst volledig gelezen en begrepen. Wij aanvaarden vrijwillig de bepalingen van deze overeenkomst en erkennen deze door middel van onze handtekeningen hieronder.

De Dominant: Christian Grey
Datum

De Onderdanige: Anastasia Steele
Datum

BIJLAGE I

REGELS

Gehoorzaamheid:

De Onderdanige volgt onmiddellijk en snel alle instructies van de Dominant op, zonder aarzeling of terughoudendheid. De Onderdanige stemt in met alle seksuele handelingen die de Dominant geschikt en aangenaam acht, met uitzondering van handelingen die worden genoemd onder harde grenzen (Bijlage 2). Dit doet ze met enthousiasme en zonder aarzeling.

Slapen:

De Onderdanige zorgt dat ze minimaal acht uur per nacht slaapt wanneer ze niet bij de Dominant is.

Eten:
De Onderdanige eet regelmatig om haar gezondheid en welzijn op peil te houden en houdt zich daarbij aan een lijst met voorgeschreven voedingsmiddelen (Bijlage 4). De Onderdanige eet geen tussendoortjes tussen de maaltijden, met uitzondering van fruit.

Kleding:
Gedurende de looptijd van het contract draagt de Onderdanige alleen kleding die is goedgekeurd door de Dominant. De Dominant verstrekt een kledingbudget aan de Onderdanige en de Onderdanige zal daar gebruik van maken. De Dominant vergezelt de Onderdanige op ad-hocbasis om kleding te kopen. Als de Dominant dat wenst, draagt de Onderdanige gedurende de looptijd van het contract alle accessoires die de Dominant voorschrijft, in aanwezigheid van de Dominant en op enig ander moment dat geschikt wordt geacht door de Dominant.

Lichaamsbeweging:
De Dominant zorgt dat de Onderdanige vier keer per week de beschikking heeft over een personal trainer voor sessies van een uur op tijdstippen die de personal trainer en de Onderdanige in onderling overleg afspreken. De personal trainer rapporteert aan de Dominant over de vooruitgang van de Onderdanige.

Persoonlijke hygiëne/schoonheid:
De Onderdanige zorgt dat zij te allen tijde schoon en geschoren en/of onthaard is. De Onderdanige bezoekt een schoonheidssalon naar keuze van de Dominant, op momenten die worden bepaald door de Dominant, en ondergaat daar elke behandeling die de Dominant geschikt acht. Alle kosten worden gedragen door de Dominant.

Persoonlijke veiligheid:
De Onderdanige mag niet overmatig drinken, roken, drugs gebruiken of zichzelf onnodig in gevaar brengen.

Persoonlijke kwaliteiten:
De Onderdanige zal geen seksuele relaties aangaan met een andere persoon dan de Dominant. De Onderdanige gedraagt zich te allen tijde op respectvolle en bescheiden wijze. Zij moet erkennen dat haar gedrag een directe weerslag heeft op de Dominant. Zij wordt aansprakelijk gehouden voor alle wandaden,

wangedrag en misdragingen die zij uitvoert als zij niet in het gezelschap van de Dominant is.

Het niet naleven van het bovenstaande leidt onverwijld tot straf, waarvan de aard wordt bepaald door de Dominant.

BIJLAGE 2

HARDE GRENZEN

Geen handelingen die te maken hebben met spelen met vuur.

Geen handelingen die te maken hebben met urineren of ontlasting en de producten daarvan.

Geen handelingen die te maken hebben met naalden, messen, piercings of bloed.

Geen handelingen die te maken hebben met gynaecologische, medische instrumenten.

Geen handelingen die te maken hebben met kinderen of dieren.

Geen handelingen die permanente littekens achterlaten op het lichaam.

Geen handelingen die te maken hebben met ademcontrole.

Geen handelingen die te maken hebben met direct contact van het lichaam met elektrische stroom (ongeacht of dit wisselstroom of gelijkstroom is), vuur of vlammen.

BIJLAGE 3

ZACHTE GRENZEN

Te bespreken en overeen te komen tussen beide partijen:

Welke van de volgende handelingen zijn acceptabel voor de Onderdanige:

- Masturbatie
- Cunnilingus
- Fellatio
- Het doorslikken van sperma

- Vaginale penetratie
- Vaginaal fisten
- Anale penetratie
- Anaal fisten

Stemt de Onderdanige in met het gebruik van:

- Vibrators
- Buttplugs
- Dildo's
- Andere vaginale/anale speeltjes

Stemt de Onderdanige in met:

- Vastbinden met touw
- Vastbinden met leren boeien
- Vastbinden met handboeien/metalen ketenen
- Vastbinden met tape
- Vastbinden met overige

Welke vorm van bondage is acceptabel voor de Onderdanige:

- Handen vóór het lichaam gebonden
- Enkels gebonden
- Ellebogen gebonden
- Handen achter de rug gebonden
- Knieën gebonden
- Polsen gebonden aan enkels
- Vastbinden aan vaste voorwerpen, meubilair enz.
- Vastbinden met spreidstang
- Ophanging

Stemt de Onderdanige in geblinddoekt te worden?

Stemt de Onderdanige in gekneveld te worden?

Wat is de algemene houding van de Onderdanige tegenover het aanvaarden van pijn? Hierbij staat 1 voor 'heel erg fijn' en 5 voor 'absoluut niet fijn': 1 – 2 – 3 – 4 – 5

Hoeveel pijn is de Onderdanige bereid te ervaren? Hierbij staat 1 voor 'veel' en 5 voor 'weinig tot geen': 1 – 2 – 3 – 4 – 5

Welke van onderstaande vormen van pijn/straf/disciplinering zijn acceptabel voor de Onderdanige?

- Slaan met vlakke hand
- Zweepslagen
- Bijten
- Slaan met een peddel
- Ranselen
- Tepelklemmen

- Genitale klemmen
- Hete was

- IJs
- Overige pijnigingsmethoden

Dan haar punten.

2: Ik snap niet waarom dit alleen in MIJN voordeel is, d.w.z. om MIJN sensualiteit en grenzen te verkennen. Ik weet zeker dat ik daar geen tien bladzijden tellende overeenkomst voor nodig heb! Dit is beslist in JOUW voordeel.

Goed punt, mevrouw Steele!

4: Zoals je weet, ben jij mijn enige sekspartner. Ik gebruik geen drugs en ik heb geen bloedtransfusies gehad. Ik ben waarschijnlijk veilig. Hoe zit het met jou?

Nog een goed punt! En het dringt tot me door dat dit voor het eerst is dat ik geen rekening hoef te houden met het seksuele verleden van een partner. Het voordeel van neuken met een maagd.

8: Ik mag er op elk moment uitstappen als ik denk dat jij je niet aan de afgesproken grenzen houdt. Goed – daar kan ik mee leven.

Ik hoop dat dat niet gebeurt, maar het zou niet voor het eerst zijn als het wel zo was.

9: Je gehoorzamen in alles? Zonder aarzeling jouw disciplinering aanvaarden? Hier moeten we over praten.
11: Een proefperiode van één maand. Niet drie.

Een maand maar? Dat is niet genoeg. Hoe ver kunnen we gaan in één maand?

12: Ik kan mezelf niet elk weekend vastleggen. Ik heb ook een eigen leven, of dat ga ik krijgen. Misschien drie van de vier?

Zodat ze kan socializen met andere mannen? Ze zal beseffen wat ze mist.
Hier ben ik niet zo zeker van.

15.2: Mijn lichaam gebruiken zoals jij dat geschikt acht, seksueel of anderszins – gelieve 'of anderszins' te definiëren.
15.5: De hele strafclausule. Ik weet niet zeker of ik wel zweepslagen wil krijgen of lichamelijk wil worden gestraft. Ik weet zeker dat dit inbreuk maakt op clausules 2-5. En ook 'om enige andere reden'. Dat is gewoon gemeen. En je zei dat je geen sadist was.

Shit! Lees verder, Grey.

15.10: Alsof mij uitlenen aan iemand anders ooit een optie zou zijn. Maar ik ben blij dat het hier zwart-op-wit staat.
15.14: De regels. Straks meer hierover.
15.19: Mijzelf aanraken zonder jouw toestemming. Wat is het probleem hiermee? Je weet dat ik dat toch niet doe.
15.21: Straf – zie clausule 15.5 hierboven.
15.22: Mag ik je niet in je ogen kijken? Waarom niet?
15.24: Waarom mag ik je niet aanraken?
Regels:
Slapen – ik stem in met zes uur. Eten – ik eet geen voedsel van een voorgeschreven lijst. De lijst met voedingsmiddelen gaat of ik ga – hiermee staat of valt de afspraak. Kleding – zolang ik jouw kleding alleen hoef te dragen als ik bij jou ben... oké. Lichaamsbeweging – we waren het eens geworden over drie uur, hier staat nog steeds vier.
Zachte grenzen:
Kunnen we die allemaal bespreken? Geen fisten in welke vorm dan ook. Wat is ophangen? Genitale klemmen – grapje zeker.
Kun je me laten weten wat we afspreken voor woensdag? Ik werk die dag tot vijf uur 's middags.
Goedenacht.
Ana

Haar reactie is een opluchting voor me. Mevrouw Steele heeft er goed over nagedacht, meer dan alle anderen met wie ik tot nu toe over dit contract heb onderhandeld. Ze gaat er echt voor. Kennelijk neemt ze dit serieus en valt er heel wat te bespreken woensdag. De onzekerheid die ik voelde toen ik haar appartement eerder van-avond verliet, ebt weg. Er is hoop voor onze relatie, maar nu moet ze eerst gaan slapen.

Van: Christian Grey
Onderwerp: Punten
Datum: 24 mei 2011, 0:07
Aan: Anastasia Steele

Mevrouw Steele,
Dat is een lange lijst. Waarom bent u nog wakker?

Christian Grey
Directeur, Grey Enterprises Holdings, Inc.

Een paar minuten later vind ik haar antwoord in mijn inbox.

Van: Anastasia Steele
Onderwerp: Werken tot in de kleine uurtjes
Datum: 24 mei 2011, 00:10
Aan: Christian Grey

Meneer,
Misschien kunt u zich nog herinneren dat ik deze lijst aan het opstellen was, toen ik werd afgeleid en het bed in werd gesleurd door een passerende controlfreak.
Goedenacht.
Ana

Ik moet hardop lachen om haar e-mail, maar het irriteert me ook. Ze is in haar mailtjes veel vrijpostiger en ze heeft een geweldig ge-voel voor humor, maar deze vrouw heeft slaap nodig.

Van: Christian Grey
Onderwerp: Stop met werken tot in de kleine uurtjes

Datum: 24 mei 2011, 00:12
Aan: Anastasia Steele

GA NAAR BED, ANASTASIA.

Christian Grey
Directeur, Grey Enterprises Holdings, Inc.

Er gaan een paar minuten voorbij en als ik ervan overtuigd ben dat ze naar bed is gegaan, misschien door mijn hoofdletters, ga ik naar de slaapkamer. Ik neem mijn laptop mee, voor het geval ze me toch nog antwoordt.

In bed pak ik mijn boek om te lezen. Na een halfuur geef ik het op. Ik kan me niet concentreren. Mijn gedachten dwalen steeds af naar Ana, naar hoe ze zich gedroeg vanavond, en naar haar e-mails.

Ik moet haar er nog eens op wijzen wat ik van onze relatie verwacht. Ik wil niet dat ze er een verkeerd beeld van krijgt. Ik ben te ver van mijn doel verwijderd geraakt.

'Kom je Ana nog helpen met de verhuizing?' De woorden van Kavanagh herinneren me eraan dat ik onrealistische verwachtingen heb gewekt.

Misschien kan ik ze wel helpen met de verhuizing?

Nee. Kappen nou, Grey.

Ik klap mijn laptop open en lees haar 'Punten'-mailtje nog een keer. Ik moet haar verwachtingen bijstellen en de juiste woorden proberen te vinden om uit te drukken hoe ik me voel.

Uiteindelijk vind ik inspiratie.

Van: Christian Grey
Onderwerp: Uw bedenkingen
Datum: 24 mei 2011 01:27
Aan: Anastasia Steele

Beste mevrouw Steele,
Nadat ik uw bezwaren grondiger heb bestudeerd, wil ik graag uw aandacht vestigen op de volgende definitie van onderdanig.

onderdanig [on-der-daa-nig] – *bijvoeglijk naamwoord*
1. Neigt naar of is klaar zich over te geven; biedt geen weerstand, zeer gedwee; *onderdanige bedienden.*
2. van grote onderworpenheid getuigend; *onderdanige gehoorzaamheid.*
Oorsprong: ca. 1580-90; onderdaan + -ig
Synoniemen: 1. meegaand, inschikkelijk, plooibaar, volgzaam.
2. passief, gelaten, geduldig, gedwee, tam, nederig.
Antoniemen: 1. rebels, ongehoorzaam.
Gelieve hieraan te denken als we elkaar woensdag zien.

Christian Grey
Directeur, Grey Enterprises Holdings, Inc.

Dat is het. Ik hoop dat ze het grappig vindt, maar het maakt duidelijk hoe ik erover denk.
Met die gedachte doe ik de lamp naast het bed uit. Ik val in slaap en droom.

Zijn naam is Lelliot. Hij is groter dan ik. Hij lacht. En glimlacht. En schreeuwt. En praat de hele tijd. Hij praat de hele tijd tegen mammie en pappie. Hij is mijn broer. *Waarom praat jij niet?* zegt Lelliot, en nog eens en nog eens. *Ben je achterlijk?* zegt Lelliot, en nog eens en nog eens. Ik spring boven op hem en sla hem op zijn gezicht, en nog eens en nog eens. Hij huilt. Hij huilt heel vaak. Ik huil niet. Ik huil nooit. Mammie is boos op mij. Ik moet op de onderste tree gaan zitten. Daar moet ik ontzettend lang blijven zitten. Maar Lelliot vraagt me nooit meer waarom ik niet praat. Als ik mijn hand tot een vuist bal, rent hij weg. Lelliot is bang voor mij. Hij weet dat ik een monster ben.

Als ik de volgende ochtend terugkom van mijn rondje hardlopen, bekijk ik voordat ik een douche neem eerst mijn e-mail. Niets van mevrouw Steele, maar het is ook nog maar halfacht. Misschien is het wat vroeg.
Grey, hou hiermee op. Beheers je.
Ik staar naar de eikel met de grijze ogen die naar me terugkijkt

vanuit de spiegel als ik me sta te scheren. *Hou op. Denk niet aan haar vandaag.*

Ik moet aan het werk en er is een ontbijtvergadering waar ik verwacht word.

'Freddie zei dat Barney misschien binnen een paar dagen een prototype van de tablet voor je heeft,' hoor ik van Ros tijdens onze videovergadering.

'Ik heb de schema's gisteren doorgenomen. Die zijn indrukwekkend, maar ik weet niet zeker of we er al zijn. Als we het goed aanpakken, kunnen we met deze technologie heel ver komen, zeker in de ontwikkelingslanden.'

'En vergeet de thuismarkt niet,' werpt ze op.

'Uiteraard.'

'Christian, hoelang blijf je eigenlijk nog in Portland?' Ros klinkt nogal geïrriteerd. 'Wat is daar aan de hand?' Ze kijkt in de webcam en staart intens naar haar scherm, om te zien of ze uit mijn gezichtsuitdrukking iets kan opmaken.

'Een fusie.' Ik probeer mijn glimlach te verbergen.

'Weet Marco daarvan?'

Ik snuif. Marco Inglis is het hoofd van mijn divisie fusies en overnames. 'Nee, het is niet zo'n soort fusie.'

'O.' Ros is even stil en, te oordelen aan haar blik, verbaasd.

Jep. Het is privé.

'Nou, ik hoop dat het een succes wordt,' zegt ze gniffelend.

'Ik ook,' beaam ik, ook gniffelend. 'Kunnen we het nu over Woods hebben?'

Het afgelopen jaar hebben we drie techbedrijven overgenomen. Twee van de drie doen het uitstekend, die halen hun targets ruim, maar met eentje gaat het niet zo goed, ondanks Marco's aanvankelijke optimisme. Lucas Woods is de directeur. Hij blijkt een sukkel te zijn – allemaal show, maar geen inhoud. Het geld is hem naar het hoofd gestegen, hij is zijn focus kwijt en het bedrijf is de voorsprong verloren die het ooit in glasvezeltechniek had. Mijn gevoel zegt dat we de waardevolle activa moeten verkopen, Woods moeten ontslaan en hun technologiedivisie moeten fuseren met GEH.

Maar Ros denkt dat Lucas meer tijd nodig heeft – en dat wij tijd nodig hebben als we besluiten om het bedrijf inderdaad te ontmantelen. Als we dat doen, krijgen we met hoge ontslagvergoedingen te maken.

'Ik denk dat Woods genoeg tijd heeft gehad om de zaak weer op de rit te krijgen. Hij wil gewoon de realiteit niet onder ogen zien,' zeg ik vastbesloten. 'Hij moet weg en ik wil graag dat Marco een inschatting maakt van de kosten van een liquidatie.'

'Marco wil zich graag bij onze bespreking aansluiten. Ik regel even dat hij ook inlogt.'

Om halfeen rijdt Taylor me naar wsu in Vancouver voor een lunch met de directeur, het hoofd van de afdeling milieuwetenschappen en het hoofd economische ontwikkeling. Als we aankomen bij de lange oprijlaan, kijk ik onwillekeurig uit het raam naar alle studenten om te zien of ik mevrouw Steele ergens zie. Helaas, ik zie haar niet. Ze zit waarschijnlijk ergens in de bibliotheek een klassieker te lezen. De gedachte aan haar, ergens in een hoekje met een boek, is geruststellend. Ze heeft niet op mijn laatste e-mail gereageerd, maar ze moest ook werken. Misschien heb ik na de lunch bericht.

Als we bij het administratiegebouw aankomen, zoemt mijn telefoon. Het is Grace. Ze belt nooit doordeweeks.

'Mam?'

'Hallo, lieverd. Hoe gaat het?'

'Prima. Ik sta op het punt een vergadering in te gaan.'

'Je assistente zei dat je in Portland was.' Er klinkt hoop in haar stem.

Verdomme. Ze denkt dat ik daar met Ana ben.

'Ja, voor zaken.'

'Hoe gaat het met Anastasia?' *Daar heb je het al!*

'Goed, voor zover ik weet, Grace. Wat is er?'

Christus. Mijn moeder is nog iemand van wie de verwachtingen moet bijstellen.

'Mia komt een week eerder thuis, op zaterdag. Ik heb dienst die dag en je vader moet naar een juridisch congres. Hij houdt een lezing over filantropie en bijstand,' zegt ze.

'Wil je dat ik haar ga afhalen?'

'Wil je dat doen?'

'Tuurlijk. Vraag haar om me haar vluchtgegevens even te sturen.'
'Dank je, lieverd. Doe Anastasia de groeten.'
'Ik moet gaan. Tot ziens, mam.' Ik hang op voordat ze nog meer lastige vragen kan stellen. Taylor houdt het portier voor me open.
'Ik ben om een uur of drie wel klaar.'
'Ja, meneer Grey.'
'Mag je je dochter nog zien morgen, Taylor?'
'Ja, meneer.' Zijn uitdrukking is warm en vol van vaderlijke trots.
'Mooi.'
'Ik ben er om drie uur,' bevestigt hij.
Ik loop het administratiegebouw binnen... Dit wordt een lange lunch.

Het is me gelukt om vandaag bijna niet aan Anastasia Steele te denken. Bijna. Tijdens de lunch betrapte ik mezelf erop dat ik een beeld voor me zag van ons in mijn speelkamer... Hoe noemde zij het ook alweer? *De Rode Kamer van Pijn*. Ik schud glimlachend mijn hoofd en check mijn e-mail. Die vrouw is vaardig met woorden, maar tot nu toe geen woord van haar vandaag.
Ik trek mijn sportkleding aan en ga naar de fitnessruimte in het hotel. Als ik de kamer uit wil lopen, hoor ik een ping. Het is Ana.

Van: Anastasia Steele
Onderwerp: Mijn bedenkingen? En uw bedenkelijke voorwaarden dan?
Datum: 24 mei 2011 18:29
Aan: Christian Grey

Meneer,
Graag wil ik uw aandacht vestigen op de datering: 1580-90.
Met alle respect, ik wil u erop wijzen dat wij leven in het jaar 2011. En er is sindsdien gelukkig veel veranderd.
Mag ik verder, met het oog op onze afspraak morgen, de volgende definitie onder úw aandacht brengen:
compromis [kom-pro-mi] – *zelfstandig naamwoord*
1. minnelijke schikking tussen meerdere partijen; overeenkomst waarbij partijen conflicterende claims, principes etc. bijstellen

door wederzijds de eisen aan te passen, schikking tussen partijen waarbij ieder van beiden iets toegeeft, syn. *tussenoplossing, middenweg.*
2. het resultaat van zo'n schikking.
3. iets wat tussen twee verschillende dingen in ligt: *een splitlevelhuis is een compromis tussen een bungalow en een huis met meerdere verdiepingen.*
4. handeling waarbij men een deel van zijn beginselen prijsgeeft, of zijn eer en goede naam in gevaar brengt of verdacht maakt, etc.: *een compromis in integriteit van iemand.*
Ana

Wat een verrassing, een uitdagend mailtje van mevrouw Steele. Maar onze afspraak gaat nog wel door. *Een hele opluchting.*

Van: Christian Grey
Onderwerp: Hoe bedoel je Mijn voorwaarden?
Datum: 24 mei 2011 18:32
Aan: Anastasia Steele

Goed punt, en zoals altijd, goed gebracht, mevrouw Steele. Ik kom u morgen om 19.00 uur ophalen bij uw appartement.

Christian Grey
Directeur, Grey Enterprises Holdings, Inc.

Mijn telefoon gaat. Het is Elliot.
'Hé, grote baas. Kate heeft me gevraagd om je te bellen over de verhuizing.'
'De verhuizing?'
'Kate en Ana helpen verhuizen, oetlul.'
Ik zucht overdreven. Hij is echt een grove zak. 'Ik kan niet helpen. Ik moet Mia afhalen van het vliegveld.'
'Wat? Kan mam dat niet doen, of pap?'
'Nee. Mam belde me vanochtend.'
'Nou ja, dan is het niet anders. Je hebt me nooit laten weten hoe het ging met Ana? Hebben jullie nog g...'

'Dag, Elliot.' Ik hang op. Het gaat hem niets aan en er wacht een mailtje op me.

Van: Anastasia Steele
Onderwerp: 2011 – Vrouwen kunnen autorijden
Datum: 24 mei 2011 18:40
Aan: Christian Grey

Meneer,
Ik heb een auto. En een rijbewijs.
Ik rijd liever zelf ergens heen.
Waar kunnen wij elkaar treffen?
In uw hotel om 19.00 uur?
Ana

Irritant. Ik schrijf onmiddellijk terug.

Van: Christian Grey
Onderwerp: Koppige jonge dames
Datum: 24 mei 2011 18:43
Aan: Anastasia Steele

Geachte mevrouw Steele,
Ik refereer aan mijn e-mail gedateerd 24 mei 2011, verzonden om
1.27 uur en de daarin opgenomen definitie.
Denkt u dat u ooit gewoon kunt doen wat er wordt gezegd?

Christian Grey
Directeur, Grey Enterprises Holdings, Inc.

Haar antwoord laat even op zich wachten, wat niet goed is voor mijn humeur.

Van: Anastasia Steele
Onderwerp: Eigengereide mannen
Datum: 24 mei 2011 18:49
Aan: Christian Grey

Meneer Grey,
Ik wil graag zelf rijden. AUB.
Ana

Eigengereid? Ik? Shit. Als onze bespreking naar wens verloopt, zal dat dwarse gedrag tot het verleden behoren. Met dat in mijn achterhoofd ga ik akkoord.

Van: Christian Grey
Onderwerp: Geërgerde mannen
Datum: 24 mei 2011 18:52
Aan: Anastasia Steele

Goed dan.
Mijn hotel om 19.00 uur.
Ik zie je in de Marble Bar.

Christian Grey
Directeur, Grey Enterprises Holdings, Inc.

Van: Anastasia Steele
Onderwerp: Toch niet zo eigengereide mannen
Datum: 24 mei 2011 18:55
Aan: Christian Grey

Dank je.
Ana x

Mijn beloning is een kus. Ik negeer mijn gevoelens daarover en laat haar weten dat ze welkom is. Mijn humeur is een stuk beter als ik naar de fitnessruimte van het hotel loop.

Ze heeft me een kus gestuurd...

Woensdag 25 mei 2011

Ik sta aan de bar en bestel een glas sancerre. De hele dag heb ik naar dit moment toegeleefd en ik kijk de hele tijd op mijn horloge. Het lijkt wel een eerste afspraakje en op een bepaalde manier is het dat ook. Ik heb nog nooit een mogelijke Onderdanige mee uit eten genomen. Vandaag heb ik oeverloze vergaderingen overleefd, een bedrijf gekocht en drie mensen ontslagen. Maar niets van wat ik vandaag heb gedaan, inclusief hardlopen – twee keer – en een snel circuitje in de sportschool, liet de innerlijke onrust verdwijnen die me de hele dag heeft geplaagd. Alleen Anastasia Steele kan dat. Ik wil dat ze zich aan me overgeeft.

Ik hoop dat ze niet te laat komt. Over mijn schouder kijk ik even naar de ingang van de bar... en mijn mond wordt droog. Ik zie haar op de drempel staan en heel even besef ik niet dat zij het is. Ze ziet er schitterend uit. Haar haren vallen aan één kant zacht golvend op haar borsten en aan de andere kant is het vastgezet zodat je haar zachte kaaklijn en de vloeiende ronding van haar slanke hals goed kunt zien. Ze draagt hoge hakken en een strakke donkerpaarse jurk die haar ranke, verleidelijke figuur accentueert.

Wow.

Ik loop naar haar toe om haar te begroeten. 'Je ziet er adembenemend uit,' fluister ik en kus haar op haar wang. Ik doe mijn ogen dicht en geniet van haar geur, ze ruikt hemels. 'Een jurk, mevrouw Steele. Dat kan mijn goedkeuring wel wegdragen.' Een paar diamanten in haar oren zouden het plaatje compleet maken, die moet ik absoluut voor haar kopen.

Ik pak haar hand en begeleid haar naar een tafeltje. 'Wat wil je drinken?'

Als ze gaat zitten, word ik beloond met een veelbetekenende glimlach. 'Ik wil graag hetzelfde als wat jij drinkt.'

Ah, ze begint het al te leren. 'Nog een glas sancerre,' zeg ik tegen de ober en ik ga tegenover haar aan het tafeltje zitten. 'De wijnkaart is hier uitstekend,' zeg ik en ik neem even de tijd om haar in me op te nemen. Ze heeft maar weinig make-up op. Precies genoeg. Ik denk terug aan hoe simpel ze eruitzag toen ze de eerste keer mijn kantoor binnen viel. Maar ze is allesbehalve simpel. Met een beetje make-up en de juiste kleding is ze een godin.

Ze verschuift wat op haar bank en knippert met haar ogen.

'Ben je zenuwachtig?' vraag ik.

'Ja.'

Dit is het moment, Grey.

Ik buig voorover en fluister zachtjes dat ik ook nerveus ben. Ze kijkt me aan alsof ze water ziet branden.

Inderdaad schatje, ik kan ook menselijk zijn... net genoeg als noodzakelijk is.

De ober zet Ana's wijn en twee kleine bakjes met gemengde noten en olijven tussen ons in op tafel.

Ana recht haar schouders als teken dat het haar menens is, net als die keer toen ze mij voor het eerst interviewde. 'En, hoe zullen we dit aanpakken? Lopen we mijn punten één voor één door?' vraagt ze.

'Net zo ongeduldig als altijd, mevrouw Steele.'

'Oké, we kunnen het ook over het weer hebben, als je dat liever hebt,' kaatst ze terug.

O, die bijdehante mond.

Laat haar maar even in haar sop gaarkoken, Grey.

Ik houd mijn ogen op haar gericht, stop een olijf in mijn mond en lik mijn wijsvinger af. Haar pupillen worden groter en donkerder.

'Ik vond het weer vandaag niet om over naar huis te schrijven,' merk ik nonchalant op.

'Drijft u de spot met mij, meneer Grey?'

'Jazeker, mevrouw Steele.'

Ze tuit haar lippen om een lach te smoren. 'U weet dat dit contract wettelijk niet standhoudt?'

'Daar ben ik van op de hoogte, mevrouw Steele.'

'En wanneer was u van plan me dat te vertellen?'

Hè? Ik dacht niet dat dat nodig was... je hebt het nota bene zelf uitge-werkt. 'Jij denkt dat ik je zou dwingen iets te doen wat je niet wilt en vervolgens net zou doen alsof ik een rechtsgeldig dwangmiddel heb?'

'Nou... eh, ja.'

Poeh poeh. 'Je hebt geen erg hoge pet van me op, of wel?'

'Je hebt mijn vraag nog niet beantwoord.'

'Anastasia, het maakt niet uit of dat contract rechtsgeldig is of niet. Het gaat om een regeling tussen jou en mij – wat ik van jou verlang en wat je van mij kunt verwachten. Als je dat niet prettig vindt, dan teken je niet. Als je het wel tekent en achteraf tot de con-clusie komt dat je het niet fijn vindt, dan zijn er voldoende ontsnap-pingsclausules. Je kunt er altijd onderuit. En zelfs als het juridisch bindend zou zijn, denk je echt dat ik je voor de rechter zou slepen als jij besluit om ervandoor te gaan?'

Waar ziet ze me eigenlijk voor aan?

Ze neemt me met haar bodemloze, diepblauwe ogen op.

Wat ze moet begrijpen is dat deze overeenkomst niet om rechts-geldigheid, maar om vertrouwen gaat.

Ana, ik wil dat je me vertrouwt.

Terwijl ze een slokje wijn neemt, praat ik snel door en probeer het uit te leggen. 'Dit soort relaties is gebaseerd op eerlijkheid en ver-trouwen. Als je mij niet vertrouwt – en daarmee bedoel ik dat ik pre-cies weet hoeveel invloed ik op je heb, hoe ver ik met je kan gaan, hoe ver ik je kan brengen – als je niet eerlijk tegen mij kunt zijn, dan kunnen we hier beter niet eens aan beginnen.'

Terwijl ze nadenkt over wat ik heb gezegd, wrijft ze over haar kin.

'Dus het is eigenlijk heel simpel, Anastasia. Vertrouw je me of niet?'

En als ze zo'n lage dunk van me heeft, dan moeten we hier überhaupt niet aan beginnen.

De spanning ligt als een baksteen op mijn maag.

'Had je dit soort gesprekken ook met, eh... die vijftien anderen?'

'Nee.' *Waarom wil ze dat weten?*

'Waarom niet?' vraagt ze.

'Omdat dat allemaal vrouwen waren van wie ik van tevoren wist dat zij Onderdanigen waren. Zij wisten wat ze van een relatie met mij wilden en in grote lijnen wat ik van hen verwachtte. Met hen was het meer een kwestie van het afstemmen van de zachte grenzen, dat soort dingen.'

'Is er een winkel voor jullie soort mensen? De Onderdanigenkorf of zo?' Ze trekt een wenkbrauw op en ik moet hard lachen. De spanning in mijn lichaam verdwijnt als sneeuw voor de zon. 'Niet echt,' zeg ik luchtig.

'Hoe heb je ze dan ontmoet?'

Ze blijft maar doorvragen, maar ik wil het niet weer over Elena hebben. De vorige keer dat ik het over haar had, reageerde Ana ineens heel koel. 'Wil je het daar echt over hebben? Of zullen we meteen tot de kern van de zaak komen? Jouw bedenkingen, zoals je ze noemt.'

Er verschijnt een frons op haar voorhoofd.

'Heb je trek?' vraag ik.

Ze kijkt wantrouwend naar de olijven. 'Nee.'

'Heb je al iets gegeten vandaag?'

Ze aarzelt.

Shit.

'Nee,' zegt ze. Ik probeer niet boos te worden over haar antwoord.

'Je moet wat eten, Anastasia. We kunnen hier wat eten of in mijn suite. Waar eet je liever?'

Hier gaat ze echt niet op in.

'Volgens mij moeten we op een openbare plek blijven, op neutraal terrein.'

Zoals voorspeld. Heel verstandig, mevrouw Steele.

'Denk je dat ik me daardoor laat tegenhouden?' Ik klink hees.

Ze slikt. 'Dat hoop ik.'

Verlos dat meisje uit haar lijden, Grey.

'Kom, ik heb een privéruimte geboekt. Geen publiek.' Ik sta op en steek mijn hand naar haar uit.

Zal ze die aannemen?

Haar blik gaat van mijn gezicht naar mijn hand.

'Neem je wijn mee,' beveel ik zacht. Ze pakt haar glas en legt haar hand in de mijne.

Wanneer we de bar uit lopen, werpen de andere gasten bewonderende blikken op ons en zie ik openlijke waardering voor mijn date van een knappe, sportieve vent. Dat heb ik nog nooit meegemaakt... en eigenlijk vind ik het niet zo fijn.

Boven, op de mezzanine, leidt de door de maître d' aangewezen jonge gastheer in uniform ons naar de kamer die ik gereserveerd heb. Hij kan zijn ogen niet van mevrouw Steele afhouden. Ik kijk hem vernietigend aan om hem weg te jagen uit de weelderige eetkamer. Een oudere ober begeleidt Ana naar haar stoel en drapeert een servet op haar schoot.

'Ik heb al besteld. Ik hoop dat je dat niet erg vindt?'

'Nee, dat is prima,' zegt ze met een minzaam knikje.

'Fijn om te horen dat je ook volgzaam kunt zijn.' Ik grijns. 'Oké, waar waren we gebleven?

'De kern van de zaak,' zegt ze en ze concentreert zich. Ana neemt meteen een grote slok wijn en bloost. Ze is vast moed aan het verzamelen. Ik moet erop letten dat ze niet te veel drinkt, want ze moet nog rijden.

Ze kan natuurlijk ook hier blijven slapen... dan kan ik die sexy jurk van haar afstropen.

Ik concentreer me weer op waar we het over hebben: Ana's punten. Ik vis haar e-mail uit de binnenzak van mijn jasje. Opnieuw recht ze haar schouders en kijkt me vol verwachting aan. Ik moet een binnenpretje wegdrukken. 'Artikel 2. Akkoord. Dat is in het belang van ons allebei. Ik pas de tekst aan.'

Ze neemt nog een slok.

'Mijn seksuele gezondheid? Nou, mijn vorige partners hebben zich allemaal laten testen, en ik laat me elk halfjaar testen op van alles. Ik heb nog nooit iets gehad. Drugs heb ik nooit gebruikt. Sterker nog, ik ben absoluut antidrugs. In mijn bedrijven geldt een zerotolerancebeleid. Iedereen die voor mij werkt, wordt steekproefsgewijs onderzocht op drugs.'

Vandaag nog heb ik iemand ontslagen omdat hij niet door de drugscontrole was gekomen.

Ze is geschokt, maar ik praat verder. 'Bloedtransfusie, heb ik nog nooit gehad... Heb ik je vraag zo beantwoord?'

Ze knikt.

'Over je volgende punt hebben we het al gehad. Je kunt er op elk moment vanaf, Anastasia. Ik zal je niet tegenhouden. Maar als je wegloopt, dan is het definitief afgelopen. Denk daaraan.'

Nooit. Een. Tweede. Kans.

'Oké,' antwoordt ze, maar ze klinkt niet erg zeker van haar zaak. Als de ober binnenkomt met onze voorgerechten, zwijgen we allebei. Heel even vraag ik me af of we deze ontmoeting niet beter op mijn kantoor hadden kunnen houden. Maar die gedachte verwerp ik meteen omdat ze zo belachelijk is. Alleen idioten houden zaken en het meisje niet gescheiden. Ik houd mijn werk en mijn privéleven apart. Dat is een van mijn regels, de enige uitzondering hierop is mijn relatie met Elena... Maar ja, zij heeft me geholpen bij het opzetten van mijn bedrijf.

'Ik hoop dat je van oesters houdt,' zeg ik tegen Ana als de ober weg is.

'Die heb ik nog nooit gegeten.'

'Echt? Nou. Je hoeft ze alleen maar in je keel te laten glijden en door te slikken. Dat lijkt me voor jou geen probleem.' Ik staar geconcentreerd naar haar mond en herinner me hoe goed ze kan slikken. Ze bloost precies op het goede moment. Ik knijp wat citroensap op de oester en giet hem in mijn mond. 'Hmm, heerlijk. De zilte smaak van de zee.' Als ze gefascineerd naar me kijkt, grijns ik. 'Toe maar,' moedig ik haar aan, wetend dat ze niet snel voor een uitdaging terugschrikt.

'Dus ik hoef niet te kauwen?'

'Inderdaad, Anastasia.' Ik doe hard mijn best om haar tanden niet voor me te zien wanneer die met mijn favoriete lichaamsdeel spelen. Ze drukt haar tanden in haar onderlip, waardoor wat beetsporen achterblijven.

Verdomme. Die aanblik zet mijn lichaam in vuur en vlam en ik verschuif op mijn stoel. Ze pakt een oester, knijpt er citroensap overheen, houdt haar hoofd naar achteren en doet haar mond helemaal open. Wanneer ze de oester haar mond in laat glijden, verstijft mijn hele lichaam.

'En?' Als ik haar dat vraag, klink ik wat hees.

'Ik wil er nog wel een,' zegt ze droogjes.

'Goed zo.'

Ze vraagt of ik expres oesters heb gekozen, omdat ik weet dat ze bekendstaan om hun lustopwekkende kwaliteiten. Als ik haar vertel dat ze gewoon boven aan het menu staan, is ze verrast. 'Bij jou heb ik geen lustopwekker nodig.'

Ik zou je nu meteen kunnen neuken.

Gedraag je, Grey. Hou je hoofd bij de onderhandelingen.

'Dus, waar waren we?' Ik kom terug op haar e-mail en richt me op de openstaande kwesties. Artikel 9. 'Mij in alles gehoorzamen. Ja, ik wil dat je dat doet.' Dat is belangrijk voor mij. Ik moet weten dat het goed met haar gaat en dat ze *alles* voor me overheeft. 'Ik heb dat nodig. Beschouw het als een rollenspel, Anastasia.'

'Maar ik ben bang dat je me pijn zult doen.'

'Pijn doen? Op wat voor manier?'

'Fysiek.'

'Denk je echt dat ik dat zou doen? Verder gaan dan jij aankunt?'

'Je zei dat je al eens iemand pijn gedaan hebt.'

'Dat klopt. Maar dat is lang geleden.'

'Hoe kon dat dan gebeuren?'

'Ik had haar aan het plafond van mijn speelkamer gehangen. Dat was ook een van je vragen, toch? Ophanging, daar zijn die karabijnhaken in de speelkamer voor. Bondage. Een van de touwen zat te strak.'

Geschokt zwaait ze met haar handen en smeekt me om mijn mond te houden.

Te veel informatie.

'Genoeg. Meer hoef ik niet te weten. Dus mij ga je niet aan het plafond ophangen?' vraagt ze.

'Niet als je dat echt niet wilt. Je kunt er een harde grens van maken.'

'Oké.' Ze zucht opgelucht.

Doorgaan, Grey. 'En gehoorzamen, denk je dat dat je gaat lukken?'

Ze kijkt me aan met priemende ogen die dwars door mijn duistere ziel heen prikken en ik heb geen idee wat ze zal antwoorden.

Shit. Dit zou het einde kunnen zijn.

'Ik zou het kunnen proberen,' zegt ze fluisterend.

Nu is het mijn beurt om opgelucht adem te halen. *Ik ben nog steeds in de race.* 'Goed.'

'Dan nu de periode.' Artikel 11. 'Eén maand in plaats van drie, dat vind ik maar niks. En al helemaal niet als je iedere maand een weekend zonder mij wilt.' In dat tijdsbestek komen we helemaal nergens aan toe. Ze heeft training nodig en ik kan niet zo lang zonder haar. Dat vertel ik haar. Misschien kunnen we een compromis sluiten, zoals zij voorstelde. 'Wat dacht je van een half weekend per maand voor jezelf en dan krijg ik die week een doordeweekse avond ter compensatie?'

Ik zie dat ze het voorstel afweegt. 'Oké,' zegt ze uiteindelijk ernstig.

Mooi.

'En laten we het alsjeblieft drie maanden uitproberen. Als je merkt dat het niets voor je is, kun je er op elk moment onderuit.'

'Drie maanden,' zegt ze. Is ze het daarmee eens? Ik interpreteer het als 'ja'.

Perfect. We kunnen beginnen.

'Dat eigendomsgedoe, zo heet dat gewoon. Het heeft te maken met het gehoorzaamheidsprincipe. Om jou het juiste referentiekader te geven, zodat je snapt waar het mij om gaat. Begrijp goed dat ik met je doe waar ik zin in heb zodra je als Onderdanige tegen mijn wensen in gaat. Dat is iets wat je niet alleen lijdzaam moet ondergaan, je moet het zelfs verwelkomen. Daarom moet je me ook vertrouwen. Ik ga je neuken, waar, wanneer en hoe ik maar wil. Ik zal je straffen, want je zult fouten maken. Ik ga je trainen om het mij naar de zin te maken. Maar ik weet ook dat je dit nog nooit hebt gedaan. We beginnen dus heel rustig en ik zal je helpen. We bouwen alles langzaam op naar verschillende scenario's. Ik wil dat je me vertrouwt, maar besef ook dat ik dat vertrouwen moet verdienen, dus daar ga ik mijn best voor doen. Het "of anderszins" in die clausule, nogmaals, dat is bedoeld zodat je de juiste mindset hebt, het betekent dat alles toegestaan is.'

Goed verhaal, Grey.

Ze leunt achterover en is uit het veld geslagen, denk ik.

'Ben je er nog?' vraag ik zachtjes. De ober komt stilletjes de kamer binnen en met een knikje geef ik hem toestemming om onze tafel af te ruimen.

'Wil je nog wat wijn?' vraag ik haar.

'Ik moet nog rijden.'

Goed antwoord.

'Water?'

Ze knikt.

'Met of zonder bubbels?'

'Met bubbels graag.'

De ober loopt weg met onze borden.

'Je bent erg stil,' fluister ik. Ze heeft nauwelijks iets gezegd.

'En jij praat heel veel,' kaatst ze meteen terug.

Goede opmerking, mevrouw Steele.

Door naar het volgende item op haar lijst met onderwerpen: artikel 15. Ik haal diep adem. 'Straf. De scheidslijn tussen genot en pijn is flinterdun, Anastasia. Het zijn twee kanten van dezelfde medaille, het ene bestaat niet zonder het andere. Ik kan je laten voelen hoe lekker pijn is. Je zult me nu nog niet geloven, maar dat bedoel ik nou met vertrouwen. Ja, ik ga je pijn doen, maar nooit zoveel dat je het niet aankunt.' Dat kan ik niet genoeg benadrukken. 'Het komt altijd weer aan op vertrouwen. Vertrouw je me, Ana?'

'Ja, dat wel,' zegt ze meteen. Haar antwoord komt als een complete verrassing en brengt me van mijn stuk.

Alweer.

Vertrouwt ze me nu al?

'Nou, de rest van dit gedoe draait om details.' Ik voel me fantastisch.

'Belangrijke details.'

Ze heeft gelijk. *Concentreren, Grey.*

'Oké, laten we die doornemen.'

De ober komt weer binnen, nu met onze hoofdgerechten.

'Ik hoop dat je van vis houdt,' zeg ik wanneer hij het eten voor ons neerzet. De zwarte kabeljauw ziet er heerlijk uit. Ana neemt een hap.

Hè hè, ze eet!

'De regels,' vervolg ik. 'Zullen we het daarover hebben? Met die clausule over eten staat of valt de overeenkomst?'

'Ja.'

'Kan ik die dan aanpassen naar minstens drie maaltijden per dag?'

'Nee.'

Ik onderdruk een geïrriteerde zucht maar houd vol. 'Ik moet zeker weten dat je geen honger lijdt.'

Er verschijnt een frons in haar voorhoofd. 'Dan moet je me maar vertrouwen.'

'Touché, mevrouw Steele,' mompel ik tegen mezelf. Dit soort discussies kan ik niet winnen. 'Ik geef toe op de punten eten en slaap.' Ik krijg een zuinig, opgelucht glimlachje van haar. 'Waarom mag ik je niet aankijken?' vraagt ze.

'Dat is een Meester-Onderdanigeding. Daar wen je wel aan.'

Ze fronst opnieuw en ziet er gepijnigd uit deze keer. 'Waarom mag ik je niet aanraken?' vraagt ze.

'Daarom niet.'

Zorg dat ze haar mond houdt, Grey.

'Heeft dat te maken met Mrs. Robinson?'

Hè? 'Waarom denk je dat? Denk je dat ik een trauma heb door haar?'

Ze knikt.

'Nee, Anastasia. Zij heeft hier niets mee te maken. Bovendien zou Mrs. Robinson hier nooit mee instemmen.'

'Dus het heeft niets met haar te maken?' vraagt ze en ze kijkt verward.

'Nee.'

Ik kan het niet verdragen om te worden aangeraakt. En schatje, jij wilt echt niet weten waarom niet.

'Nee. En ik wil ook niet dat jij jezelf aanraakt,' voeg ik eraan toe.

'Puur uit nieuwsgierigheid, waarom?'

'Omdat ik al je genot wil.'

Sterker nog, dat wil ik nu meteen. Ik zou haar hier kunnen neuken om te ontdekken of ze ook stil kan zijn. Echt muisstil, omdat we binnen gehoorsafstand van het hotelpersoneel en de gasten zijn. Eigenlijk is dat de echte reden waarom ik deze kamer gereserveerd heb.

Ze doet haar mond open alsof ze iets wil gaan zeggen, maar sluit die dan weer en neemt een hap van haar bijna onaangeraakte bord. 'Veel om over na te denken, hè?' zeg ik, en ik vouw haar e-mail weer op en stop die in mijn binnenzak.

'Ja.'

'Wil je het nu ook over de zachte grenzen hebben?'

'Niet tijdens het eten.'

'Teergevoelig?'

'Zoiets.'

'Je hebt niet veel gegeten.'

'Ik heb genoeg gehad.'

Weer hetzelfde liedje. 'Drie oesters, vier hapjes kabeljauw, één asperge, geen aardappelen, geen noten, geen olijven en de rest van de dag heb je ook al niks gegeten. Jij zei dat ik je kon vertrouwen.' Haar ogen worden groter. *Precies. Ik hou het allemaal bij, Ana.*

'Alsjeblieft, Christian, dit soort gesprekken heb ik niet dagelijks.'

'Ik wil dat je fit en gezond bent, Anastasia.' Ik geef geen duimbreed toe.

'Weet ik.'

'En op dit moment wil ik die jurk van je afstropen.'

'Dat vind ik geen goed plan,' fluistert ze. 'We hebben nog geen dessert gegeten.'

'Wil je een dessert?' Zonder dat je het hoofdgerecht hebt opgegeten?

'Ja.'

'Jij zou het dessert kunnen zijn.'

'Ik weet niet of ik wel zoet genoeg ben.'

'Anastasia, je bent heerlijk zoet. Ik weet er alles van.'

'Christian. Jij gebruikt seks als wapen. Dat is echt oneerlijk.' Ze kijkt naar haar schoot. Haar stem is zacht en klinkt een beetje melancholiek. Ze richt haar hoofd weer op en kijkt me intens aan, haar diepblauwe ogen ontmoedigen de mijne... en winden me op.

'Je hebt gelijk. Dat is zo,' geef ik toe. 'Waar je verstand van hebt, dat gebruik je. Maar dat doet niets af aan hoeveel ik naar je verlang. Hier. Nu. Op dit moment.' *We zouden kunnen neuken, hier, op dit moment.* Ik weet dat je geïnteresseerd bent, Ana. Ik heb gehoord dat je ademhaling sneller gaat. 'Ik wil graag iets uitproberen.' Ik wil echt weten hoe stil ze kan zijn en of ze dit kan doen terwijl ze bang is om ontdekt te worden.

Ze fronst opnieuw, ze is verward.

'Als je mijn Onderdanige zou zijn, zou je hier helemaal niet over hoeven na te denken. Dan was het makkelijk voor je. Al die beslissingen, al die vermoeiende denkprocessen die eraan voorafgaan. Al dat gedoe van "Is dit wel de juiste beslissing? Moet dat hier? Kan dit nu?" Je zou je totaal niet druk moeten hoeven maken over die details. Als je Meester zou ik dat voor je doen. En op dit moment, Anastasia, weet ik zeker dat je mij wilt.'

Ze gooit haar haren over haar schouder naar achteren. Terwijl ze aan haar lippen likt, wordt haar frons dieper.

O, jazeker. Ze wil me.

'Dat weet ik omdat je lichaam je verraadt. Je drukt je dijen tegen elkaar aan, je bloost en je ademhaling is anders.'

'Hoe weet je dat van mijn dijen?' vraagt ze met hoge stem. Ik denk dat ze geschokt is.

'Ik voelde het tafellaken bewegen en verder is het een beredeneerde gok gebaseerd op jarenlange ervaring. Heb ik gelijk of niet?'

Ze is even stil en kijkt de andere kant op. 'Ik heb m'n kabeljauw nog niet opgegeten.'

'Je hebt liever koude vis dan mij?'

Haar grote ogen met donkere pupillen ontmoeten de mijne. 'Ik dacht dat je het fijn vond als ik mijn bord leeg at.'

'Op dit moment, mevrouw Steele, kan dat eten me geen fuck schelen.'

'Christian. Dit is gewoon niet eerlijk. Je speelt vals.'

'Weet ik. Doe ik altijd.'

We hebben allebei een sterke wil en die nemen het tegen elkaar op. We zijn ons duidelijk bewust van de seksuele spanning tussen ons.

Wil je alsjeblieft gewoon doen wat ik je vraag? Ik werp haar een indringende blik toe. Maar haar ogen schitteren van sensuele ongehoorzaamheid en een glimlach krult om haar lippen. Terwijl ze me strak blijft aankijken, pakt ze een asperge en bijt opzettelijk op haar lip.

Waar is ze mee bezig?

Heel langzaam stopt ze het puntje van de spies in haar mond en zuigt eraan.

Fuck.

Ze speelt een spelletje met me, een gevaarlijke tactiek die ervoor zorgt dat ik haar boven op deze tafel ga neuken.

Ja, kom maar op, mevrouw Steele.

Ik kijk als verlamd toe en voel dat ik elke seconde harder word.
'Anastasia. Wat doe je?' waarschuw ik.
'Ik eet een asperge,' zegt ze met een zedig glimlachje.
'U speelt met me, mevrouw Steele.'
'Ik eet alleen m'n bord leeg, meneer Grey.' Haar mond wordt heel langzaam breder, vlezig. De temperatuur tussen ons stijgt met een paar graden. Ze heeft echt geen idee hoe sexy ze is... Als de ober op de deur klopt en naar binnen loopt, sta ik op het punt haar te bespringen.

Verdomme.

Ik laat hem de tafel afruimen en richt mijn aandacht weer op mevrouw Steele. Haar frons is terug en ze friemelt met haar vingers.

Verdomme.

'Wil je nog een dessert?' vraag ik.
'Nee, dank je. Ik moest maar eens gaan,' zegt ze en staart nog steeds naar haar handen.
'Gaan?' *Gaat ze weg?*
De ober loopt snel weg met onze borden.
'Ja,' zegt Ana vastbesloten. Ze staat op om te vertrekken. En ik sta automatisch ook op. 'We hebben morgen allebei die buluitreiking,' zegt ze.

Dit gaat totaal niet volgens plan.

'Ik wil niet dat je weggaat,' zeg ik, want dat is de waarheid.
'Alsjeblieft... laat me gaan,' dringt ze aan.
'Waarom?'
'Omdat je me zoveel om over na te denken hebt gegeven en ik een beetje afstand nodig heb.' Haar ogen smeken me haar te laten gaan.

Maar we zijn al zo ver gekomen in onze onderhandelingen. We hebben compromissen gesloten. We kunnen echt zorgen dat dit een succes wordt. *Ik moet zorgen dat dit goed afloopt.*

'Ik kan je dwingen om te blijven,' zeg ik tegen haar, wetende dat ik haar op dit moment in deze kamer kan verleiden.
'Ja, dat zou je makkelijk kunnen doen, maar dat wil ik niet.'
Dit gaat de helemaal verkeerde kant op, ik heb mijn hand overspeeld. Dit is niet wat ik voor ogen had. Uit frustratie haal ik mijn hand door mijn haar.

'Weet je, toen je mijn kantoor binnen viel voor dat interview, was het de hele tijd "ja, meneer", "nee, meneer". Ik dacht dat je een geboren Onderdanige was. Maar eerlijk gezegd betwijfel ik of er ook maar een greintje onderdanigheid in dat heerlijke lijf van je zit, Anastasia.' Ik overbrug de paar stappen die ons scheiden en kijk in haar ogen, die glanzen van vastberadenheid.

'Daar zou je wel eens gelijk in kunnen hebben,' zegt ze.

Nee, nee. Ik wil helemaal geen gelijk hebben.

'Ik wil de kans krijgen om uit te zoeken of het misschien toch wel zo is.' Ik streel haar gezicht en duw haar onderlip met mijn duim naar beneden. 'Ik ken geen andere manier, Anastasia. Zo ben ik nu eenmaal.'

'Weet ik,' zegt ze.

Ik buig mijn hoofd voorover en strijk met mijn lippen over de hare. Ik wacht tot ze haar ogen dichtdoet en haar mond opheft naar de mijne. Ik wil haar een kort, keurig kusje geven, maar als onze lippen elkaar raken, houdt ze haar hoofd uitnodigend schuin. Plotseling grijpt ze met haar handen mijn haren beet, doet haar mond voor me open en dringt met haar tong naar binnen. Ik leg mijn hand op haar onderrug en druk haar tegen me aan. De kus wordt intenser als ik haar vurigheid beantwoord.

Jezus, ik wil haar.

'Kan ik je niet overhalen om toch te blijven?' Ik fluister het tegen haar mondhoek terwijl mijn lichaam reageert en ik steeds harder word van verlangen.

'Nee.'

'Blijf vannacht bij me.'

'Zonder je aan te raken? Nee.'

Verdomme. Duisternis maak zich meester van mijn onderbuik, maar ik negeer het.

'Onmogelijk meisje,' mompel ik en ik trek me terug. Onderzoekend kijk ik naar haar gespannen gezicht en sombere gelaatsuitdrukking.

'Waarom heb ik het gevoel dat je afscheid aan het nemen bent?'

'Omdat ik nu wegga.'

'Dat bedoel ik niet en dat weet je best.'

'Christian, ik moet hierover nadenken. Ik weet niet of ik klaar ben voor de soort relatie die jij wilt.'

Ik doe mijn ogen dicht en leun met mijn voorhoofd tegen het hare.

Wat verwachtte je eigenlijk, Grey? Ze is hier gewoon niet geschikt voor.

Ik haal diep adem en kus haar op haar voorhoofd. Daarna begraaf ik mijn neus in haar haren, ruik de zoete herfstachtige geur en sla die op in mijn geheugen.

Dit was het dan. Het is mooi geweest.

Ik zet een stap terug en laat haar los. 'Zoals u wenst, mevrouw Steele. Ik zal u naar de lobby begeleiden.' Ik steek mijn hand uit. Misschien is het de laatste keer en het verrast me hoeveel pijn het doet. Ze legt haar hand in de mijne en zwijgend lopen we naar beneden naar de receptie.

'Heb je je parkeerkaartje?' vraag ik als we in de lobby zijn. Ik klink rustig en beheerst, maar vanbinnen ben ik volledig van de kaart.

Ze haalt het kaartje uit haar handtas en ik geef dat aan de portier.

'Bedankt voor het etentje,' zegt ze.

'Zoals gewoonlijk was het me een waar genoegen, mevrouw Steele.'

Dit kan niet het einde zijn. Ik moet het haar laten zien, voordoen wat het allemaal inhoudt en wat we samen kunnen doen. Haar demonstreren wat we in de speelkamer kunnen doen. Dan begrijpt ze het vast. Misschien is dat wel de enige manier waarop ik deze deal kan redden. Snel zeg ik tegen haar: 'Dit weekend verhuis je naar Seattle. Als jij de juiste beslissing neemt, zullen we dan zondag afspreken?' vraag ik.

'Dat zien we nog wel. Misschien,' zegt ze.

Ze zegt geen 'nee'.

Ik zie dat ze kippenvel op haar armen heeft. 'Het is fris geworden buiten, heb je een jasje bij je?' vraag ik.

'Nee.'

Iemand moet voor deze vrouw zorgen. Ik trek mijn colbert uit. 'Hier. Ik wil niet dat je kouvat.' Ik hang het om haar schouders en ze trekt de stof strak om zich heen, doet haar ogen dicht en haalt diep adem.

Vindt ze dat ik lekker ruik? Net zoals ik dat van haar vind?

Misschien is alles toch nog te redden.

De valet komt in een oude Volkswagen Kever voorrijden.
Wat is dat in godsnaam?
'Is dat jouw auto?' Die is vast stokoud. *Jezus!* De valet geeft de
sleutels af en ik druk een flinke fooi in zijn hand. Hij heeft zijn ge-
varengeld meer dan verdiend.
'Mag dat ding de weg wel op?' Ik kijk Ana strak aan. Hoe is het
mogelijk dat ze zich veilig voelt in die roestbak?
'Ja.'
'En red je het hiermee naar Seattle?'
'Ja. Natuurlijk.'
'Veilig?'
'Ja.' Ze probeert me gerust te stellen. 'Ik weet heus wel dat hij oud
is. Maar hij is van mij en hij rijdt. M'n stiefvader heeft hem voor me
gekocht.'
Als ik voorstel dat er betere opties zijn dan dit geval, beseft ze wat
ik aanbied en verandert haar gezichtsuitdrukking op slag.
Ze is gek.
'Je gaat *geen* nieuwe auto voor me kopen.'
'Dat zullen we nog wel eens zien,' mompel ik en ik probeer kalm
te blijven. Ik doe het portier aan de bestuurderskant open en terwijl
ze in de auto stapt, vraag ik me af of het niet beter is als ik Taylor
vraag haar naar huis te rijden. *Verdomme.* Opeens herinner ik me dat
hij vanavond vrij is.
Nadat ik het portier heb dichtgedaan, draait ze het raampje naar
beneden... tergend langzaam.
Jezus!
'Rij voorzichtig,' grom ik.
'Dag, Christian.' Haar stem hapert, alsof ze zich inhoudt om niet
in huilen uit te barsten.
Shit. Wanneer haar auto ronkend de straat uit rijdt, slaat mijn
stemming om van irritatie en bezorgdheid in machteloosheid.
Ik weet niet of ik haar ooit nog terug zal zien.
Als een idioot blijf ik op de stoep staan treuzelen tot het nachte-
lijk donker haar achterlichten opslokt.
Fuck. Waarom is het allemaal zo verkeerd gelopen?
Ik loop terug naar het hotel, ga naar de bar en bestel een fles san-
cerre. Ik pak de fles en neem hem mee naar mijn kamer. Mijn laptop

staat open op mijn bureau en voordat ik de fles opentrek, ga ik eerst zitten om een e-mail te typen.

Van: Christian Grey
Onderwerp: Deze avond
Datum: 25 mei 2011 22:01
Aan: Anastasia Steele

Ik begrijp niet waarom je er vanavond vandoor bent gegaan. Ik hoop oprecht dat ik al je vragen naar tevredenheid heb beantwoord. Ik weet dat ik veel ter afweging bij je heb neergelegd en ik hoop ten zeerste dat je mijn voorstel serieus zal overwegen. Ik wil zo graag dat het gaat lukken. We zullen het langzaamaan doen.
Vertrouw me.

Christian Grey
Directeur, Grey Enterprises Holdings, Inc.

Ik werp een blik op mijn horloge. Ze heeft minstens twintig minuten nodig om thuis te komen, waarschijnlijk langer in die barrel. Ik stuur Taylor een mailtje.

Van: Christian Grey
Onderwerp: Audi A3
Datum: 25 mei 2011 22:04
Aan: J.B. Taylor

Die Audi moet hier morgen afgeleverd worden.
Dank je.

Christian Grey
Directeur, Grey Enterprises Holdings, Inc.

Ik trek de fles sancerre open en schenk een glas in. Ik pak mijn boek, ga zitten en begin te lezen, maar het kost me veel moeite om te concentreren. Mijn ogen dwalen steeds af naar het scherm van mijn laptop. Wanneer zal ze terugmailen? Naarmate de minuten voorbij kruipen, barst ik bijna van de zenuwen. Waarom stuurt ze geen antwoord op mijn mailtje?

Om 23:00 uur stuur ik haar een sms'je.

Ben je veilig thuisgekomen?

Geen antwoord. Misschien is ze meteen naar bed gegaan. Voor middernacht stuur ik haar nog een mailtje.

Van: Christian Grey
Onderwerp: Vanavond
Datum: 25 mei 2011 23:58
Aan: Anastasia Steele

Ik hoop dat je het gered hebt in die barrel van je.
Laat me even weten of je veilig thuisgekomen bent.

Christian Grey
Directeur, Grey Enterprises Holdings, Inc.

Morgen zie ik haar op de buluitreiking en dan merk ik wel of ze me afwijst. Met die deprimerende gedachte kleed ik me uit, stap in bed en staar naar het plafond.

Deze deal heb je echt goed verknald, Grey.

Donderdag 26 mei 2011

Mammie is weg. Soms gaat ze naar buiten. En dan ben ik alleen. Alleen met mijn auto's en mijn knuffeldekentje. Als ze thuiskomt, slaapt ze op de bank. De bank is bruin en vies. Ze is moe. Soms leg ik mijn dekentje over haar heen. Of ze komt thuis met iets te eten. Dat soort dagen vind ik fijn. Dan eten we broodjes met boter. Soms eten we macaroni met kaas. Dat is mijn lievelingseten. Vandaag is mammie weg. Ik speel met mijn auto's. Ze rijden heel hard over de vloer. Mijn mammie is weg. Ze komt weer terug. Echt waar. Wanneer komt mammie thuis? Het is al donker en mijn mammie is weg. Als ik op een stoel sta, kan ik bij het lichtknopje. Aan. Uit. Aan. Uit. Aan. Uit. Licht. Donker. Licht. Donker. Licht. Ik heb honger. Ik eet de kaas op. In de koelkast ligt kaas. Kaas in een blauw zakje. Wanneer komt mammie thuis? Soms komt ze samen met hem thuis. Ik heb een hekel aan hem. Als hij komt, verstop ik me. Mijn lievelingsplekje is in de kast van mijn mammie. Die ruikt naar mammie. Die ruikt naar mammie als ze blij is. Wanneer komt mammie thuis? Mijn bed is koud. En ik heb honger. Ik heb mijn knuffeldekentje en mijn auto's maar mijn mammie niet. Wanneer komt mammie thuis?

Ik schrik wakker.

Fuck. Fuck. Fuck.

Ik heb een bloedhekel aan mijn dromen. Ze barsten van de pijnlijke gedachten, verwrongen herinneringen aan een tijd waar ik niet meer aan wil terugdenken. Mijn hart bonkt en ik drijf van het zweet. Het ergste van deze nachtmerries is dealen met de allesoverheersende angst als ik wakker word.

De laatste tijd heb ik veel vaker last van nachtmerries en ze zijn ook intenser. Geen idee waarom dat zo is. En Flynn is verdomme pas ergens volgende week weer terug. Ik strijk met mijn handen door mijn haar en kijk hoe laat het is. Het is 05:38 uur en het daglicht piept door de gordijnen. Bijna tijd om op te staan.

Ga even hardlopen, Grey.

Nog steeds geen bericht of mailtje van Ana. Met elke bonkende stap van mijn voeten op de stoep, voel ik de beklemming toenemen.

Laat los, Grey.

Laat het verdomme gewoon gaan!

Maar ik weet dat ik haar straks op de buluitreiking zal zien. Het lukt me niet om het los te laten. Voordat ik ga douchen, stuur ik haar opnieuw een sms'je.

Bel me.

Ik moet gewoon weten dat alles goed met haar is.

Na het ontbijt heb ik nog steeds niks van Ana gehoord. Om haar uit mijn hoofd te krijgen, werk ik een tijd aan de toespraak die ik tijdens de ceremonie zal houden. Op de buluitreiking zal ik het uitstekende werk van het Instituut voor Milieuwetenschappen honoreren en de vooruitgang prijzen die het in samenwerking met GEH heeft geboekt in landbouwtechnologie voor ontwikkelingslanden.

'*Is dat uw passie? Het wereldvoedselprobleem oplossen?*' Ana's goedgekozen woorden spoken door mijn hoofd en geven de nachtmerrie van vannacht een duwtje.

Ik schud de gedachte van me af en schrijf verder. Mijn pr-assistent Sam heeft een opzetje gestuurd waar veel te veel opschepperij over mij in staat. Ik heb een uur nodig om zijn geouwehoer om te vormen tot iets begrijpelijkers.

Halftien en nog steeds geen antwoord van Ana. Haar radiostilte is zorgwekkend en eerlijk gezegd ontzettend onbeleefd. Ik bel haar, maar haar telefoon schakelt meteen over op de voicemail. Ik hang weer op.

Een beetje zelfrespect, Grey.

Er klinkt een ping op mijn computer en mijn hart gaat sneller kloppen, maar het is Mia. Ondanks mijn slechte humeur moet ik toch lachen. Wat heb ik die meid gemist.

Van: Mia G. Chef Extraordinaire
Onderwerp: Vluchten
Datum: 26 mei 2011, 18:32 GMT-1
Aan: Christian Grey

Ha Christian,
Ik tel de dagen af tot ik hier eindelijk weg kan!
Verlos me. Alsjeblieft.
Mijn vluchtnummer op zaterdag is AF3622. Ik kom om 12:22 uur
aan en van pap moet ik economy class vliegen! Grrrr!
Ik heb bergen bagage. Liefs. Liefs. De mode in Parijs is fantastisch.
Mam zegt dat je een vriendin hebt.
Is dat zo?
Hoe is ze?
DAT MOET IK ECHT WETEN!!!!!
Zie je zaterdag. Heb je heel erg gemist.
À bientôt mon frère.
Mxxxxxxxxx

O verdomme! Mijn moeder heeft haar mond weer eens voorbij gepraat. Ana is mijn vriendin niet! En deze zaterdag zal ik de net zo
rappe mond van mijn zusje moeten snoeren en haar onverwoestbare
optimisme en nieuwsgierige vragen moeten zien te ontwijken. Soms
is ze enorm vermoeiend. Ik prent het vluchtnummer en het tijdstip
in mijn geheugen en stuur Mia snel een mailtje om haar te laten weten dat ik haar kom ophalen.

Om kwart voor tien maak ik me klaar voor de ceremonie. Grijs
pak, wit overhemd en natuurlijk *die* stropdas. Dat is de subtiele
boodschap van mij aan Ana dat ik het nog niet opgegeven heb. Het
is ook een herinnering aan betere tijden.

Zeer goede tijden inderdaad... Beelden van haar, vastgebonden en
vol begeerte, komen in mijn hoofd op. *Verdomme. Waarom heeft ze
niet gebeld?* Ik druk op redial.

Shit.

Nog steeds geen antwoord, kut!

Om precies 10:00 uur wordt er op mijn deur geklopt. Het is Taylor.

'Goedemorgen,' zeg ik als hij binnenkomt.

'Meneer Grey.'

'Hoe was je dag gisteren?'

'Goed, meneer.' Taylors houding verandert en zijn gezicht klaart op. Hij denkt vast aan zijn dochter.

'Sophie?'

'Ze is een schatje, meneer. En het gaat heel goed met haar op school.'

'Dat is heel fijn om te horen.'

'De A3 zal later vanmiddag in Portland arriveren.'

'Uitstekend. Kom, we gaan.'

Hoewel ik het liever niet toegeef, kijk ik er enorm naar uit om mevrouw Steele weer te zien.

De secretaresse van de rector magnificus gaat me voor naar een klein kamertje naast het auditorium. Ze bloost bijna op dezelfde manier als een bepaalde jongedame die ik van zeer nabij ken. In de foyer staan academici, het administratief personeel en wat studenten een kopje koffie te drinken voorafgaand aan de uitreiking. Tot mijn verbazing zie ik daar Katherine Kavanagh staan.

'Hallo Christian,' zegt ze, en komt naar me toe met het zelfvertrouwen dat de elite eigen is. Ze heeft haar toga aan en maakt een vrolijke indruk. Ze heeft Ana vast al gezien.

'Hallo Katherine. Hoe is het met je?'

'Je lijkt erg verbaasd mij hier te zien,' zegt ze wat beledigd en negeert mijn begroeting. 'Ik hou de afscheidsrede. Heeft Elliot je dat niet verteld?'

'Nee.' *We zijn niet dag en nacht samen hoor, Jezus.* 'Gefeliciteerd,' zeg ik er uit beleefdheid bij.

'Dank je.' Ze klinkt wat benepen.

'Is Ana er?'

'Bijna. Ze komt samen met haar vader.'

'Heb je haar vanochtend gezien?'

'Ja. Hoezo?'

'Ik wilde weten of ze goed thuisgekomen was in die barrel die zij auto noemt.'

'Wanda. Ze noemt haar Wanda. En ja, ze is goed thuisgekomen.' Ze kijkt me onderzoekend aan.

'Dat is goed om te horen.'

Op dat moment komt de rector naar ons toe. Hij glimlacht beleefd naar Kavanagh en neemt mij mee om de andere academici te gaan begroeten.

Ik ben opgelucht dat alles goed is met Ana, maar pissig dat ze niet reageert op mijn berichten. Dat is geen goed teken. Maar ik krijg niet lang de tijd om deze ontmoedigende situatie te overpeinzen. Een van de faculteitsleden kondigt aan dat het tijd is om te beginnen en leidt ons naar de gang.

In een moment van zwakte bel ik Ana nog een keer. Ik krijg meteen de voicemail en Kavanagh onderbreekt me. 'Ik verheug me op je toespraak,' zegt ze terwijl we samen de gang doorlopen.

Als we bij het auditorium komen, zie ik dat de zaal veel groter is dan ik verwacht had en de ruimte is afgeladen vol. Het publiek staat in één beweging op en juicht wanneer we naar het podium lopen. Het applaus wordt harder en als we één voor één op onze stoelen gaan zitten, neemt het langzaam af.

Als de rector aan zijn welkomstwoord begint, krijg ik de kans om de zaal rustig te bestuderen. Op de voorste rijen zitten studenten, ze hebben allemaal een identieke zwart-rode WSU-toga aan. *Waar is ze?* Systematisch inspecteer ik alle rijen.

Daar ben je.

Ik zie haar opgepropt op de tweede rij zitten. Ze leeft. Ik heb me als een idioot gedragen door vannacht en vanochtend zo veel zorgen en energie te steken in het erachter komen waar ze was. Haar stralende blauwe ogen zijn groot wanneer ze de mijne ontmoeten en ze schuift wat op haar stoel. Langzaam kruipt er een blosje over haar wangen.

Jaaa. Ik heb je gevonden. En jij hebt mijn berichten niet beantwoord.

Ze ontloopt me en daar ben ik pissig over. Echt heel pissig. Ik doe mijn ogen dicht en zie voor me hoe ik heet kaarsvet op haar borsten druppel terwijl zij kermend onder me ligt. Dat beeld roept een heel sterke reactie van mijn lichaam op.

Shit.

Hou je kop erbij, Grey.

Ik zet haar uit mijn hoofd, bedwing mijn geile gedachten en concentreer me op de toespraken.

Kavanagh houdt een inspirerende toespraak over het grijpen van kansen – *carpe diem, je hebt helemaal gelijk, Kate* – en krijgt een warm applaus als ze klaar is. Het is overduidelijk dat ze slim en populair is en veel zelfvertrouwen heeft. Absoluut niet het verlegen en bedeesde muurbloempje dat de mooie mevrouw Steele is. Eigenlijk verbaast het me dat ze vriendinnen zijn.

Mijn naam wordt geroepen en de rector kondigt mij aan. Ik sta op en loop naar de katheder. *Het moment is daar, Grey.*

'Ik ben het bestuur van de universiteit bijzonder erkentelijk dat zij mij gevraagd hebben om hier vandaag te spreken. Dat betekent veel voor me. Ik wil deze gelegenheid dan ook aangrijpen om u iets te vertellen over het fantastische werk dat het Instituut voor Milieuwetenschappen aan deze universiteit verricht. Dit instituut heeft zich ten doel gesteld economisch en ecologisch verantwoorde, duurzame landbouwmethodes te ontwikkelen voor derdewereldlanden. Ons uiteindelijke doel is bijdragen aan het uitbannen van honger en armoede in de hele wereld. Meer dan een miljard mensen, voornamelijk in de Afrikaanse Sahara en ten zuiden daarvan, Zuid-Azië en Latijns-Amerika, leven in vreselijke armoede. De landbouw functioneert niet of nauwelijks in deze delen van de wereld en dat leidt tot ecologische rampen en sociale ontwrichting. Uit eigen ervaring weet ik hoe het is om echt honger te lijden. Daarom is deze zoektocht voor mij een heel persoonlijke...

Als partners hebben wsu en geh heel veel vooruitgang geboekt op het gebied van bodemvruchtbaarheid en landbouwtechnologie. We pionieren in ontwikkelingslanden met systemen die maar weinig productiemiddelen nodig hebben. Op onze testlocaties is de oogstopbrengst verhoogd met dertig procent per hectare. wsu heeft een fundamentele rol gespeeld bij deze fantastische prestatie. geh is trots op de studenten die ons hierbij ondersteunen door stage te lopen bij onze testlocaties in Afrika. Zowel de lokale gemeenschappen als de studenten plukken de vruchten van het werk dat zij verrichten. Samen kunnen we de honger en de extreme armoede bestrijden waardoor deze streken geteisterd worden.

Naarmate de eerste wereld vooruit dendert in dit tijdperk van technologische ontwikkeling en de kloof tussen arm en rijk steeds groter wordt, is het echter essentieel dat we de eindige hulpbronnen van de aardbol niet verkwisten. Deze hulpbronnen zijn bedoeld voor de gehele mensheid en wij moeten er zuinig op zijn, manieren vinden om ze te hernieuwen en nieuwe oplossingen bedenken voor het voedselprobleem waar onze overbevolkte planeet mee kampt.

Zoals ik al zei, het werk dat GEH en WSU samen verrichten zal op den duur oplossingen opleveren. Het is onze taak om deze boodschap uit te dragen naar de buitenwereld. Via de communicatieafdeling van GEH willen we informatie en voorlichting geven aan de derde wereld. Ik ben blij te kunnen vertellen dat we veel vooruitgang boeken in technologie voor zonne-energie, de gebruiksduur van accu's en de uitbreiding van draadloos internet naar de verste uithoeken van de wereld. Ons uiteindelijke doel is dat gratis beschikbaar te kunnen stellen aan de gebruikers. Toegang tot onderwijs en informatie, iets wat wij hier vanzelfsprekend vinden, is een essentiële factor om een einde te kunnen maken aan de armoede in deze ontwikkelingsregio's.

Wij hebben geluk. Wij zijn allemaal bevoorrecht. Sommigen meer dan anderen en ik reken mezelf tot die categorie. Moreel hebben wij de verplichting om degenen die minder geluk hebben, de kans te geven op een fatsoenlijk leven: gezond, veilig en goed gevoed met meer toegang tot middelen die wij hier allemaal heel vanzelfsprekend vinden.

Ik wil afsluiten met een citaat dat ik nooit vergeten ben. Ik citeer een Noord-Amerikaanse indiaan die dit ooit heeft gezegd: "Pas als het laatste blad is gevallen, de laatste boom dood is gegaan en de laatste vis gevangen, zullen we beseffen dat je geld niet kunt opeten.'"

Als ik tijdens het overdonderende applaus ga zitten, weersta ik de verleiding om Ana aan te kijken en bestudeer ik de WSU-vlag die achter in het auditorium hangt. Als zij me wil ontlopen, prima. Dat spelletje kunnen we allebei spelen.

De vicerector staat op om te beginnen met de buluitreiking. En dan begint het kwellende wachten tot we bij de s aangekomen zijn en ik haar weer zal zien.

Na wat een eeuwigheid lijkt, hoor ik dat haar naam afgeroepen wordt. 'Anastasia Steele.' Na een kort applaus komt ze naar mij toe gelopen. Ze is in gedachten verzonken en ziet er bezorgd uit.

Shit.
Waar denkt ze aan?
Hou je hoofd erbij, Grey.
'Gefeliciteerd, mevrouw Steele,' zeg ik als ik Ana haar bul over-handig. We schudden elkaar de hand en ik blijf de hare vasthouden.
'Heb je problemen met je laptop?'
Ze kijkt verbaasd. 'Nee.'
'Dan negeer je mijn mailtjes dus *wel.*' Ik laat haar los.
'Ik heb alleen een e-mail over een fusie en een overname gezien.'
Wat bedoelt ze daar in godsnaam mee?
Haar frons wordt dieper, maar ze moet doorlopen, de rij achter haar wordt steeds langer.
'Tot straks.' Als ze verder loopt, zeg ik tegen haar dat we nog niet uitgepraat zijn.
Tegen de tijd dat we eindelijk de rij eindelijk hebben afgewerkt, voel ik me gemangeld. Giechelende bakvissen hebben naar me zit-ten lonken, knipogen, in mijn hand geknepen en briefjes van vijf met hun telefoonnummer in mijn hand gedrukt. Als ik onder luid applaus en sombere kerkelijke muziek samen met de andere facul-teitsleden het podium verlaat, voel ik me opgelucht.
In de gang pak ik Kavanagh bij haar arm. 'Ik moet Ana spreken. Kun jij haar voor me opzoeken? Nu.'
Kavanagh is verrast maar voordat ze iets kan zeggen, zeg ik er zo beleefd als ik kan bij: 'Alsjeblieft.'
Haar mond verstrakt afkeurend, maar ze wacht samen met mij tot de rij met hoogleraren voorbijgelopen is. Dan gaat ze terug naar het auditorium. De rector magnificus blijft even staan om me felicite-ren met mijn toespraak.
'Ik vond het een eer ervoor gevraagd te worden,' reageer ik en ik schud nogmaals zijn hand. Vanuit mijn ooghoek spot ik Kate in de gang met Ana naast haar. Ik verontschuldig me en loop Ana tege-moet.
'Dank je,' zeg ik tegen Kate, die Ana een bezorgde blik toewerpt. Ik let niet op haar, pak Ana bij een elleboog en loop met haar de eerste deur binnen die ik tegenkom. Het is een mannenkleedka-mer. Omdat hij fris ruikt, weet ik dat er verder niemand is. Ik doe de deur op slot, draai me om en kijk mevrouw Steele aan. 'Waarom

heb je me niet teruggemaild? Of ge-sms't?' vraag ik op dringende toon.

Ze knippert een paar keer met haar ogen, de ontsteltenis is van haar gezicht af te lezen. 'Ik heb mijn mail vandaag nog niet gelezen en m'n telefoon staat uit.' Ze lijkt oprecht overrompeld door mijn uitbarsting. 'Fantastische speech trouwens,' zegt ze erbij.

'Dank je,' mompel ik, van mijn stuk gebracht. Hoe kan het dat ze haar mail en telefoon niet heeft gecheckt?

'Nu begrijp ik opeens waarom je altijd zo doordramt over eten,' zegt ze zacht. Als ik me niet vergis, klinkt er wat medelijden in door.

'Anastasia, daar wil ik het nu niet over hebben.'

Ik zit niet te wachten op je medelijden.

Ik doe mijn ogen dicht. En ik de hele tijd maar denken dat ze niet meer met me wilde praten. 'Ik maakte me zorgen om je.'

'Zorgen, waarom?'

'Omdat je in dat levensgevaarlijke wrak naar huis bent gereden.'

En omdat ik dacht dat ik de deal tussen ons verknald had.

Ana reageert geprikkeld. 'Wat zeg je? Mijn auto is helemaal niet levensgevaarlijk. Hij is perfect in orde. José onderhoudt hem regelmatig.'

'José, de fotograaf?' Dit wordt steeds interessanter.

'Ja, die Kever was vroeger van zijn moeder.'

'Ja ja, en daarvoor zeker van zijn grootmoeder en zijn overgrootmoeder. Dat ding is gewoon niet veilig.' Ik schreeuw het bijna uit.

'Toch rijd ik er al drie jaar mee. Het spijt me dat je je zorgen hebt gemaakt. Waarom heb je me niet even gebeld?'

Ik heb naar haar mobieltje gebeld. Gebruikt ze die verdomde mobiele telefoon dan niet? Of heeft ze het over de vaste telefoon? Getergd haal ik mijn hand door mijn haar en haal diep adem. Dit schiet niet op, we blijven maar om de hete brij heen draaien.

'Anastasia, ik wil een antwoord van je. Ik kan niet tegen die onzekerheid, dat wachten. Ik word er gek van.'

Haar gezicht betrekt.

Shit.

'Christian, ik... Luister, ik ben hier met mijn stiefvader en die staat op me te wachten.'

'Morgen. Uiterlijk morgen wil ik een antwoord.'

'Oké, morgen laat ik het je weten,' zegt ze met een angstige blik.

Nou, dat is nog steeds geen 'nee'. Opnieuw ben ik verrast door mijn opluchting.

Wat is dat toch in godsnaam met deze vrouw? Ze kijkt naar me met eerlijke blauwe ogen. In haar gezicht staan zorgelijke rimpels en ik onderdruk de neiging om haar aan te raken. 'Blijf je voor de borrel?' vraag ik.

'Ik weet niet of Ray daar zin in heeft.' Ze kijkt twijfelend.

'Je stiefvader? Ik zou het leuk vinden hem te leren kennen.'

Ze twijfelt nog meer. 'Ik weet niet of dat wel zo'n goed idee is.'

Hè? Waarom? Komt dat omdat ze nu weet dat ik als kind straatarm was? Of omdat ze weet hoeveel ik van neuken houd? Omdat ik een rare vogel ben?

'Schaam je je voor mij?'

'Nee, natuurlijk niet!' roept ze uit en ze kijkt uit frustratie vertwijfeld omhoog. 'Hoe moet ik je in godsnaam voorstellen aan mijn vader?' Geërgerd heft ze haar handen op. '"Pap, dit is de man die me ontmaagd heeft en graag een bdsm-relatie met me wil aanknopen." Bovendien ben je niet gekleed op hardlopen.'

Hardlopen?

Komt haar vader dan achter me aan? Tussen neus en lippen door brengt ze wat humor in het gesprek. Ik grijns en ze beantwoordt mijn glimlach. Haar gezicht licht op als een zomermorgen.

'Wees maar niet bang, ook in dit pak kan ik prima een sprintje trekken,' reageer ik speels. 'Zeg gewoon tegen hem dat ik een vriend ben, Anastasia.' Ik doe deur open en volg haar de gang in, maar stop als ik bij de rector en zijn collega's kom. In één beweging draaien die zich allemaal tegelijk om en kijken naar mevrouw Steele, maar zij verdwijnt het auditorium in. Ze draaien zich weer naar mij om.

Mevrouw Steele en ik gaan u geen moer aan, beste mensen.

Ik geef de rector een kort en beleefd hoofdknikje en hij vraagt of ik met hem meeloop om wat meer collega's te leren kennen en te smullen van wat borrelhapjes.

'Natuurlijk,' antwoord ik.

Pas na een halfuur kan ik ontsnappen uit de faculteitsbijeenkomst. Als ik me door de drukke receptie naar buiten probeer te worstelen, zie ik opeens Kavanagh naast me. We zetten koers naar het grasveld, waar de afgestudeerde studenten en hun familieleden na de buluitreiking in een grote paviljoentent van een drankje genieten.

'Je hebt Ana dus gevraagd om zondag te komen eten,' zegt ze.

Zondag? Heeft Ana haar verteld dat we zondag afgesproken hebben?

'Bij jouw ouders,' zegt Kavanagh.

Mijn ouders?

Ik zie Ana staan.

Wat heeft dit in godsnaam te betekenen?

Een lange blonde gast die eruitziet alsof hij zo van een Californisch strand is weggelopen, slaat zijn armen stevig om haar heen.

Jezus, wie is dat? Wilde ze daarom niets met mij komen drinken?

Ana kijkt op, ziet mijn gezichtsuitdrukking en verbleekt als haar kamergenootje naast die vent gaat staan. 'Hallo Ray,' zegt Kavanagh, en kust de man van middelbare leeftijd in een goedkoop pak die naast Ana staat.

Dat is vast Raymond Steele.

'Heb je al kennisgemaakt met Ana's vriendje?' vraagt Kavanagh hem. 'Dit is Christian Grey.'

Vriendje!

'Leuk u te leren kennen, meneer Steele.'

'Meneer Grey,' prevelt hij stilletjes en een beetje verrast. We schudden elkaar de hand, zijn greep is stevig en zijn vingers voelen ruw aan. Deze man werkt met zijn handen. Dan herinner ik het me opeens, hij is timmerman. Zijn donkerbruine ogen verraden niets.

'Dit is mijn broer, Ethan Kavanagh,' zegt Kate, en stelt de jonge strandgod voor die zijn arm om Ana heeft geslagen.

Aha. De Kavanaghjes, gezellig saampjes.

Als we elkaar de hand schudden, mompel ik zijn naam en constateer dat zijn handen zacht zijn, in tegenstelling tot die van Ray Steele.

En nu ophouden mijn meisje lastig te vallen, klootzak.

'Ana, schatje,' fluister ik en steek mijn hand uit. Zoals het een goede vrouw betaamt, beantwoordt ze mijn omhelzing. Ze had haar toga al uitgedaan en draagt een parelgrijze halterjurk waarin haar prachtige schouders en rug goed tot hun recht komen.

Twee dagen, twee keer een jurk. Ze verwent me.

'Ethan, mam en pap wilden je nog wat vragen.' Kavanagh sleurt haar broer mee zodat ik alleen met Ana en haar vader achterblijf.

'En, hoelang kennen jullie elkaar al?' vraagt meneer Steele.

Ik sla mijn arm om haar heen en streel terloops met mijn duim over haar blote rug. Er gaat een rilling door haar heen. Ik vertel hem dat we elkaar een paar weken geleden ontmoet hebben.

'We hebben elkaar leren kennen toen Anastasia me kwam interviewen voor het universiteitsblad.'

'Ik wist niet dat je voor het universiteitsblad werkte, Ana,' zegt meneer Steele.

'Kate was ziek,' antwoordt ze.

Ray Steele kijkt zijn dochter aan en fronst zijn wenkbrauwen.

'Prima toespraak trouwens, meneer Grey,' zegt hij.

'Dank u. Ik begrijp dat u een fanatiek visser bent?'

'Dat ben ik zeker. Heeft Annie u dat verteld?'

'Inderdaad.'

'Vist u?' In zijn bruine ogen blinkt wat nieuwsgierigheid.

'Niet zo vaak als ik wel zou willen. Toen we nog klein waren, gingen mijn broer en ik altijd vissen met mijn vader. Hij was gek op regenboogforel. Ik denk dat hij me aangestoken heeft.' Ana luistert even, verontschuldigt zich dan en loopt weg door de menigte om zich bij de Kavanaghjes te voegen.

Verdomme, ze ziet er schitterend uit in die jurk.

'Echt waar? Waar gingen jullie vissen?' De vraag van Ray Steele brengt me weer terug naar ons gesprek. Ik weet dat hij me aan het testen is.

'In de hele Pacific Northwest-regio.'

'Bent u in Washington opgegroeid?'

'Inderdaad. Met mijn vader zijn we ooit op de rivier de Wynoochee begonnen.'

Op het gezicht van Steele verschijnt een glimlach. 'Die ken ik heel goed.'

'Maar zijn favoriet is de Skagit. Aan de Amerikaanse kant. Hij haalde ons dan in het holst van de nacht uit bed en dan reden we daarheen. In die rivier heeft hij echt een paar schitterende exemplaren gevangen.'

'Mooi water. Paar grote knapen gevangen in de Skagit. Aan de Canadese kant, dat wel.'

'Het is een van de beste wateren voor wilde regenboogforel. Geven veel meer strijd dan die waarvan de vetvin is afgeknipt,' zeg ik terwijl mijn blik op Ana blijft rusten.

'Ben het roerend met u eens.'

'Mijn broer heeft een paar van die wilde monsters gevangen. Maar ik wacht nog steeds op die ene grote.'

'Ooit gaat dat lukken, toch?'

'Ik hoop van wel.'

Ana is in een verhitte discussie met Kavanagh verwikkeld. *Waar hebben die twee vrouwen het toch over?*

'Gaat u nog steeds vaak vissen?' Ik richt me weer tot meneer Steele.

'Zeker weten. Annies vriend José, zijn vader en ik knijpen er als het maar even kan tussenuit.'

Die lul van een fotograaf! Alweer!

'Is hij die jongen die de Kever onderhoudt?'

'Jep, dat doet hij.'

'Prima auto, de Kever. Ik ben een fan van Duitse auto's.'

'Echt? Annie is gek op die oude auto, maar ik vermoed dat hij langzamerhand over de houdbaarheidsdatum is.'

'Wat toevallig dat u dat opmerkt. Ik wilde haar een van mijn bedrijfsauto's lenen. Denkt u dat ze dat zou accepteren?'

'Ik denk van wel. Maar dat is aan Annie, dat wel.'

'Uitstekend. Ik neem aan dat Ana niet van vissen houdt?'

'Nee. Dat meisje lijkt op haar moeder. Vissen zien lijden, dat zou ze niet aankunnen. En de wormen trouwens ook niet. Ze heeft een zachtaardig karakter.' Hij kijkt me indringend aan. *O. Raymond Steele waarschuwt me.* Ik maak er een grapje van.

'Nu begrijp ik waarom ze niet zo enthousiast was over de kabeljauw die we laatst aten.'

Steele grinnikt. 'Ze eten vindt ze geen probleem.'

Ana is klaar met kletsen met de familie Kavanagh en komt onze kant uit.

'Hoi,' zegt ze en kijkt ons stralend aan.

'Annie, waar zijn de toiletten?' vraagt Steele.

Ze stuurt hem het paviljoen uit en dan naar links.

'Tot zo. Veel plezier jongens,' zegt hij.

Ze kijkt hoe hij wegloopt en loert dan zenuwachtig naar mij. Maar voordat zij of ik een woord kan uitbrengen, worden we gestoord door een fotografe. Die maakt vlug een kiekje van ons samen en loopt dan snel door.

'Mijn vader heb je dus ook al ingepalmd?' zegt Ana vleiend en plagerig.

'Ook?' *Heb ik jou dan ingepalmd, mevrouw Steele?*

Met mijn vingers strijk ik langs de rozige blos die op haar wang verschijnt.

'Ik zou wel willen weten wat je nu denkt, Anastasia.' Als mijn vingers op haar kin belanden, duw ik haar hoofd zachtjes naar achteren zodat ik haar gezichtsuitdrukking goed in me kan opnemen. Ze wordt stil en kijkt mij ook aan. Haar pupillen worden groter.

'Op dit moment,' fluistert ze, 'denk ik: mooie stropdas.'

Ik had eigenlijk een andere verklaring verwacht en moet lachen om haar antwoord. 'Sinds kort is dit mijn favoriet.'

Ze lacht.

'Je ziet er prachtig uit, Anastasia. Die halterjurk staat je geweldig, zo kan ik je rug strelen, je mooie huid voelen.'

Haar lippen gaan open en haar adem stokt. Ik voel de enorme aantrekkingskracht tussen ons.

'Je weet dat het geweldig zal zijn, toch schatje?' Mijn stem is laag en verraadt mijn begeerte.

Ze doet haar ogen dicht, slikt en haalt diep adem. Als ze die weer opendoet, ziet ze er nerveus uit. 'Maar ik wil meer', zegt ze.

'Meer?'

Fuck. Wat is dit nou weer?

Ze knikt.

'Meer?' fluister ik nog een keer. Haar lip is gedwee onder mijn duim. 'Jij wilt rozengeur en maneschijn.' *Fuck.* Het gaat nooit wat worden met haar. Dat is onmogelijk. Ik doe niet aan romantiek. Mijn dromen en mijn hoop beginnen te vervliegen.

Haar ogen zijn groot. Onschuldig en smekend kijkt ze me aan. *Verdorie.* Ze is zo verleidelijk. 'Anastasia. Daar heb ik geen ervaring mee.'

'Ik ook niet.'

Natuurlijk, ze heeft nog nooit een relatie gehad. 'Je weet nog zo weinig.'

'En jij kent alleen de foute dingen,' zegt ze zachtjes.

'Fout? Voor mij niet. Probeer het eens,' dring ik aan.

Alsjeblieft. Probeer het eens op mijn manier.

Ze kijkt geconcentreerd en onderzoekend naar mijn gezicht om aanwijzingen te vinden.

Heel even raak ik mezelf kwijt in haar blauwe ogen, die alles zien.

'Oké,' fluistert ze.

'Wat zeg je?' Ieder haartje op mijn lichaam staat rechtovereind.

'Oké. Ik zal het proberen.'

'Je zegt ja?' Ik kan het bijna niet geloven.

'Behoudens de zachte grenzen, ja. Ik ga het proberen.'

Lieve. God. Ik trek haar in mijn armen en omhels haar, begraaf mijn gezicht in haar haren en snuif haar verleidelijke geur op. Het kan me niets schelen dat overal om ons heen mensen zijn. Op dit moment tellen alleen wij. 'Jezus, Ana, je bent zo onvoorspelbaar. Je bent adembenemend.'

Een seconde later zie ik dat Raymond Steele terug is en op zijn horloge staat te kijken om zich een houding te geven. Met tegenzin laat ik haar los. De wereld ligt aan mijn voeten.

Deal gesloten, Grey!

'Annie, zullen we gaan lunchen?' vraagt Steele.

'Oké,' zegt ze en glimlacht verlegen naar mij.

'Eet je een hapje mee, Christian?' Heel even kom ik in de verleiding om ja te zeggen, maar Ana's schichtige blik seint *liever niet.* Ze wil even alleen zijn met haar vader. Dat begrijp ik.

'Dank u, meneer Steele, maar ik heb andere plannen. Leuk u te hebben ontmoet.'

Probeer die stupide grijns van je in bedwang te houden, Grey.

'Insgelijks,' antwoordt Steele en volgens mij meent hij het. 'Zorg goed voor m'n kleine meisje.'

'O, dat zal ik zeker doen,' reageer ik en schud zijn hand.

U hebt er geen flauw idee van hoe goed, meneer Steele.

Ik pak Ana's hand en breng haar knokkels naar mijn mond. 'Tot straks, mevrouw Steele,' mompel ik. *Je hebt een heel gelukkige man van me gemaakt.*

Steele geeft mij een kort knikje, pakt zijn dochter bij haar elleboog en loopt met haar weg van de receptie. Ik sta daar wat versuft maar vol hoop. Ze heeft ingestemd.

'Christian Grey?' Mijn blijdschap wordt verstoord door Eamon Kavanagh, Katherines vader.

'Eamon, hoe gaat het met je?' We geven elkaar een hand.

Taylor haalt me om 15:30 uur op. 'Goedemiddag, meneer,' zegt hij, terwijl hij het portier van mijn auto openhoudt.

Onderweg vertelt hij me dat de Audi A3 bij het Heathman is afgeleverd. Nu hoef ik die alleen nog maar aan Ana te geven. Dat zal zeker een flinke discussie opleveren en diep vanbinnen weet ik dat het meer dan een discussie zal zijn. Maar ze is wel overeengekomen mijn Onderdanige te zijn dus misschien accepteert ze mijn cadeau wel zonder protest.

Wie hou je hier voor de gek, Grey?

Een mens mag ook wel eens ergens over dromen. Ik hoop dat we vanavond kunnen afspreken, dan geef ik haar de auto als afstudeercadeau.

Ik bel Andrea en vraag haar om de volgende ochtend een WebEx-ontbijtvergadering te plannen met Eamon Kavanagh en partners in New York. Kavanagh wil zijn glasvezelnetwerk graag upgraden. Ik vraag Andrea tegen Ros en Fred te zeggen dat ze stand-by moeten staan tijdens de vergadering. Ze geeft me een paar berichten door – niets belangrijks – en herinnert me eraan dat ik morgenavond een liefdadigheidsbijeenkomst in Seattle moet bijwonen.

Vanavond is mijn laatste avond hier in Portland. Het is ook bijna Ana's laatste avond hier... Ik overweeg haar te bellen, maar dat heeft weinig zin aangezien ze haar telefoon niet bij zich heeft. En ze geniet ervan om tijd door te brengen met haar vader.

Als we naar het Heathman rijden, staar ik uit het autoraampje en kijk toe hoe de mensen in Portland hun middag doorbrengen. Bij een stoplicht staat een jong stel op de stoep ruzie te maken over een gevallen tas met boodschappen. Een ander, nog jonger stel wandelt met hun ogen op elkaar gericht hand in hand giechelend langs hen. Het meisje leunt opzij en fluistert iets in het oor van haar getatoeëerde adonis. Hij lacht, buigt voorover, geeft haar

snel een kus, trekt dan de deur van een koffiebar open en stapt opzij om haar voor te laten.

Ana wil 'meer'. Ik slaak een diepe zucht en haal mijn handen door
mijn haar. Ze willen altijd meer. Allemaal. Wat kan ik daartegen
doen? Dat stel dat hand in hand naar de koffiebar kuierde, zoiets
hebben Ana en ik ook gedaan. We zijn twee keer samen uit eten geweest en dat was... leuk. Ik zou het kunnen proberen. Per slot van
rekening geeft zij mij heel veel. Ik maak mijn stropdas los.

Zou ik 'meer' kunnen doen?

Als ik terug op mijn kamer ben, trek ik mijn sportkleding aan en
loop naar beneden voor een kort circuit in de sportschool. Het ge-
forceerde socializen heeft veel van mijn geduld gevraagd en ik moet
wat overtollige energie kwijt.

En ik moet nadenken over *meer.*

Als ik me heb gedoucht en aangekleed en weer achter mijn laptop
zit, belt Ros via WebEx om in te checken. Ongeveer veertig minuten lang bespreken we van alles. We nemen alle punten op de agenda door, onder andere de voorstellen voor Taiwan en Darfur. De
kosten van de luchtdroppings zijn astronomisch, maar het is de veiligste manier voor alle betrokkenen. Ik geef haar groen licht. Nu
moeten we wachten tot de vracht in Rotterdam aankomt.

'Ik ben op de hoogte van alles rond Kavanagh Media. Ik vind dat
Barney ook bij de vergadering aanwezig moet zijn,' zegt Ros.

'Als je dat verstandig vindt, moet je dat aan Andrea laten weten.'

'Zal ik doen. Hoe ging de buluitreiking?' vraagt ze.

'Goed. Onverwacht.'

Ana heeft ermee ingestemd dat ze van mij is.

'Onverwacht goed?'

'Ja.'

Ros tuurt geboeid naar me vanaf het beeldscherm, maar ik houd
mijn mond.

'Andrea heeft me verteld dat je morgen weer terug bent in Seattle.'

'Dat klopt. Er is 's avonds een bijeenkomst waar ik bij moet zijn.'

'Nou, ik hoop dat je "fusie" succesvol verlopen is.'

'Daarop kan ik bevestigend beantwoorden, Ros.'
Ze grijnst. 'Goed om te horen. Ik heb zo nog een vergadering,
dus als we alles besproken hebben, hou ik er nu mee op.'
'Dag.' Ik sluit WebEx af en open mijn mailprogramma om me op
vanavond te focussen.

Van: Christian Grey
Onderwerp: Zachte grenzen
Datum: 26 mei 2011 17:22
Aan: Anastasia Steele

Wat moet ik hier nog meer over zeggen?
Te allen tijde bereid tot overleg.
Je zag er zo mooi uit vandaag.

Christian Grey
Directeur, Grey Enterprises Holdings, Inc.

En dan te bedenken dat ik er vanmorgen nog van overtuigd was dat
het voorgoed voorbij was tussen ons.
Jezus, Grey. Zorg dat je grip op de zaak krijgt. Flynn zou de dag van
zijn leven hebben.
Natuurlijk was een van de redenen voor de chaos dat ze haar telefoon niet bij zich had. Misschien is ze toe aan een betrouwbaarder
communicatiemiddel.

Van: Christian Grey
Onderwerp: BlackBerry
Datum: 26 mei 2011 17:36
Aan: J.B. Taylor
Cc: Andrea Ashton

Taylor
Regel alsjeblieft een nieuwe BlackBerry voor Anastasia Steele en laat
haar e-mailaccount daar van tevoren op installeren. Andrea kan via
Barney aan de accountgegevens komen en die naar jou mailen.
Graag morgen bij haar thuis laten afleveren of bij Clayton's.

Christian Grey
Directeur, Grey Enterprises Holdings, Inc.

Nadat ik het bericht verstuurd heb, pak ik het laatste nummer van *Forbes* en begin te lezen.

Rond halfzeven is er nog steeds geen antwoord van Ana dus ik neem aan dat ze nog gezellig samen met de rustige en bescheiden Ray Steele is. Het zijn geen bloedverwanten, maar ze lijken opvallend veel op elkaar. Bij de roomservice bestel ik zeevruchtenrisotto en terwijl ik daarop wacht, lees ik verder in mijn boek.

Als ik na het eten aan het lezen ben, belt Grace me.
'Christian, lieverd.'
'Hallo, mam.'
'Heb je Mia gesproken?'
'Ja. Ze heeft haar vluchtgegevens doorgegeven. Ik ga haar ophalen.'
'Perfect. Ik hoop echt dat je zaterdag ook blijft eten.'
'Natuurlijk.'
'En zondag komt Elliot eten samen met zijn vriendin Kate. Ben jij er dan ook bij? Als je wilt, kom je samen met Anastasia.'
Dus daar had Kavanagh het over vandaag.
Ik rek wat tijd. 'Ik moet eerst kijken of ze kan.'
'Laat me dat maar weten. Ik zou het zo heerlijk vinden als we weer eens samenkomen met het hele gezin.'
Ik kijk vertwijfeld. 'Als jou dat een goed idee lijkt, mam.'
'Dat lijkt het me absoluut, lieverd. Tot zaterdag.'
Ze hangt op.
Ana meebrengen en haar aan mijn ouders voorstellen? Hoe kom ik daar in godsnaam onderuit?
Terwijl ik zit te dubben over dit dilemma, komt er een e-mail binnen.

Van: Anastasia Steele
Onderwerp: Zachte grenzen
Datum: 26 mei 2011 19:23
Aan: Christian Grey

Ik kan vanavond naar je toe komen voor overleg, als je wilt.
Ana

O nee schatje, niet in die auto. Niet in die auto. En opeens valt alles op zijn plaats.

Van: Christian Grey
Onderwerp: Zachte grenzen
Datum: 26 mei 2011 19:27
Aan: Anastasia Steele

Ik kom wel naar jou toe. Ik meende wat ik zei, ik vind het niet prettig dat je in die auto rijdt.
Ik ben zo bij je.

Christian Grey
Directeur, Grey Enterprises Holdings, Inc.

Ik print nog een exemplaar van het onderdeel 'Zachte grenzen' uit het contract en eentje van haar e-mail 'Punten'. De andere uitdraai zit in mijn jasje, dat nog bij haar ligt. Vervolgens bel ik Taylor op zijn kamer.

'Ik ga de auto bij Anastasia afleveren. Kun jij me bij haar ophalen, zo rond halftien?'

'Uiteraard, meneer.'

Voordat ik vertrek, stop ik twee condooms in de achterzak van mijn spijkerbroek.

Misschien heb ik mazzel.

Het is fijn om in de A3 te rijden, hoewel die minder hard optrekt dan ik gewend ben. Ik stop voor een drankwinkel aan de rand van Portland om een feestelijke fles champagne te kopen. De Cristal en de Dom Pérignon laat ik links liggen ten gunste van een Bollinger, vooral omdat die uit 1999 komt en gekoeld is, maar ook omdat die roze is... Hoe symbolisch, bedenk ik met een vergenoegd lachje terwijl ik de caissière mijn AmEx-kaart overhandig.

Ana heeft nog steeds haar verrukkelijke, parelgrijze halterjurk aan als ze de deur opendoet. Ik zie ernaar uit om die later van haar af te stropen.

'Hoi,' zegt ze, haar ogen groot en helder in haar bleke gezicht.

'Hoi.'

'Kom binnen.' Ze lijkt opeens verlegen en niet op haar gemak. *Waarom? Wat is er gebeurd?*

'Mag ik?' Ik houd de fles champagne omhoog. 'Ik dacht dat we jouw afstuderen konden vieren. Niets kan tegen een goede Bollinger op.'

'Interessante woordkeus.' Haar stem klinkt cynisch.

'Wat ben je weer scherp, Anastasia.' Daar is ze weer... mijn meisje.

'Ik heb alleen maar theekopjes. We hebben alle glazen ingepakt.'

'Theekopjes? Klinkt prima.'

Ik kijk hoe ze de keuken in doolt. Ze is nerveus en schuw. Misschien komt het doordat ze een belangrijke dag heeft gehad, of doordat ze met mijn voorwaarden akkoord is gegaan, of doordat ze hier in haar eentje zit. Ik weet dat Kavanagh vanavond bij haar familie is, dat heeft haar vader me verteld. Ik hoop dat de champagne Ana zal helpen ontspannen... en laten praten.

De kamer is leeg, afgezien van verhuiskratten, de sofa en de tafel. Er ligt een bruin pak op de tafel, met een handgeschreven briefje eraan vast.

Ik stem in met de voorwaarden, Angel; want jij weet het beste hoe ik gestraft moet worden, alleen – alleen – maak het alsjeblieft niet erger dan ik kan verdragen!

'Wil je er ook een schoteltje onder?' vraagt ze.

'Alleen een kopje is goed genoeg, Anastasia,' antwoord ik afgeleid. Ze heeft de boeken ingepakt, de eerste drukken die ik haar had gestuurd. Ze geeft ze terug aan mij. Ze wil ze niet hebben. Daarom is ze zo nerveus.

Hoe zal ze in godsnaam op de auto reageren?

Ik kijk omhoog en zie haar naar me kijken. Voorzichtig zet ze de kopjes op tafel.

'Dat is voor jou.' Haar stem klinkt klein en geforceerd.

'Hmm, dat dacht ik wel,' mompel ik. 'Toepasselijk citaat.' Met mijn vinger volg ik haar handschrift. De letters zijn klein en zorgvuldig opgeschreven en ik vraag me af wat een grafoloog hieruit zou concluderen. 'Ik dacht dat ik d'Urberville was, niet Angel. Jij koos voor de onderwerping.'

Natuurlijk is het het perfecte citaat. Ik glimlach ironisch. 'Net wat voor jou om iets te vinden wat zo goed bij de omstandigheden past.'

'Het is ook een dringend verzoek,' fluistert ze.

'Een verzoek? Aan mij? Dat ik je niet te hard aanpak?'

Ze knikt.

Deze boeken waren voor mij een investering, maar ik had gehoopt dat ze voor haar iets speciaals zouden betekenen.

'Ik heb deze boeken voor jou gekocht.' Dat is een leugentje om eigen bestwil, ze waren al van mij en ik heb ze vervangen. 'Ik zal je minder hard aanpakken als je ze van me aanneemt.' Ik houd mijn stem kalm en bedaard om mijn teleurstelling te verbergen.

'Christian, ik kan ze niet aannemen, het is gewoon te veel.'

En daar gaan we weer, opnieuw een machtsstrijd.

Plus ça change, plus c'est la même chose.

'Zie je, dit is nou precies wat ik bedoel, altijd dat tegen me ingaan. Ik heb ze voor jou gekocht, en daarmee is de kous af. Het is heel simpel. Jij hoeft hier niet over na te denken. Als Onderdanige hoor je alleen maar dankbaar te zijn. En gewoon aan te nemen wat ik voor je koop, omdat ik dat wil.'

'Maar ik was nog geen Onderdanige toen je ze voor me kocht,' zegt ze zachtjes.

Zoals altijd heeft ze overal een antwoord op.

'Nee... maar intussen heb je wel ja gezegd, Anastasia.'

Komt ze terug van onze overeenkomst? God, deze vrouw maakt van mijn leven een achtbaan.

'Dus, die boeken zijn van mij en ik kan ermee doen wat ik wil?'

'Ja.' *Ik dacht dat je van Hardy hield?*

'In dat geval wil ik ze graag aan een goed doel schenken, het liefst aan een organisatie die zich inzet voor Darfur, aangezien dat je aan het hart gaat. Dan kunnen zij de boeken veilen.'

'Als dat is wat je wilt.' Ik zal je niet tegenhouden.

Je kunt ze verbranden voor mijn part...

Haar bleke gezicht krijgt een kleur. 'Ik zal erover nadenken,' mompelt ze.

'Niet nadenken, Anastasia. Niet over dit soort dingen.' Houd ze, alsjeblieft. Ze zijn voor jou, omdat boeken je passie zijn. Dat heb je me vaak genoeg gezegd. Geniet ervan.

Ik ga voor haar staan en zet de champagne op tafel, vouw mijn handen onder haar kin en duw haar hoofd zachtjes achterover zodat mijn ogen recht in de hare kijken. 'Ik ga nog veel meer spullen voor je kopen, Anastasia. Wen er maar vast aan. Ik kan het me veroorloven. Ik heb geld zat.' Ik kus haar snel. 'Alsjeblieft,' voeg ik eraan toe en laat haar los.

'Daardoor voel ik me zo goedkoop,' zegt ze.

'Dat is niet de bedoeling. Je zoekt er veel te veel achter, Anastasia. Praat jezelf geen dingen aan op basis van wat anderen van je zouden kunnen denken. Verspilde moeite. Dat komt doordat je bedenkingen hebt over onze overeenkomst, dat is niet meer dan normaal. Je weet gewoon niet waar je aan begint.'

De angst is van haar lieflijke gezicht af te lezen.

'Hé, stop daarmee. Niets aan jou is goedkoop, Anastasia. Ik wil niet dat je zo over jezelf denkt. Ik heb alleen maar een paar oude boeken voor je gekocht, omdat ik dacht dat ze een speciale betekenis voor je zouden kunnen hebben, dat is alles.'

Ze knippert een paar keer met haar ogen en staart naar het pak, niet goed wetend wat ze ermee aan moet.

Houd ze, Ana. Ze zijn voor jou.

'Laten we aan de champagne gaan,' fluister ik en ze beloont me met een kleine glimlach.

'Dat is beter.' Ik open de champagnefles en vul de sierlijke theekopjes die ze voor me heeft neergezet.

'Roze.' Ze reageert verrast, en ik heb niet het lef om haar te vertellen waarom ik roze heb gekozen.

'Bollinger Grande Année Rosé 1999, een uitstekend jaar.'

'Geserveerd in theekopjes.' Ze grijnst aanstekelijk.

'Ja, theekopjes. Gefeliciteerd met je bul, Anastasia.'

Onze kopjes klinken even tegen elkaar en ik drink eruit. Hij smaakt goed, zoals ik had verwacht.

'Dank je.' Ze tilt het kopje naar haar lippen en neemt er snel een slokje van. 'Zullen we het over de zachte grenzen hebben?'

'Altijd even voortvarend.' Ik pak haar bij de hand en leid haar naar de sofa, een van de laatst overgebleven meubelstukken in de woonkamer. Omringd door de dozen gaan we erop zitten.

'Je stiefvader is een heel zwijgzaam type.'

'Hij at uit je hand.'

Ik grinnik. 'Alleen maar omdat ik iets van vissen weet.'

'Hoe wist je dat hij van vissen houdt?'

'Had jij me verteld. Toen we gingen koffiedrinken.'

'O... echt?' Ze neemt opnieuw een slokje en doet haar ogen dicht, van de smaak genietend. Ze opent ze weer en vraagt: 'Heb je die wijn op de receptie geproefd?'

'Ja. Dat was echt bocht.' Ik trek een lelijk gezicht.

'Ik moest aan je denken toen ik het proefde. Hoe komt het dat je zoveel van wijn af weet?'

'Ik weet er helemaal niet zoveel vanaf, Anastasia, ik weet alleen heel goed wat ik lekker vind.' En ik vind jou lekker. 'Nog een beetje?' Ik knik naar de fles op tafel.

'Ja, lekker.'

Ik haal de champagne en vul haar kopje nogmaals. Ze kijkt me wantrouwend aan. Ze weet dat ik haar met opzet alcohol aanbied.

'Het ziet er behoorlijk kaal uit hier. Ben je klaar voor de verhuizing?' vraag ik haar afwezig.

'Min of meer.'

'Moet je morgen werken?'

'Ja, mijn laatste dag bij Clayton's.'

'Ik had je best willen helpen verhuizen, maar heb beloofd om m'n zusje van het vliegveld te halen. Mia komt zaterdag heel vroeg terug uit Parijs. Ik ga morgen terug naar Seattle, maar ik heb begrepen dat Elliot jullie twee een handje komt helpen.'

'Ja, Kate kan niet wachten.'

Het verbaast me dat Elliot nog steeds geïnteresseerd is in Ana's vriendin. Zo is hij normaal gesproken niet. 'Ja, Kate en Elliot, wie had dat verwacht?' Door hun relatie wordt het er niet eenvoudiger op. Ik hoor de stem van mijn moeder weerklinken in mijn hoofd: 'Als je wilt, kom je samen met Anastasia.'

'Hoe ga je werk vinden in Seattle?' vraag ik.

'Ik heb een paar gesprekken voor een traineeplek.'

'En wanneer was je van plan mij daarover in te lichten?'

'Eh... ik vertel het je nu,' zegt ze.

'Waar?' vraag ik terwijl ik mijn frustratie probeer te verbergen.

'Een paar uitgeverijen.'

'Is dat wat je wilt, een baan bij een uitgeverij?'

Ze knikt, maar is nog steeds niet erg scheutig met informatie.

'En?' dring ik aan.

'En wat?'

'Doe niet zo mysterieus, Anastasia, bij welke uitgeverijen?' In gedachten ga ik alle uitgeverijen langs die ik in Seattle ken. Er zijn er vier... geloof ik.

'Een paar kleinere,' zegt ze ontwijkend.

'Waarom mag ik niet weten welke?'

'Ongepaste beïnvloeding,' zegt ze.

Wat betekent dat nou weer? Ik frons.

'Ja, is typisch iets voor jou,' zegt ze, met opgewekt fonkelende ogen.

'Typisch?' Ik lach. 'Ik? Mijn god, je weet precies hoe je me moet uitdagen. Drink je glas leeg, dan kunnen we het over die grenzen hebben.'

Haar wimpers trillen en ze ademt beverig. Vervolgens drinkt ze haar kopje in één teug leeg. Ze is echt heel zenuwachtig. Ik bied haar meer vloeibare moed aan.

'Graag,' antwoordt ze.

Met de fles in mijn hand houd ik even stil. 'Heb je wel iets gegeten?'

'Ja. Ik heb een driegangenmenu gehad, met Ray,' zegt ze geïrriteerd en ze rolt met haar ogen.

O, Ana. Eindelijk kan ik iets doen aan die onbeleefde gewoonte van je.

Ik leun voorover, pak haar bij de kin en kijk haar boos aan. 'Als je dat nog een keer doet, leg ik je over de knie.'

'O.' Ze ziet er geschrokken, maar ook wat geïntrigeerd uit.

'Ja, o. Daar begint het mee, Anastasia.' Met een wolfachtige grijns vul ik haar theekopje en ze neemt een flinke slok.

'Heb ik nu je aandacht, ja?'

Ze knikt.

'Geef antwoord.'

'Ja... je hebt m'n aandacht,' zegt ze met een berouwvolle glimlach.

'Goed zo.' Ik vis haar e-mail en bijlage 3 van mijn contract uit mijn jasje. 'Seksuele handelingen. De meeste hiervan hebben we al gedaan.' Ze schuift dichter tegen me aan en we gaan samen de lijst af.

BIJLAGE 3

ZACHTE GRENZEN

Te bespreken en overeen te komen tussen beide partijen:

Welke van de volgende handelingen zijn acceptabel voor de Onderdanige:

- Masturbatie
- Cunnilingus
- Fellatio
- Het doorslikken van sperma

- Vaginale penetratie
- Vaginaal fisten
- Anale penetratie
- Anaal fisten

'Geen fisting, had je gezegd. Nog iets anders waar je bezwaar tegen hebt?' vraag ik.

Ze slikt even. 'Ik loop ook niet echt warm voor anale penetratie.'

'Hm. Ik ga akkoord met niet fisten, maar je kont zou ik wel heel graag de mijne willen maken, Anastasia.'

Ze ademt plots in en gaapt me aan.

'Maar daar zullen we nog even mee wachten. Bovendien kunnen we daar niet zomaar in duiken.' Ik kan het niet helpen dat ik moet grijnzen. 'Je kont moet eerst getraind worden.'

'Getraind?' Haar ogen worden groot.

'O ja. Dat moet zorgvuldig voorbereid worden. Anale penetratie kan echt heel lekker zijn, geloof me maar. Maar als we het proberen en jij vindt het niks, dan hoeven we het niet meer te doen.' Ik zie met genoegen haar geschrokken uitdrukking.

'Heb jij daar ervaring mee?' vraagt ze.

'Ja.'

'Met een man?'

'Nee. Ik heb nog nooit seks gehad met een man. Niet mijn ding.'

'Mrs. Robinson?'

'Ja.' En haar grote rubberen voorbinddildo.

Ana fronst en ik ga snel door, voordat ze er nog meer vragen over kan stellen.

'Verder... zaad doorslikken. Nou, daar krijg je een tien voor.' Ik verwacht een glimlach van haar, maar ze bestudeert me aandachtig alsof ze opeens een nieuwe kant van mij heeft ontdekt. Ik denk dat het haar nog duizelt, Mrs. Robinson en anale penetratie. *O, schatje, wat was ik een Onderdanige voor Elena. Ze kon met me doen wat ze wilde. En ik genoot ervan.*

'Dus, slikken is oké?' vraag ik in een poging haar naar het hier en nu terug te brengen. Ze knikt en drinkt haar champagne op.

'Meer?' vraag ik.

Rustig aan, Grey, ze moet aangeschoten worden, niet dronken.

'Meer,' fluistert ze.

Ik vul haar kopje bij en keer terug naar de lijst. 'Seksspeeltjes?'

Stemt de Onderdanige in met het gebruik van:

- Vibrators
- Buttplugs
- Dildo's
- Andere vaginale/anale speeltjes

'Buttplug? Is dat wat ik denk dat het is?' Ze trekt een lelijk gezicht.

'Ja. Dat heeft met die anale penetratie waar we het net over hadden te maken. Training.'

'O... en wat valt er onder "andere"?'

'Kralen, eitjes... dat soort dingen.'

'Eitjes?' Haar hand schiet geschrokken naar haar mond.

'Geen echte eitjes.' Ik lach.

'Ik ben blij dat je me zo grappig vindt.' Haar gekwetste toon is ontnuchterend.

'Sorry.'

Verdomme, Grey. Niet te veel tegelijk.

'Heb je een bezwaar tegen speeltjes?'

'Nee,' snauwt ze.

Shit. Ze is chagrijnig.

'Anastasia, het spijt me. Echt. Ik wil je niet uitlachen. Ik heb dit gesprek gewoon nog nooit in zo veel detail hoeven voeren. Je bent zo onervaren. Sorry.'

Ze zet een pruillip op en neemt opnieuw een slok champagne.

'Oké – bondage,' zeg ik en we bekijken de lijst weer.

Stemt de Onderdanige in met:

- Vastbinden met touw
- Vastbinden met tape
- Vastbinden met leren boeien
- Vastbinden met overige
- Vastbinden met handboeien/metalen ketenen

'En?' Vraag ik, voorzichtig deze keer.
'Is goed,' fluistert ze en leest verder.

Welke vorm van bondage is acceptabel voor de Onderdanige:

- Handen vóór het lichaam gebonden
- Polsen gebonden aan enkels
- Enkels gebonden
- Vastbinden aan vaste
- Ellebogen gebonden
  voorwerpen, meubilair enz.
- Handen achter de rug gebonden
- Vastbinden met spreidstang
- Knieën gebonden
- Ophanging

Stemt de Onderdanige ermee in geblinddoekt te worden?

Stemt de Onderdanige ermee in gekneveld te worden?

'Over ophanging hebben we het al gehad. En ik vind het prima als je dat als harde grens stelt. Het kost sowieso behoorlijk veel tijd, en ik heb je steeds maar kort tot mijn beschikking. Nog andere dingen?'
'Niet lachen, maar wat is een spreidstang?'
'Ik zal niet lachen. En ik heb al twee keer sorry gezegd.' *In hemels-naam.* 'Laat me het niet nog een keer hoeven zeggen.' Mijn stem klinkt strenger dan ik bedoelde en ze draait van me weg.
Shit.
Negeer haar reactie, Grey. Kom op. 'Een spreidstang is een stang met manchetten aan het eind voor je polsen of je enkels. Leuk speelgoed.'

'Oké. Maar dat knevelen. Ik ben bang dat ik dan geen adem kan krijgen.'

'Ik zou het nog veel enger vinden als je geen adem kon krijgen. Ik wil je niet laten stikken.' Ademcontrole is totaal niet mijn ding.

'En hoe kan ik een stopwoord gebruiken als ik gekneveld ben?' informeert ze.

'Allereerst hoop ik dat je nooit een stopwoord hoeft te gebruiken. Maar als je gekneveld bent, gebruiken we gewoon handsignalen.'

'Ik vind dat knevelen eng.'

'Oké. Daar zal ik rekening mee houden.'

Ze bestudeert me even alsof ze iets heel bijzonders heeft ontdekt. 'Bind je je slavinnen vast zodat ze jou niet kunnen aanraken?' vraagt ze.

'Dat is een van de redenen.'

'Was dat ook waarom je mijn handen vastbond?'

'Ja.'

'Je vindt het niet fijn om hierover te praten,' zegt ze.

'Nee, inderdaad.'

Daar hoor jij niet thuis, Ana. Laat dat.

'Wil je nog een kopje champagne?' vraag ik. 'Het geeft je moed en ik wil weten hoe je tegenover pijn staat.' Ik vul opnieuw haar kopje en ze neemt een slokje, bezorgd en met grote ogen. 'Vertel, hoe sta je in het algemeen tegenover het ondergaan van pijn?'

Ze blijft stil.

Ik onderdruk een zucht. 'Je bijt op je lip.' Gelukkig stopt ze ermee, maar nu staart ze in gedachten verzonken naar haar handen.

'Ben je als kind ooit fysiek gestraft?' dring ik zachtjes aan.

'Nee.'

'Dus je hebt geen enkel referentiekader?'

'Nee.'

'Het is niet zo erg als je denkt. Je verbeelding is hier je ergste vijand.' *Vertrouw me hierin, Ana. Alsjeblieft.*

'Moet je het per se doen?'

'Ja.'

'Waarom?'

Dat wil je echt niet weten.

'Het hoort erbij, Anastasia. Het is wat ik doe. Ik kan zien dat je het eng vindt. Laten we even de methodes langslopen.'

We gaan de lijst af:

- Slaan met vlakke hand
- Zweepslagen
- Bijten
- Genitale klemmen
- Hete was

- Slaan met een peddel
- Ranselen
- Tepelklemmen
- IJs
- Overige pijnigingsmethoden

'Geen genitale klemmen, had je gezegd. Prima. Ranselen is het pijnlijkst.'

Ana verbleekt.

'Daar kunnen we naartoe werken,' zeg ik haastig.

'Of gewoon helemaal niet doen,' werpt ze tegen.

'Dit hoort er gewoon bij, schatje, maar we doen het rustig aan. Anastasia, ik zal niet te ver met je gaan.'

'Dat straffen, daar heb ik de meeste moeite mee.'

'Nou, ik ben blij dat ik dat weet. We zullen ranselen voorlopig van de lijst af halen. En zodra je je meer op je gemak voelt met alles, gaan we de intensiteit verhogen. We doen het rustig aan.'

Ze kijkt nog steeds onzeker, dus buk ik en kus haar. 'Zie je, zo erg was het niet, toch?'

Ze haalt haar schouders op, nog steeds aarzelend.

'Luister, ik wil nog één ding met je bespreken en dan breng ik je naar bed.'

'Bed?' roept ze uit en haar wangen verkleuren.

'Kom op, Anastasia, door ons onderwerp van gesprek heb ik zin om je helemaal uit te wonen, en wel nú. Je gaat me toch niet vertellen dat dit jou koud laat?'

Ze kronkelt naast me en haalt schor adem terwijl ze haar dijen tegen elkaar aan perst.

'Zie je wel? En trouwens, ik wil iets met je proberen.'

'Iets pijnlijks?'

'Nee – hou op met overal pijn te zien. Het is vooral lekker. Heb ik je al eens pijn gedaan?'

'Nee.'

'Nou dan... Maar even wat anders, vanochtend zei je dat je meer wilde.' Ik pauzeer.

Fuck. Ik sta voor een afgrond.

Oké, Grey, weet je dit echt zeker?

Ik moet het proberen. Ik wil haar niet kwijtraken nog voordat we begonnen zijn.

Spring.

Ik pak haar hand. 'Misschien kunnen we het proberen, op de tijden dat je niet m'n Onderdanige bent. Ik weet niet of het gaat werken. Ik heb geen idee of het gaat lukken om die zaken te scheiden. Misschien niet. Maar ik wil het wel proberen. Eén avond per week. Zoiets.'

Haar mond valt open.

'Op één voorwaarde.'

'En dat is?' vraagt ze terwijl haar ademhaling blijft steken.

'Dat je mijn afstudeercadeau met beide handen aanneemt.'

'O,' zegt ze, haar ogen groot door de onzekerheid.

'Kom.' Ik hijs haar overeind, trek snel mijn leren jack uit en leg die over haar schouders. Ik haal diep adem, open de voordeur en laat haar de Audi A3 zien die bij de stoep geparkeerd staat. 'Die is voor jou. Gefeliciteerd met je bul.' Ik omhels haar en kus haar op haar haren.

Zodra ik haar loslaat, staart ze verstomd naar de auto.

Oké... dit kan twee kanten op gaan.

Ik pak haar hand en leid haar de trap af. Ze volgt me alsof ze in trance is.

'Anastasia, die Kever van jou is stokoud en ronduit gevaarlijk. Ik zou het mezelf nooit vergeven als jou iets overkwam, als het voor mij een kleine moeite is om er iets aan te doen.'

Ze gaapt de wagen aan, sprakeloos.

Shit.

'Ik liet het vallen tegenover je stiefvader. Die was er honderd procent vóór.'

Misschien overdrijf ik nu.

Haar mond hangt nog steeds open, vol ontzetting, als ze zich omdraait om mij boos aan te kijken.

'Heb je het hier met Ray over gehad? Hoe kun je dát nou doen?' Ze is boos, heel boos.

'Het is maar een cadeautje, Anastasia. Kun je me niet gewoon bedanken?'

'Maar je weet dat het over de top is.'

'Voor mij niet, niet als het om mijn gemoedsrust gaat.'

Kom nou, Ana. Jij wilde meer. Dit is de prijs.

Ze laat haar schouders hangen en draait zich naar mij toe, berustend, denk ik. Niet helemaal de reactie waarop ik gehoopt had. De roze gloed van de champagne is verdwenen en haar gezicht is weer bleek. 'Oké. Ik ga ermee akkoord dat je me die auto leent, net als de laptop.'

Ik schud mijn hoofd. Waarom doet ze toch zo moeilijk? Ik heb nog nooit zo'n negatieve reactie op een auto gekregen van een van mijn Onderdanigen. Meestal zijn ze verrukt.

'Oké. In bruikleen. Voor onbepaalde tijd,' stem ik met knarsende tanden in.

'Nee, niet voor onbepaalde tijd, maar voorlopig. Dankjewel,' zegt ze zachtjes, en zich uitstrekkend kust ze me op de wang. 'Dank u voor de auto, meneer.'

Dat woord. Uit haar heerlijke, zoete mond. Ik pak haar vast en druk haar lichaam tegen me aan. Haar haren weven zich door mijn vingers. 'Wat ben jíj een feeks, Ana Steele.' Ik kus haar krachtig, mijn tong dwingt haar lippen uiteen en niet veel later reageert ze met dezelfde passie terwijl haar tong de mijne streelt. Mijn lichaam reageert ook: ik wil haar. Hier. Nu. In de buitenlucht. 'Het kost me al mijn zelfbeheersing om je niet op de motorkap van die auto te neuken, al was het maar om te laten zien dat je van mij bent. En als ik verdomme een auto voor je wil kopen, dan koop ik verdomme een auto voor je,' grom ik. Daarna kus ik haar opnieuw, opeisend en bezitterig. Ik pak haar hand beet en been terug naar het appartement. Ik sla de voordeur achter ons dicht en leid ons rechtstreeks naar de slaapkamer. Daar laat ik haar los en doe het nachtlampje aan.

'Wees alsjeblieft niet boos op me,' fluistert ze.

Haar woorden blussen het vuur van mijn woede.

'Sorry voor wat ik zei over de auto en de boeken...' Ze stopt en likt over haar lippen. 'Je maakt me bang als je boos bent.'

Shit. Niemand heeft dat ooit tegen me gezegd. Ik doe mijn ogen dicht. Het laatste wat ik wil, is haar bang maken.

Rustig, Grey.

Ze is hier. Ze is veilig. Ze is gewillig. Verknoei het nou niet, alleen maar omdat ze niet weet hoe zich moet gedragen.

Ik doe mijn ogen open en zie dat Ana me aankijkt. Niet bang, maar afwachtend.

'Draai je om,' eis ik met zachte stem. 'Ik wil je jurk uitdoen.'

Ze gehoorzaamt meteen.

Braaf meisje.

Ik haal mijn jack van haar schouders en gooi het op de vloer. Daarna veeg ik haar haren uit haar nek. Het gevoel van haar zachte huid onder mijn wijsvinger kalmeert me. Nu ze doet wat haar verteld wordt, ontspan ik. Met een vingertop volg ik de lijn van haar ruggengraat naar de rits in het grijze chiffon. 'Geweldige jurk. Ik hou ervan je perfecte huid te zien.'

Ik haak mijn vinger achter haar jurk en trek haar zo dicht bij me dat ze overal om me heen is. Ik begraaf mijn gezicht in haar haren en adem haar geur in.

'Je ruikt zo lekker, Anastasia. Zo zoet.'

Naar de herfst en naar appelbomen.

Haar geur troost me en doet me denken aan een tijd van overvloed en geluk. Terwijl ik haar luchtje nog steeds inadem, glijd ik met mijn neus vanaf haar oor over haar nek naar haar schouder, waarbij ik haar steeds weer kus. Langzaam rits ik haar jurk open en kus, lik en zuig mijn weg over haar huid naar haar andere schouder.

Ze huivert door mijn aanrakingen.

O, schatje. 'Jij moet leren dat je je stil moet houden,' fluister ik tussen twee kussen door en maak de sluiting los. De jurk valt aan haar voeten neer.

'Geen bh, mevrouw Steele. Daar hou ik van.'

Ik steek mijn handen uit en leg die op haar borsten. Ik voel haar tepels als steentjes onder mijn handpalmen.

'Doe je armen omhoog en sla ze om m'n nek,' beveel ik terwijl ik met mijn lippen langs haar nek strijk. Ze doet wat haar gezegd wordt en haar borsten komen omhoog, dieper mijn handpalmen in. Ze vlecht haar vingers in mijn haar, precies zoals ik het lekker vind, en trekt eraan.

Ah... Dat is zo lekker.

Haar hoofd helt over naar één kant en ik gebruik die beweging om haar te kussen op de plek waar haar hartslag klopt onder haar huid.

'Mmm...' mompel ik goedkeurend. Mijn vingers trekken plagend aan haar tepels.

Ze kreunt en kromt haar rug waardoor haar perfecte borsten nog dieper in mijn handen komen. 'Zal ik je zo laten klaarkomen?'

Haar lichaam buigt nog een beetje verder door.

'Dit vindt u lekker, of niet, mevrouw Steele?'

'Mmm...'

'Zeg het me,' dring ik aan, terwijl ik doorga met mijn sensuele aanval op haar tepels.

'Ja,' zegt ze zacht.

'Ja, wat?'

'Ja... meneer.'

'Braaf meisje.'

Voorzichtig knijp en draai ik met mijn vingers, haar kreunende lichaam stoot krampachtig tegen me aan en haar handen trekken harder aan mijn haren.

'Volgens mij ben je nog niet zover, ik laat je nog niet klaarkomen.'

Ik houd mijn handen stil, houd haar borsten bewegingloos vast terwijl mijn tanden aan haar oorlel knagen. 'Bovendien heb je iets gedaan wat me niet aanstaat. Dus misschien laat ik je wel helemáál niet klaarkomen.'

Ik kneed haar borsten weer en mijn vingers richten zich draaiend en trekkend op haar tepels. Ze kreunt en draait haar kont heen en weer tegen mijn stijve. Ik verplaats mijn handen naar haar heupen, houd haar rechtop en werp een blik op haar slipje.

Katoen. Wit. Comfortabel.

Ik haak mijn vingers erin en rek het zover mogelijk uit, dan duw ik mijn duim door de naad aan de achterzijde. De stof scheurt en ik gooi het lapje naar Ana's voeten.

Ze snakt naar adem.

Ik ga met mijn vingers over haar kont en steek er een in haar vagina.

Ze is nat. Erg nat.

'O ja. Mijn hete meisje is er klaar voor.'

Ik laat haar omdraaien en steek mijn vinger in mijn mond. *Mmm. Zoutig.* 'U smaakt zo lekker, mevrouw Steele.'

Haar lippen gaan uit elkaar en haar ogen worden donker van begeerte. Ik denk dat ze een beetje geschrokken is.

'Kleed me uit.' Ik houd mijn ogen op de hare gericht. Ze houdt haar hoofd schuin, ze heeft mijn bevel gehoord, maar aarzelt. 'Je kunt het wel,' moedig ik haar aan. Ze tilt haar handen op en opeens realiseer ik me dat ze me aan gaat raken, en dat ik er niet klaar voor ben. *Shit.*

Instinctief pak ik haar handen.

'Niks ervan. Laat dat T-shirt maar aan.'

Ik wil haar boven op mij. We hebben dit nog niet eerder gedaan en ze kan haar evenwicht verliezen, daarom heb ik het T-shirt nodig als bescherming. 'Want misschien moet je me aanraken voor wat ik in gedachten heb.' Ik laat een van haar handen los, maar de andere leg ik op mijn stijve, die vecht om ruimte in mijn spijkerbroek.

'Dit is wat u met me doet, mevrouw Steele.'

Ze ademt in en staart naar haar hand. Dan spannen haar vingers zich om mijn lul en werpt ze me een waarderende blik toe.

Ik grijns. 'Ik wil je voelen. Doe m'n spijkerbroek uit. Jij hebt de leiding.'

Haar mond valt open.

'Wat ga je met me doen?' Mijn stem klinkt schor.

Haar gezicht verandert compleet, straalt van genoegen en voordat ik iets kan doen, duwt ze me omver. Ik lach terwijl ik op het bed val, vooral om haar moed, maar ook omdat ze me heeft aangeraakt en ik toch niet in paniek ben geraakt. Ze trekt mijn schoenen uit, dan mijn sokken, maar ze is veel te opgewonden en ik moet denken aan het interview en haar pogingen de recorder klaar te zetten.

Ik kijk naar haar. Geamuseerd. Opgewonden. Ik vraag me af wat ze hierna zal doen. Het uittrekken van mijn spijkerbroek terwijl ik lig is een flinke klus. Ze glijdt uit haar pumps, kruipt terug het bed op, gaat schrijlings hoog op mijn dijen zitten en glijdt met haar vingers onder de band van mijn spijkerbroek.

Ik doe mijn ogen dicht en span mijn heupen aan terwijl ik schaamteloos van Ana geniet.

'Je zult moeten leren stilliggen,' straft ze mij en trekt daarbij aan mijn schaamhaar.

Ah! Zo doortastend, mevrouw.

'Ja, mevrouw Steele,' plaag ik met samengeperste kaken. 'Condoom, in m'n zak.'

Haar ogen schitteren onmiskenbaar van plezier en haar vingers gaan grondig door mijn broekzak, ze strijken tegen mijn erectie aan.

Ah...

Ze haalt beide foliepakjes tevoorschijn en werpt ze naast me op het bed. Onhandig plukt ze aan de knoop van mijn broek en na twee pogingen heeft ze die open.

Haar naïviteit is betoverend. Het is duidelijk dat ze dit nog nooit eerder heeft gedaan. Opnieuw een primeur... en dat is verdomd opwindend.

'Zo gulzig, mevrouw Steele,' plaag ik.

Ze rukt mijn rits open en werpt me, sjorrend aan mijn broekband, een gefrustreerde blik toe.

Ik moet me inhouden om niet te lachen.

O ja, schatje, hoe ga je die nu uittrekken?

Ze beweegt mijn benen heen en weer terwijl ze zeer geconcentreerd aan mijn spijkerbroek trekt. Ze ziet er betoverend uit en ik besluit haar te helpen. 'Het wordt wel heel moeilijk om stil te blijven liggen als jij op die lip blijft bijten,' zeg ik terwijl ik mijn heupen omhoog duw.

Ze gaat op haar knieën zitten en trekt mijn spijkerbroek en mijn boxershort uit, en ik trap ze weg, de vloer op. Ze gaat tegenover me zitten, kijkt naar mijn pik en likt aan haar lippen.

Ho.

Ze ziet er lekker uit, haar donkere haar valt in korte golven rond haar borsten.

'Wat ga je nu met me doen?' fluister ik. Ze kijkt me recht aan, strekt haar hand uit en pakt me ferm beet, knijpt hard, waarbij ze met haar duim over de top veegt.

Jezus.

Ze buigt zich voorover.

En ik ben in haar mond.

Fuck.
Ze zuigt hard op mijn lid. Mijn lichaam trekt zich onder haar samen. 'Jemig, Ana, rustig aan,' sis ik tussen mijn tanden door. Maar ze toont geen genade terwijl ze me blijft pijpen. *Fuck.* Haar enthousiasme is ontwapend. Haar tong gaat op en neer. Ik ben in haar mond, eruit en achter in haar keel, haar lippen strak om me heen. Het is een overweldigend erotisch visioen. Ik kan klaarkomen door naar haar te kijken.

'Stop, Ana, stop. Ik wil nog niet klaarkomen.'

Ze zit rechtop, haar mond vochtig en haar ogen twee donkere poelen die naar me kijken.

'Je onschuld en enthousiasme zijn bijzonder ontwapenend.' *Maar nu wil ik je neuken terwijl ik je kan zien.* 'Jij bovenop, dat is wat we gaan doen. Hier, doe die maar om.' Ik leg een condoom in haar hand. Ze bestudeert die ontsteld en scheurt dan het foliepakje met haar tanden open.

Ze is gretig.

Ze haalt het condoom eruit en kijkt mij aan voor instructies.

'Knijp het topje samen en rol 'm dan af. Je wilt geen lucht aan de bovenkant van dat rotding.'

Ze knikt en doet het nauwgezet. Ze gaat op in haar taak, uiterst geconcentreerd, waarbij haar tong een stukje tussen haar lippen uitsteekt.

'Jezus Christus, je maakt het me wel heel moeilijk,' roep ik uit met opeengeklemde kaken.

Zodra ze klaar is, leunt ze achterover en bewondert haar handwerk, of mij. Ik' weet het niet zeker, maar dat kan me ook niets schelen. 'En nu wil ik je helemaal vullen.' Ik ga rechtop zitten zodat we elkaar aankijken en verras haar daarmee. 'Zo bedoel ik,' fluister ik, sla mijn armen om haar heen en til haar op. Met mijn andere hand houd ik mijn pik recht en laat haar langzaam boven op mij zakken.

Mijn adem ontsnapt aan mijn lichaam terwijl zij haar ogen sluit en het genot hoorbaar in haar keel bromt.

'Goed zo, schatje, voel me in je, helemaal in je.'

Ze. Is. Zo. Lekker.

Ik houd haar vast, laat haar wennen aan het gevoel van mij. Zo. In haar. 'Het is lekker diep zo.' Mijn stem is hees terwijl ik mij span en mijn heupen kantel, mezelf dieper in haar duw. Haar hoofd hangt slap omlaag terwijl ze kreunt. 'Nog een keer,' zegt ze zacht. Ze opent haar ogen en die schitteren. Wulps. Gewillig. Ik houd ervan dat zij ervan houdt. Ik doe wat ze van me vraagt en ze kreunt opnieuw, gooit haar hoofd achterover, haar haren dansen over haar schouders. Langzaam leun ik achterover op het bed om de show te zien.

'Beweeg jij maar, Anastasia, op en neer, hoe je maar wilt. Pak m'n handen maar vast.' Ik strek mijn handen uit en zij grijpt ze vast, brengt zichzelf in evenwicht boven op mij. Langzaam haalt ze zichzelf omhoog, dan zakt ze weer op me neer.

Ik haal kort en scherp adem terwijl ik mezelf onder controle houd. Ze tilt zichzelf opnieuw omhoog en deze keer duw ik mijn heupen omhoog om haar te ontmoeten als ze naar beneden komt. *O ja.*

Ik doe mijn ogen dicht en geniet van elke verrukkelijke centimeter van haar. Samen vinden we ons ritme terwijl ze me berijdt. Op en neer en op en neer. Ze ziet er fantastisch uit: haar borsten stuiteren, haar haren zwaaien, haar mond verslapt terwijl ze elke genotvolle stoot absorbeert.

Haar ogen ontmoeten de mijne, vol vleselijke behoefte en verwondering. God, wat is ze mooi.

Ze schreeuwt het uit terwijl haar lichaam de overhand krijgt. Ze is er bijna, dus ik verstevig mijn grip op haar handen en ze explodeert om me heen. Ik grijp haar heupen en houd haar vast terwijl ze onsamenhangend door haar orgasme heen schreeuwt. Dan pak ik haar heupen steviger beet en verlies mezelf zwijgend terwijl ik me in haar ontlaad.

Ze ploft neer op mijn borstkas en ik lig hijgend onder haar. *Mijn god, wat is zij hier goed in.*

We blijven samen even liggen, haar gewicht ligt geruststellend op me. Ze beweegt en nestelt zich door het shirt tegen me aan en spreidt haar handen over mijn borstkas.

De duisternis glijdt snel en krachtig mijn borstkas binnen, dendert door mijn keel en dreigt me te overweldigen en te verstikken. *Nee. Raak met niet aan.*

Ik pak haar hand vast, breng haar knokkels naar mijn lippen en rol mezelf op haar zodat ze me niet langer kan aanraken.

'Niet doen,' smeek ik en kus haar lippen terwijl ik mijn angsten smoor.

'Waarom wil je niet worden aangeraakt?'

'Omdat ik vijftig tinten verneukt ben, Anastasia.' Na al die jaren van therapie is dat het enige waarvan ik zeker weet dat het waar is.

Haar ogen worden groot, nieuwsgierig. Ze wil graag meer horen. Maar ze hoeft deze shit niet te weten. 'Mijn leven is gewoon heel ruig begonnen. Ik wil je niet vermoeien met de details. Gewoon niet doen.' Zachtjes veeg ik met mijn neus tegen de hare. Om afstand van haar te nemen, ga ik rechtop zitten. Ik verwijder het condoom en laat het naast het bed vallen. 'Nou, daarmee hebben we alle basisdingen wel gehad, denk ik. Hoe vond je het?'

Even lijkt ze afgeleid, dan houdt ze haar hoofd schuin en glimlacht. 'Als jij denkt dat ik ook maar één seconde geloof dat jij mij echt de leiding gaf, dan heb je het goed mis. Je vergeet dat ik een behoorlijk hoog cijfergemiddelde heb. Maar bedankt voor de illusie.'

'Mevrouw Steele, u bent meer dan een leuk koppie. Tot dusver hebt u zes orgasmes beleefd en die zijn allemaal van mij.' Waarom stemt dat feit alleen al mij gelukkig?

Haar ogen dwalen af naar het plafond en een schuldige blik glijdt over haar gezicht.

Waar gaat dit over? 'Moet je me iets te vertellen?' vraag ik.

Ze aarzelt. 'Ik had vanochtend een droom.'

'O?'

'Eh... ik ben in m'n slaap klaargekomen.' Ze slaat een arm voor haar gezicht en verbergt zich voor mij, van haar stuk gebracht. Ik ben verbluft door haar bekentenis, maar voel me ook geprikkeld en opgetogen.

Sensueel wezen.

Ze gluurt boven haar arm uit. Verwacht ze dat ik boos zal zijn?

'In je slaap?' vraag ik haar expliciet.

'Ik werd er wakker van,' fluistert ze.

'Dat zal best.' Ik ben erdoor gecharmeerd. 'Waar droomde je over?'

'Jou,' zegt ze met een klein stemmetje.

Mij!

'Wat deed ik dan?'

Ze verstopt zich weer onder haar arm.

'Anastasia, wat deed ik?' Dit is de laatste keer dat ik het je vraag.'

Waarom is ze zo beschaamd? Het feit dat ze over mij droomt is...

vertederend.

'Je had een rijzweepje,' mompelt ze. Ik verplaats haar arm zodat

ik haar gezicht kan zien.

'O, echt?'

'Ja.' Haar gezicht is knalrood. Het onderzoek moet haar beïn-

vloed hebben, op een positieve manier. Ik kijk op haar neer en glim-

lach.

'Er is dus nog hoop voor je. Ik heb verschillende rijzweepjes.'

'Van bruin gevlochten leer?' In haar stemgeluid zit een stil opti-

misme verborgen.

Ik lach. 'Nee, maar ik weet zeker dat die wel ergens te krijgen is.'

Ik geef haar snel een kus en sta op om me aan te kleden. Ana volgt

mijn voorbeeld en trekt een joggingbroek en een topje aan. Ik raap

het condoom van de vloer en leg er snel een knoop in. Nu ze ermee

akkoord is gegaan om de mijne te worden, heeft ze een anticoncep-

tiemiddel nodig. Volledig gekleed zit ze met gekruiste benen op het

bed en kijkt me aan terwijl ik mijn broek pak. 'Wanneer moet je on-

gesteld worden?' vraag ik. 'Ik heb zo'n hekel aan deze dingen.' Ik

houd het dichtgeknoopte condoom omhoog en trek mijn spijker-

broek aan.

Ze kijkt verrast.

'Nou?' dring ik aan.

'Volgende week,' antwoordt ze met gloeiende wangen.

'Je moet bedenken welk anticonceptiemiddel je wilt gaan gebrui-

ken.'

Ik ga op het bed zitten om mijn sokken en schoenen aan te trek-

ken. Ze zegt niets.

'Heb je een huisarts?' vraag ik. Ze schudt haar hoofd. 'Ik kan mijn

huisarts naar jouw appartement laten komen – zondagochtend,

voordat je naar mij toe komt. Of ik kan een consult met hem rege-

len bij mij thuis. Wat heb je liever?'

Ik weet zeker dat dokter Baxter bij mij thuis wil komen, hoewel ik hem al een tijdje niet heb gesproken.

'Bij jou thuis,' zegt ze.

'Oké. Ik laat je nog wel weten hoe laat.'

'Ga je weg?'

Ze lijkt verbaasd dat ik wegga. 'Ja.'

'Hoe kom je dan thuis?' vraagt ze.

'Taylor komt me ophalen.'

'Ik kan je ook thuisbrengen. Ik heb sinds kort een prachtige nieuwe auto.'

Dat is beter. Ze accepteert de auto, zoals het hoort, maar na al die champagne zou ze de weg niet op moeten gaan. 'Volgens mij heb je iets te veel gedronken.'

'Heb je me met opzet aangeschoten laten worden?'

'Ja.'

'Waarom?'

'Omdat je overal veel te veel over nadenkt en net zo gereserveerd bent als je stiefvader. Maar met een slok wijn op begin je te praten. En ik wil dat je alles eerlijk en oprecht tegen me zegt. Anders sla je dicht en heb ik geen idee wat er in je omgaat. *In vino veritas est*, Anastasia.'

'En jij denkt dat je ook altijd eerlijk tegen mij bent?'

'Dat probeer ik in elk geval wel. Dit gaat alleen werken als we volkomen eerlijk zijn tegen elkaar.'

'Oké, dan wil ik graag dat je hier blijft en deze gebruikt.' Ze raapt het andere condoom op en zwaait ermee naar mij.

Hou haar verwachtingspatroon onder controle, Grey.

'Ik heb al zo veel grenzen overschreden vanavond. Ik moet echt weg. Ik zie je aanstaande zondag.' Ik ga staan. 'Ik zorg dat er dan een nieuwe versie van het contract klaarligt en dan kunnen we echt gaan spelen.'

'Spelen?' piept ze.

'Ik wil graag een scène met je doen. Maar dat doen we pas als je hebt getekend, zodat ik weet dat je er klaar voor bent.'

'O. Dus ik zou dit stadium nog even kunnen rekken, als ik niet teken?'

Shit. Daar had ik niet aan gedacht.

Ze tilt haar kin uitdagend op.

Ah... vanuit haar positie wil ze de baas spelen, opnieuw. Ze vindt altijd wel een manier.

'Tja, vermoedelijk wel, maar ik zou best wel eens kunnen bezwijken onder de spanning.'

'Bezwijken? Op wat voor manier?' vraagt ze, haar nieuwsgierige ogen fonkelen levendig.

'Kon wel eens heel gevaarlijk worden,' plaag ik, mijn ogen samenknijpend.

'Gevaarlijk in welk opzicht?' Ze grijnst, net als ik.

'O nou, explosies, achtervolgingen met auto's, ontvoering, opsluiting, dat soort dingen.'

'Jij zou mij ontvoeren?'

'Echt wel.'

'En me tegen m'n wil vasthouden?'

'Jazeker.' *Dat is een interessant idee.* 'En dan hebben we het over TPE 24/7.'

'Dat volg ik niet,' zegt ze, verbijsterd en een beetje buiten adem.

'*Total Power Exchange*, vrijwillige overgave van alle macht en zeggenschap – de klok rond.' Het duizelt me terwijl ik aan de mogelijkheden denk. Ze is nieuwsgierig. 'Dus je hebt geen keus,' voeg ik er op speelse toon aan toe.

'Da's meer dan duidelijk.' Haar toon is sarcastisch en ze rolt met haar ogen naar de hemel, misschien is ze op zoek naar heilige inspiratie om mijn gevoel voor humor te begrijpen.

O, wat een genoegen.

'Anastasia Steele, zag ik je daar met je ogen rollen?'

'Nee!'

'Volgens mij wel. En wat had ik gezegd dat ik zou doen als je nog één keer met je ogen zou rollen?' Mijn woorden blijven tussen ons in hangen en ik ga weer op het bed zitten. 'Kom hier.'

Ze staart me aan terwijl ze van kleur verschiet. 'Ik heb nog niet getekend,' fluistert ze.

'Maar ik heb je gewaarschuwd. En ik ben een man van mijn woord. Je krijgt billenkoek en daarna ga ik je heel snel en heel hard neuken. Dus we gaan dat condoom toch nog gebruiken.'

Zal ze het doen? Zal ze het niet doen? Nu is het moment aangebroken. Het bewijs dat ze het aankan, of niet. Ik kijk naar haar, onbewogen, wachtend op haar beslissing. Als ze 'nee' zegt, betekent dat dat ze alleen het idee om mijn Onderdanige te zijn interessant vindt.

En dan houdt het op.

Maak de juiste keuze, Ana.

Haar gezicht staat ernstig, haar ogen zijn groot en ik denk dat ze haar beslissing overweegt.

'Ik wacht,' mompel ik. 'En ik sta niet bekend om mijn geduld.' Ze haalt diep adem, haalt haar benen van elkaar en kruipt naar me toe terwijl ik mijn opluchting niet laat merken.

'Braaf meisje. En nu gaan staan.'

Ze doet wat haar verteld wordt en ik bied haar mijn hand aan. Ze legt het condoom erin. Ik grijp haar hand en trek haar bruusk over mijn linkerknie, waardoor haar hoofd, schouders en borsten op het bed terechtkomen. Ik leg mijn rechterknie over haar benen en houd haar zo op haar plek. Ik wilde dat al doen vanaf het moment dat ze vroeg of ik homo was. 'Handen omhoog, naast je hoofd,' beveel ik en ze gehoorzaamt meteen. 'Waarom doe ik dit, Anastasia?'

'Omdat ik met m'n ogen rolde,' zegt ze met een hees gefluister.

'Vind je dat beleefd?'

'Nee.'

'Doe je dat ooit nog eens?'

'Nee.'

'Elke keer dat je het doet, krijg je billenkoek, heb je me goed begrepen?'

Hier ga ik heel veel plezier aan beleven. Opnieuw een eerste keer.

Met grote aandacht, genietend van de daad, trek ik haar trainingsbroek naar beneden. Haar prachtige achterste is ontbloot en gereed voor mij. Zodra ik mijn hand op haar billen leg, spant elke spier in haar lichaam zich... in afwachting. Haar huid voelt zo zacht aan en ik strijk met mijn hand over haar beide billen, ze allebei liefkozend. Ze heeft een prachtige, volmaakte kont. En ik ga die roze maken... net als de champagne.

Ik til mijn hand omhoog en sla haar, hard, net boven de plek waar haar dijen samenkomen.

Ze hapt naar lucht en probeert overeind te komen, maar ik houd haar tegen met mijn andere hand op haar onderrug, en ik troost de plek die ik net geraakt heb met een langzame, zachte streling.

Ze blijft stilliggen.

Snuivend.

Afwachtend.

Ja. Dat ga ik weer doen.

Ik sla haar eenmaal, tweemaal, driemaal.

Haar gezicht vertrekt van pijn en ze knijpt haar ogen samen. Maar ze vraagt me niet om te stoppen, hoewel ze onder mij kronkelt.

'Stilliggen, of ik ga langer door,' waarschuw ik.

Ik wrijf over haar zoete vlees en begin opnieuw, afwisselend: linkerbil, rechterbil, ertussenin.

Ze schreeuwt het uit. Maar ze beweegt haar armen niet en vraagt me nog steeds niet op te houden.

'Ik raak net een beetje op dreef.' Mijn stem klinkt hees. Ik sla haar opnieuw en bekijk de roze handafdruk die ik op haar huid heb achtergelaten. Haar kont wordt heel mooi roze. Het ziet er prachtig uit.

Ik sla haar nog een keer.

En ze schreeuwt het opnieuw uit.

'Niemand die je hoort, schatje, alleen ik.'

Ik geef haar een venijnig pak slaag, in dezelfde volgorde: linkerbil, rechterbil, ertussenin, en ze gilt elke keer. Wanneer ik bij de achttien ben gekomen, stop ik. Ik ben buiten adem, mijn handpalm prikt en mijn pik is hard.

'Genoeg,' kras ik terwijl ik op adem probeer te komen. 'Goed gedaan, Anastasia. En nu ga ik je neuken.'

Zachtjes streel ik haar roze achterste, in rondjes die naar beneden gaan. Ze is nat.

Ik word harder.

Ik steek twee vingers in haar vagina.

'Voel dit maar eens. Voel maar hoe lekker je lijf dit vindt. Je bent drijfnat, dat doe ik met je.' Ik laat twee vingers in en uit haar glijden en ze kreunt. Met elke duw kronkelt haar lichaam zich om mijn vingers heen. Haar ademhaling wordt sneller.

Ik haal mijn vingers uit haar.

Ik wil haar. Nu.

'De volgende keer laat ik je tellen. Waar is dat condoom gebleven?' Ik graai het naast haar hoofd vandaan en laat haar langzaam vanaf mijn schoot op het bed zakken, met haar hoofd naar beneden. Ik maakt mijn rits open, doe geen moeite om mijn spijkerbroek uit te trekken en maak korte metten met de folieverpakking, waarna ik het condoom snel en efficiënt omdoe. Ik til haar heupen omhoog zodat ze op haar knieën zit en haar kont in al haar roze glorie omhoog balanceert terwijl ik achter haar sta.

'Ik ga je van achteren nemen. Klaarkomen is toegestaan,' grom ik terwijl ik haar achterste streel en mijn pik beetpak. Met één snelle stoot ben ik in haar.

Ze kreunt terwijl ik beweeg. In. Uit. In. Uit. Ik neuk haar, ik zie hoe mijn pik verdwijnt onder haar roze achterwerk.

Ana's mond staat wijd open en ze gromt en kreunt bij elke stoot, haar kreten worden hoger en hoger.

Kom op, Ana.

Ze klemt zich om me vast en schreeuwt het uit terwijl ze komt, hard.

'O, Ana!' Ik volg haar over de rand als ik mijn hoogtepunt in haar bereik en elk besef van plaats en tijd verlies.

Ik stort naast haar neer, trek haar boven op me en terwijl ik mijn armen om haar heen sla, fluister ik in haar haren, 'O schatje, welkom in mijn wereld.'

Haar gewicht houdt me op mijn plaats en ze doet haar best mijn borstkas niet aan te raken. Haar ogen zijn gesloten en haar ademhaling kalmeert. Ik streel haar haren. Ze zijn zacht, in de kleur van rijke mahonie, gloeiend in de gloed van het lampje naast haar bed. Ze ruikt naar Ana en appels en seks. Het is bedwelmend. 'Goed gedaan, schatje.'

Ze huilt niet. Ze deed wat haar gevraagd werd. Ze ging elke uitdaging aan die ik haar gaf. Ze is echt heel bijzonder. Met mijn vinger raak ik het dunne bandje van haar goedkope katoenen topje aan. 'Slaap je hierin?'

'Ja.' Ze klinkt soezerig.

'Je zou zijde en satijn moeten dragen, mooi meisje. We gaan binnenkort winkelen.'

'Ik ben gek op m'n joggingbroek,' werpt ze tegen.

Natuurlijk is ze dat.

Ik kus haar haren. 'We zullen zien.'

Ik doe mijn ogen dicht en ontspan even, een vreemd gevoel van tevredenheid verwarmt me vanbinnen.

Dit voelt goed. *Te goed.*

'Ik moet weg,' mompel ik en ik kus haar op haar voorhoofd. 'Alles goed met je?'

'Prima,' zegt ze. Het klinkt een beetje gedwee.

Voorzichtig rol ik onder haar vandaan en ga staan. 'Waar is de badkamer?' Vraag ik terwijl ik het gebruikte condoom verwijder en mijn spijkerbroek dichtmaak.

'Einde van de gang links.'

In de badkamer gooi ik de condooms weg en zie ik op een plank een flesje babyolie staan.

Dat is precies wat ik nodig heb.

Als ik terugkom, heeft ze zich aangekleed en ontwijkt ze mijn blik. *Waarom is ze opeens zo verlegen?*

'Ik heb wat babyolie gevonden. Daarmee ga ik even je billen masseren.'

'Nee. Het gaat wel,' zegt ze, terwijl ze haar vingers bestudeert en nog steeds elk oogcontact mijdt.

'Anastasia,' waarschuw ik haar.

Doe alsjeblieft wat je gezegd wordt.

Ik ga achter haar zitten en trek haar joggingbroek naar beneden. Ik spuit wat babyolie op mijn hand en wrijf dat voorzichtig over haar geïrriteerde huid.

Ze plaatst haar handen op haar heupen, maar blijft verder stilliggen.

'Ik vind het lekker om m'n handen op je te voelen,' geef ik hardop aan mezelf toe. 'Zo.' Ik trek haar broek omhoog. 'Ik ga nu weg.'

'Ik zal je even uitlaten,' zegt ze stilletjes terwijl ze uit de weg gaat.

Ik pak haar hand vast en laat die met tegenzin los als we bij de voordeur aangekomen zijn. Een deel van mij wil niet weggaan.

'Moet je Taylor niet bellen?' vraagt ze. Ze kijkt strak naar de rits van mijn leren jack.

'Taylor is hier al sinds negen uur. Kijk me eens aan.'

Grote blauwe ogen gluren door lange, donkere wimpers naar me omhoog.

'Je hebt niet gehuild.' Mijn stem klinkt zacht.

En ik mocht je een flink pak slaag geven. Je bent geweldig.

Ik pak haar vast en kus haar. Al mijn dankbaarheid stop ik in die kus en mijn omhelzing. 'Zondag,' fluister ik koortsachtig tegen haar lippen. Ik laat haar opeens los, voordat ik in de verleiding kom om te vragen of ik mag blijven en ga naar Taylor, die in de SUV op me zit te wachten. Zodra ik in de auto zit, kijk ik om, maar ze is er niet meer. Ze is waarschijnlijk moe... net als ik.

Aangenaam vermoeid.

Dit is het aangenaamste gesprek over zachte grenzen dat ik ooit heb gevoerd.

Verdomme, die vrouw is onvoorspelbaar. Ik sluit mijn ogen en zie voor me hoe ze me berijdt, haar hoofd in extase achterover hellend. Ana doet niets halfslachtig. Ze geeft zich helemaal. En dan te bedenken dat ze nog maar een week geleden voor het eerst seks heeft gehad.

Met mij. En met niemand anders.

Ik grijns terwijl ik uit het autoraam staar, maar alles wat ik zie is mijn spookachtige gezicht weerspiegeld in het glas. Dus ik sluit mijn ogen en geef mezelf over aan mijn fantasie.

Haar trainen zal leuk worden.

Taylor wekt me uit mijn dutje. 'We zijn er, meneer Grey.'

'Dank je,' mompel ik. 'Ik heb morgenochtend een vergadering.'

'In het hotel?'

'Ja. Een videoconferentie. Ik hoef dus nergens naartoe gebracht te worden. Maar ik wil wel graag voor de lunch vertrekken.'

'Hoe laat wilt u dat ik uw koffers pak?'

'Halfelf.'

'Uitstekend, meneer. De BlackBerry waar u om vroeg, zal morgen bij mevrouw Steele bezorgd worden.'

'Goed. Dat doet me eraan denken, kun jij haar oude Kever morgen ophalen en af laten voeren? Ik wil niet dat ze erin rijdt.'

'Uiteraard. Een vriend van mij restaureert antieke wagens. Hij is er wellicht geïnteresseerd in. Ik zal dit afhandelen. Kan ik verder nog iets voor u doen?'

'Nee, dank je. Goedenacht.'

'Goedenacht.'

Ik laat Taylor achter zodat hij de SUV kan parkeren en ga naar mijn suite.

Ik open een fles spuitwater uit de koelkast, ga aan mijn bureau zetten en zet mijn laptop aan. Geen dringende e-mails. Maar de echte reden dat ik hier zit is dat ik Ana welterusten wil wensen.

Van: Christian Grey
Onderwerp: U
Datum: 26 mei 2011 23:14
Aan: Anastasia Steele

Beste mevrouw Steele,
U bent in één woord onvergelijkbaar. De mooiste, intelligentste, grappigste en moedigste vrouw die ik ooit ontmoet heb. Neem een ibuprofen – en dat is geen verzoek. En rij nooit meer in die Kever. Ik kom erachter.

Christian Grey
Directeur, Grey Enterprises Holdings, Inc.

Ze zal waarschijnlijk al slapen, maar ik houd mijn laptop nog even open en check mijn e-mails. Een paar minuten later komt haar antwoord binnen.

Van: Anastasia Steele
Onderwerp: Vleierij
Datum: 26 mei 2011 23:20
Aan: Christian Grey

Beste meneer Grey,
Met vleierij komt u nergens, maar aangezien u al overál bent geweest valt dit argument in het niets.
Ik moet m'n Kever toch nog naar een garage rijden om haar te verkopen – dus ik leg mij heel elegant niet zonder

slag of stoot neer bij uw onzinnige wensen in dezen.
Rode wijn is altijd lekkerder dan ibuprofen.
Ana
PS Ranselen is een HARDE grens voor mij.

Ik moet hardop lachen om de eerste regel. *O schatje, ik ben nog niet overal geweest waar ik met jou heen wil.* Rode wijn na champagne? Geen verstandige mix, en ranselen staat niet langer op de lijst. Ik vraag me af waartegen ze nog meer bezwaar zal maken terwijl ik mijn antwoord typ.

Van: Christian Grey
Onderwerp: Frustrerende vrouwen die niet weten hoe ze een compliment moeten accepteren
Datum: 26 mei 2011 23:26
Aan: Anastasia Steele

Beste mevrouw Steele,
Ik doe niet aan vleierij. U moet naar bed.
Ik ga akkoord met uw toegevoegde harde grens.
Drink niet te veel.
Taylor zorgt wel voor de verkoop van uw auto en ook dat u er een goede prijs voor krijgt.

Christian Grey
Directeur, Grey Enterprises Holdings, Inc.

Ik hoop dat ze nu in bed ligt.

Van: Anastasia Steele
Onderwerp: Taylor – is hij de juiste man voor deze klus?
Datum: 26 mei 2011 23:40
Aan: Christian Grey

Meneer,
Ik vind het intrigerend dat u het prima vindt dat uw trouwe rechterhand in mijn auto rijdt – maar niet de vrouw die u zo nu en dan

neukt. Hoe weet ik dat Taylor de man is die me de beste deal gaat bezorgen voor voornoemde auto? Vroeger, waarschijnlijk voordat ik u tegen het lijf liep, stond ik bekend als een geducht onderhandelaar die de tegenpartij nog wel eens het vel over de oren haalde.
Ana

Wat is dit, verdomme? Een vrouw die ik zo nu en dan neuk? Ik moet diep ademhalen. Haar antwoordt stuit me tegen de borst... nee, maakt me razend. Hoe dúrft ze zo over zichzelf te praten? Als mijn Onderdanige zal ze zoveel meer zijn dan dat. Ik zal haar toegewijd zijn. Begrijpt ze dat dan niet?

En ze heeft keihard onderhandeld. *Lieve hemel!* Kijk toch eens naar alle toezeggingen die ik heb gedaan met betrekking tot het contract.

Ik tel tot tien en om rustiger te worden denk ik aan The Grace, mijn catamaran, zeilend op de Sont.

Flynn zou trots op me zijn.

Ik stuur haar mijn antwoord.

Van: Christian Grey
Onderwerp: Opgepast!
Datum: 26 mei 2011 23:44
Aan: Anastasia Steele

Beste mevrouw Steele,
Ik neem aan dat hier de RODE WIJN spreekt. En het feit dat u zo'n lange dag heeft gehad.
Hoewel ik er veel voor voel om terug te rijden en ervoor te zorgen dat u een week lang niet kunt zitten in plaats van één avond.
Taylor komt uit het leger en kan overal in rijden, of het nou een motor is of een Sherman-tank. Uw auto vormt geen gevaar voor hem.
En wilt u verder niet aan uzelf refereren als 'een vrouw die ik zo nu en dan neuk', want eerlijk gezegd word ik daar PISSIG van, en u weet dat u me een stuk minder leuk vindt als ik boos ben.

Christian Grey
Directeur, Grey Enterprises Holdings, Inc.

Ik adem langzaam uit en breng mijn hartslag omlaag. Wie ter wereld lukt het om mij zo diep te raken?
Ze schrijft niet meteen terug. Misschien heeft mijn antwoord haar afgeschrikt. Ik pak mijn boek, maar ontdek al snel dat ik dezelfde alinea drie keer heb gelezen en dat ik op haar antwoord wacht. Ik kijk voor de zoveelste keer omhoog.

Van: Anastasia Steele
Onderwerp: Pas zelf op
Datum: 26 mei 2011 23:57
Aan: Christian Grey

Beste meneer Grey,
Ik weet niet zeker of ik u überhaupt wel leuk vind, vooral nu niet.
Mevrouw Steele

Ik staar naar het bericht en al mijn woede ebt weg en sterft af, om plaats te maken voor een golf van angst.
Shit.
Bedoelt ze nu dat het over is?

Vrijdag 27 mei 2011

Van: Christian Grey
Onderwerp: Pas zelf op
Datum: 27 mei 2011 00:03
Aan: Anastasia Steele

Waarom vind je me niet leuk?

Christian Grey
Directeur, Grey Enterprises Holdings, Inc.

Ik sta op en open nog een fles spuitwater.
En wacht.

Van: Anastasia Steele
Onderwerp: Pas zelf op
Datum: 27 mei 2011 00:09
Aan: Christian Grey

Omdat je nooit bij me blijft.

Zes woordjes.
Zes kleine woordjes waardoor mijn hoofdhuid gaat tintelen.
Ik heb haar verteld dat ik bij niemand blijf slapen.
Maar vandaag was een belangrijke dag.
Ze was afgestudeerd aan de universiteit.
Ze stemde toe.
Samen bespraken we alle zachte grenzen waarover ze verder niets wist. We hebben geneukt. Ik heb haar billenkoek gegeven. We hebben opnieuw geneukt.

Shit.

En nog voordat ik mezelf kan tegenhouden, pak ik het pasje van de garage, neem mijn jack mee en ga naar buiten.

De wegen zijn verlaten en drieëntwintig minuten later ben ik bij haar appartement.

Ik klop zachtjes aan en Kavanagh doet de deur open.

'Wat denk jij verdomme dat je hier komt doen?' schreeuwt ze. Haar ogen vlammen van woede.

Ho. Niet de ontvangst waar ik op had gerekend.

'Ik wil Ana zien.'

'Nou, dat kun je dus vergeten!' Kavanagh staat met over elkaar geslagen armen in de deuropening en zet zich schrap.

Ik probeer met haar te praten. 'Maar ik moet haar zien. Ze heeft me gemaild.' *Ga verdomme opzij!*

'Klootzak, wat heb je haar nu weer aangedaan?'

'Daar wil ik juist achter komen.' Ik knars met mijn tanden.

'Sinds ze jou kent, huilt ze alleen nog maar.'

'Wat?' Ik kan niet langer met deze shit omgaan en duw haar opzij.

'Nee, je mag hier niet naar binnen!' Kavanagh volgt me en krijst als een viswijf terwijl ik door het appartement naar Ana's slaapkamer storm.

Ik doe Ana's deur open en doe het grote licht aan. Ze ligt in elkaar gedoken op bed, in haar dekbed gewikkeld. Haar ogen zijn rood en opgezwollen en ze knijpt ze tot spleetjes door het felle licht. Haar neus is ook opgezwollen en vlekkerig.

Ik heb meerdere vrouwen zo gezien, vooral nadat ik ze heb gestraft. Maar het ongemakkelijke gevoel dat ik nu in mijn onderbuik heb, verrast me.

'Jezus, Ana.' Ik doe het grote licht uit zodat ze haar ogen niet zo dicht hoeft te knijpen en ga naast haar op bed zitten.

'Wat kom je hier doen?' Ze is aan snotteren. Ik knip het nachtlampje aan.

'Wil je dat ik deze klootzak eruit gooi?' blaft Kate vanuit de deuropening.

Rot op, Kavanagh. Ik trek een wenkbrauw omhoog en doe alsof ik haar negeer.

Ana schudt haar hoofd, maar haar waterige ogen zijn op mij gericht.

'Geef maar een gil als je me nodig hebt,' zegt Kate tegen Ana alsof ze een kind is. 'Grey,' snauwt ze en dus moet ik wel haar kant op kijken. 'Je staat op mijn zwarte lijst en ik hou je in de gaten.' Ze klinkt schel, haar ogen zijn klein van woede, maar dat kan me toch geen fuck schelen.

Gelukkig gaat ze weg, maar ze trekt de deur niet helemaal dicht. Ik voel in mijn binnenzak en opnieuw overtreft mevrouw Jones al mijn verwachtingen. Ik vis er een zakdoek uit en geef die aan Ana.

'Wat is er aan de hand?'

'Wat doe je hier?' Haar stem klinkt zwakjes.

Ik weet het niet.

Je zei dat je me niet leuk meer vindt.

'Het hoort bij mijn rol om voor jou te zorgen. Je zei dat je wilde dat ik bleef, dus hier ben ik.' *Goeie redding, Grey.* 'Maar dan tref ik jou hier zo aan.' *Zo heb ik je niet achtergelaten.* 'Ik weet zeker dat het door mij komt, maar ik heb geen idee wat ik misdaan heb. Is het omdat ik je geslagen heb?'

Ze worstelt zich overeind en krimpt in elkaar zodra ze rechtop zit.

'Heb je een ibuprofen genomen?' *Zoals je was opgedragen?*

Ze schudt haar hoofd.

Wanneer doe je toch eens wat je wordt verteld?

Ik vertrek om Kavanagh te zoeken, die witheet op de bank zit.

'Ana heeft hoofdpijn. Is er ergens ibuprofen?'

Ze trekt haar wenkbrauwen op. Ik denk dat ze verrast is door mijn bezorgdheid om haar vriendin. Ze trekt een boos gezicht terwijl ze opstaat en naar de keuken stampt. Ze ritselt door een aantal dozen voordat ze me een paar pillen en een theekopje met water geeft.

Terug in de slaapkamer geef ik ze aan Ana en ga op het bed zitten. 'Neem deze maar in.'

Ze doet het, haar blik troebel door de zorgen.

'Zeg eens wat. Je zei dat alles prima was. Ik zou je nooit alleen gelaten hebben als ik wist dat je er zo aan toe was.' Afwezig speelt ze met een losse draad van haar sprei. 'Ik neem aan dat het niet klopt toen je zei dat alles goed was.'

'Ik dacht dat het oké was,' geeft ze toe.

'Anastasia, je kunt niet tegen me zeggen wat je denkt dat ik wil horen. Dat is niet erg eerlijk. Hoe weet ik anders wat ik moet geloven als je iets zegt?' Dit heeft nooit kans van slagen als ze niet eerlijk tegen me is.

De gedachte is ontmoedigend.

Praat tegen me, Ana.

'Hoe voelde je je toen ik je sloeg, en daarna?'

'Ik vond het niet prettig. En ik heb liever niet dat je het nog een keer doet.'

'Het was ook niet de bedoeling dat je het prettig zou vinden.'

'Waarom vind jij het lekker?' vraagt ze en haar stem klinkt nu vaster.

Shit. Ik kan haar echt niet vertellen waarom.

'Wil je dat echt weten?'

'O, geloof me, ik ben een en al oor.' Nu is ze sarcastisch.

'Pas op jij,' waarschuw ik haar.

Ze wordt bleek zodra ze mijn gezicht ziet. 'Ga je me weer slaan?'

'Nee, vanavond niet.' *Ik denk dat je genoeg hebt gehad.*

'Nou... waarom?' Ze wil nog steeds een antwoord.

'Ik hou van de controle die ik dan heb, Anastasia. Ik wil dat jij je op een bepaalde manier gedraagt en als je dat niet doet, dan geef ik je straf. Zo leer je je te gedragen zoals ik wil. Ik vind het lekker om je te straffen. Ik wilde je al over de knie leggen vanaf het moment dat je vroeg of ik homo was.'

En ik wil niet dat je tegenover mij met je ogen rolt of dat je sarcastisch bent.

'Dus je vindt me niet leuk zoals ik ben.' Ze zegt het met een klein stemmetje.

'Ik vind je heerlijk zoals je bent.'

'Maar waarom probeer je me dan te veranderen?'

'Ik wil je helemaal niet veranderen.' *Dat is maar goed ook. Je bent betoverend.* 'Ik wil alleen graag dat jij je hoffelijk gedraagt en je aan een aantal regels houdt. En dat je niet tegen me in gaat. Simpel.' *Ik wil dat je veilig bent.*

'Maar je wilt me ook straffen?'

'Ja, dat klopt.'

'Dat begrijp ik dus niet.'

Ik zucht. 'Zo zit ik gewoon in elkaar. Ik moet de controle over je hebben. Je moet je op een bepaalde manier gedragen, en als je dat niet doet...' Mijn gedachten dwalen af. *Ik vind het opwindend, Ana. Jij ook. Kun je dat niet accepteren?*

Jou over mijn knie hebben... jouw kont onder mijn handpalm voelen. 'Ik vind het heerlijk om te zien hoe je prachtige albasten huid roze en heet wordt onder mijn handen. Dat windt me op.' Alleen al de gedachte eraan prikkelt mijn lichaam.

'Dus het gaat niet om de pijn die je me bezorgt?'

Verdomme.

'Een beetje wel, om te zien of je het aankunt.' Eigenlijk juist wel, heel erg zelfs, maar daar wil ik het nu niet over hebben. Als ik haar dat vertel, stuurt ze me weg.

'Maar niet alleen daarom. Het gaat erom dat je van mij bent en dat ik met je kan doen wat ik wil – totale controle over iemand anders. Dat windt me op. Daar geil ik op, Anastasia, heel erg.'

Ik moet haar een paar boeken over het bestaan van een Onderdanige lenen.

'Luister, ik vind het moeilijk om dit goed uit te leggen... Ik heb me nog nooit hoeven verantwoorden. Ik heb hier gewoon nog nooit zo diep over nagedacht. Tot nu toe was ik altijd met iemand samen die ook zo in elkaar stak.' Ik stop om te zien of ze me nog volgt. 'En je hebt nog steeds mijn vraag niet beantwoord – hoe voelde je je daarna?'

Ze knippert. 'Verward.'

'Je werd er opgewonden van, Anastasia.'

Er zit een freak in je, Ana. Ik weet het zeker.

Ik doe mijn ogen dicht en denk eraan terug hoe nat en gewillig ze was rondom mijn vingers nadat ik haar had geslagen. Zodra ik ze open, staart ze me met verwijde pupillen aan, haar lippen uit elkaar... haar tong bevochtigt haar bovenlip. Zij wil het ook.

Shit. Niet weer, Grey. Niet als ze in zo'n toestand verkeert.

'Kijk niet zo naar me,' waarschuw ik kortaf.

Verrast trekt ze haar wenkbrauwen omhoog.

Je weet wat ik bedoel, Ana. 'Ik heb geen condooms meer bij me, Anastasia, en jij bent overstuur. In tegenstelling tot wat je huisgenootje denkt, ben ik geen monster. Dus je was in de war?'

Ze blijft zwijgen.

Jezus.

'Op papier heb je er helemaal geen moeite mee om eerlijk tegen me te zijn. In je e-mails leg je glashelder uit hoe je je voelt. Waarom kun je dat niet ook in een gesprek? Vind je me zo intimiderend?'

Haar vingers friemelen met de sprei.

'Je hebt me betoverd, Christian. Totaal bedwelmd. Ik voel me net Icarus die te dicht bij de zon vliegt.' Haar stem is kalm, maar boordevol emoties.

Haar bekentenis vloert mij net zo snel als een vlugge trap tegen mijn hoofd zou doen.

'Nou, ik denk dat je dat net verkeerd om ziet,' fluister ik.

'Wat?'

'O, Anastasia, je hebt me behekst. Zie je dat dan niet?'

Daarom ben ik hier.

Ze is er nog steeds niet van overtuigd.

Ana. Geloof me. 'Je hebt me nog steeds geen antwoord gegeven. Schrijf me maar een e-mail dan. Maar nu wil ik eerst slapen. Mag ik blijven?'

'Wil je blijven?'

'Jij wilde me hier.'

'Dat vroeg ik niet,' houdt ze vol.

Onmogelijke vrouw. Ik ben hier net als een idioot naartoe gereden na jouw verdomde boodschap. Hier zal je het mee moeten doen.

Ik brom dat ik haar per e-mail zal antwoorden. Ik praat er niet meer over. Dit gesprek is voorbij.

Voordat ik van gedachten kan veranderen en terugrijd naar het Heathman, ga ik staan, maak mijn zakken leeg, trek mijn schoenen en sokken uit en doe mijn broek uit. Ik hang mijn jack over haar stoel en kruip in het bed.

'Ga liggen,' snauw ik.

Ze gehoorzaamt en ik leun op mijn elleboog terwijl ik haar aankijk. 'Als je moet huilen, huil dan uit bij mij. Ik moet het weten.'

'Je wilt graag dat ik huil?'

'Nee, dat niet. Ik wil alleen weten hoe je je voelt. Ik wil niet dat je me door de vingers glipt. Doe het licht maar uit. Het is laat en we moeten morgen allebei werken.'

Dat doet ze.

'Ga op je zij liggen, met je rug naar me toe.'

Ik wil niet dat je me aanraakt.

Het bed krijgt een kuil terwijl ze beweegt en ik vouw mijn arm om haar heen en trek haar voorzichtig tegen me aan.

'Ga slapen, schatje,' mompel ik en ik adem de geur van haar haren in.

Verdomme, wat ruikt ze lekker.

Lelliot rent door het gras.

Hij lacht. Hard.

Ik ren achter hem aan. Ik heb een brede lach op mijn gezicht.

Ik ga hem pakken.

Er staan kleine bomen om ons heen.

Babyboompjes vol appels.

Van mammie mag ik de appels oprapen.

Van mammie mag ik de appels eten.

Ik stop de appels in mijn zakken. In elke zak.

Ik verstop ze in mijn trui.

Appels smaken lekker.

Appels ruiken lekker.

Mammie maakt appeltaart.

Appeltaart en ijs.

Daar wordt mijn buikje altijd blij van.

Ik verstop de appels in mijn schoenen. Ik verstop ze onder mijn kussen.

Er is een man. Opa Trev-Trev-yan.

Zijn naam is moeilijk. Moeilijk in mijn hoofd te zeggen.

Hij heeft nog een naam. Thee-o-door.

Theodore is een grappige naam.

De babyboompjes zijn van hem.

Bij zijn huis. Waar hij woont.

Hij is de pappie van mijn mammie.

Hij lacht heel hard. Hij heeft grote schouders.

En blije ogen.

Hij rent om Lelliot en mij te pakken.

Je kunt me toch niet pakken.

Lelliot rent. Hij lacht.
Ik ren. Ik pak hem.
En we vallen in het gras.
Hij lacht.
De appels glimmen in de zon.
En ze smaken zo lekker.
Jammie.
En ze ruiken zo lekker.
Zo, zo lekker.
De appels vallen.
Ze vallen boven op mij.
Ik draai me om en ze raken mijn rug. Ze prikken.
Auw.

Maar de geur is er nog steeds, zoet en fris.
Ana.

Als ik mijn ogen open lig ik nog steeds om haar heen, onze ledematen verstrengeld. Ze kijkt me met een tedere glimlach aan. Haar gezicht is niet meer gevlekt en opgezwollen, ze straalt. Mijn pik is het ermee eens en wordt hard om haar te begroeten.
'Goedemorgen.' Ik ben gedesoriënteerd. 'Ongelooflijk, zelfs in m'n slaap kan ik niet van je afblijven.' Ik maak mezelf van haar los en rek me uit terwijl ik mijn omgeving inspecteer. Natuurlijk zijn we in haar slaapkamer. Haar ogen glanzen van gretige nieuwsgierigheid als mijn lid zich tegen haar aan drukt. 'Hmm, dit biedt perspectieven, maar ik denk dat we tot zondag moeten wachten.' Ik geef haar een kusje net onder haar oor en steun op mijn elleboog.
Ze ziet er blozend uit. Warm.
'Je bent zo ontzettend heet,' valt ze tegen me uit.
'Je mag er zelf anders ook wezen.' Ik grijns en strek mijn heupen uit zodat ik haar plaag met mijn favoriete lichaamsdeel. Ze probeert afkeurend te kijken maar faalt volledig, ze vindt het grappig. Ik buk me en kus haar.
'Lekker geslapen?' vraag ik.
Ze knikt.
'Ik ook.'

Ik ben verbaasd. Ik heb inderdaad erg goed geslapen. Ik vertel dat haar ook. Geen nachtmerries. Alleen maar dromen...

'Hoe laat is het?' vraag ik.

'Halfacht.'

'Halfacht? Shit!' Ik spring uit het bed en begin aan mijn spijkerbroek te rukken. Ze kijkt toe terwijl ik me aankleed en probeert niet te lachen.

'Je hebt zo'n slechte invloed op mij,' klaag ik. 'Ik heb een vergadering. Ik moet weg – ik moet om acht uur in Portland zijn. Zit je me uit te lachen?'

'Ja,' geeft ze toe.

'Ik ben hartstikke laat. Ik ben nooit te laat. Nóg een primeur, mevrouw Steele.' Ik trek mijn jack mee, reik naar beneden en neem haar hoofd in allebei mijn handen. Ik fluister: 'Zondag' en kus haar. Ik pak mijn horloge, portemonnee en geld van de tafel naast haar bed, raap mijn schoenen op en ga naar de deur. 'Taylor komt straks langs om zich over je Kever te ontfermen. Ik meende wat ik zei. Ik wil niet dat je er nog in rijdt. Ik zie je zondag, bij mij thuis. Ik mail je nog over de tijd.'

Haar enigszins verbouwereerd achterlatend, ren ik het appartement uit en haast me naar mijn auto.

Tijdens het rijden trek ik mijn schoenen aan. Zodra ik dat voor elkaar heb, druk ik het gaspedaal vol in en zigzag langs het verkeer dat naar Portland toe gaat. Ik moet de partners van Eamon Kavanagh maar in mijn spijkerbroek ontmoeten. Godzijdank is het een WebEx-vergadering.

Ik storm mijn kamer in het Heathman binnen en start mijn laptop op: 08:02 uur. *Shit.* Ik heb me niet geschoren, maar strijk mijn haren glad en trek mijn jack recht en hoop maar dat ze niet merken dat ik er alleen een T-shirt onder aanheb.

Wie kan het trouwens ook iets schelen?

Ik open WebEx en Andrea is er, ze wacht me op. 'Goedemorgen, meneer Grey. Meneer Kavanagh is verlaat, maar in New York en hier in Seattle zitten ze voor u klaar.'

'Fred en Barney?' *Mijn Flintstones.* Ik gniffel om de associatie.

'Ja, meneer. En Ros ook.'

'Mooi. Bedankt.' Ik ben buiten adem. Ik vang Andrea's verbaasde blik op, maar besluit die te negeren. 'Kun je een geroosterde bagel met roomkaas en gerookte zalm voor me bestellen en een koffie, zwart. Stuur het direct naar mijn suite.'

'Ja, meneer Grey.' Ze plaatst de link naar de conferentie in het venster. 'Alstublieft, meneer,' zegt ze. Ik klik op de link – en ik ben er.

'Goedemorgen.' Er zitten twee bestuurders aan een vergadertafel in New York, allebei kijken ze verwachtingsvol naar de camera. Ros, Barney en Fred verschijnen ieder in een eigen venster.

Aan het werk. Kavanagh zegt dat hij zijn medianetwerk wil verbeteren met optische vezelaansluitingen die een hogere snelheid bieden. GEH kan dat voor hem uitvoeren, maar willen ze echt met hem samenwerken? Dit vereist bij aanvang een grote investering, maar het verdient zichzelf later meer dan terug.

Terwijl we bezig zijn, zweeft er een e-mailaankondiging met een fascinerende titel van Ana in de rechterbovenhoek van mijn scherm. Ik klik er zo onopvallend mogelijk op.

Van: Anastasia Steele
Onderwerp: Mishandeling: de nawerking
Datum: 27 mei 2011 08:05
Aan: Christian Grey

Beste heer Grey,
U wilde weten waarom ik in de war was nadat u mij – welk eufemisme zal ik eens gebruiken – gecorrigeerd, gestraft, geslagen, mishandeld had.

Dat lijkt me wat dramatisch uitgedrukt, mevrouw Steele. U had ook 'nee' kunnen zeggen.

Nou, gedurende het hele nare proces voelde ik me vernederd, gedenigreerd en misbruikt.

Waarom heb je me dan niet tegengehouden? Je hebt niet voor niks stopwoorden.

En tot mijn eigen schaamte moet ik u gelijk geven, het wond me ook op en dat had ik niet verwacht.

Dat weet ik. Mooi zo. Eindelijk heb je het toegegeven.

Zoals u heel goed weet zijn alle zaken die met seksualiteit te maken hebben nieuw voor mij – ik zou echt willen dat ik meer ervaring had en dus beter voorbereid was. Ik was geschokt dat het me opwond. Wat me pas echt zorgen baarde, was hoe ik me naderhand voelde. En dat is lastiger onder woorden te brengen. Ik was blij dat u blij was. Ik was opgelucht, omdat het minder pijn deed dan ik had gedacht. En toen ik in uw armen lag, voelde ik me... voldaan.

Ik ook, Ana, ik ook...

Maar ik voel me heel ongemakkelijk, nee zelfs schuldig, dat ik me zo voel. Het zit me niet lekker, en daarom ben ik in de war. Heb ik u hiermee voldoende geïnformeerd?
Ik hoop dat de wereld van Fusies en Overnames even spannend is als altijd... en dat u niet al te laat was.
Dank u wel dat u vannacht gebleven bent.
Ana

Kavanagh voegt zich bij het gesprek en verontschuldigt zich voor het feit dat hij te laat is. Terwijl de mannen kennismaken en Fred uitlegt wat GEH te bieden heeft, beantwoord ik het bericht van Ana. Ik hoop dat het er voor de anderen uitziet alsof ik aantekeningen maak.

Van: Christian Grey
Onderwerp: Bevrijd je geest
Datum: 27 mei 2011 08:24
Aan: Anastasia Steele

Interessante, hoewel enigszins overdreven onderwerpsregel, mevrouw Steele.

In antwoord op uw punten:

Ik hou het op billenkoek – omdat dat de juiste benaming is.

Dus u voelde zich vernederd, gedenigreerd en misbruikt – wat ontzettend Tess Durbeyfield van u. Ik meen me te herinneren dat jij zelf voor deze vernedering hebt gekozen. Voel je je echt zo of denk je alleen maar dat je je zo hóórt te voelen? Dat zijn twee heel verschillende dingen. En als je je inderdaad echt zo voelt, denk je dan dat je zou kunnen proberen hierin mee te gaan, ermee in het reine te komen, voor mij? Dat is wat een Onderdanige zou doen.

Ik waardeer je onervarenheid. Ik zie het als een kostbaar goed en ik begin pas net te beseffen wat het inhoudt. Simpel gezegd betekent het dat je echt totaal van mij bent, op elke denkbare manier.

Ja, je raakte opgewonden en dat was op zijn beurt weer heel opwindend, daar is niets mis mee.

'Blij' beschrijft voor geen meter hoe ik me voelde. 'Uitzinnig van vreugde' komt meer in de buurt.

Billenkoek die als straf bedoeld is, is veel pijnlijker dan sensuele billenkoek – dus veel harder dan dit zal het niet worden, tenzij je een grote misstap begaat natuurlijk, want dan pak ik er een hulpmiddel bij om je mee te straffen. Mijn hand deed namelijk behoorlijk pijn. Maar daar hou ik wel van.

Ik voelde me ook voldaan – meer dan je ooit zult weten.

Verspil je energie niet aan schuldgevoelens, clichés over goed en fout, etc. We zijn beiden volwassen, dus wat wij achter gesloten deuren doen, gaat alleen ons aan. Je moet leren je geest te bevrijden en naar je lichaam te luisteren.

De wereld van F&O is niet half zo spannend als u, mevrouw Steele.

Christian Grey
Directeur, Grey Enterprises Holdings, Inc.

Ze antwoordt vrijwel direct.

Van: Anastasia Steele
Onderwerp: Volwassen
Datum: 27 mei 2011 08:26
Aan: Christian Grey

Zat jij niet in een vergadering?
Ik ben uitermate blij dat je hand pijn deed.
En als ik naar mijn lichaam luisterde, zou ik al in Alaska zijn.
Ana
PS Ik ga nadenken of ik hierin mee kan gaan.

Alaska! Jemig, mevrouw Steele. Ik glimlach en probeer te doen alsof ik het videogesprek nog altijd volg. Er wordt op de deur geklopt en terwijl ik de roomservice mijn ontbijt naar binnen laat brengen, bied ik excuses aan voor het onderbreken van de conferentie. Mevrouw met de Donkere Ogen beloont me bij het ondertekenen van de cheque met een flirterige glimlach.

Ik richt me weer op WebEx en hoor hoe Fred aan Kavanagh en zijn collega's vertelt hoe succesvol deze technologie al voor andere bedrijven die in termijncontracten handelen is geweest.

'Garandeert deze technologie me succes op de termijnmarkt?' vraagt Kavanagh met een cynische glimlach. Als ik hem vertel dat Barney hard aan een kristallen bol werkt om prijzen te kunnen voorspellen, lachen de mannen beleefd.

Terwijl Fred een theoretische planning voor de implementatie en technische integratie maakt, mail ik Ana.

Van: Christian Grey
Onderwerp: Je hebt de politie niet gebeld
Datum: 27 mei 2011 08:35
Aan: Anastasia Steele

Mevrouw Steele,
Ik zit in een vergadering over de termijnmarkt, als u het echt wilt weten.
Voor de goede orde – u stond naast mij en wist precies wat ik van plan was.
U hebt mij op geen enkel moment gevraagd te stoppen – u hebt geen van beide stopwoorden gebruikt.
U bent volwassen – u hebt een keus.
Eerlijk gezegd kijk ik uit naar de volgende keer dat mijn handpalm weer brandt van de pijn. U luistert duidelijk niet naar het juiste deel van uw lichaam.

Alaska is ijskoud en een slecht toevluchtsoord. Ik zou je zó vinden.

Ik kan je mobiel laten traceren – weet je nog?

Ga naar je werk.

Christian Grey
Directeur, Grey Enterprises Holdings, Inc.

Fred is goed op stoom als ik Ana's reactie binnenkrijg.

Van: Anastasia Steele
Onderwerp: Stalker
Datum: 27 mei 2011 08:36
Aan: Christian Grey

Ooit gedacht aan therapie voor je stalkneigingen?
Ana

Ik moet mijn lach inhouden. Ze is erg grappig.

Van: Christian Grey
Onderwerp: Stalker? Ik?
Datum: 27 mei 2011 08:38
Aan: Anastasia Steele

Ik betaal de eminente dr. Flynn een klein fortuin inzake mijn stalk-
en andere neigingen.
Ga naar je werk.

Christian Grey
Directeur, Grey Enterprises Holdings, Inc.

Waarom is ze nog niet onderweg naar haar werk? Straks komt ze te
laat.

Van: Anastasia Steele
Onderwerp: Dure kwakzalvers
Datum: 27 mei 2011 08:40
Aan: Christian Grey

Mag ik opperen dat u wellicht een second opinion zou kunnen gebruiken?
Ik weet niet zeker of dr. Flynn enig effect sorteert.
Mevrouw Steele

Allemachtig, deze vrouw is hilarisch... en weet waar ze het over heeft. Het advies van Flynn kost me een klein fortuin. Binnen een paar seconden typ ik mijn antwoord.

Van: Christian Grey
Onderwerp: Second opinions
Datum: 27 mei 2011 08:43
Aan: Anastasia Steele

Niet dat het je aangaat, hoe vriendelijk bedoeld ook, maar dr. Flynn ís de second opinion.
Je moet nu te hard rijden, in je nieuwe auto, waarmee je jezelf onnodig in gevaar brengt – wat volgens mij tegen de regels is.
GA NAAR JE WERK.

Christian Grey
Directeur, Grey Enterprises Holdings, Inc.

Kavanagh vraagt me iets over toekomstbestendigheid. Ik antwoord dat we kortgeleden een innovatief bedrijf overgenomen hebben dat een dynamische speler op het gebied van optische vezels is. Ik vertel hem maar niet dat ik zo mijn twijfels heb over Lucas Woods, de directeur. Hij is binnenkort toch weg. Wat Ros ook zegt, ik ontsla die idioot.

Van: Anastasia Steele
Onderwerp: SCHREEUWERIGE HOOFDLETTERS
Datum: 27 mei 2011 08:47
Aan: Christian Grey

Als het lijdend voorwerp van uw stalkneigingen gaat het mij wel degelijk aan, lijkt mij.

Ik heb nog niks getekend. Dus regels, ammehoela. En ik hoef pas om 9:30 uur te beginnen.
Mevrouw Steele

SCHREEUWERIGE HOOFDLETTERS. Heerlijk. Ik beantwoord haar bericht.

Van: Christian Grey
Onderwerp: Beschrijvende taalwetenschap
Datum: 27 mei 2011 08:49
Aan: Anastasia Steele

Ammehoela? Staat volgens mij niet in het woordenboek.

Christian Grey
Directeur, Grey Enterprises Holdings, Inc.

'Wat mij betreft kunnen we dit gesprek offline voortzetten,' zegt Ros tegen Kavanagh. 'Nu we weten wat jullie behoeften en verwachtingen zijn, kunnen we een uitgebreid voorstel uitwerken en dat volgende week bespreken.'

'Goed zo,' zeg ik terwijl ik nog altijd probeer geïnteresseerd over te komen.

Er wordt instemmend geknikt en vervolgens nemen we afscheid.

'Bedankt dat je ons deze kans geeft, Eamon,' zeg ik tegen Kavanagh.

'Het lijkt erop dat jullie precies weten wat we nodig hebben,' antwoordt hij. 'Goed je te zien gisteren. Tot ziens.'

Behalve Ros hangt iedereen op. Ze kijkt me aan alsof ik twee hoofden heb.

Met een ping laat mijn inbox me weten dat ik een nieuw bericht van Ana heb.

'Wacht even, Ros. Twee minuten.' Ik zet het geluid van mijn telefoon uit.

Lees haar bericht.

En begin hardop te lachen.

Van: Anastasia Steele
Onderwerp: Beschrijvende taalwetenschap
Datum: 27 mei 2011 08:52
Aan: Christian Grey

Je vindt het ergens vóór controlfreak en stalker.
En beschrijvende taalwetenschap is een harde grens voor mij.
Hou je dan nu eindelijk op me lastig te vallen?
Ik wil graag naar m'n werk, in m'n nieuwe auto.
Ana

Ik schrijf haar snel terug.

Van: Christian Grey
Onderwerp: Uitdagende maar amusante jonge vrouwen
Datum: 27 mei 2011 08:56
Aan: Anastasia Steele

Mijn handen jeuken.
Doe voorzichtig op de weg, mevrouw Steele.

Christian Grey
Directeur, Grey Enterprises Holdings, Inc.

Ros fronst als ik het geluid van mijn telefoon weer aanzet. 'Waar ben je in vredesnaam mee bezig, Christian?'
'Wat?' vraag ik zogenaamd onschuldig.
'Je weet donders goed wat ik bedoel. Als je er geen enkele interesse voor op kunt brengen, hou dan ook geen vergadering.'
'Was het zo duidelijk?'
'Ja.'
'Fuck.'
'Ja. Fuck. Dit kan een belangrijke klant voor ons worden.'
'Weet ik. Weet ik. Sorry.' Ik grijns.
'Ik weet niet wat er de laatste tijd met je aan de hand is.' Ze schudt haar hoofd, maar haar ogen verraden dat ze haar binnenpretje met ergernis probeert te verbergen.

'Het zal de Portlandse lucht wel zijn.'

'Nou ja, hoe sneller je terug bent, hoe beter.'

'Ik vertrek rond lunchtijd. Vraag Marco in de tussentijd wat onderzoek naar uitgevers in Seattle te doen en kijk of er eentje toevallig op zoek is naar een nieuwe eigenaar.'

'Je wilt boeken gaan uitgeven?' Ros lacht. 'Niet bepaald een groeimarkt.'

Daar heeft ze waarschijnlijk gelijk in.

'Onderzoek het nou maar gewoon.'

Ze zucht. 'Goed dan. Kom je vanmiddag nog terug naar kantoor? Misschien kunnen we wat bijpraten.'

'Hangt van het verkeer af.'

'Ik maak wel een afspraak via Andrea.'

'Prima. Tot later.'

Ik sluit WebEx af en bel Andrea.

'Meneer Grey.'

'Bel dokter Baxter en vraag of hij zondag rond de middag naar mijn appartement komt. Als hij niet beschikbaar is, kun je een andere gynaecoloog regelen. De beste die er is.'

'Ja, meneer,' zegt ze. 'Kan ik verder nog iets voor u doen?'

'Ja. Hoe heet de *personal shopper* die ik bij Neiman Marcus in het Bravern Center gebruik?'

'Caroline Acton.'

'Stuur me haar nummer door.'

'Zal ik doen.'

'We zien elkaar vanmiddag.'

'Ja, meneer.'

Ik hang op.

Mijn ochtend verloopt tot nu toe razend interessant. Ik kan me niet herinneren dat ik ooit eerder zo veel plezier in het sturen van e-mails heb gehad. Ik werp een blik op mijn laptop, maar heb geen nieuwe berichten. Ana zal wel op haar werk zijn.

Ik haal mijn handen door mijn haar.

Ros merkte dat ik tijdens de vergadering afgeleid was.

Verdomme, Grey. Beheers je.

Ik gooi mijn ontbijt naar binnen, drink wat koud geworden koffie en loop mijn slaapkamer in om te douchen en me om te kleden.

Zelfs als ik mijn haar sta te wassen, krijg ik haar niet uit mijn hoofd. Ana.

Adembenemende Ana.

Ik zie beelden voor me van Ana die me berijdt, Ana die met haar roze kont over mijn knie ligt, Ana die in extase aan het bed geketend voor me ligt. Man, wat is dat meisje geil. Vanmorgen was het niet eens zo erg om naast haar wakker te worden, en ik heb goed geslapen... ontzettend goed.

Schreeuwerige hoofdletters. Haar e-mails maken me aan het lachen. Ze zijn vermakelijk. Ze is erg grappig. Ik wist niet dat ik dat in een vrouw kon waarderen. Ik zal iets moeten bedenken om zondag in de speelkamer te doen... iets leuks, iets wat ze nog niet eerder gedaan heeft.

Tijdens het scheren schiet me een idee te binnen en zodra ik me aangekleed heb, loop ik naar mijn laptop om op de website van mijn favoriete speelgoedwinkel rond te kijken. Ik heb een rijzweep van bruin, gevlochten leer nodig. Ik grijns. Ik vervul al Ana's dromen.

Als ik mijn bestelling geplaatst heb, richt ik me vol energie op mijn e-mail. Dan komt Taylor binnen. 'Goedemorgen, Taylor.'

'Meneer Grey.' Hij knikt en kijkt me verward aan. Opeens besef ik me dat ik lach omdat ik weer aan haar e-mails denk.

Beschrijvende taalwetenschap is een harde grens voor mij.

'Ik heb een heel fijne ochtend gehad,' leg ik uit.

'Dat is fijn om te horen, meneer. Hier is de was van mevrouw Steele van vorige week.'

'Stop maar in mijn koffer.'

'Dat zal ik doen.'

'Dankjewel.' Ik kijk hem na terwijl hij mijn slaapkamer in loopt. Zelfs Taylor merkt welk effect Anastasia Steele op me heeft. Mijn telefoon trilt. Het is een bericht van Elliot.

Ben je nog in Portland?

Ja. Maar ik vertrek vanmiddag.

Ik kom iets later. Ik help de meisjes verhuizen. Jammer dat je niet kunt blijven. Onze eerste DUBBELDATE sinds je ontmaagding door Ana.

Rot op. Ik haal Mia op.

Vertel nou, joh. Kate laat niks los.

Mooi. Rot op. Nogmaals.

'Meneer Grey?' Taylor loopt met mijn koffer naar me toe. 'De koerier is onderweg met de BlackBerry.'
'Dankjewel.'
Hij knikt en loopt weg terwijl ik mevrouw Steele nog een mailtje stuur.

Van: Christian Grey
Onderwerp: BlackBerry TE LEEN
Datum: 27 mei 2011 11:15
Aan: Anastasia Steele

Ik moet je altijd en overal kunnen bereiken en aangezien jij via dit medium het eerlijkst communiceert, heb ik bedacht dat je een BlackBerry nodig hebt.

Christian Grey
Directeur, Grey Enterprises Holdings, Inc.

Misschien neem je dan eindelijk eens op als ik bel.

Om halftwaalf heb ik nog een videogesprek met onze financieel directeur om GEH's donaties aan goede doelen voor het komende kwartaal te bespreken. Dat duurt een uur. Erna eet ik een lichte lunch terwijl ik *Forbes* uitlees.

Als ik mijn laatste hap salade eenmaal heb doorgeslikt, heb ik geen redenen meer om nog langer in het hotel te blijven. Het is tijd om te gaan, maar iets houdt me tegen. Diep vanbinnen weet ik dat dat komt doordat ik Ana tot zondag niet zal zien, tenzij ze van gedachten verandert.

Fuck. Dat hoop ik niet.

Ik schud de vervelende gedachte van me af en begin mijn papieren in mijn schoudertas te stoppen. Als ik mijn laptop dicht

wil klappen, zie ik dat er een mailtje van Ana binnengekomen
is.

Van: Anastasia Steele
Onderwerp: Dolgedraaide kooplust
Datum: 27 mei 2011 13:22
Aan: Christian Grey

Volgens mij is het hoog tijd dat je dr. Flynn belt. Je stalkneigingen
lopen uit de hand.
Ik ben aan het werk. Ik mail je als ik thuis ben.
Bedankt voor nóg een apparaat.
Ik had gelijk toen ik je de ultieme consument noemde.
Waarom doe je dit?
Ana

Ze berispt me! Ik e-mail meteen terug.

Van: Christian Grey
Onderwerp: Scherpzinnig voor zo'n jong iemand
Datum: 27 mei 2011 13:24
Aan: Anastasia Steele

Goed punt, raak geformuleerd, mevrouw Steele.
Dr. Flynn is op vakantie.
En ik doe dit omdat ik het kan doen.

Christian Grey
Directeur, Grey Enterprises Holdings, Inc.

Ze beantwoordt mijn bericht niet direct, dus pak ik mijn laptop in.
Ik pak mijn tas, loop naar de receptie en check uit. Terwijl ik op mijn
auto wacht, belt Andrea om te vertellen dat ze een gynaecoloog
heeft gevonden die zondag naar Escala komt.
'Ze heet dokter Greene en wordt aanbevolen door uw huisarts,
meneer.'
'Mooi.'

'Haar praktijk ligt in het noordwesten van de stad.'

'Prima.' Wat probeert Andrea nu eigenlijk te zeggen?

'Het is alleen, meneer... ze is erg duur.'

Ik stel haar meteen gerust. 'Andrea, hoeveel ze ook vraagt, het is goed.'

'In dat geval kan ze om halftwee bij uw appartement zijn.'

'Heel goed. Bevestig de afspraak maar.'

'Zal ik doen, meneer Grey.'

Ik hang op en overweeg kort om mijn moeder te bellen en naar de reputatie van dokter Greene te vragen. Ze werken immers in hetzelfde ziekenhuis. Grace zou echter te veel vragen stellen.

Vanuit de auto stuur ik Ana een e-mail met meer informatie over zondag.

Van: Christian Grey
Onderwerp: Zondag
Datum: 27 mei 2011 13:40
Aan: Anastasia Steele

Zien we elkaar zondag om 13.00 uur?
De dokter komt om 13.30 uur voor jou naar het Escala-gebouw.
Ik ga nu naar Seattle.
Succes met de verhuizing!
Ik heb zin in zondag.

Christian Grey
Directeur, Grey Enterprises Holdings, Inc.

Zo. Dat is ook geregeld. Ik laat de R8 soepel de weg op glijden en raas richting de 1-5. Als ik de afslag naar Vancouver neem, krijg ik een idee. Ik bel Andrea handsfree en vraag haar om een cadeautje voor het nieuwe huis van Ana en Kate te kopen.

'Wat wilt u ze sturen?'

'Bollinger La Grande Année Rosé, 1999 vintage.'

'Prima, meneer. Verder nog iets?'

'Hoe bedoel je, verder nog iets?'

'Bloemen? Chocolade? Een ballon?'

'Ballon?'

'Ja.'

'Wat voor ballon?'

'Nou ja... ze hebben van alles.'

'Oké. Goed idee, kijk maar of je een ballon in de vorm van een helikopter kunt vinden.'

'Prima, meneer. En wat wilt u op de kaart hebben staan?'

'"Dames, veel succes in jullie nieuwe huis. Christian Grey." Heb je dat?'

'Natuurlijk. Wat is het adres?'

Shit. Dat weet ik niet. 'Dat sms ik je vanavond of morgen. Kan dat?'

'Ja, meneer. Ik kan het morgen laten bezorgen.'

'Dankjewel, Andrea.'

'Graag gedaan.' Ze klinkt verrast.

Ik hang op en trap het gaspedaal van mijn R8 diep in.

Om halfzeven ben ik thuis en is mijn stemming iets afgekoeld. Ik heb nog altijd niet van Ana gehoord. Ik haal een set manchetknopen uit een lade en vraag me bij het omdoen van mijn stropdas af of alles wel goed met haar gaat. Ze zei dat ze me een berichtje zou sturen als ze thuis was. Ik heb haar twee keer gebeld, maar niks gehoord en dat maakt me ongerust. Ik probeer het nog een keer en spreek haar voicemail in.

'Ik denk dat je zult moeten leren om beter met mijn verwachtingen om te gaan. Ik ben geen geduldig man. Als je zegt dat je na je werk contact met me opneemt, lijkt het me wel zo netjes om dat ook te doen. Anders maak ik me zorgen. Dat is geen gevoel waar ik ervaring mee heb en het bevalt me maar niks. Bel me terug.'

Als ze me niet snel belt, ontplof ik.

Ik zit met Whelan, mijn bankier, aan tafel. Ik ben te gast op zijn liefdadigheidsevenement voor een goed doel dat aandacht vraagt voor de wereldwijde armoede.

'Fijn dat je kon komen,' zegt Whelan.

'Het is voor een goed doel.'

'En bedankt voor uw gulle donatie, meneer Grey.' Zijn vrouw

wijkt geen moment van zijn zijde en draait haar prachtige, chirur-gisch geperfectioneerde borsten mijn kant op.

'Zoals ik al zei, het is voor een goed doel.' Ik glimlach beleefd naar haar.

Waarom heeft Ana me nog niet teruggebeld?

Ik kijk nog eens op mijn telefoon.

Niks.

Ik laat mijn blik over de tafel glijden en bekijk de oudere mannen, die inmiddels aan hun tweede of derde vrouw toe zijn. Laten we ho-pen dat ik nooit zo zal worden.

Ik verveel me. Ik verveel me vreselijk en ben ontzettend kwaad op Ana.

Wat is ze aan het doen?

Had ik haar hier mee naartoe kunnen nemen? Volgens mij had zij zich hier ook te pletter verveeld. Als de mannen de economie begin-nen te bespreken, heb ik er genoeg van. Ik verontschuldig me en loop de zaal en het hotel uit. Terwijl mijn auto wordt opgehaald, bel ik Ana weer.

Ze neemt nog altijd niet op.

Nu ik weg ben, wil ze misschien wel niks meer met me te maken hebben.

Als ik thuiskom, loop ik meteen naar mijn werkkamer en zet mijn laptop aan.

Van: Christian Grey
Onderwerp: Waar ben je?
Datum: 27 mei 2011 22:14
Aan: Anastasia Steele

'Ik ben aan het werk. Ik mail je als ik thuis ben.'

Ben je nog steeds aan het werk, of heb je je telefoon, BlackBerry en MacBook inmiddels ingepakt?
Bel me, anders moet ik Elliot bellen.

Christian Grey
Directeur, Grey Enterprises Holdings, Inc.

Ik kijk uit het raam naar het donkere water van de Sound. Waarom heb ik ook alweer aangeboden om Mia op te halen? Ik had nu bij Ana kunnen zijn, had haar kunnen helpen haar troep in te pakken en zou later met Kate en Elliot pizza zijn gaan eten, als dat tenminste is wat normale mensen tegenwoordig doen.

Verdomme, Grey.

Dit past totaal niet bij je. *Beheers je.*

Langzaam loop ik door mijn appartement. Mijn voetstappen echoën door de woonkamer, die vergeleken bij de vorige keer dat ik hier was pijnlijk leeg aanvoelt. Ik maak mijn das los. Misschien ben ik het die zich leeg voelt. Ik schenk mezelf een borrel in en staar naar de skyline van Seattle.

Denk je aan me, Anastasia Steele? De flikkerende lichten van de stad hebben geen antwoord voor me.

Mijn telefoon trilt. Godzijdank. Fuck. *Eindelijk.* Ze is het.

'Hoi.' Ik ben zo opgelucht dat ze eindelijk belt.

'Hoi,' zegt ze.

'Ik maakte me zorgen over je.'

'Weet ik. Sorry dat ik niet eerder terugbelde. Alles is goed met me hoor.'

Goed? Was ik maar...

'Heb je een fijne avond gehad?' Ik probeer mijn woede te onderdrukken.

'Ja. We hebben de laatste dingen ingepakt en toen hebben Kate en ik Chinees gegeten met José.'

Het wordt steeds mooier. Weer die verdomde fotograaf. Daarom heeft ze dus niet gebeld.

'En jij?' vraagt ze als ik niet reageer. Ze klinkt wanhopig.

Waarom? Wat verzwijgt ze?

Ach, denk toch niet zulke idiote dingen, Grey!

Ik zucht. 'Ik moest naar een liefdadigheidsdiner. Het was dodelijk saai. Ik ben zodra het kon vertrokken.'

'Was je maar hier,' fluistert ze.

'Is dat zo?'

'Ja,' zegt ze warm.

O. Misschien heeft ze me toch gemist.

'Zie ik je zondag?' vraag ik. Ik probeer niet te hoopvol te klinken.

'Ja, zondag,' zegt ze en ik geloof dat ze lacht.

'Slaap lekker.'

'Slaap lekker, meneer.' Haar stem klinkt zo hees dat mijn adem stokt.

'Succes met de verhuizing morgen, Anastasia.'

Ze blijft aan de lijn en haalt rustig adem. Waarom hangt ze niet op? Omdat ze dat niet wil?

'Hang jij maar op,' fluistert ze.

Ze wil niet ophangen en meteen voel ik me een stuk beter. Grijnzend staar ik uit over Seattle.

'Nee, jij moet ophangen.'

'Wil ik niet.'

'Ik ook niet.'

'Was je erg boos op me?' vraagt ze.

'Ja.'

'Nog steeds?'

'Nee.' *Nu weet ik dat je veilig bent.*

'Dus ik krijg geen straf?'

'Nee. Ik ben meer iemand die leeft in het nu.'

'Dat heb ik gemerkt.'

'U mag nu wel ophangen, mevrouw Steele.'

'Is dat echt wat u wilt, meneer?'

'Ga naar bed, Anastasia.'

'Ja, meneer.'

Ze hangt nog altijd niet op en ik weet dat ze grijnst. Dat maakt me vrolijk. 'Denk je dat je ooit gewoon zult doen wat je gezegd wordt?' vraag ik.

'Misschien. Dat zal na zondag wel blijken,' zegt ze verleidelijk en dan hangt ze op.

Anastasia Steele, wat moet ik toch met je beginnen?

Eigenlijk heb ik wel een goed idee, als de rijzweep tenminste op tijd geleverd wordt. En met die heerlijke gedachte gooi ik een laatste slok drank achterover en ga ik naar bed.

Zaterdag 28 mei 2011

'Christian!' kirt Mia vrolijk en ze laat haar bagage staan om naar me toe te rennen en me een stevige knuffel te geven. 'Ik heb je gemist,' zegt ze. 'Ik heb jou ook gemist.' Ik druk haar even tegen me aan. Ze leunt achterover en bestudeert me met haar donkere ogen. 'Wat zie je er goed uit,' zegt ze. 'Vertel me alles over haar!' 'Laten we jou en je bagage eerst eens thuis zien te krijgen.' Ik duw haar loodzware bagagekar van het vliegveld naar de parkeerplaats. 'Hoe was het in Parijs? Zo te voelen heb je driekwart van de stad mee naar huis genomen.' 'C'est incroyable!' roept ze uit. 'Maar Floubert was een lul. Ongelooflijk. Wat een vreselijke man. Een goede kok, maar een bar slechte leraar.' 'Betekent dat dat jij vanavond kookt?' 'O, ik hoopte eigenlijk dat mam zou koken.' Mia heeft hele verhalen over Parijs: over haar kleine kamer, de riolering, de Sacré-Coeur, Montmartre, Parijzenaars, koffie, rode wijn, kaas, mode, winkelen. Maar vooral over mode en winkelen. En ik maar denken dat ze in Parijs was om te leren koken.

Ik heb haar geklets gemist – het is troostend en erg welkom. Zij is de enige persoon die ik ken bij wie ik me niet... anders voel.

'Dit is je kleine zusje, Christian. Ze heet Mia.'
Mammie laat me haar vasthouden. Ze is ontzettend klein. Met zwart, zwart haar.
Ze lacht. Ze heeft geen tanden. Ik steek mijn tong uit. Ze heeft een vrolijke lach.
Mammie laat me de baby nog eens vasthouden. Ze heet Mia.

Ik maak haar aan het lachen. Ik blijf haar maar vasthouden. In mijn armen is ze veilig.

Elliot is niet in Mia geïnteresseerd. Ze kwijlt en huilt. En hij trekt zijn neus op als ze gepoept heeft. Als Mia huilt, negeert Elliot haar. Ik blijf haar vasthouden en dan stopt ze.

Ze valt in mijn armen in slaap.

'Mie a,' fluister ik.

'Wat zeg je daar?' vraagt mammie. Haar gezicht is lijkbleek.

'Mie a.'

'Ja. Ja. Lieve jongen. Ze heet Mia.'

En mammie begint tranen van geluk te huilen.

Ik draai de oprit op en parkeer voor de deur van pap en mam. Dan laad ik Mia's bagage uit en draag de koffers naar binnen.

'Waar is iedereen?' pruilt Mia. De enige die ons verwelkomt is de huishoudster van onze ouders. Ze is uitwisselingsstudent en ik weet niet meer hoe ze heet. 'Welkom thuis,' zegt ze in haar gebroken Engels terwijl ze me met grote koeienogen aankijkt.

Lieve hemel. Het is maar een knap gezicht, liefje.

Ik negeer de huishoudster en geef antwoord op Mia's vraag. 'Ik denk dat mam aan het werk is en pap is naar een conferentie. Je bent dan ook een week eerder dan gepland thuisgekomen.'

'Ik kon Floubert geen minuut langer uitstaan. Zodra ik de kans kreeg, móest ik weg. O, ik heb een cadeautje voor je gekocht.' Ze grijpt een van haar koffers, maakt hem midden in de hal open en begint door haar spullen te graven. 'Aha!' Ze geeft me een zwaar vierkant doosje. 'Maak open,' zegt ze terwijl ze me stralend aankijkt. Ze is niet te stoppen.

Voorzichtig maak ik het doosje open en haal er een sneeuwbol met daarin een met glitters bezaaide vleugel uit. Het is het kitscherigste ding wat ik ooit gezien heb.

'Het is een muziekdoosje. Kijk...' Ze trekt het uit mijn handen, schudt ermee en draait een klein sleuteltje aan de onderkant een paar keer rond. In een wolk van gekleurde glitter klinken de tonen van een twinkelende versie van de Marseillaise.

Wat ga ik hier in vredesnaam mee doen? Ik lach, want dit is typisch Mia. 'Geweldig, Mia. Dankjewel.' Ik geef haar een knuffel, die ze beantwoordt.

'Ik wist dat het je aan het lachen zou maken.'

Ze heeft gelijk. Ze kent me goed.

'Dus vertel eens over je meisje,' zegt ze. Maar we worden onderbroken door Grace die het huis binnenstormt en mij nog wat extra tijd geeft terwijl ze haar dochter omhelst. 'Sorry dat ik er niet was om je binnen te laten, lieverd,' zegt ze. 'Ik was aan het werk. Je ziet er zo volwassen uit. Christian, kun jij Mia's koffers naar boven brengen? Gretchen helpt je wel.'

Meent ze dit nou? Zie ik eruit als een portier?

'Ja, mam.' Ik rol met mijn ogen. Ik heb de bemoeienis van Gretchen niet nodig.

Als de koffers eenmaal boven staan, vertel ik ze dat ik een afspraak met mijn personal trainer heb. 'Ik ben vanavond terug.' Ik geef ze een afscheidskus en voordat ze me met vragen over Ana kunnen lastigvallen, loop ik de kamer uit.

Bastille beult me flink af. We kickboksen vandaag in zijn sportschool.

'Je bent een softie geworden in Portland, jongen,' spot hij als ik na zijn roundhouse kick over de mat rol. Bastille is een keiharde trainer en dat bevalt me prima.

Ik krabbel overeind. Ik wil hem neerhalen. Maar hij heeft gelijk, hij is de beste vandaag en dus kom ik nergens.

Als we klaar zijn, vraagt hij, 'Wat is er met je? Je lijkt wel afgeleid, man.'

'Het leven. Je weet wel,' antwoord ik onverschillig.

'Tuurlijk. Blijf je in Seattle deze week?'

'Ja.'

'Mooi. Dan krijgen we je wel weer op de rails.'

Terwijl ik terug naar het appartement jog, herinner ik me mijn cadeau voor Ana. Ik stuur Elliot een sms.

Wat is het nieuwe adres van Ana en Kate? Ik wil ze een cadeautje sturen.

Hij stuurt me een adres en dat stuur ik door naar Andrea. Als ik in de lift op weg naar boven sta, sms't Andrea me terug.

Champagne en ballon zijn onderweg. A.

Als ik het appartement in loop, geeft Taylor me een pakketje. 'Dit werd voor u bezorgd, meneer Grey.'

'Dankjewel.'

'Mevrouw Jones zei dat ze morgen laat in de middag terug zou zijn.'

'Oké. Ik denk dat ik je diensten vandaag niet meer nodig zal hebben, Taylor.'

'Prima, meneer,' glimlacht hij en hij loopt naar zijn kantoor. Ik neem de rijzweep mee naar mijn slaapkamer. Dit is de perfecte manier om haar mijn wereld te leren kennen. Zelf weet Ana niks van lijfstraffen, behalve de paar klappen die ik haar heb gegeven. En die hadden haar opgewonden. Met deze zweep zal ik het rustiger aan moeten pakken, zodat we er allebei plezier aan beleven.

Heel veel plezier. De zweep is perfect. Ik zal haar laten zien dat de angst alleen in haar hoofd zit. Als ze hier eenmaal aan gewend is, kunnen we verdergaan.

Ik hoop maar dat we verder kunnen gaan...

We zullen het rustig aan doen. En alleen doen wat ze aankan. Om dit te laten slagen, zullen we haar tempo aan moeten houden. Niet dat van mij.

Ik bekijk de zweep nog eens en leg hem in mijn kast klaar voor morgen.

Terwijl ik mijn laptop aanzet om te werken, gaat mijn telefoon. Ik hoop dat het Ana is, maar helaas blijkt het Elena te zijn.

Had ik haar moeten bellen?

'Hallo Christian. Hoe gaat het met je?'

'Goed, dank je.'

'Ben je terug uit Portland?'

'Ja.'

'Samen eten vanavond?'

'Vanavond niet. Mia is net terug uit Parijs en ik word thuis verwacht.'

'Aha. Door mama Grey. Hoe is het met haar?'

'Met mama Grey? Goed. Denk ik. Hoezo? Weet je iets wat ik niet weet?'

'Het was maar een vraag, Christian. Laat je niet zo kennen.'

'Ik bel je volgende week. Misschien kunnen we dan samen eten.'

'Prima. Je bent een tijdje van de radar geweest. En ik heb een vrouw leren kennen die volgens mij aan al je wensen voldoet.'

Ik ook.

Ik negeer haar opmerking. 'Ik zie je volgende week. Dag.'

Als ik onder de douche sta, vraag ik me af of het feit dat ik achter Ana aan moet jagen haar interessanter maakt... of is het Ana zelf die me zo fascineert?

Het etentje is erg gezellig. Mijn zusje is terug en ze gedraagt zich net als vroeger als een prinses. De rest van de familie bestaat uit haar dienaren, die ze behendig om haar vinger gewonden heeft. Nu al haar kinderen thuis zijn, is Grace in haar element. Ze heeft Mia's favoriete avondeten klaargemaakt: knapperig gebakken kip met aardappelpuree en jus.

Ik moet zeggen dat het ook een van mijn favoriete gerechten is.

'Vertel me eens over Anastasia,' zegt Mia als we met zijn allen om de keukentafel zitten. Elliot leunt achterover in zijn stoel en legt zijn handen ontspannen achter zijn hoofd.

'Dit moet ik horen. Je weet dat ze hem ontmaagd heeft?'

'Elliot!' tiert Grace terwijl ze hem een mep met een theedoek geeft.

'Au!' Hij probeert zich te verweren.

Ik rol met mijn ogen. 'Ik heb een meisje leren kennen.' Ik haal mijn schouders op. 'Einde verhaal.'

'Dat kun je toch niet zomaar zeggen!' protesteert Mia pruilend.

'Mia, volgens mij kan hij dat prima. Sterker nog, hij heeft het zojuist gedaan.' Carrick kijkt haar over het randje van zijn bril streng aan.

'Jullie ontmoeten haar allemaal morgen bij het diner, toch Christian?' vraagt Grace glimlachend.

O, fuck.

'Kate komt wel,' plaagt Elliot.

Verdomde bemoeial. Ik kijk hem woest aan.

'Ik kan niet wachten om haar te ontmoeten. Ze klinkt te gek!' Mia hopt op en neer op haar stoel.

'Ja, ja,' mompel ik terwijl ik manieren bedenk om onder het etentje van morgen uit te komen.

'Elena vroeg nog naar je, lieverd,' zegt Grace.

'O ja?' vraag ik op een ongeïnteresseerde toon die ik na jarenlange oefening helemaal onder de knie heb.

'Ja. Ze zei dat ze je al een tijdje niet heeft gezien.'

'Ik was voor zaken in Portland. En nu we het daar toch over hebben, eigenlijk moet ik gaan. Ik heb morgen een belangrijk telefoontje en moet me nog voorbereiden.'

'Maar je hebt nog geen toetje gehad. Er is appeltaart.'

Hm... verleidelijk. Maar als ik blijf, word ik gegarandeerd nog langer ondervraagd over Ana. 'Ik moet echt gaan. Ik moet werken.'

'Lieverd, je werkt veel te hard,' zegt Grace terwijl ze opstaat.

'Blijf maar zitten, mam. Elliot helpt je na het eten vast graag met de afwas.'

'Wat?' vraagt Elliot verontwaardigd. Ik knipoog naar hem, neem afscheid en loop naar de deur.

'Maar zien we je morgen?' vraagt Grace hoopvol.

'Ik zie wel.'

Shit. Het lijkt erop dat Anastasia Steele mijn familie gaat ontmoeten.

Ik weet niet wat ik daarvan vind.

Zondag 29 mei 2011

Met 'Shake your hips' van de Rolling Stones in mijn oren sprint ik door Fourth Avenue en sla rechts af Vine op. Het is kwart voor zeven 's ochtends en ik loop bergafwaarts naar... haar appartement. Ik kan het niet helpen, ik wil gewoon zien waar ze woont. Het zit tussen controlfreak en stalker in. Ik glimlach. Ik ren gewoon een rondje. Het is een vrij land. Het flatgebouw heeft de onopvallende rode bakstenen en donkergroen geverfde kozijnen die je in dit gebied wel meer ziet. Het ligt op een goede locatie vlak bij de kruising van Vine Street en Western. Ik stel me voor hoe Ana onder haar deken en haar quilt ligt. Ik jog nog een stuk en loop het marktplein op, waar handelaren zich op de dag voorbereiden. Ik ren tussen de vrachtwagens vol groente en fruit en de koelwagens die de vangst van de dag bezorgen door. Dit is het hart van de stad: vol leven, zelfs op een vroege, grijze ochtend als deze. Het water van de Sound heeft een glazige loodkleur, net als de lucht. Dat kan mijn goede bui echter niet verpesten.

Vandaag is het zover.

Na mijn douche trek ik een spijkerbroek en een linnen shirt aan en haal ik een elastiekje uit een van de lades van mijn kledingkast. Ik stop het in mijn broekzak en loop mijn werkkamer in om Ana een e-mail te sturen.

Van: Christian Grey
Onderwerp: Mijn leven in getallen
Datum: 29 mei 2011 08:04
Aan: Anastasia Steele

Als je met de auto komt, dan heb je de toegangscode tot de ondergrondse parkeergarage van het Escala-gebouw nodig: 146963. Parkeer in vak 5 – dat is een van mijn plekken. Code voor de lift: 1880.

Christian Grey
Directeur, Grey Enterprises Holdings, Inc.

Even later komt haar antwoord.

Van: Anastasia Steele
Onderwerp: Een uitstekend wijnjaar
Datum: 29 mei 2011 08:08
Aan: Christian Grey

Jawel, meneer. Begrepen.
Bedankt voor de champagne en de opblaasbare Charlie Tango, die ik aan mijn bed gebonden heb.
Ana

Ik beeld me in dat Ana met mijn das aan haar bed is vastgebonden. Ik slik. Ik hoop dat ze dat bed heeft meegenomen naar Seattle.

Van: Christian Grey
Onderwerp: Jaloezie
Datum: 29 mei 2011 08:11
Aan: Anastasia Steele

Graag gedaan.
Kom niet te laat.
Jaloers op Charlie Tango.

Christian Grey
Directeur, Grey Enterprises Holdings, Inc.

Ze reageert niet meteen en dus ga ik in de koelkast op jacht naar mijn ontbijt. Mevrouw Jones heeft wat croissants en voor de lunch

305

een caesarsalade voor twee personen achtergelaten. Ik hoop dat Ana van salade houdt. Ik vind het niet erg om twee dagen hetzelfde te eten. Terwijl ik zit te ontbijten, komt Taylor de keuken binnen.

'Goedemorgen, meneer Grey. Hier zijn de zondagskranten.'

'Dankjewel. Anastasia komt vandaag om één uur langs en dokter Greene om halftwee.'

'Prima, meneer. Hebt u nog andere plannen vandaag?'

'Ja. Ana en ik gaan vanavond bij mijn ouders eten.'

Taylor houdt zijn hoofd schuin en lijkt verrast te zijn, maar dan herinnert hij zich iets en loopt hij de kamer uit. Ik richt me weer op mijn croissant met abrikozenjam.

Ik neem haar mee naar huis om mijn ouders te ontmoeten, ja. Wat is daar zo bijzonder aan?

Ik kan niet stilzitten. Ik ben rusteloos. Het is kwart over twaalf. De tijd kruipt voorbij. Ik kap mijn poging tot werken af en grijp de zondagskranten, loop terug naar de woonkamer en zet wat muziek voor bij het lezen op.

Tot mijn verbazing staat er een foto van Ana en mij op de pagina met lokaal nieuws. Hij is op de diploma-uitreiking op wsu gemaakt. Ze ziet er prachtig uit, maar wel wat geschrokken.

Ik hoor de dubbele deuren opengaan en daar is ze... Haar haar hangt los, ietwat wild en sexy over haar schouders en ze draagt de paarse jurk die ze ook bij het diner in het Heathman droeg. Ze ziet er prachtig uit.

Bravo, mevrouw Steele.

'Hmm... die jurk.' Er klinkt bewondering in mijn stem en ik loop naar haar toe. 'Welkom terug, mevrouw Steele,' fluister ik en terwijl ik haar kin voorzichtig vasthoud, druk ik een zachte kus op haar lippen.

'Hai,' zegt ze met blosjes op haar wangen.

'Je bent op tijd. Ik hou van punctuele mensen. Kom.' Ik pak haar hand en loop met haar naar de bank. 'Ik wilde je iets laten zien.' We gaan allebei zitten en ik geef haar *The Seattle Times*. De foto maakt haar aan het lachen. Niet bepaald de reactie die ik verwachtte.

'Dus nu ben ik "een vriendin" van je,' plaagt ze.

'Daar lijkt het wel op. En het staat in de krant, dus dan zal het wel waar zijn.'

Ik ben kalmer nu ze er is, waarschijnlijk omdát ze er is. Ze is niet gevlucht. Ik strijk een pluk van haar zachte zijdeachtige haar achter haar oor, mijn vingers jeuken om het te vlechten.

'Dus, Anastasia, je hebt nu een veel beter idee waar het mij om gaat dan de vorige keer dat je hier was.'

'Ja.' Ze kijkt me intens aan... ze weet wat ik bedoel.

'En toch ben je er weer.'

Ze knikt en glimlacht verlegen.

Ik kan niet geloven hoeveel geluk ik heb.

Ik wist wel dat je een freak was, Ana.

'Heb je gegeten?'

'Nee.'

Helemaal niet? Oké. Daar zullen we iets aan moeten doen. Ik haal mijn hand door mijn haar en op een zo neutraal mogelijke toon vraag ik: 'Heb je trek?'

'Ja, maar niet in eten,' plaagt ze.

Wow. Ze had net zo goed meteen mijn kruis kunnen grijpen.

Ik leun voorover, druk mijn lippen tegen haar oor en ruik haar heerlijke geur. 'Je bent weer even snel uit de startblokken als altijd, mevrouw Steele, en om eerlijk te zijn zou ik dat ook wel willen. Maar dokter Greene staat zo voor de deur.'

Ik leun achterover. 'Ik zou willen dat je gewoon at.' Ik smeek het haar bijna.

'Wat kun je me vertellen over dokter Greene?' Ze verandert behendig van onderwerp.

'Ze is de beste gynaecologe in Seattle. Wat kan ik nog meer zeggen?'

Dat heeft de dokter mijn assistente in ieder geval verteld.

'Ik dacht dat ik een consult met je huisarts had, en ga me niet vertellen dat je eigenlijk een vrouw bent, want dat geloof ik niet.'

Ik moet mijn best doen om niet te gnuiven. 'Het leek me handiger als je een specialist zag, jou niet?'

Ze kijkt me verward aan, maar knikt dan.

Nog één onderwerp te gaan. 'Anastasia, mijn moeder heeft gevraagd of je vanavond komt eten. Volgens mij vraagt Elliot Kate ook. Ik weet niet of je er wat voor voelt? Het voelt voor mij heel raar om je aan mijn familie voor te stellen.'

Ze neemt een paar seconden de tijd om de informatie te verwerken en gooit haar haren dan over haar schouder, zoals ze dat wel vaker doet vlak voor een ruzie. Ze ziet er echter niet kwaad, maar gekwetst uit. 'Schaam je je voor me?' Het klinkt alsof ze een brok in haar keel heeft.

O, in vredesnaam. 'Natuurlijk niet.' *Van alle belachelijke dingen die ze zou kunnen zeggen!* Ik kijk haar droevig aan. Hoe kan ze zoiets over zichzelf denken?

'Waarom is het dan raar voor je?' vraagt ze.

'Omdat het de eerste keer is.' Ik klink geïrriteerd.

'Waarom mag jij wel met je ogen rollen en ik niet?'

'Ik wist niet dat ik dat deed.'

Ze berispt me. Alweer.

'Nee, ik meestal ook niet,' zegt ze bits.

Shit. Maken we nou ruzie?

Taylor kucht. 'Dokter Greene is er, meneer.'

'Breng haar maar naar mevrouw Steeles kamer.'

Ana draait zich om en kijkt me aan. Ik bied haar mijn hand aan. 'Je gaat toch niet mee, hè?' Ze klinkt geschokt, maar ook geamuseerd.

Ik lach en er trekt een schok door mijn lichaam heen. 'Ik zou er aardig wat voor over hebben om te mogen toekijken, Anastasia, maar ik denk niet dat de dokter dat goedvindt.' Ze legt haar hand in de mijne. Ik trek haar naar me toe en kus haar. Haar mond is zacht en warm en uitnodigend. Mijn handen glijden door haar haren en ik kus haar dieper. Als ik de kus stop, kijkt ze me beduusd aan. Ik druk mijn voorhoofd tegen het hare. 'Ik ben zo blij dat je er bent. Ik kan niet wachten tot ik je uit die kleren kan helpen.' Ik kan niet geloven hoeveel ik haar gemist heb. 'Kom. Ik wil dokter Greene ook ontmoeten.'

'Ken je haar dan niet?'

'Nee.'

Ik pak Ana's hand en we lopen naar boven, naar wat haar slaapkamer zal worden.

Dokter Greene heeft een beetje bijziende manier van kijken en staart me zo intens aan dat het me een ongemakkelijk gevoel geeft. 'Meneer Grey,' zegt ze terwijl ze mijn uitgestoken hand stevig schudt.

'Wat fijn dat u zo snel kon komen.' Ik probeer zo vriendelijk mogelijk naar haar te lachen.

'Bedankt dat u het de moeite waard maakt, meneer Grey. Mevrouw Steele,' zegt ze beleefd tegen Ana. Ik weet dat ze probeert te peilen hoe onze relatie in elkaar zit. Ze vindt ongetwijfeld dat ik net als de schurken uit stomme films een snor moet laten staan zodat ik de uiteinden ervan om mijn vingers kan draaien. Ze draait zich om en kijkt me aan alsof ze me weg wil hebben.

Oké.

'Ik ben beneden,' zeg ik instemmend. Hoewel ik best zou willen toekijken. Als ik dat zou zeggen, zou haar reactie ongetwijfeld hilarisch zijn. Ik grijns bij de gedachte en loop naar beneden, de woonkamer in.

Nu Ana niet meer bij me is, ben ik weer onrustig. Om mezelf af te leiden, dek ik de ontbijtbar met twee placemats. Het is de tweede keer dat ik dit doe. De eerste keer was ook voor Ana.

Je wordt een softie, Grey.

Ik kies voor bij de lunch een chablis uit – een van de weinige chardonnays die ik lekker vind – en als ik klaar ben, ga ik op de bank zitten om de sportpagina's van de krant te lezen. Ik gebruik de afstandsbediening van mijn iPod om de muziek iets harder te zetten en hoop dat ik me daardoor beter op de winst van de Mariners tegen de Yankees kan concentreren in plaats van constant te denken aan wat Ana en dokter Greene boven aan het doen zijn.

Uiteindelijk hoor ik voetstappen op de gang. Ik kijk op als ze binnen komen lopen. 'Zijn jullie klaar?' vraag ik terwijl ik de iPod weer gebruik om het volume bij te stellen.

'Ja, meneer Grey. Wees zuinig op haar, ze is een mooie, slimme jonge vrouw.'

Wat heeft Ana haar verteld?

'Dat ben ik zeker van plan,' zeg ik terwijl ik snel een vragende blik op Ana werp.

Ze knippert onschuldig met haar ogen. *Mooi.* Ze heeft haar mond gehouden.

'Ik stuur mijn factuur wel op,' zegt dokter Greene. 'Een fijne dag, en succes nog, Ana.' Ze lacht en er verschijnen rimpeltjes rond haar ogen terwijl we elkaar een hand geven.

Taylor begeleidt haar naar de lift en doet wijselijk de deuren naar de foyer achter zich dicht.

'Hoe ging het?' vraag ik, nog altijd wat beduusd door de woorden van dokter Greene.

'Prima, dank je,' antwoordt Ana. 'Ze zei dat ik me de komende vier weken verre van alle mogelijke seksuele activiteiten moet houden.'

Wát? Ik kijk haar geschokt aan.

Ana's serieuze blik verandert in een triomfantelijke grijns. 'Gefopt!'

Goed gespeeld, mevrouw Steele.

Ik knijp mijn ogen dicht en haar lach verdwijnt van haar gezicht. 'Gefopt!' Ik kan mijn grijns niet binnenhouden. Ik sla mijn armen om haar middel en trek haar dicht tegen me aan. 'U bent onverbeterlijk, mevrouw Steele.' Ik kam mijn vingers door haar haren en kus haar hard terwijl ik overweeg haar over het aanrecht te buigen om haar een lesje te leren.

Alles op zijn tijd, Grey.

'Hoe graag ik je hier ter plekke ook zou nemen, je moet eten – en ik ook. Ik zou niet willen dat je later boven op mij flauwvalt,' fluister ik.

'Is dat het enige waar het om draait – mijn lichaam?' vraagt ze.

'Dat, en je bijdehante mond.' Ik kus haar nog eens en denk aan wat staat te gebeuren... Ik kus haar intenser en mijn lichaam verstijft van verlangen. Ik wil deze vrouw. Voordat ik mezelf niet meer in de hand kan houden en haar op de keukenvloer neem, laat ik haar los. We happen allebei naar adem.

'Welke muziek is dit?' vraagt ze met hese stem.

'Villa Lobos, een aria van *Bachianas Brasileiras*. Mooi hè?'

'Ja,' zegt ze terwijl ze naar de ontbijtbar kijkt. Ik haal de caesarsalade uit de koelkast, zet hem op tafel tussen onze placemats en vraag of ze van salade houdt.

'Ja, lekker.' Ze lacht.

Ik haal de chablis uit de wijnkoeler en voel haar ogen in mijn rug branden. Ik wist niet dat ik zo huiselijk kon zijn. 'Waar zit je aan te denken?' vraag ik.

'Ik kijk gewoon naar de manier waarop je beweegt.'

'En?' vraag ik. Even ben ik verrast.

'Je bent heel gracieus,' zegt ze stilletjes en met rode wangen.

'Nou, dank u wel, mevrouw Steele.' Ik ga naast haar zitten en weet niet hoe ik op haar lieve compliment moet reageren. Nog nooit heeft iemand me gracieus genoemd. 'Chablis?'

'Graag.'

'Neem wat van de salade. Vertel – wat is het geworden?'

'De minipil,' zegt ze.

'En jij gaat eraan denken om die elke dag op het juiste tijdstip in te nemen?'

Ze begint verbaasd te blozen. 'Jij gaat me daar ongetwijfeld aan helpen herinneren,' zegt ze ietwat sarcastisch, wat ik besluit te negeren.

Je had voor injecties moeten kiezen.

'Ik zal een alarm instellen in mijn agenda. Nu eten.'

Ze neemt een hap, en nog een... en nog een. Ze eet!

'Dus ik kan de salade voor mevrouw Jones op de lijst zetten?' vraag ik.

'Ik dacht dat ik zou koken.'

'Ja. Dat is ook zo.'

Ze is eerder uitgegeten dan ik. Ze moet wel heel veel honger gehad hebben.

'Gulzig als altijd, mevrouw Steele?'

'Ja,' zegt ze me terwijl ze me van onder haar wimpers braaf aankijkt.

Fuck. Daar is hij weer.

Die aantrekkingskracht.

Alsof ze me betoverd heeft, sta ik op en neem haar in mijn armen.

'Wil je dit echt?' fluister ik terwijl ik bid dat ze 'ja' zegt.

'Ik heb niets ondertekend.'

'Dat weet ik – maar ik heb alle regels nu al wel zo'n beetje gebroken.'

'Ga je me slaan?'

'Ja, maar niet om je pijn te doen. Ik wil je nu niet straffen. Gisteravond zou dat wel anders zijn geweest.'

Ze kijkt me geschokt aan.

O, schatje. 'Laat niemand je van het tegendeel proberen te overtuigen, Anastasia. Mensen zoals ik doen dit omdat ze ervan houden mensen pijn te doen of het te ondergaan. Het is heel eenvoudig. Jij houdt er niet van en daar heb ik gisteren een groot deel van de dag over nagedacht.'

Ik sla mijn armen om haar heen en houd haar tegen mijn groeiende erectie aan.

'Heb je er een conclusie aan verbonden?' fluistert ze.

'Nee. Maar op dit moment wil ik je alleen maar vastbinden en je keihard neuken. Ben je daar klaar voor?'

Haar ogen zijn nu donkerder, sensueler en vol dierlijke nieuwsgierigheid. 'Ja,' zegt ze zuchtend.

Godzijdank.

'Mooi. Kom.' Ik pak haar hand en neem haar mee naar boven, mijn speelkamer in. Mijn veilige plek. Waar ik met haar kan doen wat ik wil. Ik doe mijn ogen dicht en geniet van de spanning.

Ben ik ooit eerder zo opgewonden geweest?

Ik doe de deur achter ons dicht, laat haar hand los en bekijk haar. Haar mond hangt een stukje open terwijl ze snel en oppervlakkig ademhaalt. Haar ogen zijn wijd opgesperd. Afwachtend, maar klaar voor wat er gaat gebeuren.

'Als je in deze kamer bent, ben je helemaal van mij. En moet je doen wat ik wil. Is dat duidelijk?'

Haar tong glijdt even over haar bovenlip en ze knikt.

Braaf meisje.

'Trek je schoenen uit.'

Ze slikt en trekt haar hooggehakte sandalen uit. Ik zet ze netjes bij de deur.

'Goed zo. Niet twijfelen als ik je vraag iets te doen. Ik ga je jurk nu langzaam uittrekken. Dat wil ik al een paar dagen doen, kan ik je vertellen.'

Ik wacht even en kijk of ze me nog volgt. 'Ik wil dat je een goed gevoel hebt over je lichaam, Anastasia. Je hebt een prachtig lijf en ik kijk er graag naar. Het is een genot om je te zien. Ik zou de hele dag wel naar je kunnen kijken, en ik wil niet dat je je schaamt voor je naaktheid of je ongemakkelijk voelt. Is dat duidelijk?'

'Ja.'

'Ja, wat?' Mijn toon is nu scherper.

'Ja, meneer.'

'Meen je dat?' *Ik wil je helemaal, Ana.*

'Ja, meneer.'

'Mooi. Doe je armen omhoog.'

Langzaam tilt ze haar armen de lucht in. Ik grijp ze en trek haar jurk voorzichtig omhoog zodat haar lichaam centimeter voor centimeter wordt onthuld, alleen voor mij. Als ik de jurk uitgetrokken heb, zet ik een stap naar achter om haar nog eens goed te kunnen bewonderen.

Benen, dijen, buik, kont, borsten, schouders, gezicht, mond... ze is perfect. Ik vouw haar jurk op en leg hem op de kist met speeltjes. Ik pak haar kin beet met mijn hand en trek zachtjes aan haar gezicht. 'Je bijt op je lip. Je weet wat dat met me doet,' snuif ik. 'Draai je om.'

Ze doet wat ik vraag en draait zich om naar de deur. Ik maak haar bh los en laat de bandjes over haar schouders glijden. Met mijn vingers strijk ik over haar huid en ik voel haar trillen. Ik trek haar bh uit en gooi hem op haar jurk. Ik sta vlak bij haar, maar raak haar net niet aan en luister naar haar snelle ademhaling terwijl ik de warmte van haar huid voel. Ze is opgewonden en ze is niet de enige. Ik duw haar lange haar over haar schouders zodat ze over haar rug vallen. Het is zo heerlijk zijdezacht. Ik draai het om mijn hand en trek haar hoofd opzij zodat ik met mijn mond goed bij haar nek kan.

Ik laat mijn neus van haar oor naar haar schouder en weer terug glijden en adem haar hemelse geur in.

Fuck, wat ruikt ze lekker.

'Je ruikt even heerlijk als altijd, Anastasia.' Ik druk een kus achter haar oor.

Ze kreunt.

'Stil. Geen geluid.'

Ik haal het elastiekje uit mijn zak, pak haar haren vast en vlecht ze langzaam, genietend van het trekken en draaien van de lokken langs haar rug. Behendig draai ik het elastiekje om het einde van de vlecht heen en trek eraan zodat ze achteruit stapt en haar lichaam tegen het mijne drukt. 'Ik vind het fijn als je je haar hier in een vlecht draagt,' fluister ik. 'Draai je om.'

Ze doet het meteen.

'Als ik zeg dat je naar me toe moet komen, dan kleed je je zoals ik zeg. Je hebt alleen een slipje aan. Is dat duidelijk?'

'Ja.'

'Ja, wat?'

'Ja, meneer.'

'Braaf meisje.' Ze is een snelle leerling. Haar armen hangen langs haar lichaam en haar ogen zijn op mij gericht. Ze wacht af.

'Als ik zeg dat je naar me toe moet komen, dan verwacht ik dat je daar knielt.' Ik wijs naar de hoek van de kamer, bij de deur. 'Doe het nu.'

Ze knippert een paar keer met haar ogen, maar voordat ik mijn woorden moet herhalen, draait ze zich om en knielt. Haar gezicht is naar mij en de kamer gericht.

Ik geef haar toestemming om achterover op haar hielen te leunen en dat doet ze dan ook. 'Leg je handen en je onderarmen plat op je dijen. Goed zo. Nu wil ik dat je je benen spreidt. Wijder.' *Ik wil je zien, schatje.* 'Wijder.' *Ik wil je zien.* 'Perfect. Kijk naar de grond.'

Ik loop naar haar toe, tevreden over het feit dat ze haar hoofd gebogen houdt. Ik ga door mijn knieën en trek aan haar vlecht tot ze haar gezicht optilt en me aankijkt. 'Zal je deze positie onthouden, Anastasia?'

'Ja, meneer.'

'Goed zo. Blijf hier, je mag je niet bewegen.'

Ik loop langs haar heen, doe de deur open en draai me nog even naar haar om. Ze houdt haar hoofd gebogen, haar blik is nog altijd op de vloer gericht.

Wat een prachtig tafereel. *Braaf meisje.*

Ik wil rennen, maar beheers me en loop naar mijn slaapkamer.

Hou je in, Grey.

In mijn kast trek ik al mijn kleren uit en haal mijn favoriete spijkerbroek uit een lade. Mijn DJ's. Dom Jeans.

Ik trek hem aan en laat alleen de bovenste knoop open. Uit dezelfde lade haal ik de nieuwe rijzweep en een grijze badjas van zacht katoen. Voordat ik de kamer uit loop, grijp ik nog een paar condooms en stop ze in mijn zak.

Daar gaan we dan.

Showtime, Grey.

Als ik de kamer weer in loop, zit ze er nog precies hetzelfde bij, met haar hoofd voorovergebogen, haar vlecht over haar rug en haar handen op haar knieën. Ik doe de deur dicht en hang de badjas aan een haak. Ik loop naar haar toe. 'Braaf meisje, Anastasia. Je ziet er heerlijk uit zo. Goed gedaan. Sta op.'

Ze staat op, maar houdt haar hoofd gebogen.

'Je mag me aankijken.'

Haar gewillige blauwe ogen kijken op.

'Nu ga ik je vastbinden, Anastasia. Geef me je rechterhand.' Ik bied haar de mijne aan en ze geeft me haar hand. Zonder dat mijn blik haar loslaat, draai ik hem om en haal de rijzweep achter mijn rug vandaan. Ik geef met het uiteinde een zacht tikje op haar hand. Ze schrikt en pakt haar hand vast terwijl ze me verbaasd aankijkt.

'Hoe voelt dat?' vraag ik.

Haar ademhaling versnelt en ze kijkt nog eens naar mij voordat ze haar hand bestudeert.

'Geef antwoord.'

'Oké.' Ze fronst.

'Niet fronsen,' waarschuw ik. 'Deed het pijn?'

'Nee.'

'Dit gaat geen pijn doen. Is dat duidelijk?'

'Ja.' Haar stem klinkt onvast.

'Ik meen het,' benadruk ik en ik laat haar de zweep zien. *Bruin gevlochten leer. Zie je? Ik luister wel naar je.* Stomverbaasd kijkt ze me aan. Ik kan een kleine glimlach niet verbergen.

'We doen ons best u te behagen, mevrouw Steele. Kom.'

Ik leid haar naar het midden van de kamer, onder het rooster. 'Dit rooster is zo gemaakt dat de kettingen over het rooster bewegen.' Ze bekijkt het ingewikkelde systeem en richt haar blik dan op mij.

'We beginnen hier, maar ik wil je staand neuken. Uiteindelijk komen we hier bij deze muur uit.' Ik wijs naar de grote houten X aan de wand. 'Houd je handen boven je hoofd.'

Ze doet onmiddellijk wat ik zeg. Ik maak de leren handboeien aan het rooster los en maak haar polsen ermee vast. Ik probeer gericht te werk te gaan, maar ze leidt me af. Ik ben zo dicht bij haar, voel haar opwinding en haar angst, raak haar aan. Ik kan me amper concentreren. Als ze eenmaal vastzit, zet ik een stap naar achteren en haal diep en opgelucht adem.

Eindelijk heb ik je waar ik je hebben wil, Ana Steele.

Langzaam loop ik om haar heen en bewonder het uitzicht. Zou ze er nog lekkerder uit kunnen zien? 'U ziet er vastgebonden echt verrukkelijk uit, mevrouw Steele. En je houdt je grote mond even, daar ben ik ook blij om.' Ik blijf staan, kijk haar aan, laat mijn vingers haar slipje in glijden en trek het stuk stof tergend langzaam over haar lange benen tot ik aan haar voeten kniel.

Ik aanbid haar. Ze is goddelijk.

Terwijl ik haar strak aan blijf kijken, trek ik haar slipje uit, druk het tegen mijn neus en ruik eraan. Haar mond valt open en ze kijkt me geamuseerd en geschokt aan.

Ja. Ik grijns. Perfecte reactie.

Ik stop het slipje in de achterzak van mijn spijkerbroek en bedenk wat mijn volgende stap wordt. Ik til de zweep op, laat hem over haar buik glijden en draai de knop om haar navel heen... de leren tong. Ze houdt haar adem in en rilt.

Dit wordt heerlijk, Ana. Vertrouw me maar.

Langzaam loop ik om haar heen en laat ik het zweepje over de huid van haar buik, zij en rug glijden. Tijdens mijn tweede ronde geef ik haar een tik op haar billen, waarbij de zweep net haar venusheuvel raakt.

'Ah!' kreunt ze en ze trekt aan de kettingen.

'Stil,' waarschuw ik terwijl ik nog eens om haar heen loop. Ik geef nog een tik op dezelfde plek. Ze jammert bij het contact en knijpt haar ogen dicht terwijl ze het gevoel over zich heen laat komen. Met een abrupte draai van mijn pols laat ik de zweep op haar tepel landen. Ze gooit haar hoofd achterover en kreunt. Ik geef ook haar andere tepel een tik en kijk hoe hij hard wordt onder de leren houder.

'Voelt dat lekker?'

'Ja,' zegt ze met raspende stem.

Ik geef een tik op haar billen, harder dit keer.

'Ja, wat?'

'Ja, meneer,' jammert ze.

Langzaam en zorgvuldig wissel ik strelingen en tikjes over haar buik af. Dan zijn haar benen aan de beurt en werk ik langzaam naar mijn doel toe. Ik geef een tik op haar clitoris en ze kermt, 'O, alsjeblieft!'

'Stil,' zeg ik streng en ik straf haar met een hardere klap op haar billen.

Ik streel het topje van de zweep door haar schaamhaar, over haar venusheuvel naar haar vagina. Het bruine leer glinstert van haar opwinding als ik het terugtrek. 'Kijk eens hoe nat je ervan wordt, Anastasia. Open je ogen en je mond.'

Haar ademhaling is hard en snel, maar ze opent haar mond en kijkt me beduusd aan, volledig opgeslokt door de dierlijkheid van dit moment. Ik laat het topje van de zweep haar mond in glijden. 'Proef hoe je smaakt. Lik eraan en zuig. Hard zuigen, schatje.'

Ze sluit haar lippen om de zweep en het voelt alsof ze mijn pik in haar mond heeft.

Fuck.

Ze is zo verdomde heerlijk en ik kan haar niet weerstaan.

Ik trek de zweep uit haar mond en sla mijn armen om haar heen. Ze kust me met open mond. Ik verken haar met mijn lippen en proef haar opwinding.

'O schatje, je smaakt zo heerlijk,' fluister ik. 'Zal ik je laten klaarkomen?'

'Alsjeblieft,' smeekt ze me.

Ik geef een tik op haar kont. 'Alsjeblieft, wat?'

'Alstublieft, meneer,' jammert ze.

Braaf meisje. Ik zet een stap achteruit. 'Hiermee?' vraag ik terwijl ik haar de zweep laat zien.

'Ja, meneer,' zegt ze tot mijn verbazing.

'Weet je het zeker?' Ik kan mijn geluk niet op.

'Ja, alstublieft, meneer.'

O, Ana. Jij verdomde godin.

'Doe je ogen dicht.'

Ze doet wat ik zeg. En heel zorgvuldig en zonder mededogen geef ik weer kleine, stekende tikjes over haar buik. Al snel begint ze

317

opnieuw te hijgen. Ze is volledig opgewonden. Ik beweeg de zweep naar beneden en laat het topje van de zweep over haar clitoris glijden. Nog eens. En nog eens. En nog eens. Ze trekt aan haar kettingen en kreunt het uit. Dan is ze stil en ik weet dat ze haar hoogtepunt bijna bereikt heeft. Opeens gooit ze haar hoofd achterover en komt ze schreeuwend en kronkelend klaar. Ik laat de zweep meteen vallen, neem haar in mijn armen en ondersteun haar terwijl haar benen slap worden. Ze leunt tegen me aan.

O. We zijn nog niet klaar, Ana.

Ik leg mijn handen onder haar dijen, til haar bevende lichaam op en draag haar met haar handen nog vastgebonden naar het houten kruis. Dan laat ik haar los en zorg dat ze tussen het kruis en mijn schouders blijft staan. Ik maak de knopen van mijn spijkerbroek los en bevrijd mijn pik. Ik ruk een condoom uit mijn zak, scheur de verpakking met mijn tanden open en rol het rubber over mijn pik.

Zachtjes til ik haar op en fluister, 'Til je benen op, schatje, en sla ze om me heen.' Ze leunt met haar rug tegen het hout. Ik help haar benen om mijn heupen heen. Haar ellebogen rusten op mijn schouders.

Je bent van mij, schatje.

Met één stoot ben ik in haar.

Fuck. Ze is verrukkelijk.

Ik neem kort de tijd om haar in me op te nemen. Dan begin ik te bewegen en beleef ik elke stoot intens. Ik voel haar, keer op keer opnieuw en ik hap naar lucht terwijl ik me in deze prachtige vrouw verlies. Mijn open mond is tegen haar nek gedrukt en proeft haar. Haar geur vult mijn neusgaten, vult mij. *Ana. Ana. Ana.* Ik wil niet stoppen.

Opeens verstijft ze en haar lichaam pulseert om me heen.

Ja. Nog een keer. En ik laat me gaan. Vul haar. Hou haar vast. Verafgood haar.

Ja. Ja. Ja.

Ze is zo mooi. En allemachtig, dat was fantastisch.

Ik trek me uit haar terug en terwijl ze zich tegen me aan laat vallen, maak ik snel haar polsen los en ondersteun ik haar als we samen door onze knieën zakken. Ik leg haar tussen mijn benen, sla mijn armen om haar heen. Ze leunt hijgend en met haar ogen dicht tegen me aan.

'Goed gedaan, schatje. Deed het pijn?'

'Nee.' Haar stem is amper hoorbaar.

'Had je verwacht dat het pijn zou doen?' vraag ik terwijl ik wat plukken haar uit haar gezicht veeg zodat ik haar beter kan zien.

'Ja.'

'Zie je? De angst zit vooral in je hoofd, Anastasia.' Ik streel haar gezicht. 'Zou je het nog een keer doen?' vraag ik.

Ze geeft niet meteen antwoord en even denk ik dat ze in slaap is gevallen.

'Ja,' fluistert ze een moment later.

Godzijdank.

Ik sla mijn armen om haar heen. 'Mooi. Ik ook.' *Keer op keer.* Ik druk een zachte kus op haar hoofd en haal diep adem. Ze ruikt naar Ana en zweet en seks. 'En ik ben nog lang niet klaar met je.' Ik ben zo trots op haar. Ze heeft het gedaan. Ze heeft precies gedaan wat ik wilde.

Ze is alles wat ik wil.

Opeens word ik overvallen door een onbekende emotie die door merg en been gaat. Elke spier in mijn lichaam spant zich. Ana kijkt me met heldere, onbeweeglijke ogen aan terwijl ik mijn angst onder controle probeer te krijgen.

'Niet doen,' fluister ik. *Alsjeblieft.*

Ze leunt achterover en kijkt naar mijn borst.

Beheers je, Grey.

'Ik wil dat je bij de deur knielt,' zeg ik terwijl ik opsta.

Ga weg. Raak me niet aan.

Ze krabbelt bevend overeind en strompelt naar de deur, waar ze haar oude positie aanneemt.

Ik haal diep adem.

Wat doe je met me, Ana Steele?

Ik sta op, rek me uit en voel me meteen kalmer.

Zoals ze daar geknield bij de deur zit, ziet ze eruit als de perfecte Onderdanige. Haar ogen glanzen, ze is moe. De adrenaline-kick zal zo langzamerhand zijn uitgewerkt. Haar ogen vallen haast dicht.

O, dit zal nooit genoeg zijn. Je wil haar als Onderdanige, Grey.
Laat haar zien wat dat betekent.

Uit mijn lade met speeltjes haal ik een schaar en een van de kabelbinders die ik bij Clayton's gekocht heb. 'Verveeld, mevrouw
Steele?' vraag ik. Ik probeer mijn sympathie te verbergen. Ze
schrikt wakker en kijkt me schuldbewust aan. 'Sta op,' zeg ik.

Langzaam krabbelt ze overeind.

'Je hebt genoeg gehad, hè?'

Ze glimlacht verlegen en knikt.

O schatje, je hebt het zo goed gedaan.

'Volhouden, mevrouw Steele. Ik heb nog lang niet genoeg gehad.
Houd je handen voor je alsof je bidt.'

Ze fronst even, maar dan drukt ze haar handen tegen elkaar en
houdt ze omhoog. Ik wikkel de kabelbinder om haar polsen. Ze kijkt
me aan en lijkt te weten waar hij vandaan komt.

'Herken je hem?' Ik lach en laat mijn vinger over het plastic glijden om te controleren dat haar handen niet te strak vastzitten. 'Ik
heb ook een schaar.' Ik laat die aan haar zien. 'Ik kan het bandje op
elk gewenst moment doorknippen.' Ze lijkt gerustgesteld te zijn.
'Kom.' Ik pak haar handen vast en neem haar mee naar het hemelbed. 'Ik wil meer – veel, veel meer.' Ik fluister in haar oor terwijl ze
naar het bed kijkt. 'Maar dit wordt een vluggertje. Je bent moe.
Houd je vast.'

Ze aarzelt even, maar grijpt dan de houten pilaar vast.

'Lager,' beveel ik. Ze laat haar handen naar beneden glijden tot ze
voorovergebogen voor me staat. 'Goed zo. Niet loslaten. Als je dat
wel doet, krijg je slaag. Is dat duidelijk?'

'Ja, meneer,' zegt ze.

'Mooi.' Ik grijp haar heupen vast en trek ze naar me toe om haar
in de juiste positie te brengen en haar prachtige billen makkelijk te
kunnen bereiken. 'Je laat niet los, Anastasia,' zeg ik waarschuwend.
'Ik ga je hard van achteren nemen. Hou je vast aan het bed zodat je
niet valt. Is dat duidelijk?'

'Ja.'

'Ik geef een harde klap op haar kont.

'Ja, meneer,' zegt ze meteen.

'Benen uit elkaar.' Ik zet mijn rechtervoet achter die van haar en duw haar benen verder uit elkaar. 'Dat is beter. Straks mag je slapen.'

Haar rug is perfect gevormd en elke wervel, van haar nek tot haar heerlijke, heerlijke kont, is duidelijk zichtbaar. 'Je hebt echt een prachtige huid, Anastasia,' mompel ik meer tegen mezelf dan tegen haar. Ik buig over haar heen en druk zachte kussen over haar ruggengraat. Terwijl ik dat doe, leg ik mijn handen om haar borsten, klem haar tepels tussen mijn vingers en trek aan ze. Ze kronkelt en ik druk een kus op haar middel en zuig dan voorzichtig aan haar huid terwijl ik haar tepels bewerk.

Ze beeft. Ik stop en zet een stap achteruit om het uitzicht te bewonderen terwijl ik mezelf steeds harder voel worden. Ik haal het tweede condoom uit mijn zak, schop snel mijn spijkerbroek uit en scheur de verpakking open. Met beide handen rol ik het condoom over mijn pik.

Ik wil haar kont nemen. Nu. Maar daar is het nog te vroeg voor.

'Je hebt echt een verrukkelijke kont, Anastasia Steele. Je moest eens weten wat ik daar allemaal mee zou willen doen.' Ik laat mijn handen over haar beide billen glijden en steek dan twee vingers bij haar vrouwelijkheid naar binnen om haar klaar te maken.

Ze beeft weer.

Ze is er al klaar voor.

'Zo nat. U stelt me nooit teleur, mevrouw Steele. Hou je vast... dit gaat een vluggertje worden, schatje.'

Ik grijp haar heupen vast, leg mijn eikel tegen haar vagina en grijp haar vlecht stevig vast. Met in de ene hand mijn lul en in de andere haar haren, glijd ik in haar.

Ze. Is. Zo. Verdomde. Heerlijk.

Ik glijd langzaam uit haar, grijp dan met mijn vrije hand haar heup vast en trek iets harder aan haar haar.

Onderdanige.

Ik stoot hard bij haar naar binnen en duw haar met een kreun voorover.

'Hou je vast, Anastasia!' Als ze dat niet doet, kan het nog pijnlijk voor haar worden.

Ademloos zet ze zich schrap en drukt zich tegen me aan.

Braaf meisje.

Dan begin ik keihard in haar te stoten, waarmee ik kleine, onwillekeurige kreuntjes bij haar losmaak terwijl ze zich aan het bed vasthoudt. Maar ze laat niet los. Ze drukt zich tegen me aan. *Bravo, Ana.* En dan voel ik het. Langzaam. Haar binnenwanden krullen zich om me heen. Ik verlies alle controle en blijf maar stoten. 'Kom op, Ana, doe het,' grom ik als ik keihard klaarkom en haar orgasme dat van mij nog eens verlengt.

Ik trek haar in mijn armen en laat ons op de grond zakken. Ana ligt boven op me en allebei onze gezichten zijn naar het plafond gericht. Ze is volledig ontspannen en ongetwijfeld doodmoe – haar gewicht is een welkome troost. Ik kijk naar de karabijnhaken en vraag me af of ze me ooit zal toestaan haar daaraan op te hangen.

Waarschijnlijk niet.

En dat maakt me eigenlijk niet uit.

Het is onze eerste keer samen in de speelkamer en ze heeft zich voorbeeldig gedragen. Ik druk een kus op haar oor. 'Hou je handen omhoog.' Mijn stem klinkt hees. Ze tilt haar handen langzaam op, alsof er loodzware gewichten aan hangen, en ik schuif de schaar onder het plastic.

'Ik verklaar deze Ana voor geopend,' mompel ik terwijl ik de kabelbinder doorknip. Ze giechelt en haar lichaam schudt tegen het mijne. Het is een vreemd, maar fijn gevoel dat me aan het grijnzen maakt.

'Dat vind ik zo'n schattig geluid,' fluister ik terwijl ze over haar polsen wrijft. Ik ga rechtop zitten zodat ze op mijn schoot ligt.

Ik vind het heerlijk om haar aan het lachen te maken. Ze lacht niet genoeg.

'En dat is mijn schuld,' zeg ik onwillekeurig terwijl ik haar schouders en armen masseer. Ze draait haar gezicht naar me toe en kijkt me vragend aan. 'Dat je niet vaker giechelt,' verduidelijk ik.

'Ik ben niet zo'n giechelaar,' zegt ze voordat ze gaapt.

'Maar áls het gebeurt, is het een voorrecht en genot om naar te luisteren.'

'Wat kunt u zich toch bloemrijk uitdrukken, meneer Grey,' zegt ze plagend.

Ik lach. 'Ik zou zeggen dat je geneukt bent tot je geen pap meer kunt zeggen en dat je dringend slaap nodig hebt.'

322

'Dat is helemaal niet bloemrijk,' zegt ze bijna verontwaardigd.
Ik til haar van mijn schoot zodat ik op kan staan. Dan trek ik mijn spijkerbroek weer aan. 'Ik wil Taylor en mevrouw Jones niet bang maken.'

Dat zou niet de eerste keer zijn.

Ana zit slaperig op de grond. Ik grijp haar bovenarmen vast, help haar overeind en neem haar mee naar de deur. Ik haal de badjas van de haak en trek hem haar aan. Ze is blijkbaar doodmoe en beweegt zich amper.

'Bed,' kondig ik aan en ik druk een kus op haar lippen.

Haar slaperige gezicht staat nu angstig.

'Om te slapen,' stel ik haar gerust. Ik til haar op, leg haar tegen mijn borst en breng haar naar de kamer voor de Onderdanige. Daar leg ik haar onder de dekens en in een moment van zwakte klim ik naast haar in bed. Ik trek de sprei over ons heen en omhels haar.

Ik hou haar alleen even vast tot ze slaapt.

'En nu slapen, lekker ding.' Ik kus haar haren en voel me voldaan... en dankbaar. We hebben het hem geflikt. Deze lieve, onschuldige vrouw heeft me op zich losgelaten. En volgens mij vond ze het nog fijn ook. Dat vond ik in ieder geval wel... fijner dan ooit.

Mammie kijkt in de spiegel met een grote barst naar me.

Ik kam haar haar. Het is zacht en ruikt naar mammie en bloemen.

Ze pakt de borstel en trekt hem keer op keer door de ronde krullen.

Tot haar haar als een bobbelige slang over haar rug hangt.

Zo, zegt ze.

Ze draait zich om en lacht naar me.

Vandaag is ze vrolijk.

Ik vind het fijn als mammie vrolijk is.

Ik vind het fijn als ze naar me lacht.

Laten we een taart bakken, wurm.

Appeltaart.

Ik vind het fijn als mammie bakt.

Opeens word ik wakker als een zoete lucht mijn gedachten overvalt. Het is Ana. Ze ligt naast me te slapen. Ik draai me op mijn rug en staar naar het plafond.

Heb ik ooit eerder in deze kamer geslapen?

Nog nooit.

De gedachte maakt me bang en geeft me een ongemakkelijk gevoel.

Wat is er met je, Grey?

Ik ga voorzichtig rechtop zitten om Ana niet te storen en kijk naar haar slapende lichaam. Ik weet wat het is – ik ben bang omdat ik hier met haar ben. Ik klim uit bed, laat haar slapen en loop terug naar mijn speelkamer. Daar stop ik de gebruikte kabelbinder en condooms in mijn zak en ontdek dat Ana's slipje daar nog steeds in zit. Met de zweep, haar kleren en haar schoenen in mijn handen doe ik de deur achter me op slot. Ik loop terug haar kamer in en hang haar jurk op de kastdeur, zet haar schoenen onder de stoel en leg haar bh erop. Ik trek haar slipje uit mijn zak en word overvallen door een spannend idee.

Ik loop naar mijn badkamer. Voordat we naar het etentje met mijn familie gaan, heb ik een douche nodig. Ik laat Ana nog een tijdje slapen.

Het gloeiend hete water regent over me heen en wast alle angsten en ongemakken van even daarvoor weg. Voor een eerste keer was het niet slecht, voor ons allebei niet. Ik dacht dat een relatie met Ana er niet in zat, maar nu lijkt de toekomst vol mogelijkheden te zijn. Ik bedenk me dat ik Caroline Acton morgen moet bellen om mijn meisje aan te kleden.

Na een productief uurtje in mijn werkkamer waarin ik wat achterstallig leeswerk inhaal, besluit ik dat Ana lang genoeg heeft geslapen. Het schemert buiten en over drie kwartier moeten we naar het diner bij mijn ouders. Nu zij boven in haar slaapkamer ligt, kon ik me beter op mijn werk concentreren.

Raar.

Nou ja, ik weet dat ze daarboven veilig is.

Ik haal een pak bessensap en een fles spuitwater uit de koelkast. Ik giet ze samen in een glas en loop naar boven.

Ze slaapt nog in precies dezelfde positie als toen ik haar achterliet. Ze heeft zich waarschijnlijk helemaal niet bewogen. Haar lippen hangen open en ze haalt rustig adem. Haar haar zit warrig en er zijn allerlei plukjes uit haar vlecht ontsnapt. Ik ga op de rand van het bed naast haar zitten, buig me voorover en kus haar slaap. Ze protesteert mompelend.

'Wakker worden, Anastasia,' zeg ik zachtjes.

'Nee,' kreunt ze terwijl ze haar kussen tegen zich aan drukt.

'We moeten over een halfuur weg om bij mijn ouders te gaan eten.'

Ze doet haar ogen open en kijkt me aan.

'Kom, slaapkopje, je moet echt opstaan nu.' Ik druk nog een kus op haar slaap. 'Ik heb wat te drinken voor je meegenomen. Ik ben beneden. Niet meer in slaap vallen, want dan heb je een probleem,' dreig ik terwijl ze zich uitrekt. Ik kus haar nog eens en werp nog een blik op de stoel waarop haar kleren liggen. Dan loop ik grijnzend terug naar beneden.

Tijd om te spelen, Grey.

Terwijl ik op mevrouw Steele wacht, druk ik op de afstandsbediening van de iPod die op shuffle staat. Rusteloos loop ik naar de balkondeuren en kijk naar de vroege avondlucht terwijl ik naar 'And she was' van de Talking Heads luister.

Taylor komt binnen. 'Meneer Grey. Zal ik de auto voorrijden?'

'Geef ons nog vijf minuten.'

'Ja, meneer,' zegt hij en hij loopt naar de dienstlift.

Ana verschijnt een paar minuten later in de deuropening van de woonkamer. Ze ziet er prachtig uit, adembenemend zelfs... en geamuseerd. Zou ze iets over haar verdwenen slipje zeggen?

'Hai,' zegt ze met een mysterieuze glimlach.

'Hai. Hoe voel je je?'

Ze lacht. 'Goed, dank je. En jij?' Ze probeert nonchalant over te komen.

'Ik voel me uitstekend, mevrouw Steele.' De spanning is om te snijden en ik hoop dat niet van mijn gezicht af te lezen is dat ik wacht tot ze iets zegt.

'Frank? Ik had je niet ingeschat als Sinatra-fan,' zegt ze terwijl ze me onderzoekend aankijkt en de tonen van 'Witchcraft' door de kamer klinken.

'Brede smaak, weet u nog, mevrouw Steele?' Ik zet een stap naar haar toe en kom recht voor haar te staan. *Zou ze dit volhouden?* Ik probeer een antwoord in haar glinsterende blauwe ogen te vinden.

Vraag me naar je slipje, schatje.
Ik streel haar wangen met mijn vingertoppen. Ze komt dichter bij me staan en ik ben in één klap verleid door haar lieve gebaar, haar plagerige blik en door de muziek. Ik wil haar vasthouden. 'Dans met me,' fluister ik terwijl ik de afstandsbediening uit mijn zak haal en het geluid harder zet tot Franks stem harder door de kamer schalt. Ze geeft me haar hand. Ik sla een arm om haar middel, trek haar tegen me aan en we dansen een langzame, simpele foxtrot. Ze grijpt mijn schouder beet, maar ik ben daarop voorbereid en samen zweven we door de kamer, haar stralende gezicht het middelpunt van de kamer... en van mijn wereld. Ze laat me haar leiden en als het liedje afgelopen is, is ze giechelig en buiten adem.

En ik ook.

'Er is geen leukere heks dan jij.' Ik druk een snelle kus op haar lippen. 'Zo, dat heeft weer wat kleur op je wangen gebracht, mevrouw Steele. Bedankt voor de dans. Zullen we nu naar mijn ouders gaan?'

'Graag gedaan, en ja, ik kan niet wachten om ze te ontmoeten,' antwoordt ze lief glimlachend en met rode wangen.

'Heb je alles wat je nodig hebt?'

'Ja hoor,' zegt ze zelfverzekerd.

'Weet je dat zeker?'

Ze knikt grijnzend.

Man, wat heeft ze een lef.

Ik grijns. 'Oké.' Ik kan mijn genoegen niet verbergen. 'Als u het zo wilt spelen, mevrouw Steele.' Ik pak mijn jasje en we lopen naar de lift.

Ze blijft me maar verrassen, ontwapenen en indruk op me maken. Nu zal ik het diner met mijn ouders moeten overleven, wetend dat mijn meisje geen slipje draagt. Zelfs nu in de lift weet ik dat ze onder haar rokje naakt is.

Ze heeft de rollen omgedraaid, Grey.

Ze zegt niks als Taylor ons over de I-5 in noordelijke richting rijdt. Ik vang een glimp op van Union Lake, dan verdwijnt de maan achter een wolk en wordt de kleur van het water grimmig, wat past bij mijn stemming. Waarom neem ik haar mee naar mijn ouders? Als ze haar ontmoeten, zullen ze bepaalde verwachtingen hebben. Net als Ana.

En ik weet niet of de relatie die ik met Ana wil daaraan kan voldoen. Tot overmaat van ramp heb ik dit allemaal zelf in werking gezet toen ik erop stond dat ze Grace zou ontmoeten. Ik kan het alleen mezelf kwalijk nemen. Mezelf, én het feit dat Elliot haar huisgenote neukt.

Wie houd ik eigenlijk voor de gek? Als ik niet wilde dat ze mijn ouders zou ontmoeten, zou ze hier nu niet zijn. Ik baal er gewoon van dat ik zo gespannen ben.

Ja. Dát is het probleem.

'Waar heb je leren dansen?' onderbreekt Ana mijn gedachtegang.

O, Ana. Dit wil ze vast niet horen.

'Christian, hou me vast. Daar. Stevig. Goed zo. Eén pas. Twee. Goed. Houd het ritme van de muziek vast. Sinatra is ideaal voor de foxtrot.' Elena is in haar element.

'Ja, mevrouw.'

'Wil je dat echt weten?' antwoord ik.

'Ja,' zegt ze, maar haar stem zegt me iets anders.

Je hebt er zelf om gevraagd. Ik zucht in het donker naast haar. 'Mrs. Robinson hield erg van dansen.'

'Ze was vast een goede lerares.' In haar gefluister hoor ik spijt en ook wat bewondering.

'Dat is zo.'

'Zo gaat het goed. Nog een keer. Eén. Twee. Drie. Vier. Schatje, wat doe je dat goed.'

Elena en ik zweven door haar kelder.

'Nog een keer.' Ze lacht en gooit haar hoofd naar achteren. Ze lijkt wel twee keer zo jong.

Ana knikt en kijkt naar buiten terwijl ze ongetwijfeld een of andere theorie over Elena aan het bedenken is. Of misschien denkt ze aan de ontmoeting met mijn ouders. Wist ik het maar. Misschien is ze wel zenuwachtig. Net als ik. Ik heb nog nooit een meisje mee naar huis genomen.

Ana zit onrustig in haar stoel te wiebelen en ik vermoed dat haar iets dwarszit. Zou het te maken hebben met wat we vandaag hebben gedaan?

'Niet doen,' zeg ik, milder dan ik eigenlijk bedoelde.

Ze draait zich naar me toe en in het donker kan ik haar gezichtsuitdrukking niet zien. 'Wat niet?'

'Te lang over dingen nadenken, Anastasia.' Waar je ook aan denkt. Ik pak haar hand en kus haar knokkels. 'Ik heb een geweldige middag gehad. Dank je.'

Ik zie in een flits haar witte tanden en een verlegen glimlach.

'Waarom gebruikte je een kabelbinder?' vraagt ze.

Ze heeft vragen over vanmiddag. Dat is een goed teken. 'Snel, makkelijk en weer iets heel anders om jou te laten ervaren. Ik weet dat ze vrij wreed zijn, maar daar hou ik eigenlijk wel van als het om bondage gaat.' Mijn stem klinkt droog omdat ik ons gesprek wat luchtiger probeer te maken. 'Heel effectief om jou op je plek te houden.'

Haar ogen schieten naar Taylor op de bestuurdersplek.

Lieverd, maak je geen zorgen om Taylor. Hij weet precies wat er gaande is en hij doet dit al vier jaar.

'Het hoort allemaal bij mijn wereld, Anastasia.' Ik knijp geruststellend in haar hand voordat ik hem loslaat. Ana staart weer uit het raam. We zijn omringd door water terwijl we via de brug Lake Washington oversteken, mijn favoriete deel van deze reis. Ze trekt haar knieën op en slaat haar armen om haar benen.

Er is iets aan de hand.

Terwijl ze naar me kijkt vraag ik, 'Mag ik weten waar je aan denkt?'

Ze zucht.

Shit. 'Is het zo erg?'

'Ik zou wel eens willen weten waar jíj aan denkt,' zegt ze.

Ik glimlach opgelucht en ben blij dat ze niet weet wat zich in mijn gedachten afspeelt.

'Ik ook, schatje,' antwoord ik.

Taylor stopt voor het huis van mijn ouders. 'Ben je er klaar voor?' vraag ik. Ana knikt en ik knijp in haar hand. 'Voor mij is het ook nieuw,' fluister ik. Zodra Taylor is uitgestapt, grijns ik wellustig naar haar. 'Baal jij even dat je geen slipje aan hebt...'

Haar adem stokt in haar keel en ze kijkt me boos aan, maar ik klim de auto uit om mijn moeder en vader te begroeten, die bij de voordeur staan te wachten. Ana ziet er rustig en kalm uit terwijl ze om de auto heen naar ons toe loopt. 'Anastasia, je hebt mijn moeder Grace al ontmoet. Dit is mijn vader Carrick.'

'Leuk u te ontmoeten, meneer Grey.'

Ze glimlacht en schudt zijn hand.

'Het genoegen is geheel aan mijn zijde, Anastasia.'

'Alstublieft, noemt u mij Ana.'

'Ana, wat leuk om je weer te zien.' Grace geeft haar een knuffel.

'Kom binnen, lieverd.' Ze neemt Ana bij de arm en leidt haar naar binnen. Ik volg haar op de voet, me ervan bewust dat ze geen slipje draagt.

'Is ze er al?' gilt Mia vanuit het huis. Ana kijkt me verbijsterd aan.

'Dat zal Mia zijn, mijn zusje.'

We draaien ons allebei om naar het geluid van de hoge hakken in de gang. En daar is ze. 'Anastasia! Ik heb zoveel over je gehoord!' Mia omhelst haar innig. Hoewel ze langer is dan Ana, bedenk ik me dat ze ongeveer even oud zijn.

Mia pakt haar hand vast en sleept haar de hal in terwijl mijn ouders en ik volgen. 'Hij heeft nog nooit een meisje mee naar huis genomen,' vertelt Mia Ana met een hoge stem.

'Mia, rustig aan,' berispt Grace haar.

Inderdaad Mia. Houd in godsnaam op zo'n scène te trappen.

Ana ziet dat ik met mijn ogen rol en kijkt me vernietigend aan.

Grace begroet me met een kus op beide wangen. 'Dag schat.' Ze straalt van blijdschap omdat al haar kinderen thuis zijn. Carrick steekt zijn hand uit. 'Hallo jongen. Lang geleden.' We schudden elkaar de hand en volgen de vrouwen de woonkamer in. 'Pap, je hebt me gisteren nog gezien,' mompel ik. Die typische vadergrappen – mijn vader is er een ster in.

Kavanagh en Elliot zitten op de bank te knuffelen. Maar Kavanagh staat op om Ana te omhelzen zodra we binnenkomen.

'Christian.' Ze knikt beleefd naar me.

'Kate.'

En nu zit Elliot aan Ana.

Verdomme, waarom is die familie van me opeens zo knuffelig? *Zet haar neer.* Ik kijk Elliot boos aan en hij grinnikt – hij kijkt alsof hij me wel even laat zien hoe het moet. Ik sla mijn arm om Ana heen en trek haar naar me toe. Alle ogen zijn op ons gericht.

Jezusmina. Dit is echt een freakshow.

'Iemand wat drinken?' biedt mijn vader aan. 'Prosecco?'

'Heel graag,' zeggen Ana en ik tegelijkertijd.

Mia hopt op en neer en klapt in haar handen. 'Jullie zeggen zelfs hetzelfde! Ik haal het wel.' Ze rent de kamer uit.

Wat is er in godsnaam met mijn familie aan de hand?

Ana fronst haar wenkbrauwen. Zij vindt ze waarschijnlijk ook een beetje raar.

'Het eten is bijna klaar,' zegt Grace terwijl ze Mia de kamer uit volgt.

'Ga zitten,' zeg ik tegen Ana en ik leid haar naar een van de banken. Ze doet wat haar gezegd wordt en ik ga naast haar zitten, zonder haar aan te raken. Ik moet die kleffe familie van me het goede voorbeeld geven.

Of misschien zijn ze altijd al zo geweest?

Mijn vader leidt me af. 'We hadden het net over de vakantie, Ana. Elliot heeft besloten om een weekje mee te gaan naar Barbados met Kate en haar familie.'

Jezus! Ik staar Elliot aan. *Waarom ruilt hij haar niet weer gewoon in voor een ander, zoals gebruikelijk?* Die Kavanagh moet wel heel goed in bed zijn. Ze kijkt in ieder geval nogal zelfvoldaan.

'En, ga jij er even tussenuit nu je bent afgestudeerd?' vraagt Carrick Ana.

'Ik denk erover om een paar dagen naar Georgia te gaan,' antwoordt ze.

'Georgia?' roep ik uit, niet in staat mijn verbijstering te verbergen.

'Daar woont mijn moeder,' zegt ze met onzekere stem. 'Ik heb haar al een poosje niet gezien.'

'En wanneer denk je daarheen te gaan?' bijt ik haar toe.

'Morgen, in de avond.'

Morgen! Krijg nou wat! En ik hoor dit nu pas?

Mia komt terug met roze prosecco voor Ana en mij.

'Op jullie gezondheid!' Mijn vader houdt zijn glas omhoog.

'Hoelang blijf je weg?' houd ik vol terwijl ik probeer mijn stem rustig te houden.

'Dat weet ik nog niet. Dat hangt ervan af hoe mijn sollicitatie-gesprekken morgen gaan.'

Sollicitatiegesprekken? Morgen?

'Ze is er echt aan toe om er even uit te gaan,' onderbreekt Kava-nagh, terwijl ze me vijandig aanstaart. Ik wil haar zeggen dat ze zich verdomme met haar eigen zaken moet bemoeien, maar voor Ana houd ik mijn mond.

'Je hebt sollicitatiegesprekken?' vraagt mijn vader aan Ana.

'Ja, morgen, voor traineeplaatsen bij twee uitgevers.'

Wanneer wilde ze mij dit vertellen? We zijn hier twee minuten en ik ontdek dingen over haar die ik al lang zou moeten weten!

'Nou, dan wens ik je alvast veel succes,' zegt Carrick met een vriendelijke glimlach.

'We kunnen aan tafel,' roept Grace door de gang.

Ik laat de anderen de kamer uit lopen, maar grijp Ana bij haar elleboog voordat ze hen kan volgen.

'Wanneer was je van plan mij in te lichten over je vertrek?' Ik voel een woedeaanval opkomen.

'Ik ga niet weg, ik ga naar mijn moeder, en bovendien is het nog niet eens zeker.' Ana wuift me weg, alsof ik een kind ben.

'En onze afspraak dan?'

'Die hebben we nog niet.'

Maar...

Ik leid haar door de woonkamer en de gang. 'Hier is het laatste woord nog niet over gesproken,' waarschuw ik haar terwijl we de eetkamer in lopen.

Mijn moeder heeft flink uitgepakt – haar mooiste serviesgoed, mooiste glazen – allemaal voor Ana en Kavanagh. Ik schuif Ana's stoel aan en ga naast haar zitten. Mia kijkt ons van de andere kant van de tafel stralend aan. 'Hoe heb je Ana leren kennen?' vraagt Mia.

'Ze interviewde me voor de studentenkrant.'

'Waar Kate voor schrijft,' onderbreekt Ana me.

'Ik wil journalist worden,' vertelt Kate Mia.

Mijn vader biedt Ana wijn aan terwijl Mia en Kate het hebben over journalistiek. Kavanagh loopt stage bij *The Seattle Times*, on-getwijfeld geregeld door haar vader.

Vanuit mijn ooghoek merk ik dat Ana me bestudeert.

331

'Wat is er?' vraag ik.

'Wees nou niet boos op me,' zegt ze, zo zacht dat alleen ik het kan horen.

'Ik ben niet boos,' lieg ik.

Ze knijpt haar ogen samen. Het is duidelijk dat ze daar geen woord van gelooft.

'Goed, ik ben wel boos op je,' geef ik toe. En nu krijg ik het gevoel dat ik overdrijf. Ik doe mijn ogen dicht.

Nou moet je chillen, Grey.

'Jeukende-handen-boos?' fluistert ze.

'Zeg, wat zitten jullie daar te smoezen?' onderbreekt Kavanagh.

Jezus! Is ze altijd zo? Zo opdringerig? Hoe houdt Elliot het in godsnaam met haar uit? Ik kijk haar woedend aan en ze is zo verstandig om het te laten rusten.

'Gewoon, over mijn reisje naar Georgia,' zegt Ana lieflijk en charmant.

Kate glimlacht zelfgenoegzaam. 'Was het nog gezellig met José vrijdag, toen je met hem stappen was?' vraagt ze terwijl ze me brutaal aankijkt.

Wat. Is. Dit. Verdomme?

Ana verstijft van de spanning naast me.

'Prima,' zegt ze zachtjes.

'Jeukende-handen-boos,' fluister ik. 'Nu al helemaal.'

Ze is dus naar een bar gegaan met een kerel die de laatste keer dat ik hem zag zijn tong in haar keel wilde duwen. *En* ze had toen al beloofd dat ze van mij was. En dan nu uitgaan met een andere man? Zonder mijn toestemming...

Ze moet gestraft worden.

Om me heen wordt het diner geserveerd.

Ik heb beloofd dat ik voorzichtig zou doen... misschien moet ik een kleine zweep gebruiken. Of misschien gewoon een flink pak slaag, harder dan de vorige keer. Hier, vanavond.

Ja. Dat biedt mogelijkheden.

Ana kijkt naar haar vingers. Kate, Elliot en Mia zijn verwikkeld in een gesprek over de Franse keuken en mijn vader komt terug aan tafel. Waar was hij dan heen?

'Het is voor jou, lieverd. Het ziekenhuis,' zegt hij tegen Grace.

'Jongens, begin allemaal alsjeblieft,' zegt mijn moeder, terwijl ze een bord doorgeeft aan Ana.

Ruikt goed.

Ana likt over haar lippen, wat ik helemaal tot in mijn kruis voel. Ze sterft waarschijnlijk van de honger. *Goed zo.* Dat is alvast iets. Mijn moeder heeft zichzelf overtroffen: chorizo, sint-jakobsschelpen, paprika. Lekker. En nu besef ik hoeveel honger ik zelf heb. Dat draagt niet bij aan mijn humeur. Maar ik voel me beter terwijl ik toekijk hoe Ana zit te eten.

Grace komt met een bezorgde blik terug. 'Is alles oké?' vraagt mijn vader en we kijken haar allemaal aan.

'Weer iemand met de mazelen.' Grace zucht diep.

'Nee hè?' zegt mijn vader.

'Ja, een kind. De vierde al deze maand. Als mensen hun kinderen nou eens lieten inenten...' Grace schudt haar hoofd. 'Ik ben zo blij dat onze kinderen dat nooit hebben hoeven doormaken. Het ergste wat zij ooit hebben gehad, zijn de waterpokken, godzijdank. Arme Elliot.' We kijken allemaal naar Elliot, die tijdens het kauwen stopt met eten, met volle mond, als een koe. Hij staat niet graag in het middelpunt van de belangstelling.

Kavanagh kijkt Grace vragend aan.

'Christian en Mia hebben geluk gehad,' legt Grace uit. 'Ze hebben het allebei in heel lichte vorm gehad, nauwelijks een plekje te zien.'

Laat nou zitten, mam.

'Heb je de wedstrijd van de Mariners gezien, pa?' Elliot wil net als ik overduidelijk graag van onderwerp veranderen.

'Niet te geloven dat ze de Yankees hebben verslagen,' zegt Carrick.

'Heb jij het gezien, patser?' vraagt Elliot mij.

'Nee. Maar ik heb het sportgedeelte van de krant gelezen.'

'Die Mariners gaan het nog maken. Negen van de elf wedstrijden gewonnen, dat biedt hoop.' Mijn vader klinkt opgewonden.

'Ze spelen zeker een beter seizoen dan in 2010,' voeg ik toe.

'Gutiérrez was geweldig als middenvelder. Hoe hij die bal ving! Ongelooflijk.'

Elliot gooit zijn armen omhoog. Kavanagh kijkt hem dommig verliefd aan.

'Hoe bevalt het je in je nieuwe appartement, lieverd?' vraagt Grace aan Ana.

'We zitten er nog maar één nacht en ik moet alles nog uitpakken, maar ik vind het geweldig dat het zo centraal ligt – en zo dicht bij Pike Place en het water.'

'Ah, dus je bent ook vlak bij Christian,' merkt Grace op.

Mams hulp begint de tafel af te ruimen. Ik kan me haar naam nog steeds niet herinneren. Ze komt uit Zwitserland, of Oostenrijk of zoiets, en ze blijft maar dommig naar me glimlachen en met haar ogen knipperen.

'Ben je wel eens in Parijs geweest, Ana?' vraagt Mia.

'Nee, maar dat lijkt me geweldig.'

'Onze huwelijksreis was naar Parijs,' zegt mam. Zij en pap wisselen een blik uit over tafel, die ik liever niet had gezien. Ze hebben het er blijkbaar naar hun zin gehad.

'Het is een mooie stad, ondanks de Parijzenaars. Christian, je moet met Ana naar Parijs!' roept Mia uit.

'Ik denk dat Anastasia liever naar Londen gaat,' antwoord ik op het belachelijke idee van mijn zusje. Ik leg mijn hand op Ana's knie en verken rustig haar lichaam terwijl haar jurk omhoogkruipt. Ik wil haar aanraken, strelen waar anders haar slipje zou zitten. Als mijn pik vol verwachting ontwaakt, onderdruk ik een kreun en verschuif in mijn stoel.

Ze beweegt zich plotseling van me weg alsof ze haar benen over elkaar wil slaan, en ik grijp haar dij stevig vast.

Waag het eens!

Ana neemt een slokje wijn en kijkt aandachtig naar mijn moeders huishoudster, die onze hoofdgerechten serveert.

'Nou, wat was er dan mis met de Parijzenaars? Liepen ze niet weg met jouw innemende persoonlijkheid?' plaagt Elliot Mia.

'Bah nee, inderdaad. En meneer Floubert, het gedrocht voor wie ik werkte, dat was zo'n dominante tiran.'

Ana verslikt zich in haar wijn.

'Anastasia, gaat het wel?' vraag ik, en ik laat haar dij los.

Ze knikt, met rode wangen, en ik klop voorzichtig op haar rug en streel zachtjes haar nek. Een dominante tiran? Ik? Ik vind het een mooie gedachte. Mia kijkt me vol waardering aan omdat ik openlijk lief doe tegen Ana.

Mam heeft haar beroemde beef wellington gemaakt, een recept dat ze in Londen heeft opgepikt. Ik moet toegeven dat het bijna even goed scoort als de gebakken kip van gisteren. Ondanks het feit dat ze net bijna stikte, stort Ana zich op haar maaltijd. Het is zo fijn om haar te zien eten. Ze zal wel honger hebben na onze inspannende middag. Ik neem een slok wijn terwijl ik nadenk over andere manieren om haar hongerig te maken.

Mia en Kavanagh bespreken de voor- en nadelen van St. Bart's en Barbados, waar de familie Kavanagh naartoe op vakantie gaat.

'Weet je nog van Elliot en de kwal?' Mia's ogen sprankelen terwijl ze van Elliot naar mij kijkt.

Ik moet grinniken. 'Je bedoelt hoe hij gilde als een klein meisje? Jazeker.'

'Hé, dat had wel zo'n Portugees oorlogsschip kunnen zijn! Ik haat kwallen. Die verpesten alles.' Elliot lucht zijn hart. Mia en Kate barsten in lachen uit en knikken instemmend.

Ana eet vol overgave en luistert naar het geplaag. Iedereen is nu rustig en mijn familie doet wat minder vreemd. Waarom ben ik dan zo gespannen? Dit gebeurt toch elke dag in het hele land, een familie die samenkomt om te genieten van goed eten en elkaars gezelschap. Ben ik gespannen omdat Ana bij me is? Ben ik bang dat ze haar niet aardig zullen vinden, of andersom? Of komt het doordat ze hem verdomme morgen naar Georgia smeert, en ik daar niks van wist?

Heel verwarrend.

Mia staat zoals gebruikelijk in het middelpunt van de belangstelling. Haar verhalen over het Franse leven en de Franse keuken zijn vermakelijk. 'O, mam, *les pâtisseries sont tout simplement fabuleuses. La tarte aux pommes de M. Floubert est incroyable,*' zegt ze.

'*Mia, chérie, tu parles français,*' onderbreek ik haar. '*Nous parlons anglais ici. Eh bien, à l'exception bien sûr d'Elliot. Il parle idiote, couramment.*'

Mia gooit haar hoofd achterover terwijl ze schatert en ik kan niet anders dan met haar meedoen.

Maar tegen het einde van het diner wordt de spanning me te veel. Ik wil alleen zijn met mijn meisje. Zo leuk vind ik koetjes en kalfjes ook weer niet, zelfs bij mijn eigen familie, en ik heb mijn grens bereikt.

Ik kijk naar Ana en pak haar kin beet. 'Niet op je lip bijten. Dat wil ik doen.'

Ik moet ook wat basisregels opstellen. We moeten het hebben over haar spontane reisje naar Georgia en avondjes uit met mannen die verliefd op haar zijn. Ik leg mijn hand weer op Ana's knie, ik moet haar aanraken. Bovendien heeft ze mijn aanrakingen maar te accepteren, wanneer ik maar wil. Ik peil haar reactie terwijl mijn vingers over haar dij naar haar slipvrije zone gaan en ik haar huid plaag. Haar adem stokt in haar keel en ze knijpt haar benen tegen elkaar zodat mijn vingers niet verder kunnen en ze me tegenhoudt. *En nu is het afgelopen.*

Ik moet ons verontschuldigen van de eettafel. 'Zal ik je een rondleiding geven?' vraag ik Ana en ik geef haar geen kans te antwoorden. Haar ogen staan helder en ernstig terwijl ze haar hand in de mijne legt.

'Neem me niet kwalijk,' zegt ze tegen Carrick en ik leid haar de eetkamer uit.

In de keuken zijn Mia en mam aan het opruimen. 'Ik laat Anastasia de tuin zien,' zeg ik tegen mijn moeder en ik doe alsof ik vrolijk ben.

Eenmaal buiten schiet mijn stemming onder het vriespunt terwijl mijn woede opkomt.

Slipjes. Die fotograaf. Georgia.

Ik loop door over het grote veld naar het boothuis van mijn ouders.

'Wacht nou even, alsjeblieft,' smeekt Ana.

Ik stop en staar haar boos aan.

'Mijn hakken. Ik moet even mijn schoenen uittrekken.'

'Doe geen moeite,' grom ik en ik til haar snel over mijn schouder. Ze gilt verrast. *Verdomme.* Ik geef haar een klap op haar kont, hard.

'Niet zo hard!' bijt ze me toe terwijl ik met grote passen over het grasveld loop. 'Waar gaan we heen?' jammert ze terwijl ze op mijn schouder hobbelt.

'Boothuis.'

'Waarom?'

'Ik moet alleen met je zijn.'

'Waarom dan?'

'Omdat ik je een pak slaag ga geven en je dan ga neuken.'

'Waarom?' klaagt ze.

'Je weet heel goed waarom,' bijt ik haar toe.

'Ik dacht dat jij iemand was die in het moment leeft?'

'Anastasia, dit is het moment, vertrouw daar maar op.'

Ik gooi de deur van het boothuis open, stap naar binnen en klik het licht aan. Terwijl de tl-lampen tot leven komen loop ik naar de bovenkamer. Daar zet ik nog een schakelaar om en halogeenlampen verlichten de ruimte.

Ik laat Ana naar beneden glijden, geniet volop van hoe haar lijf over het mijne gaat en zet haar op haar benen. Haar haren zijn donker en wild, haar ogen schitteren in het avondlicht en ik weet dat ze geen slipje aan heeft. Ik wil haar. Nu.

'Sla me alsjeblieft niet,' fluistert ze.

Ik begrijp het niet. Ik staar haar aan.

'Ik wil niet dat je me slaat, niet hier, niet nu. Alsjeblieft.'

Maar... Ik staar haar aan, verlamd. *Daarom zijn we hier.* Ze tilt haar hand op en even weet ik niet wat ze gaat doen. Het duister grijpt me bij de keel. Als ze me aanraakt krijg ik geen adem. Maar ze legt haar vingers op mijn wang en laat ze zachtjes naar mijn kin glijden. Het duister verandert in vergetelheid en ik doe mijn ogen dicht terwijl ik haar zachte vingertoppen op mijn huid voel. Met haar andere hand woelt ze door mijn haar.

'Ah,' kreun ik en ik weet niet of het van angst of verlangen is. Ik ben ademloos en sta aan een afgrond. Wanneer ik mijn ogen open, stapt ze naar voren zodat haar lijf helemaal tegen het mijne is gedrukt. Ze grijpt mijn haar met haar beide vuisten en trekt er zachtjes aan terwijl ze haar lippen naar de mijne brengt. Ik kijk toe, als een omstander, stijg boven mijn lichaam uit. Ik ben toeschouwer. Onze lippen raken elkaar en ik sluit mijn ogen terwijl ze haar tong in mijn mond duwt. En het is mijn kreun die haar betovering verbreekt.

Ana.

Ik sla mijn armen om haar heen en kus haar terug, waarbij ik twee uur aan benauwde spanning loslaat, mijn tong haar bezit en weer verbinding met haar zoekt. Mijn handen grijpen haar haren en ik geniet van haar smaak, haar tong, haar lijf tegen het mijne terwijl mijn lichaam in brandt staat.

Fuck.
Als ik me terugtrek hijgen we allebei en haar handen grijpen mijn armen vast. Ik begrijp het niet meer. Ik wilde haar spanken. Maar ze zei nee. Net als aan tafel. 'Wat doe je met me?' vraag ik.

'Ik zoen je.'

'Je zei "nee".'

'Hoe bedoel je?' Ze is verbijsterd, misschien is ze het vergeten.

'Aan tafel, met je benen.'

'Maar we zaten aan tafel met je ouders.'

'Niemand heeft ooit "nee" tegen me gezegd. En het is zo... geil.' En anders. Ik laat mijn hand over haar billen glijden en ruk haar tegen me aan terwijl ik probeer de controle terug te krijgen.

'Je bent boos en opgewonden omdat ik nee zei?' Haar stem klinkt hees.

'Ik ben boos omdat je het niet eerder over Georgia hebt gehad. Ik ben boos omdat je iets bent gaan drinken met die eikel die je probeerde te verleiden toen je dronken was en je achterliet bij een volslagen vreemde toen je ziek was. Welke vriend doet zoiets? En ik ben boos en opgewonden tegelijk omdat je je benen tegen elkaar klemde om mij tegen te houden.'

En je hebt geen slipje aan.

Met mijn vingers werk ik langzaam haar jurk over haar benen omhoog. 'Ik wil je, nu. En als ik je niet mag slaan – wat je wel verdient – dan neem ik je hier ter plekke op deze bank, voor mijn eigen genot en niet het jouwe.'

Ik houd haar tegen me aan en zie dat ze begint te hijgen terwijl ik mijn hand door haar schaamhaar laat gaan en mijn middelvinger naar binnen laat glijden. Ik hoor een laag, sexy en tevreden gebrom uit haar keel komen. Ze is er zo klaar voor.

'Dit is van mij. Helemaal van mij. Begrijp je dat?' Ik laat mijn vingers in en uit haar glijden, houd haar vast terwijl ze haar mond vol schok en verlangen opent.

'Ja, van jou,' fluistert ze.

Ja. Van mij. En waag het niet dat te vergeten, Ana.

Ik druk haar op de bank, rits mijn gulp open en ga op haar liggen zodat ik haar onder me vastklem. 'Handen op je hoofd,' grom ik door samengeperste kaken. Ik ga op mijn knieën zitten en spreid mijn benen zodat haar benen uit elkaar worden gedrukt. Uit de binnen-zak van mijn jasje haal ik een condoom en gooi dan mijn jasje op de grond. Terwijl ik haar blijf aankijken open ik de verpakking en rol hem over mijn gretige pik. Ana legt haar handen op haar hoofd en kijkt me aan, haar ogen glinsterend van verlangen. Als ik over haar heen kruip kronkelt ze onder me en brengt haar heupen omhoog om me tegemoet te komen.

'We hebben maar weinig tijd. Dit wordt een vluggertje, voor mij – niet voor jou. Is dat duidelijk? Als je klaarkomt, krijg je een pak slaag,' beveel ik haar terwijl ik me concentreer op haar opengesperde ogen. Met een snelle, harde beweging begraaf ik mezelf helemaal in haar. Ze gilt het uit, een welkome en vertrouwde kreet van genot. Ik houd haar op haar plek zodat ze niet kan bewegen en begin haar te neuken, haar te verorberen. Maar ze tilt gretig haar bekken op, om me stoot na stoot tegemoet te komen en me aan te moedigen.

O Ana. Ja, schatje.

Ze beweegt tegen me aan en beantwoordt mijn vurige ritme.

O, wat voelt ze toch ongelooflijk.

En ik ben verloren. In haar. In haar geur. En ik weet niet of het komt doordat ik boos ben, of gespannen, of...

Jaaaaa. Ik kom snel, verlies mijn verstand terwijl ik in haar explo-deer. Ik kom tot stilstand. Ik vul haar. Ik bezit haar. Herinner haar eraan dat ze van mij is.

Fuck.

Dat was...

Ik trek me uit haar terug en ga op mijn knieën zitten.

'Waag het niet om jezelf aan te raken.' Mijn stem klinkt hees en ademloos. 'Ik wil dat je gefrustreerd raakt. Dat is wat jij met mij doet als je niet met me praat, als je me ontzegt wat van mij is.'

Ze ligt languit onder me en knikt. Haar jurk zit rond haar middel zodat ik kan zien dat ze nat en vol verlangen is en eruitziet als een godin. Ik sta op, doe het condoom af, leg er een knoop in, kleed me aan en pak mijn jas van de vloer.

Ik haal diep adem. Nu ben ik rustiger. Een stuk rustiger.

Fuck, dat was echt lekker.

'We moeten nu wel terug naar binnen.'

Ze staat op en staart me met donkere, ondoorgrondelijke ogen aan.

God, wat is ze mooi.

'Hier. Deze mag je nu wel aantrekken.' Uit de zak van mijn jasje vis ik haar kanten slipje en gooi hem naar haar toe. Ik geloof dat ze haar best doet niet te lachen.

Ja, ja. U hebt gewonnen, mevrouw Steele.

'Christian!' roept Mia vanaf de begane grond.

Shit.

'Net op tijd. Jemig, ze kan echt irritant zijn.' Maar dat is mijn kleine zusje. Geschrokken kijk ik naar Ana, die net haar slipje aantrekt. Ze kijkt me boos aan terwijl ze opstaat om haar jurk recht te trekken en haar haren weer in model te brengen.

'Hierboven, Mia,' roep ik. 'Nou, mevrouw Steele, ik voel me een stuk beter nu, maar heb nog steeds zin om je een pak slaag te geven.'

'Ik geloof werkelijk niet dat ik dat heb verdiend, meneer Grey, al helemaal niet na uw volkomen onterechte aanval.' Ze klinkt opgewekt en formeel.

'Onterecht? Jij kuste mij.'

'De aanval is de beste verdediging.'

'Verdediging waartegen?'

'Jou en je jeukende handpalmen.' Ze probeert niet te lachen. Mia's hakken klinken op de trap.

'Maar het was wel vol te houden?' vraag ik.

Ana geeft me een scheve glimlach. 'Nog maar net.'

'O, daar zijn jullie!' roept Mia uit terwijl ze ons stralend aankijkt. Twee minuten eerder en het was een heel ongemakkelijke situatie geweest.

'Ik geef Anastasia een rondleiding.' Ik steek mijn hand uit naar Ana en ze neemt hem aan. Ik wil haar knokkels zoenen, maar knijp in plaats daarvan even in haar hand.

'Kate en Elliot staan op het punt te vertrekken. Hebben jullie het ook gezien? Ze kunnen nauwelijks van elkaar afblijven.' Mia trekt in afschuw haar neus op. 'Wat doen jullie hierboven?'

'Ik liet Anastasia mijn roeitrofeeën zien.' Met mijn vrije hand zwaai ik naar de nep-zilveren en nep-gouden bekers van mijn roeifase bij Harvard, die aan de andere kant van de kamer op planken staan uitgestald. 'Kom, we gaan Kate en Elliot gedag zeggen.'

Mia draait zich om en ik laat Ana voorgaan, maar voordat we bij de trap zijn geef ik haar een klap op haar kont.

Ze onderdrukt haar kreet.

'Dat doe ik zeker nog eens, Anastasia, en snel ook,' fluister ik in haar oor en terwijl ik haar in mijn armen neem, kus ik haar haren.

We lopen hand in hand over het grasveld naar het huis terwijl Mia naast ons loopt te kletsen. Het is een prachtige avond, het was een prachtige dag. Ik ben blij dat Ana mijn familie heeft ontmoet.

Waarom heb ik dit nooit eerder gedaan?

Omdat ik dat nooit eerder gewild heb.

Ik knijp in Ana's hand en ze kijkt me verlegen en met een poeslieve glimlach aan. In mijn andere hand heb ik haar schoenen en bij de stenen trap kniel ik neer om ze haar om de beurt aan te trekken.

'Zo,' kondig ik aan wanneer ik klaar ben.

'Hartelijk dank, meneer Grey,' zegt ze.

'Ik doe het met veel plezier.'

'Daarvan ben ik mij bewust, meneer,' plaagt ze.

'O, jullie zijn echt té schattig!' kirt Mia terwijl we de keuken in lopen. Ana werpt me zijdelings een blik toe.

In de gang staan Kavanagh en Elliot op het punt te vertrekken. Ana geeft Kate een knuffel, maar neemt haar dan even apart om een verhit persoonlijk gesprek te voeren. *Waar gaat dat in hemelsnaam over?* Elliot neemt Kavanagh bij de arm en mijn ouders zwaaien ze uit terwijl ze in Elliots pick-up klimmen.

'Wij moesten er ook maar eens vandoor gaan – jij hebt morgen je gesprekken.' We moeten haar nog naar haar nieuwe appartement brengen en het is al bijna elf uur.

'We dachten dat hij nooit iemand zou vinden!' dweept Mia terwijl ze Ana een stevige knuffel geeft.

Alsjeblieft zeg.

'Pas goed op jezelf, lieve Ana,' zegt Grace en ze glimlacht warm naar mijn meisje. Ik trek Ana tegen me aan.

'Laten we haar nou niet afschrikken of verwennen met al te veel genegenheid.'

'Christian, houd op met je geplaag,' straft Grace me zoals gewoonlijk af.

'Mama.' Ik geef haar een snelle kus. Bedankt dat je Ana hebt uitgenodigd. Het heeft me veel duidelijk gemaakt.

Ana neemt afscheid van mijn vader en we lopen naar de Audi, waar Taylor staat te wachten en het portier voor haar openhoudt.

'Nou, het lijkt erop dat je ook bij mijn familie in de smaak valt,' observeer ik nadat ik naast Ana achterin ben gaan zitten. Haar ogen weerspiegelen het licht van mijn ouders' veranda, maar het is onmogelijk te bepalen wat ze denkt. Haar gezicht wordt verhuld door schaduwen terwijl Taylor soepel de weg op rijdt.

Dan zie ik haar gezicht in het licht van een straatlantaarn. Ze kijkt me gespannen aan. Er is iets aan de hand.

'Wat is er?' vraag ik.

Ze is even stil en als ze begint te praten, klinkt haar stem leeg. 'Ik denk dat jij je verplicht voelde me uit te nodigen om je ouders te ontmoeten. Als Elliot Kate niet had gevraagd, had jij mij nooit gevraagd.'

Verdomme. Ze begrijpt het niet. Het was de eerste keer. Ik was zenuwachtig. Ze moet nu toch weten dat ze hier helemaal niet zou zijn als ik dat niet zou willen. Terwijl we door de lantaarns afwisselend in het licht en het donker zitten lijkt ze mijlenver weg en verdrietig.

Grey, dit kan zo niet.

'Anastasia, ik ben juist blij dat je mijn ouders hebt leren kennen. Waarom ben je zo onzeker over jezelf? Dat verbaast me keer op keer. Je bent zo'n sterke en zelfstandige vrouw, maar je denkt zo negatief over jezelf. Als ik niet zou willen dat je ze zou ontmoeten, had je hier nu niet gezeten. Heb je dat de hele tijd dat we daar waren gedacht?' Ik schud mijn hoofd, pak haar hand en knijp er weer even geruststellend in.

Ze kijkt nerveus naar Taylor.

'Let niet op Taylor. Je bent met mij aan het praten.'

'Ja. Dat dacht ik,' zegt ze zachtjes. 'En dan nog iets, ik bracht Georgia alleen maar ter sprake omdat Kate het over Barbados had. Het is nog helemaal niet zeker of ik ga.'

'Wil je naar je moeder?'

'Ja.'

Mijn bezorgdheid steekt de kop op. Wil ze bij me weg? Als ze naar Georgia gaat overtuigt haar moeder haar misschien dat ze iemand moet vinden die... beter bij haar past, iemand die net als haar moeder gelooft in romantiek.

Ik heb een idee. Ze heeft mijn ouders ontmoet, ik heb Ray ontmoet, misschien moet ik haar moeder ontmoeten, die onverbeterlijke romanticus. Zodat ze mijn charmes kan leren kennen.

'Mag ik met je mee?' vraag ik terwijl ik weet dat ze 'nee' zal zeggen.

'Eh, dat lijkt me geen goed idee,' antwoordt ze verbaasd.

'Hoezo niet?'

'Ik wil eigenlijk even weg van deze... intensiteit, om dingen te overdenken.'

Shit. Ze wil echt bij me weg.

'Ben ik te intens?'

Ze lacht. 'Dat is nog voorzichtig uitgedrukt!'

Verdomme, ik vind het heerlijk als ze lacht, al is het ten koste van mij, en ik ben opgelucht dat ze haar gevoel voor humor nog heeft. Misschien wil ze toch niet weg. 'Lacht u me nu uit, mevrouw Steele?' plaag ik.

'Ik zou niet durven, meneer Grey.'

'Ik denk dat je dat best durft, en ik denk dat je het ook zeer regelmatig doet.'

'Je bent ook best wel grappig.'

'Grappig?'

'Jazeker.'

Ze maakt me belachelijk. Dat is nieuw voor me. 'Grappig als in eigenaardig, of lollig?'

'O, veel van het ene en een beetje van het andere.'

'Welke is het dan meer?'

'Dat mag je lekker zelf uitvogelen.'

Ik zucht. 'Ik weet niet of ik jou ooit ook maar een béétje zal begrijpen, Anastasia.' Mijn stem klinkt droog. 'Waar moet je in Georgia over nadenken?'

'Ons.'

Fuck. 'Je zei dat je het zou proberen,' herinner ik haar voorzichtig.

'Dat weet ik.'

'Heb je twijfels?'

'Misschien.'

Het is erger dan ik dacht. 'Waarom dan?'

Ze staart me stil aan. 'Waarom, Anastasia?' houd ik vol. Ze haalt haar schouders op en trekt haar mondhoeken naar beneden. Ik hoop dat ze wordt gerustgesteld doordat ik haar hand vasthoud. 'Praat tegen me. Ik wil je niet kwijt. Afgelopen week...'

Was de mooiste week van mijn leven.

'Ik verlang nog steeds naar meer,' fluistert ze.

O nee, krijgen we dit weer. Wat wil ze dan dat ik zeg?

'Ik weet het. Ik zal het proberen.' Ik pak haar kin vast. 'Voor jou, Anastasia, probeer ik het.'

Je hebt verdomme net mijn ouders ontmoet.

Opeens maakt ze haar gordel los en voor ik het weet is ze op mijn schoot gekropen.

Wat krijgen we nou?

Ik blijf stil zitten terwijl ze haar armen om mijn nek laat glijden en nog voordat de duistere kracht in mijn borstkas de kans krijgt mijn lichaam over te nemen, vinden haar lippen de mijne om me tot een laatste kus te verleiden. Mijn handen glijden over haar rug omhoog tot ik haar hoofd in mijn handen houd en haar passie beantwoord. Ik verken haar zoete, zoete mond, op zoek naar antwoorden... Haar onverwachte genegenheid ontwapent me. Het is nieuw. En verwarrend. Ik dacht dat ze weg wilde en nu zit ze me op mijn schoot op te winden, opnieuw. Ik heb nog nooit... nooit... *Niet weggaan, Ana.*

'Blijf vanavond bij me. Als je weggaat zie ik je de hele week niet. Alsjeblieft,' fluister ik.

'Ja,' mompelt ze. 'En ik zal het ook proberen. Ik teken je contract.'

O, schatje.

'Onderteken het na Georgia. Denk erover na. Denk er goed over na.' Ik wil dat ze dit uit vrije wil doet – dit wil ik niet afdwingen. Nou ja, een deel van mij wil dat niet. Het rationele deel.

'Dat is goed,' zegt ze en ze nestelt zich tegen me aan.

Van deze vrouw ben ik goed in de war.

Ironisch, Grey.

En ik wil lachen omdat ik zo opgelucht en blij ben, maar ik houd haar vast, adem haar troostende geur in.

'Je moet echt je gordel omdoen,' zeg ik boos, maar ik wil niet dat ze zich beweegt. Ze blijft in mijn omhelzing zitten terwijl haar lichaam zich langzaam ontspant tegen het mijne. Het duister binnen in mij is stil, rustig, en ik ben in de war door mijn tegenstrijdige emoties. Wat wil ik van haar? Wat heb ik van haar nodig?

Dit is niet hoe we verder zouden moeten rijden, maar ik vind het fijn haar in mijn armen te hebben, haar zo dicht bij me te hebben. Ik kus haar haren, leun naar achteren en geniet van de rit naar Seattle.

Taylor stopt bij de ingang van Escala. 'We zijn thuis,' fluister ik naar Ana. Ik wil haar eigenlijk niet loslaten, maar til haar op uit haar stoel. Taylor opent haar deur en ze loopt met me mee naar de ingang van het gebouw.

Ze rilt van de kou.

'Waarom heb je geen jas bij je?' vraag ik terwijl ik de mijne uittrek en over haar schouders leg.

'Die ligt in mijn nieuwe auto,' zegt ze gapend.

'Zijn we moe, mevrouw Steele?'

'Ja, meneer Grey. Ik ben vandaag overtuigd op manieren die ik nooit voor mogelijk had gehouden.'

'Nou, als je echt pech hebt, zal ik je nog eens overtuigen.' *Als ik geluk heb.*

Ze leunt tegen de muur van de lift terwijl we naar het penthouse opstijgen. In mijn jasje ziet ze er slank en klein en sexy uit. Als ze haar ondergoed niet aan had, zou ik haar hier nemen... Ik bevrijd met mijn hand haar lip van haar tanden. 'Eens zal ik je in deze lift neuken, Anastasia, maar nu ben je te moe – dus ik denk dat we het bij het bed moeten houden.' Ik buig voorover en neem voorzichtig haar onderlip tussen mijn tanden. Haar adem stokt en ze beantwoordt mijn gebaar met haar tanden en mijn bovenlip.

Ik voel het tussen mijn benen.

Ik wil haar meenemen naar bed en mezelf in haar verliezen. Na ons gesprek in de auto wil ik gewoon zeker weten dat ze van mij is. Als we de lift uitkomen, bied ik haar een drankje aan, maar ze bedankt.

'Goed zo. We gaan naar bed.'

Ze kijkt verrast. 'Dus je neemt gewoon genoegen met vanille?'

'Niks mis met vanille. Het is een intrigerende smaak.'

'Sinds wanneer?'

'Sinds afgelopen zaterdag. Hoezo, hoopte je op iets exotischers?'

'O nee. Ik heb mijn portie exotisch wel gehad voor vandaag.'

'Kom op, mevrouw Steele. U hebt een belangrijke dag voor de boeg. Hoe sneller u in bed ligt, hoe sneller u een beurt krijgt en hoe sneller u mag slapen.'

'Meneer Grey, u bent een geboren romanticus.'

'Mevrouw Steele, u bent te bijdehand. Daar zal ik iets aan moeten doen. Kom.'

Ja. Daar kan ik wel iets voor bedenken.

Ik doe mijn slaapkamerdeur dicht en voel me een stuk lichter dan in de auto. Ze is nog bij me. 'Handen omhoog,' beveel ik en ze doet wat ik haar zeg. Ik pak de zoom van haar jurk beet en trek hem in één soepele beweging omhoog en over haar lichaam om de prachtige vrouw eronder te onthullen.

'Tadaaa!' Ik ben een goochelaar. Ana giechelt en geeft me een applausje. Ik buig en geniet van het spelletje voordat ik haar jurk op mijn stoel leg.

'Wat is je volgende truc?' vraagt ze met glinsterende oogjes.

'O, mijn lieve mevrouw Steele. Ga in bed liggen en ik zal het u laten zien.'

'Denk je dat ik voor één keer *hard to get* zou moeten spelen?' plaagt ze, terwijl ze haar hoofd schuin houdt zodat haar haren over haar schouder vallen.

Een nieuw spelletje. Dit wordt interessant.

'Nou... de deur is dicht. Je kunt geen kant op. Ik ben de onvermijdelijke winnaar.'

'Ik kan anders heel goed onderhandelen,' zegt ze zacht, maar vastbesloten.

'Ik ook.'

Oké, wat is hier aan de hand? Wil ze niet? Is ze te moe? Wat?

'Wil je niet neuken?' vraag ik verbluft.

Ze slikt een keer en zegt dan zachtjes, 'Ik wil dat je de liefde met me bedrijft.'

Ik staar haar verbijsterd aan.

Wat bedoelt ze nou?

De liefde bedrijven? Dat doen we toch steeds? Het is gewoon een ander woord voor neuken.

Ze bestudeert me met een ernstige uitdrukking. *Verdomme.* Is dit haar idee van 'meer'? Dat gedoe met hartjes en bloemen, is dat wat ze bedoelt? Dit is toch gewoon een kwestie van woordkeuze? Dat moet het zijn. 'Ana, ik...' Wat wil ze nou van me? 'Ik dacht dat we dat al deden?'

'Ik wil je aanraken.'

Fuck. Nee. Ik zet een stap achteruit terwijl het duister zich in mijn borstkas nestelt.

'Alsjeblieft,' fluistert ze.

'O nee, mevrouw Steele, ik heb u vanavond al genoeg toegegeven. En nu zeg ik nee.'

'Nee?' vraagt ze me.

'Nee.'

En even wil ik haar naar huis sturen, of naar boven – als ze maar weggaat. Als ze maar niet hier is.

Raak me niet aan.

Ze kijkt me behoedzaam aan en ik denk eraan dat ze morgen weggaat en ik haar even niet zal zien. Ik zucht. Hier heb ik de energie niet voor. 'Weet je, jij bent moe, en ik ben moe. Laten we maar gewoon naar bed gaan.'

'Dus aanraken is een harde grens voor jou?'

'Ja. Dat is niks nieuws.' Het lukt me niet mijn wanhoop te verbergen.

'Vertel me eens waarom dan.'

Dat wil ik niet. Dit gesprek wil ik helemaal niet voeren. Nooit. 'O, Anastasia, alsjeblieft. Laten we het er niet meer over hebben.'

Haar gezicht betrekt. 'Voor mij is het belangrijk,' smeekt ze me aarzelend.

'Verdomme,' mompel ik in mezelf. Uit de ladekast pak ik een T-shirt en gooi het naar haar toe. 'Trek dat aan en dan het bed in.' Waarom laat ik haar eigenlijk bij mij in bed slapen? Maar goed, dat is een retorische vraag: diep vanbinnen weet ik het donders goed. Omdat ik beter slaap met haar naast me.

Zij is mijn dromenvanger.

Ze houdt mijn nachtmerries op afstand.

Ze wendt zich af, trekt haar bh uit en doet het T-shirt aan.

Wat zei ik haar nou vanmiddag in de speelkamer? Ze mag haar lichaam nooit voor me verbergen.

'Ik zou graag even van de badkamer gebruikmaken,' zegt ze.

'En daar vraag je mij toestemming voor?'

'Eh... nee.'

'Anastasia, je weet waar de badkamer is. Vandaag, in dit stadium van onze vreemde overeenkomst, hoef je mij geen toestemming te vragen die te gebruiken.' Ik knoop mijn overhemd los en trek het uit. Ze haast zich langs me de slaapkamer uit terwijl ik mijn woede probeer te beheersen.

Wat is er met haar aan de hand?

Eén avond bij mijn ouders en ze verwacht verdomme serenades en zonsondergangen en wandelingen in de regen. Zo zit ik niet in elkaar. Dat heb ik haar al gezegd. Romantiek is niet mijn ding. Ik zucht diep terwijl ik mijn broek uittrek.

Maar ze wil meer. Ze wil al die romantische shit.

Fuck.

In mijn kast gooi ik mijn broek in de wasmand en trek mijn pyjamabroek aan. Dan loop ik weer mijn slaapkamer in.

Dit gaat zo niet werken, Grey.

Maar ik wil wel dat het werkt.

Je moet haar laten gaan.

Nee. Ik kan dit redden. Op een of andere manier.

Mijn radioklok vertelt me dat het 23:46 uur is. Tijd om naar bed te gaan. Ik kijk of er nog belangrijke e-mails zijn binnengekomen op mijn telefoon. Niets. Ik klop hard op de badkamerdeur.

'Binnen,' zegt Ana met vervormde stem. Ze poetst haar tanden – met mijn tandenborstel – en het schuim staat op haar lippen. Ze spuugt in de wasbak terwijl ik naast haar sta en we kijken elkaar via de spiegel aan. Haar ogen glanzen ondeugend en vol humor. Ze spoelt de tandenborstel af en geeft hem zonder iets te zeggen aan mij. Ik stop hem in mijn mond en daar lijkt ze tevreden over te zijn.

De spanning van ons eerdere gesprek is opeens verdwenen.

'Voelt u zich vrij om mijn tandenborstel te gebruiken,' zeg ik sardonisch.

'Dank u, meneer.' Ze straalt en ik denk even dat ze een buiginkje gaat maken, maar ze vertrekt en laat mij mijn tanden poetsen.

Als ik de slaapkamer weer binnenkom ligt ze uitgestrekt onder de dekens. Eigenlijk zou ze onder mij moeten liggen. 'Je weet dat ik de avond niet zo wilde eindigen.' Ik klink nogal somber.

'Stel je eens voor dat ik tegen jou zou zeggen dat je me niet mag aanraken,' zegt ze, zoals altijd aansturend op een discussie.

Ze laat dit niet los. Ik ga op het bed zitten. 'Anastasia, ik heb het je al verteld. Vijftig tinten. Mijn leven heeft een moeilijke start gekend – dat wil je echt niet weten. Waarom zou je ook?'

Niemand zou dit moeten weten!

'Omdat ik je beter wil leren kennen.'

'Je kent me goed genoeg.'

'Hoe kun je dat nou zeggen?' Ze gaat op haar knieën zitten en kijkt me ernstig en afwachtend aan.

Ana. Ana. Ana. Laat het nou los. Verdomme.

'Je rolt met je ogen,' zegt ze. 'De laatste keer dat ik dat deed, legde je me over de knie.'

'Dat zou ik nu maar wat graag weer doen.' Hier en nu.

Haar gezicht licht op. 'Vertel het me en dan mag het.'

'Wat?'

'Je hebt me wel gehoord.'

'Ben je nou aan het sjacheren?' Mijn stem klinkt vol ongeloof.

Ze knikt. 'Onderhandelen.'

Ik frons mijn wenkbrauwen. 'Zo werkt het niet, Anastasia.'

'Oké, vertel het me en ik rol met m'n ogen naar jou.'

Ik moet lachen. Ze gedraagt zich belachelijk, maar ziet er zo schattig uit in mijn T-shirt. Haar gezicht straalt verlangen uit.

'Je bent altijd zo gebrand op informatie,' observeer ik. Ik krijg een idee: ik kan haar spanken. Dat wil ik al sinds het eten, maar ik kan het plezierig maken.

Ik sta op. 'Niet bewegen,' waarschuw ik haar en ik verlaat de kamer. Uit mijn studeerkamer haal ik de sleutel van de speelkamer en ik loop naar boven. Uit de kist in de speelkamer haal ik de speeltjes die ik zoek. Ik aarzel over het glijmiddel, maar als ik erover nadenk en afga op onze recente ervaringen, denk ik niet dat Ana dat nodig heeft.

Als ik terugkom, kijkt ze me vanaf het bed nieuwsgierig aan.

'Hoe laat is je eerste gesprek morgen?' vraag ik.

'Twee uur.'

Goed zo. Niet al te vroeg.

'Mooi. Kom van het bed af. Kom hier staan.' Ik wijs naar een plek op de vloer voor me. Ana klautert zonder aarzeling van het bed, net zo gretig als altijd. Ze wacht.

'Vertrouw je me?'

Ze knikt en ik steek mijn hand uit, met twee zilveren geishaballen erin. Ze fronst haar wenkbrauwen en kijkt van de ballen naar mij. 'Deze zijn nieuw. Deze ballen ga ik in jou stoppen en dan ga ik je slaan, niet om je te straffen, maar voor ons gezamenlijk genot.'

Maandag 30 mei 2011

Ze ademt scherp in en mijn lid staat direct paraat. 'Daarna gaan we neuken,' fluister ik. 'En als je dan nog steeds wakker bent, zal ik je meer vertellen over mijn jonge jaren. Afgesproken?'
Ze knikt. Haar ademhaling versnelt en haar pupillen worden groter en donkerder, van verlangen en van honger naar informatie.
'Grote meid. Doe je mond open.'
Ze aarzelt even, vol verbijstering. Maar ze doet wat haar gezegd wordt voor ik boos kan worden.
'Verder.'
Ik stop beide ballen in haar mond. Ze zijn aan de grote en zware kant, maar houden die bijdehante mond wel even zoet. 'Ze moeten vochtig zijn. Je moet erop sabbelen.'
Ze knippert met haar ogen en probeert te zuigen, terwijl ze haar dijen tegen elkaar duwt en haar lijf kronkelt.
Ja.
'Stilstaan, Anastasia,' waarschuw ik terwijl ik volop van de voorstelling geniet.
Genoeg.
'Stop,' beveel ik en ik trek de ballen uit haar mond. Bij het bed gooi ik de deken aan de kant en ga zitten. 'Kom hier.'
Ze komt naar me toe, baldadig en sexy.
O Ana, kleine freak van me.
'Draai je om, buig voorover en pak je enkels beet.' Aan haar gezicht te zien was dit niet wat ze verwachtte. 'Niet aarzelen,' berisp ik haar en ik doe de ballen in mijn mond. Ze draait zich om en buigt moeiteloos voorover, waarmee ze me haar lange benen en heerlijke kont aanbiedt. Mijn T-shirt glijdt over haar rug naar haar hoofd en over haar lange haar.
Nou, van dit glorieuze aanzicht kan ik wel uren genieten, terwijl

ik bedenk wat ik ermee zou willen doen. Maar nu wil ik haar spanken en neuken. Ik leg mijn handen op haar achterwerk en geniet van haar warmte op mijn handpalmen terwijl ik haar door haar slipje heen streel. *O, deze kont is van mij, alleen van mij. En hij wordt zo alleen maar warmer.* Ik schuif haar slipje aan de kant, waardoor haar schaamlippen zichtbaar worden. Ik houd ze met één hand op hun plek. Ik weersta de verleiding om met mijn tong over haar geslacht te gaan. Bovendien zit mijn mond vol. In plaats daarvan ga ik met mijn vinger van haar perineum naar haar clitoris en terug, voordat ik mijn vinger in haar laat glijden.

Ergens diep in haar keel klinkt een goedkeurende kreun en ik maak langzaam rondjes met mijn vinger om haar op te rekken. Ze kreunt en ik word harder. Onmiddellijk.

Mevrouw Steele keurt het goed. Ze wil dit.

Met mijn vinger maak ik nog een rondje in haar, trek dan mijn vingers terug en haal de ballen uit mijn mond. Voorzichtig stop ik de eerste bal in haar, dan de tweede en daarna laat ik het touwtje naar buiten tegen haar clitoris hangen. Ik kus haar blote kont en schuif het slipje weer op zijn plek.

'Sta op,' beveel ik haar en ik grijp haar bij de heupen zodat ze stevig op haar voeten komt te staan. 'Gaat het?'

'Ja.' Haar stem klinkt hees.

'Draai je om.'

Ze doet meteen wat ik zeg.

'Hoe voelt dat?' vraag ik.

'Vreemd.'

'Vervelend vreemd of lekker vreemd?'

'Lekker vreemd,' antwoordt ze.

'Mooi.'

Ze zal aan de ballen moeten wennen. En daarvoor is geen betere manier dan even iets van een hoge plank te moeten pakken.

'Ik wil graag een glas water. Kun jij dat voor me pakken, alsjeblieft? En als je terugkomt, leg ik je over de knie. Denk daar maar eens over na, Anastasia.'

Ze weet niet wat ze ervan moet vinden, maar draait zich om en loopt uiterst behoedzaam en met voorzichtige pasjes de kamer uit. Terwijl ze weg is, pak ik een condoom uit mijn la. Ze zijn bijna op, ik heb een grotere voorraad nodig tot haar pil begint te werken. Ik leun achterover op het bed en wacht ongeduldig.

Als ze terugkomt, loopt ze met meer zelfvertrouwen en heeft ze het water bij zich.

'Dankjewel,' zeg ik, ik neem een klein slokje en zet het glas op mijn nachtkastje. Als ik weer opkijk, staat ze me vol verlangen aan te kijken.

Die blik staat haar goed.

'Kom. Ga naast me staan. Net als de vorige keer.'

Dat doet ze en haar ademhaling is onregelmatig... en zwaar. Jezus, ze is echt heel opgewonden. Wat een verschil met de vorige keer dat ik haar een pak slaag gaf.

Laten we haar nog wat ophitsen, Grey.

'Vraag het me,' zeg ik streng.

Ze kijkt me verbouwereerd aan.

'Vraag het me.'

Kom op, Ana.

Ze fronst haar wenkbrauwen.

'Vraag het me, Anastasia. Ik ga het niet nog een keer zeggen.' Nu klinkt mijn stem dreigender.

Eindelijk beseft ze wat ik vraag en ze bloost. 'Sla me, alstublieft... meneer,' zegt ze zachtjes.

Die woorden... ik sluit mijn ogen en laat ze doorklinken in mijn hoofd. Ik pak haar hand vast en trek haar over mijn knieën zodat haar bovenlijf op het bed belandt. Terwijl ik haar achterwerk met één hand streel, wrijf ik met de andere haar haren uit haar gezicht en strijk ze achter haar oor. Dan grijp ik in haar nek Ana's haren vast om haar op haar plek te houden.

'Ik wil je gezicht zien als ik je sla, Anastasia.' Ik streel haar kont en druk tegen haar vulva zodat de ballen dieper in haar worden gedrukt.

Ze kreunt zachtjes, goedkeurend.

'Deze is om van te genieten, Anastasia, voor mij en voor jou.'

Ik hef mijn hand op en geef haar precies daar een klap.

'Ah!' Ze hapt naar adem en haar gezicht vertrekt. Ik streel dat heerlijke, heerlijke kontje van haar terwijl ze aan het gevoel went. Zodra ze zich ontspant, sla ik nog eens. Ze kreunt diep en ik onderdruk mijn reactie daarop. Nu begin ik serieus aan het pak slaag, rechterbil, linkerbil, dan het gebied tussen haar dijen en kont. Na elke klap aai en kneed ik haar achterwerk en kijk ik toe hoe haar huid onder haar kanten ondergoed een zachte tint roze wordt.

Ze kreunt en gaat helemaal op in het genot, in de ervaring.

Ik stop. Ik wil haar kont in al haar roze glorie aanschouwen. Rustig en plagerig trek ik haar slipje omlaag terwijl ik mijn vingertoppen over haar dijen, haar knieholtes en haar kuiten laat glijden. Ze tilt haar voeten op en ik gooi haar slipje op de vloer. Ze kronkelt, maar ligt stil zodra ik mijn hand plat op haar roze, gloeiende huid leg. Ik grijp haar haren weer vast en begin opnieuw. Eerst zachtjes, daarna weer in het ritme van net.

Ze is nat. Ik voel haar opwinding op mijn handpalm.

Ik grijp haar haren steviger vast en ze kreunt, houdt haar ogen dicht en haar mond open.

Fuck, wat is ze heet.

'Brave meid, Anastasia.' Mijn stem klinkt hees en mijn ademhaling is onregelmatig.

Ik geef haar nog een paar klappen, net zo lang tot ik het niet meer kan houden.

Ik wil haar.

Nu.

Ik wikkel het touwtje om mijn vingers en trek de ballen uit haar vagina.

Ze gilt het uit van genot. Ik draai haar om, stop even om mijn broek uit te trekken en zo'n verdomd condoom om te doen en ga dan naast haar liggen. Ik grijp haar handen, til ze boven haar hoofd en laat mezelf langzaam op en in haar glijden terwijl ze jammert als een kat.

'O, schatje.' Ze voelt zo ongelooflijk.

'Ik wil dat je de liefde met me bedrijft.' Haar woorden weerklinken in mijn hoofd.

En zachtjes, o zo zachtjes begin ik te bewegen terwijl ik elke heerlijke centimeter van haar onder me en rondom me voel. Ik kus haar, geniet tegelijkertijd van haar mond en lichaam. Ze slaat haar benen

om me heen en beweegt met elke stoot mee, blijft tegen me aan stoten tot ze opstijgt, hoger en hoger, en ze zich laat gaan.

Haar orgasme geeft me het laatste zetje. 'Ana!' roep ik terwijl ik
mezelf in haar laat overlopen. Loslaat. Een zeer welkome ontlading
waardoor ik... meer wil. Meer nodig heb.

Terwijl ik mijn evenwicht terugkrijg, verdring ik de vreemde
overdaad aan emoties die vanbinnen aan me knaagt. Het lijkt niet
op het duister, maar het is wel iets om bang van te zijn. Iets wat ik
niet begrijp.

Ze grijpt mijn hand. Ik open mijn ogen en kijk diep in die van
haar, slaperig en tevreden.

'Dat was echt lekker,' fluister ik en ik geef haar een lange kus.

Ze beloont me met een slaperige glimlach. Ik sta op, leg de deken
over haar heen, pak mijn pyjamabroek op en loop de badkamer in,
waar ik het condoom verwijder en weggooi. Ik trek mijn broek aan
en pak de verzachtende crème.

Terug in bed lacht Ana me tevreden toe.

'Draai je om,' beveel ik, en even lijkt het alsof ze met haar ogen
gaat rollen, maar ze geeft toe en rolt om. 'Je kont heeft echt een
prachtige kleur,' observeer ik, tevreden over de resultaten. Ik druk
wat crème uit de tube op mijn hand en masseer het langzaam in de
huid van haar achterwerk.

'Vertel op, Grey,' zegt ze gapend.

'Mevrouw Steele, u weet een bijzonder moment als geen ander te
verpesten.'

'We hadden een afspraak,' houdt ze vol.

'Hoe voel je je?'

'Tekortgedaan.'

Met een diepe zucht leg ik de crème op het nachtkastje en kruip
tussen de lakens terwijl ik Ana in mijn armen trek. Ik geef haar een
kus op haar oor. 'De vrouw die mij heeft gebaard, was een heroïnehoer, Anastasia. En nu moet je gaan slapen.'

Ze verstijft.

Ik zwijg. Ik wil geen medeleven of medelijden van haar.

'Was?' fluistert ze.

'Ze is overleden.'

'Wanneer?'

'Ze stierf toen ik vier was. Ik kan me haar niet echt herinneren. Carrick heeft me het een en ander over haar verteld. Ik weet alleen nog bepaalde dingen. Ga alsjeblieft slapen, nu.'

Na een tijdje ontspant ze zich. 'Slaap lekker, Christian.' Haar stem klinkt slaperig.

'Slaap lekker, Ana.' Ik kus haar opnieuw, adem haar troostende geur in en vecht tegen de herinneringen.

'Hou op die appels te plukken en gewoon weg te gooien, rotzak!'

'Rot toch op, brave sukkel die je bent.' Elliot plukt een appel, neemt een hap en gooit hem naar mij.

'Wurm,' pest hij me.

Nee! Kap daarmee!

Ik spring boven op hem. Sla hem met mijn vuisten in zijn gezicht. 'Jij bent echt zo'n gore hufter. Dit is voedsel. Jij verspilt het gewoon. Opa verkoopt ze. Hufter. Hufter. Hufter.'

'ELLIOT. CHRISTIAN.'

Mijn vader trek me van Elliot af, die ineengedoken op de grond ligt.

'Wat is hier aan de hand?'

'Hij is gestoord.'

'Elliot!'

'Hij verpest alle appels.' Woede welt op in mijn borstkas, in mijn keel. Ik ga zo nog ontploffen. 'Hij neemt een hap en gooit ze dan weg. Naar mij.'

'Elliot, is dat waar?'

Elliot wordt rood terwijl mijn vader hem strak aankijkt.

'Jij kunt maar beter met mij meekomen. Christian, raap die appels op. Je kunt je moeder helpen een taart te bakken.'

Ana ligt nog diep te slapen als ik wakker word, met mijn neus in haar heerlijk geurende haar, mijn armen om haar heen. Ik droomde van de dagen dat ik met Elliot stoeide in mijn opa's appelboomgaard, een tijd waarin ik gelukkig en boos was.

Het is al bijna zeven uur – opnieuw lang uitgeslapen met mevrouw Steele. Het is vreemd naast haar wakker te worden, maar fijn vreemd. Ik denk erover haar wakker te maken door haar een ochtendbeurt te geven, mijn lijf is er zeker toe bereid – maar ze ligt praktisch in coma en het is misschien nog wat gevoelig. Ik moet haar laten slapen. Ik klim uit bed, voorzichtig om haar niet wakker te maken, pak een T-shirt, verzamel haar kleding die verspreid over de vloer ligt en wandel de woonkamer binnen.

'Goedemorgen, meneer Grey.' Mevrouw Jones is druk bezig in de keuken.

'Goedemorgen, mevrouw Jones.' Terwijl ik me uitrek, kijk ik uit het raam naar de resten van een felle zonsopgang.

'Is dat voor de was?' vraagt ze.

'Ja. Het is van Anastasia.'

'Wilt u dat ik het was en strijk?'

'Hebt u daar de tijd voor?'

'Ik doe ze wel met het korte programma.'

'Prima, dank u wel.' Ik geef haar Ana's kleding. 'Hoe was het bij uw zus?'

'Heel goed, dank u wel. De kinderen worden al groot. Jongens kunnen zo ruw zijn.'

'Ik weet het.'

Ze glimlacht en biedt me koffie aan.

'Graag. Ik zit in mijn studeerkamer.' Terwijl ze me aankijkt verandert haar glimlach van vriendelijk naar veelbetekenend... een vrouwelijke, geheimzinnige blik. Dan haast ze zich de keuken uit, naar de wasruimte neem ik aan.

Wat is er met haar aan de hand?

Goed, dit is de eerste maandag – de eerste keer – in de vier jaar dat ze voor mij werkt dat er een vrouw in mijn bed slaapt. Maar zo baanbrekend is het ook weer niet. *Ontbijt voor twee, mevrouw Jones. Ik denk dat u dat wel aankunt.*

Ik schud mijn hoofd en loop mijn studeerkamer in om aan het werk te gaan. Ik neem later wel een douche... misschien wel met Ana.

Ik check mijn e-mail en stuur er een naar Andrea en Ros om hun te laten weten dat ik er vanmiddag ben in plaats van vanochtend. Dan bekijk ik Barneys laatste plannen.

Mevrouw Jones klopt aan, brengt me mijn tweede kop koffie en laat me weten dat het al 08:15 uur is.

357

Zo laat?

'Ik ga niet naar kantoor vanochtend.'

'Taylor vroeg ernaar.'

'Ik ga vanmiddag.'

'Dat zal ik hem zeggen. Ik heb de kleding van mevrouw Steele in uw kast gehangen.'

'Dank u wel. Dat was snel. Slaapt ze nog?'

'Ik geloof het wel.' En daar is weer die voorzichtige glimlach. Ik trek mijn wenkbrauwen op en ze lacht breder terwijl ze zich omdraait en weer wegloopt. Ik laat mijn werk voor wat het is en loop met mijn koffie naar de badkamer om te douchen en me te scheren.

Ana ligt nog steeds bewusteloos in bed wanneer ik ben aangekleed. *Je hebt haar volledig uitgeput, Grey.* En dat was geen straf, zeker geen straf. Ze ziet er rustig uit, alsof ze zich nergens zorgen over maakt.

Mooi zo.

Ik pak mijn horloge uit de ladekast en besluit spontaan ook het laatste condoom uit de bovenste lade te pakken.

Je weet maar nooit.

Ik wandel terug naar de woonkamer, in de richting van de studeerkamer.

'Wilt u uw ontbijt al, meneer?'

'Ik ontbijt straks samen met Ana. Dank u.'

Ik pak de telefoon op en bel Andrea van achter mijn bureau. Na een kort gesprekje verbindt ze me door met Ros.

'Zo, wanneer kunnen we jou verwachten?' Ze klinkt sarcastisch.

'Goedemorgen, Ros. Hoe gaat het?' zeg ik vriendelijk.

'Ik ben pissig.'

'Op mij?'

'Ja, op jou, en op dat nonchalante arbeidsethos van je.'

'Ik kom later vandaag. Ik bel je omdat ik heb besloten om Woods' bedrijf op te heffen.' Dit heb ik haar al eens gezegd, maar zij en Marco doen er te lang over. Ik wil dat het nu gebeurt. Ik herinner haar eraan dat dit zou gebeuren als de resultatenrekening niet zou verbeteren. En dat is niet zo.

'Hij heeft meer tijd nodig.'

'Geen interesse, Ros. Wij nemen geen wanhopige gevallen over.'

'Weet je het zeker?'

'Ik wil geen slappe smoezen meer.' Het is genoeg geweest. Ik heb mijn besluit genomen.

'Christian...'

'Zorg dat Marco me belt, het is erop of eronder.'

'Oké. Oké. Als dat echt is wat je wilt. Anders nog iets?'

'Ja. Vertel Barney dat het prototype er goed uitziet, hoewel ik twijfel over de interface.'

'Ik dacht dat die interface goed werkte, toen ik eenmaal doorhad hoe het werkte. Niet dat ik een expert ben.'

'Nee, er mist gewoon iets.'

'Daar moet je het met Barney over hebben.'

'Ik wil hem vanmiddag zien om het te bespreken.'

'In het écht?'

Haar sarcasme is irritant. Maar ik negeer de toon in haar stem en zeg haar dat ik zijn hele team erbij wil hebben om te brainstormen.

'Daar zal hij blij mee zijn. Ik zie je vanmiddag dus?' Ze klinkt hoopvol.

'Oké,' verzeker ik haar. 'Zet me nou maar weer terug naar Andrea.'

Terwijl ik wacht tot ze opneemt staar ik naar buiten, naar de wolkeloze lucht. Dezelfde tint als Ana's ogen.

Zo afgezaagd, Grey.

'Andrea...'

Ik word afgeleid als ik vanuit mijn ooghoek iets zie bewegen. Ik kijk op en zie Ana in de deuropening staan, met alleen mijn T-shirt aan. Ze toont haar lange en welgevormde benen alleen aan mij. Ze heeft prachtige benen.

'Meneer Grey,' antwoordt Andrea.

Mijn blik kruist die van Ana. Haar ogen hebben inderdaad de kleur van een zomerse lucht, en zijn al net zo warm. Halleluja, ik zou me de hele dag in haar warmte kunnen wentelen – en elke dag.

Doe niet zo absurd, Grey.

'Maak mijn agenda van vanochtend leeg, maar zorg dat Bill me belt. Ik ben er om twee uur. Ik moet vanmiddag met Marco praten, dat duurt zeker een halfuur.'

Ana glimlacht naar me en ik merk dat ik hetzelfde doe.

'Goed, meneer,' zegt Andrea.

'Plan Barney en zijn team na Marco in, of anders morgen en zorg dat ik Claude deze week elke dag kan zien.'

'Sam wil ook met u praten, vanmorgen.'

'Zeg hem dat hij moet wachten.'

'Het gaat over Darfur.'

'O?'

'Hij ziet de Darfur-zending blijkbaar als een mooie pr-mogelijkheid.'

O, Jezus. Natuurlijk ziet hij dat zo.

'Nee, ik wil geen publiciteit voor Darfur.' Ik klink nogal ruw van frustratie.

'Hij zegt dat een journalist van *Forbes* u wil interviewen.'

Hoe weten zij hier in godsnaam vanaf?

'Dat moet Sam regelen,' bijt ik haar toe. Daar wordt hij voor betaald.

'Wilt u hem even spreken?' vraagt ze.

'Nee.'

'Oké. Ik moet ook laten weten of u naar het evenement op zaterdag gaat.'

'Welk evenement?'

'Het gala van de Kamer van Koophandel.'

'Is dat aanstaande zaterdag?' vraag ik terwijl ik een idee krijg.

'Ja, meneer.'

'Wacht even...' Ik kijk naar Ana, die haar linkervoet laat bungelen, maar me met haar hemelsblauwe ogen strak blijft aankijken. 'Wanneer ben je terug uit Georgia?'

'Vrijdag,' zegt ze.

'Ik heb een extra kaartje nodig want ik heb een date,' laat ik Andrea weten.

'Een date?' piept Andrea vol ongeloof.

Ik zucht. 'Ja, Andrea, je hebt het goed gehoord: een date. Mevrouw Anastasia Steele gaat met me mee.'

'Ja, meneer Grey.' Ze klinkt alsof ik haar een onvergetelijke dag heb bezorgd.

Verdomme zeg. Wat is dat toch met mijn personeel?

'Dat is alles.' Ik hang op. 'Goedemorgen, mevrouw Steele.'

'Meneer Grey,' begroet Ana me. Ik loop om mijn bureau heen tot ik voor haar sta en streel haar gezicht. 'Ik wilde je niet wakker maken, je zag er zo tevreden uit. Heb je goed geslapen?'

'Ik ben heel goed uitgerust, dank u. Ik kwam je even gedag zeggen voordat ik onder de douche stap.' Ze glimlacht en haar ogen glanzen van plezier. Het is fijn om haar zo te zien. Voordat ik weer aan het werk ga, buig ik me naar voren om haar een zacht kusje te geven. Plotseling slaat ze haar armen om mijn nek, weeft haar vingers in mijn haar en drukt haar lijf helemaal tegen het mijne.

Wow.

Haar lippen zijn volhardend en dus kus ik haar terug, verrast door haar vurigheid. Met één hand pak ik haar hoofd vast, met de andere haar naakte, recent gespankte billen, en mijn lichaam ontvlamt zo snel als een bos droge takken.

'Nou nou, slaap doet je blijkbaar goed.' De plotselinge lust klinkt door in mijn stem. 'Ik stel voor dat je gaat douchen, of zal ik je maar meteen over mijn bureau leggen?'

'Ik kies het bureau,' fluistert ze bij mijn mondhoek terwijl ze haar geslacht tegen mijn erectie wrijft.

Zo zo, dat is verrassend.

Haar ogen zijn donker en gretig. 'Je lust er wel pap van hè, mevrouw Steele? Je begint onverzadigbaar te worden.'

'Ik lust alleen jou.'

'Dat is je geraden. *Alleen mij!*' Door haar woorden giert mijn lustgevoel omhoog. Ik verlies mijn zelfbeheersing en veeg alles van mijn bureau af, waardoor mijn papieren, telefoon en pennen op de vloer kletteren, maar het kan me niks schelen. Ik til Ana op en leg haar over mijn bureau zodat haar haren over de rand op mijn stoel vallen.

'Als je het wilt, kun je het krijgen, schatje,' grom ik terwijl ik het condoom tevoorschijn gris en mijn broek openrits. Zonder tijd te verspillen rol ik het rubber over mijn pik en kijk neer op de onverzadigbare mevrouw Steele. 'Ik hoop dat je er klaar voor bent,' waarschuw ik haar terwijl ik haar polsen vastgrijp en ze aan haar beide zijden vasthoud. Met één snelle beweging ben ik in haar.

'Ah... Jezus, Ana. Je bent *zo* geil.' Ik geef haar een nanoseconde de tijd om aan mijn aanwezigheid te wennen. Dan begin ik te stoten. Heen en terug. Steeds weer. Steeds harder. Ze gooit haar hoofd naar achteren terwijl ze met haar open mond lijkt te smeken en haar borsten deinen op het ritme van elke stoot. Ze vouwt haar benen om me heen terwijl ik haar staand neuk.

Is dat wat je wilt, schatje?

Ze beweegt mee met elke stoot, wiegt tegen me aan en kreunt terwijl ik bezit van haar neem. Haar neem – dieper en dieper en dieper – tot ik haar rondom me voel verstijven.

'Kom op, schatje, laat je gaan,' sis ik, en dat doet ze op spectaculaire wijze terwijl ze het uitgilt en me in mijn eigen orgasme zuigt.

Fuck. Ik kom al net zo spectaculair als zij en laat mezelf op haar zakken terwijl haar lichaam tegen het mijne trilt.

Jezus. Dat was onverwachts.

'Wat doe je in godsnaam met me?' Ik ben buiten adem en kus zachtjes haar nek. 'Ik ben helemaal weg van je, Ana. Je hebt me in je macht.'

En je besprong me!

Ik laat haar polsen los en wil opstaan, maar ze trekt me met haar benen dichter naar zich toe terwijl ze haar vingers door mijn haren woelt.

'Ik ben degene die weg is van jou,' fluistert ze. We kijken elkaar aan, ze lijkt me te aandachtig te bestuderen, het lijkt alsof ze recht door me heen kijkt. Het duister in mijn ziel kan zien.

Shit. Laat me los. Dit wordt me te veel.

Ik neem haar gezicht in mijn handen om haar te kussen, maar dan komt de onwelkome gedachte dat ze met iemand anders in deze positie ligt in me op. *Nee. Dit doet ze met niemand anders. Nooit.*

'Jij. Bent. Van. Mij.' Mijn woorden klinken fel. 'Is dat duidelijk?'

'Ja. Van jou,' zegt ze met een ernstig gezicht en haar woorden vol van overtuiging. Mijn irrationele jaloezie verdwijnt.

'Weet je zeker dat je naar Georgia moet?' vraag ik terwijl ik haar haren uit haar gezicht strijk.

Ze knikt.

Shit.

Ik trek mezelf uit haar terug en haar gezicht vertrekt.

'Heb je pijn?'

'Een beetje,' zegt ze met een verlegen glimlach.

'Dat vind ik een fijn idee. Het herinnert je eraan dat ik daar ben geweest. Alleen ik.' Ik geef haar een ruwe, bezitterige kus. Want ik wil niet dat ze naar Georgia gaat.

En niemand heeft me zo besprongen sinds... sinds Elena.

Ik pak haar hand en trek haar omhoog tot ze zit. Terwijl ik het condoom verwijder, mompelt ze: 'Altijd voorbereid.'

Ik kijk haar verbijsterd aan terwijl ik mijn broek dichtrits. Ze houdt de lege verpakking demonstratief omhoog.

'Een man mag altijd hoop koesteren, Anastasia, en zelfs dromen. En soms worden zijn dromen werkelijkheid.' *Ik had geen idee dat ik hem zo snel zou gebruiken, en nog wel op haar voorwaarden, niet de mijne. Mevrouw Steele, voor zo'n onschuldig meisje doet u zeker onverwachte dingen.*

'Dus, op je bureau, dat was een droom van je?' vraagt ze.

Lieverd. Ik heb op dit bureau heel, heel vaak seks gehad, maar altijd op mijn initiatief, niet dat van de Onderdanige.

Dat is niet hoe het werkt.

Haar gezicht vertrekt, ze heeft mijn gedachten gelezen.

Shit. Wat kan ik dan zeggen? Ana, in tegenstelling tot jou heb ik wel een verleden.

Ik haal gefrustreerd mijn hand door mijn haar, de ochtend verloopt niet volgens plan.

'Ik ga maar even douchen,' zegt ze treurig. Ze staat op en begint naar de deur te lopen.

'Ik moet nog een paar mensen bellen. Ik kom met je ontbijten zodra je onder de douche vandaan komt. Ik denk dat mevrouw Jones je kleren van gisteren gewassen heeft. Ze liggen in de kast.'

Ze lijkt verrast en onder de indruk te zijn. 'Dank je,' zegt ze.

'Heel graag gedaan,'

Ze fronst haar wenkbrauwen en kijkt me aandachtig aan.

'Wat is er?' vraag ik zacht.

'Wat bedoel je?'

'Nou... je doet vreemder dan normaal.' '

'Vind je me dan vreemd?' Ana, schatje, 'vreemd' is mijn tweede naam.

'Soms.'

Vertel het haar. Vertel haar dat het heel lang geleden is dat iemand je zo heeft overmeesterd.

'Je verbaast me eens te meer, mevrouw Steele.'

'Wat bedoel je met verbazen?'

'Laten we zeggen dat het een nogal onverwachte traktatie was.'

'We doen er alles aan om het u naar de zin te maken, meneer Grey,' plaagt ze terwijl ze me nog steeds onderzoekend aankijkt.

'U maakt het me zeker naar de zin,' geef ik toe. *Maar je bent ook ontwapenend.* 'Ik dacht dat je ging douchen?'

Haar mondhoeken krullen omlaag.

Verdomme.

'Ja... eh, ik zie je zo.' Ze draait zich om en haast zich mijn studeerkamer uit, waar ze mij in de war achterlaat. Ik schud mijn hoofd in een poging duidelijkheid te krijgen en begin dan mijn spullen van de vloer te rapen en ze weer op het bureau te zetten.

Waarom loopt ze zomaar mijn kantoor binnen om me te verleiden? Ik ben toch de baas in deze relatie? Dat is waar ik gisteravond aan dacht: haar tomeloze enthousiasme en genegenheid. Hoe moet ik daar in godsnaam mee omgaan? Ik ken het helemaal niet. Ik blijf even staan terwijl ik mijn telefoon pak.

Maar het is wel fijn.

Ja.

Meer dan fijn.

Ik grinnik bij de gedachte en herinner me dan haar 'aardige' e-mail. Shit, ik heb een gemist gesprek van Bill. Hij belde vast tijdens mijn treffen met mevrouw Steele. Ik ga achter mijn bureau zitten, weer de baas in mijn eigen universum – nu zij onder de douche staat – en bel hem terug. Bill moet me over Detroit vertellen... en ik moet alles weer even op een rijtje krijgen.

Bill neemt niet op, dus bel ik Andrea.

'Meneer Grey.'

'Is het vliegtuig vandaag en morgen beschikbaar?'

'Het is tot donderdag vrij, meneer.'

'Fijn. Kun jij Bill voor me bellen?'

'Natuurlijk.'

Ik voer een lang gesprek met Bill. Ruth heeft prima werk geleverd met het inventariseren van alle verlaten bedrijfsterreinen in Detroit. Er zijn er twee geschikt voor de fabriek die we willen bouwen en Bill weet zeker dat Detroit genoeg werkzoekende inwoners heeft.

De moed zinkt me in de schoenen.

Moet het echt in Detroit?

Ik heb er vage herinneringen aan: dronkenlappen, zwervers en drugsverslaafden die op straat tegen ons schreeuwen, die slonzige kroeg waar we boven woonden en een jonge, gebroken vrouw, de heroïnehoer die ik mama noemde, die voor zich uit staarde in een donkere, bedompte en stoffige kamer.

En die man.

Er loopt een rilling over mijn rug. *Niet aan hem denken... of aan haar.* Maar ik kan het niet helpen. Ana heeft niets over mijn nachtelijke bekentenis gezegd. Ik heb niemand ooit over de heroïnehoer verteld. Misschien dook Ana daarom vanmorgen op me: ze dacht dat ik wat liefde nodig had.

Flikker toch op.

Schatje. Ik ga er graag op in als jij je lichaam aanbiedt. Het gaat prima met me. Maar terwijl ik dat denk, vraag ik me opeens af of het wel zo prima met me gaat. Ik negeer mijn ongemakkelijke gevoel, dat moet ik met Flynn bespreken zodra hij terug is.

Nu heb ik vooral honger. Ik hoop dat zij en haar goddelijke lijf klaar zijn met douchen, want ik moet eten.

Ana staat bij het aanrecht te praten met mevrouw Jones, die de ontbijttafel heeft gedekt.

'Wilt u iets eten?' vraagt mevrouw Jones.

'Nee, dank u,' zegt Ana.

O nee, vergeet het maar.

'Natuurlijk eet je iets,' snauw ik nors. 'Ze houdt van pannenkoeken, spek en eieren, mevrouw Jones.'

'Prima, meneer Grey. Waar hebt u trek in, meneer?' antwoordt ze zonder met haar ogen te knipperen.

'Een omelet en wat fruit, alstublieft. Zitten,' zeg ik tegen Ana en ik wijs naar een van de barkrukken. Ze gaat zitten en ik neem naast haar plaats terwijl mevrouw Jones ons ontbijt klaarmaakt.

'Heb je al een vliegticket geboekt?' vraag ik.

'Nee, dat doe ik wel als ik thuiskom – via internet.'

'Heb je genoeg geld?'

'Ja,' zegt ze op een toon alsof ik een kleuter ben. Ze gooit haar haar naar achteren en perst haar lippen op elkaar. Ze is geïrriteerd, geloof ik.

Ik trek afkeurend een wenkbrauw op. *Ik kan je altijd nog een keer spanken. Schatje.*

'Ja, dat heb ik, dankjewel,' zegt ze snel, iets onderdaniger.

Dat is beter.

'Ik heb een privéjet. Hij wordt de komende drie dagen niet gebruikt, dus hij staat voor je klaar.' Dit wordt een 'nee'. Maar ik kan het in elk geval aanbieden.

Haar mond valt van schrik open. Ze kijkt eerst geschokt en daarna lijkt ze zowel geïmponeerd als geërgerd te zijn. 'We hebben al behoorlijk misbruik gemaakt van de luchtvloot van je bedrijf. Dat wil ik niet nog een keer doen,' zegt ze nonchalant.

'Het is mijn bedrijf en mijn privéjet.'

Ze schudt haar hoofd. 'Dank je voor het aanbod, maar ik boek toch liever een vlucht.'

De meeste vrouwen zouden de kans om met een privéjet te vliegen met beide handen aangrijpen, maar materiële bezittingen lijken geen indruk op dit meisje te maken – of ze wil me niets verschuldigd zijn. Ik weet niet precies wat het is. Maakt ook niet uit, ze is een koppig schepsel.

'Zoals je wilt.' Ik zucht. 'Moet je veel voorbereiden voor je sollicitatiegesprek?'

'Nee.'

'Mooi.' Ik vraag haar meer informatie, maar ze wil me nog steeds niet vertellen naar welke uitgeverijen ze gaat. In plaats daarvan glimlacht ze raadselachtig naar me. Dit geheim gaat ze echt niet onthullen.

'Ik heb zo mijn middelen, mevrouw Steele.'

'Daar ben ik me volledig van bewust, meneer Grey. Gaat u mijn telefoon traceren?'

Ik wist wel dat ze dat zou onthouden. 'Ik heb het eigenlijk erg druk vanmiddag, dus dat zal ik door iemand anders moeten laten doen,' antwoord ik grijnzend.

'Als u daarvoor iemand kunt missen, hebt u duidelijk te veel personeel.'

O, ze is brutaal vandaag.

'Ik zal een mail sturen naar het hoofd personeelszaken en haar vragen de headcount te evalueren.' Dit vind ik leuk: ons geplaag. Het is verfrissend en grappig, totaal niet wat ik gewend ben. Mevrouw Jones dient het ontbijt op en ik zie met genoegen dat Ana van haar eten geniet. Als mevrouw Jones de keuken uit loopt, kijkt Ana naar me op.

'Wat is er, Anastasia?'

'Nou, je hebt me nooit verteld waarom je niet aangeraakt wilt worden.'

Niet dit weer!

'Ik heb jou meer verteld dan ik ooit aan iemand anders heb verteld.' Ik praat zacht om mijn frustratie te verbergen. Waarom blijft ze die vragen stellen? Ze neemt nog een paar hapjes pannenkoek.

'Zul je over onze overeenkomst nadenken als je weg bent?' vraag ik.

'Ja.' Ze meent het.

'Ga je me missen?'

Grey!

Ze kijkt me aan, net zo verrast door de vraag als ik. 'Ja,' zegt ze even later. Ze kijkt me open en eerlijk aan. Ik had een gevatte opmerking verwacht, maar ik krijg de naakte waarheid. En vreemd genoeg stelt haar bekentenis me gerust.

'Ik zal jou ook missen,' mompel ik. 'Meer dan je denkt.' Mijn appartement zal zonder haar wel wat rustiger en leger zijn. Ik streel haar wang en kus haar. Ze lacht lief naar me en eet verder van haar pannenkoek.

'Ik ga mijn tanden poetsen en dan moet ik gaan,' kondigt ze aan als ze klaar is.

'Nu al? Ik dacht dat je wel wat langer zou blijven.'

Dat had ze niet verwacht. Had ze soms gedacht dat ik haar eruit zou schoppen?

'Ik heb u lang genoeg gedomineerd en uw tijd lang genoeg in beslag genomen, meneer Grey. Moet u bovendien geen zakenimperium leiden?'

'Ik kan best een dagje spijbelen.' Mijn hart en mijn stem zijn vervuld van hoop. En ik heb net mijn ochtend vrijgemaakt. 'Ik moet mijn sollicitatiegesprekken voorbereiden en me omkleden.' Ze kijkt me behoedzaam aan.

'Je ziet er prachtig uit.'

'Nou, dank u wel, meneer,' zegt ze hoffelijk. Maar haar wangen kleuren vertrouwd roze, net zoals haar kont gisteravond. Ze schaamt zich. Wanneer leert ze nu eens een compliment in ontvangst te nemen?

Ze staat op en brengt haar bord naar de gootsteen.

'Laat maar staan. Dat doet mevrouw Jones wel.'

'Goed. Ik ga even mijn tanden poetsen.'

'Je kunt rustig mijn tandenborstel gebruiken,' bied ik sarcastisch aan.

'Dat was ik ook van plan,' zegt ze en ze loopt parmantig de kamer uit. Dat meisje heeft ook overal een weerwoord op.

Even later komt ze terug met haar tasje.

'Vergeet niet om je BlackBerry, laptop en opladers mee naar Georgia te nemen.'

'Ja, meneer,' zegt ze gehoorzaam.

Brave meid.

'Kom.' Ik breng haar naar de lift en loop mee naar binnen.

'Je hoeft niet mee naar beneden te gaan. Ik kan zelf wel naar mijn auto lopen.'

'Dat hoort allemaal bij de service,' zeg ik spottend. 'Bovendien kan ik je onderweg naar beneden kussen.' Ik sluit haar in mijn armen en kus haar. Ik geniet van haar smaak en haar tong en neem gepast afscheid.

Als de deuren op de garageverdieping opengaan, zijn we allebei opgewonden en buiten adem. Maar ze moet weg. Ik breng haar naar haar auto, open het portier aan de bestuurderskant voor haar en negeer mijn verlangen.

'Tot ziens voor nu, meneer,' fluistert ze en ze kust me nog eens.

'Rij voorzichtig, Anastasia. En goede reis.' Ik doe het portier dicht, zet een stap achteruit en kijk toe hoe ze vertrekt. Dan ga ik naar boven.

Ik klop op de deur van Taylors studeerkamer en laat hem weten dat ik over tien minuten naar kantoor wil. 'Ik laat de auto voorkomen, meneer.'

In de auto bel ik Welch.

'Meneer Grey,' krast hij.

'Welch. Anastasia Steele koopt vandaag een vliegticket, ze vertrekt vanavond vanuit Seattle naar Savannah. Ik wil graag weten welke vlucht ze neemt.'

'Heeft ze voorkeur voor een luchtvaartmaatschappij?'

'Dat weet ik helaas niet.'

'Ik ga mijn best doen.'

Ik hang op. Mijn sluwe plan gaat lukken.

'Meneer Grey!' Andrea schrikt als ik een paar uur eerder dan verwacht op kantoor verschijn. Ik wil haar toebijten dat ik hier verdomme werk, maar besluit me te gedragen.

'Ik wilde je verrassen.'

'Koffie?' tjirpt ze.

'Graag.'

'Met of zonder melk?'

Brave meid.

'Met melkschuim.'

'Ja, meneer Grey.'

'Bel Caroline Acton. Ik wil haar onmiddellijk spreken.'

'Natuurlijk.'

'En maak een afspraak voor me bij Flynn, volgende week.' Ze knikt, gaat zitten en gaat aan het werk. Ik zet de computer op mijn bureau aan.

De eerste e-mail in mijn inbox is van Elena.

Van: Elena Lincoln
Onderwerp: Het weekend
Datum: 30 mei 2011 10:15
Aan: Christian Grey

Christian, wat is er aan de hand?
Je moeder vertelde me dat je gisteren een jonge vrouw thuis hebt voorgesteld.
Ik ben nieuwsgierig. Dit past totaal niet bij je.
Heb je een nieuwe Onderdanige gevonden?

Bel me.

Ex

ELENA LINCOLN

ESCLAVA

For The Beauty That Is You™

Ook dat nog. Ik klik de mail weg en besluit hem te negeren. Olivia klopt aan en komt binnen met mijn koffie terwijl Andrea me belt. 'Ik heb Welch voor u en ik heb een boodschap voor mevrouw Acton achtergelaten,' kondigt Andrea aan.

'Mooi. Verbind maar door.'

Olivia zet de latte op mijn bureau en vertrekt zenuwachtig. Ik doe mijn best om haar te negeren.

'Welch.'

'Tot nu toe heeft ze nog geen vliegticket gekocht, meneer Grey. Maar ik houd het in de gaten en als er iets verandert, hoort u het van me.'

'Heel graag.'

Hij hangt op. Ik neem een slok koffie en bel Ros.

Net voor de lunch verbindt Andrea Caroline Acton door. 'Meneer Grey, wat fijn om van u te horen. Wat kan ik voor u doen?'

'Hallo, mevrouw Acton. Ik wil graag het gebruikelijke.'

'De basisgarderobe? Hebt u een kleurenpalet in gedachten?'

'Blauw- en groentinten. Misschien zilver, voor officiële gelegenheden.' Ik moet aan het gala van de Kamer van Koophandel denken.

'Juweeltinten, denk ik.'

'Mooi,' mevrouw Acton reageert zoals altijd enthousiast.

'En satijnen en zijden ondergoed en nachtkleding. Iets stijlvols.'

'Ja, meneer. Hebt u een bepaald budget in gedachten?'

'Nee. Pak maar flink uit. Ik wil alleen de beste kwaliteit.'

'Ook schoenen?'

'Alstublieft.'

'Prima. Maten?'

'Ik mail u. Ik heb uw mailadres nog van de vorige keer.'

'Wanneer moet het worden bezorgd?'

'Aanstaande vrijdag.'

'Dat moet zeker lukken. Wilt u foto's zien van mijn selectie?'

'Graag.'

'Geweldig. Ik ga ermee aan de slag.'

'Dank u.' Ik hang op en Andrea verbindt Welch door.

'Welch.'

'Mevrouw Steele neemt vlucht DL2610 naar Atlanta die om half-elf vertrekt.'

Ik noteer alle gegevens van haar vlucht en de aansluiting naar Savannah. Dan roep ik Andrea, die even later met haar notitieboekje binnenkomt.

'Andrea, Anastasia Steele reist met deze vluchten. Upgrade haar naar eersteklas, check haar in en boek de eersteklaslounge voor haar. En koop de stoel naast haar op alle vluchten, heen en terug. Gebruik mijn persoonlijke creditcard.' Aan Andrea's verwarde blik zie ik dat ze denkt dat ik gek ben geworden, maar ze herpakt zich snel en neemt mijn handgeschreven briefje aan.

'Komt in orde, meneer Grey.' Ze doet haar best om professioneel te blijven, maar ik betrap haar op een glimlach.

Dit gaat haar niets aan.

Mijn middag is gevuld met vergaderingen. Marco heeft voorlopige rapporten voorbereid over de vier uitgeverijen in Seattle. Ik leg ze weg zodat ik ze later kan lezen. Hij is het met me eens over Woods en zijn bedrijf. Het wordt een vervelende toestand, maar we hebben de samenwerkingsvoordelen bekeken en de enige weg vooruit is Woods' technische divisie op te slokken en de rest van zijn bedrijf op te heffen. Het wordt duur, maar het is het beste voor GEH.

's Middags heb ik tijd voor een korte, inspannende training met Bastille zodat ik rustig en ontspannen naar huis ga.

Na een lichte avondmaal ga ik aan mijn bureau zitten lezen. Als eerste moet ik Elena antwoorden. Maar als ik mijn e-mailprogramma open, zie ik een mail van Ana. Ik heb bijna de hele dag aan haar gedacht.

Van: Anastasia Steele
Onderwerp: Sollicitatiegesprekken

Datum: 30 mei 2011 18:49
Aan: Christian Grey

Meneer,
Mijn sollicitatiegesprekken van vandaag zijn goed gegaan.
Ik dacht dat je dat wel wilde weten.
Hoe was jouw dag?
Ana

Ik antwoord meteen.

Van: Christian Grey
Onderwerp: Mijn dag
Datum: 30 mei 2011 19:03
Aan: Anastasia Steele

Beste mevrouw Steele,
Alles wat jij doet interesseert mij. Je bent de meest fascinerende
vrouw die ik ken.
Ik ben blij dat je sollicitatiegesprekken goed zijn gegaan.
Mijn ochtend overtrof alle verwachtingen. Mijn middag was daar-
entegen erg saai.

Christian Grey
Directeur, Grey Enterprises Holdings, Inc.

Ik leun achterover, wrijf over mijn kin en wacht.

Van: Anastasia Steele
Onderwerp: Leuke morgen
Datum: 30 mei 2011 19:05
Aan: Christian Grey

Beste meneer,
Vanmorgen was voor mij ook perfect, behalve dat jij opeens heel
gekkig deed na de precies goede seks op het bureau. Denk maar
niet dat ik dat niet heb gemerkt.

Bedankt voor het ontbijt. Of bedank mevrouw Jones.
Ik wil je wat dingen over haar vragen. Zonder dat je weer gekkig tegen me doet.
Ana

Gekkig? Wat bedoelt ze daar in vredesnaam mee? Bedoelt ze soms dat ik gek ben? Nou, dat klopt wel, geloof ik. Wellicht. Misschien heeft ze gemerkt hoe verrast ik was toen ze me besprong. Het is al even geleden dat dat voor het laatst gebeurde.
'Precies goed'... Dat snap ik.

Van: Christian Grey
Onderwerp: Uitgeven en jij?
Datum: 30 mei 2011 19:10
Aan: Anastasia Steele

Anastasia,
'Gekkig' is geen woord en zou niet gebruikt moeten worden door iemand die wil gaan uitgeven. Precies goed? Ten opzichte van wat, vertel? En wat wil je weten over mevrouw Jones? Ik ben geïntrigeerd.

Christian Grey
Directeur, Grey Enterprises Holdings, Inc.

Van: Anastasia Steele
Onderwerp: Jij en mevrouw Jones
Datum: 30 mei 2011 19:17
Aan: Christian Grey

Beste meneer,
Taal is altijd in ontwikkeling. Het is iets organisch. Het zit niet opgesloten in een ivoren toren vol kunstwerken, met uitzicht over het grootste gedeelte van Seattle en met een heliplatform op het dak. Precies goed – vergeleken met de andere keren dat we hebben... hoe noem jij het ook alweer... o ja... geneukt. Hoewel, het neuken is ook precies goed, naar mijn bescheiden mening, maar je weet dat ik weinig ervaring heb.

Is mevrouw Jones een ex-Onderdanige van jou?
Ana

Ik lach hardop om haar antwoord, dan schrik ik. *Mevrouw Jones!*
Onderdanige?
Echt niet.
Ana. Ben je jaloers? En over taalgebruik gesproken... let op je
woorden!

Van: Christian Grey
Onderwerp: Taal. Let op je woorden!
Datum: 30 mei 2011 19:22
Aan: Anastasia Steele

Anastasia,
Mevrouw Jones is een gewaardeerde werknemer. Ik heb nooit een
relatie met haar gehad die verder gaat dan onze professionele
relatie. Ik neem niemand aan waar ik een seksuele relatie mee heb
gehad. Het choqueert me dat je dat denkt. Ik zou daarin alleen
voor jou een uitzondering maken, omdat je een schitterende jonge
vrouw bent met opmerkelijke onderhandelingskwaliteiten. Maar als
je dit soort taal blijft gebruiken, moet ik daar misschien nog op
terugkomen. Ik ben blij dat je ervaring beperkt is. En dat zal het
blijven – tot mij. Ik zal 'precies goed' opvatten als een compliment,
alhoewel ik bij jou nooit weet of dit is wat je bedoelt of dat je
gevoel voor humor weer de kop opsteekt – zoals gewoonlijk.

Christian Grey
Directeur, Grey Enterprises Holdings, Inc. vanuit zijn ivoren toren

Het is misschien toch geen goed idee om Ana voor me te laten werken.

Van: Anastasia Steele
Onderwerp: Nog niet in ruil voor alle thee in China
Datum: 30 mei 2011 19:27
Aan: Christian Grey

Beste meneer Grey,

Ik heb u al verteld dat ik betwijfel of ik voor uw bedrijf wil werken. Ik denk hier nog steeds hetzelfde over en dat blijft zo. Ik moet nu gaan, omdat Kate er is met het eten. Mijn gevoel voor humor en ikzelf wensen u een goede nacht.

Ik neem contact met je op als ik in Georgia ben.

Ana

Ik begin het irritant te vinden dat ze niet voor me wil werken. Ze heeft een indrukwekkende cijferlijst op de universiteit. Ze is slim, charmant, grappig, ze zou een aanwinst zijn voor het bedrijf. Het is echter ook slim van haar om 'nee' te zeggen.

Van: Christian Grey
Onderwerp: Zelfs niet voor Twinings English Breakfast-thee?
Datum: 30 mei 2011 19:29
Aan: Anastasia Steele

Goedenacht, Anastasia.
Ik wens jou en je gevoel voor humor een veilige vlucht.

Christian Grey
Directeur, Grey Enterprises Holdings, Inc.

Ik schuif alle gedachten aan mevrouw Steele opzij en begin aan een e-mail aan Elena.

Van: Christian Grey
Onderwerp: Het weekend
Datum: 30 mei 2011 19:47
Aan: Elena Lincoln

Hallo Elena,
Mijn moeder heeft een grote mond. Wat moet ik ervan zeggen?
Ik heb een meisje ontmoet. Heb haar thuis voorgesteld.
Het stelt niets voor.
Hoe gaat het met jou?

Groeten,
Christian

Christian Grey
Directeur, Grey Enterprises Holdings, Inc.

Van: Elena Lincoln
Onderwerp: Het weekend
Datum: 30 mei 2011 19:50
Aan: Christian Grey

Christian, dat is gelul.
Zullen we uit eten gaan?
Morgen?
Ex

ELENA LINCOLN
ESCLAVA
For The Beauty That Is You™

Fuck!

Van: Christian Grey
Onderwerp: Het weekend
Datum: 30 mei 2011 20:01
Aan: Elena Lincoln

Prima.

Groeten,
Christian

Christian Grey
Directeur, Grey Enterprises Holdings, Inc.

Van: Elena Lincoln
Onderwerp: Het weekend

Datum: 30 mei 2011 20:05
Aan: Christian Grey

Wil je het meisje dat ik noemde ontmoeten?
Ex

ELENA LINCOLN
ESCLAVA
For The Beauty That Is You™

Nu even niet.

Van: Christian Grey
Onderwerp: Het weekend
Datum: 30 mei 2011 20:11
Aan: Elena Lincoln

Ik wacht, denk ik, even af waar de overeenkomst die ik nu heb toe leidt.
Tot morgen.

C.

Christian Grey
Directeur, Grey Enterprises Holdings, Inc.

Ik ga zitten en lees Freds conceptvoorstel voor Eamon Kavanagh en daarna Marco's samenvatting over de uitgeverijen in Seattle.

Even voor tien uur trekt een ping van mijn computer mijn aandacht. Het is laat. Ik neem aan dat het een berichtje van Ana is.

Van: Anastasia Steele
Onderwerp: Extra-extravagante gebaren
Datum: 30 mei 2011 21:53
Aan: Christian Grey

Beste meneer Grey,
Ik vind het erg verontrustend dat u wist op welke vlucht ik zat.
Blijkbaar kent uw stalken geen grenzen. Ik hoop maar dat dr. Flynn
terug is van vakantie.
Ik heb een manicure, een rugmassage en twee glazen champagne
gehad – een heerlijk begin van mijn vakantie.
Dankjewel.
Ana

Ze is geüpgraded. Goed gedaan, Andrea.

Van: Christian Grey
Onderwerp: Heel graag gedaan
Datum: 30 mei 2011 21:59
Aan: Anastasia Steele

Beste mevrouw Steele,
Dr. Flynn is terug en ik heb deze week een afspraak.

Wie heeft jouw rug gemasseerd?

Christian Grey
Directeur van Grey Enterprises Holdings, Inc., met vrienden op de
juiste plaatsen

Ik kijk naar het verzendtijdstip van haar e-mail. Ze zou nu aan
boord moeten zijn, als haar vliegtuig op tijd is vertrokken. Ik
check op internet de vertrektijden van Sea-Tac. Haar vlucht ligt
op schema.

Van: Anastasia Steele
Onderwerp: Sterke, kundige handen
Datum: 30 mei 2011 22:22
Aan: Christian Grey

Beste meneer,
Een heel aardige jongeman heeft mijn rug gemasseerd. Ja, echt

heel aardig. Ik had Jean-Paul natuurlijk nooit in de gewone vertrek-lounge ontmoet – dus nogmaals bedankt.

Wel verdomme?

Ik weet niet of ik mag mailen nadat we de lucht in zijn gegaan en ik moet een schoonheidsslaapje doen, omdat ik de laatste tijd niet zo goed heb geslapen.
Droom zacht, meneer Grey... ik denk aan je.
Ana

Probeert ze me soms jaloers te maken? Weet ze wel hoe kwaad ik kan worden? Ze is nog maar een paar uur weg en nu maakt ze me al expres boos. Waarom doet ze me dat aan?

Van: Christian Grey
Onderwerp: Geniet ervan zolang het kan
Datum: 30 mei 2011 22:25
Aan: Anastasia Steele

Beste mevrouw Steele,
Ik weet waar u op doelt – en geloof me – het is u gelukt.
De volgende keer sluit ik u op in de laadruimte, vastgebonden en gekneveld in een krat. Neem maar van me aan dat het plezieriger voor me is om zo aan m'n trekken te komen dan door alleen uw ticket te upgraden.
Ik kijk uit naar je terugkomst.

Christian Grey
Directeur van Grey Enterprises Holdings, Inc., met jeukende hand

Ze antwoordt vrijwel direct.

Van: Anastasia Steele
Onderwerp: Maak je een grapje?
Datum: 30 mei 2011 22:30
Aan: Christian Grey

Weet je, ik heb echt geen idee of je een grapje maakt of niet. Als dat niet zo is, dan denk ik dat ik maar in Georgia blijf. Kratten zijn een harde grens voor mij. Sorry dat ik je kwaad heb gemaakt. Zeg dat je me vergeeft.

A

Natuurlijk is het een grapje... soort van. Ze weet in elk geval dat ik kwaad ben. Haar vliegtuig zou nu moeten opstijgen. Hoe kan ze dan mailen?

Van: Christian Grey
Onderwerp: Grapje
Datum: 30 mei 2011 22:31
Aan: Anastasia Steele

Hoe kun je nog mailen? Zet je het leven van alle passagiers, inclusief dat van jezelf, op het spel door je BlackBerry te gebruiken? Volgens mij is dat tegen de regels.

Christian Grey
Directeur van Grey Enterprises Holdings, Inc., met twee jeukende handen.

We weten wat er gebeurt als u de regels overtreedt, mevrouw Steele. Ik kijk weer op de site van de luchtvaartmaatschappij, haar vlucht is vertrokken. Ik zal nu even niets van haar horen. Door die gedachte, en haar e-mails, heb ik nu een pesthumeur. Ik laat mijn werk liggen, loop naar de keuken en besluit een borrel in te schenken. Armagnac wordt het.

Taylor steekt zijn hoofd om de deur.

'Niet nu,' blaf ik.

'Prima, meneer,' zegt hij en hij gaat terug naar waar hij vandaan kwam.

Niet op je personeel afreageren, Grey.

Boos op mezelf loop ik naar het raam en staar naar de skyline van Seattle. Ik vraag me af hoe ik zo bezeten van haar ben geraakt en waarom onze relatie niet de richting opgaat die ik voor ogen heb. Ik hoop dat ze, als ze in Georgia de tijd heeft gehad om na te denken, de juiste beslissing neemt. Dat zal toch wel?

Ik word er bang van. Ik neem nog een slok van mijn drankje en ga pianospelen.

Dinsdag 31 mei 2011

Mammie is weg. Ik weet niet waarheen.
Hij is hier. Ik hoor zijn laarzen. Ze maken veel lawaai.
Ze hebben zilveren gespen. Ze stampen. Hard.
Hij stampt. En hij schreeuwt.
Ik zit in mammies kast.
Verstopt.
Hij kan me niet horen.
Ik kan stil zijn. Heel stil.
Stil, omdat ik hier niet ben.
'Fucking kutwijf!' schreeuwt hij.
Hij schreeuwt vaak.
'Fucking kutwijf!'
Hij schreeuwt tegen mammie.
Hij schreeuwt tegen mij.
Hij slaat mammie.
Hij slaat mij.
Ik hoor de deur dichtgaan. Hij is weg.
En mammie is ook weg.
Ik blijf in de kast zitten. In het donker. Ik ben heel stil.
Ik blijf lang zitten. Heel, heel erg lang.
Waar is mammie?

Het is al ochtend als ik mijn ogen opendoe. Op de wekker staat
05:23 uur. Ik heb onrustig geslapen, werd geplaagd door akelige
dromen. Ik ben uitgeput, maar besluit te gaan hardlopen om wakker
te worden. Zodra ik mijn joggingbroek aanheb, pak ik mijn telefoon. Ik heb een sms van Ana.

Veilig aangekomen in Savannah. A :)

Mooi. Ze is er, veilig en wel. Daar ben ik blij om. Ik check vluchtig mijn mail. Mijn oog valt op het onderwerp van Ana's nieuwste bericht: 'Vind je het leuk om mij bang te maken?'

Dit meent ze verdomme niet.

Mijn hoofdhuid jeukt en ik ga op bed zitten, scrol door haar tekst. Ze moet dit tijdens haar overstap in Atlanta hebben verstuurd, voor het sms'je.

Van: Anastasia Steele
Onderwerp: Vind je het leuk om mij bang te maken?
Datum: 31 mei 2011 06:52
Aan: Christian Grey

Je weet best dat ik niet wil dat je geld aan mij uitgeeft. Je bent dan wel heel rijk, maar het geeft me toch een ongemakkelijk gevoel, alsof je me betaalt voor de seks. Ik vind het wel heerlijk om eersteklas te reizen, het is veel beschaafder dan economyclass. Dus bedankt. Ik meen het echt – en ik heb wel genoten van de massage van Jean-Paul. Hij was heel erg homo. Dat heb ik een beetje weggelaten in mijn mail om je te stangen, omdat je me irriteerde. Sorry daarvoor.

Maar jij reageert zoals altijd overdreven. Je kunt dit soort dingen niet aan me schrijven – vastgebonden en gekneveld in een krat – (was je serieus of was het een grapje?). Dat maakt me bang... Jij maakt me bang... Ik ben compleet in de ban van je, overweeg een levensstijl met jou, waarvan ik tot vorige week niet eens wist dat hij bestond en dan schrijf je me zoiets en wil ik alleen maar schreeuwend wegrennen. Dat doe ik natuurlijk niet, omdat ik je dan zou missen. Echt missen. Ik wil dat het werkt tussen ons, maar ik ben vreselijk bang voor de diepte van mijn gevoelens voor jou en het donkere pad waarlangs je me leidt. Je stelt me allerlei erotische en sexy dingen voor en ik ben nieuwsgierig maar ook bang dat je me pijn gaat doen – fysiek en emotioneel. Je zou me na drie maanden aan de kant kunnen zetten en wat moet ik dan? Maar ja, iedere relatie brengt natuurlijk dat risico met zich mee. Dit is gewoon niet het soort relatie dat ik altijd voor ogen had en zeker niet als mijn eerste. Het is een enorme sprong in het diepe voor mij.

Je had gelijk toen je zei dat ik geen enkel onderdanig botje in mijn lijf heb... Ik zie dat nu ook in. Toch wil ik bij jou zijn en als ik daarvoor onderdanig moet zijn, wil ik dat wel proberen. Maar ik denk dat ik er niks van bak en er bont en blauw uit kom – en dat idee spreekt me niet echt aan.

Ik ben zo blij dat je zei dat je zal proberen me meer te geven, ik moet alleen even bedenken wat 'meer' voor mij betekent en dat is een van de redenen waarom ik even afstand wilde nemen. Je verblindt me zo erg dat ik niet goed helder kan nadenken als we samen zijn. Mijn vlucht wordt omgeroepen. Ik moet gaan.

Later meer.

Je Ana

Ze berispt me. Alweer. Maar ze overvalt me met haar eerlijkheid en haar bericht is verhelderend. Ik lees haar mail steeds opnieuw en iedere keer blijf ik steken bij 'Je Ana'.

Mijn Ana.

Ze wil dat het werkt tussen ons.

Ze wil bij me zijn.

Er is hoop, Grey.

Ik leg mijn telefoon op het nachtkastje en besluit nu echt te gaan hardlopen, ik moet mijn hoofd leegmaken zodat ik over mijn antwoord kan nadenken.

Ik neem mijn gebruikelijke route van Stewart naar Westlake Avenue, ren dan een paar keer om Denny Park heen terwijl 'She Just Likes to Fight' van Four Tet in mijn oren klinkt.

Ana heeft me veel gegeven om over na te denken.

Haar betalen voor seks?

Als een hoer.

Zo heb ik haar nooit beschouwd. De gedachte alleen al maakt me woedend. Echt fucking kwaad. Ik trek nog een sprintje om het park, gedreven door mijn woede. Waarom doet ze zichzelf dat aan? Ik ben rijk, nou en? Daar moet ze gewoon aan wennen. Ik moet denken aan ons gesprek van gisteren over de privéjet van GEH. Dat aanbod heeft ze afgeslagen.

Ze is in elk geval niet op mijn geld uit.

Maar wil ze me überhaupt wel?

Ze zegt dat ik haar verblind. Maar man, dat heeft ze bij het verkeerde eind. Ze verblindt mij zoals ik dat nog nooit heb meegemaakt. Toch is ze naar de andere kant van het land gevlogen om uit mijn buurt te zijn.

Hoe moet ik dat dan opvatten?

Ze heeft gelijk. Ik leid haar langs een donker pad, maar een veel intiemer pad dan bij een doorsneerelatie – althans, voor zover ik weet. Ik hoef alleen maar naar Elliot te kijken en zijn verontrustend nonchalante benadering van relaties om het verschil te zien.

Ik heb haar nog nooit pijn gedaan, lichamelijk of emotioneel – hoe kan ze dat denken? Ik wil alleen haar grenzen maar oprekken, kijken wat ze wel en niet wil doen. Haar straffen als ze buiten de lijntjes kleurt... ja, dat doet misschien pijn, maar niet meer dan ze aankan. We kunnen toewerken naar wat ik graag wil. We kunnen het rustig aan doen.

En daar wringt de schoen.

Als ze gaat doen wat ik wil, moet ik haar geruststellen en haar 'meer' geven. Wat dat allemaal kan zijn... dat weet ik nog niet. Ik heb haar aan mijn ouders voorgesteld. Dat was toch zeker meer. En zo moeilijk was dat niet.

Ik loop een langzamer rondje om het park heen om te bedenken wat me het meest verontrust aan haar mail. Dat is niet haar angst, maar eerder dat ze erg bang is voor de intensiteit van haar gevoelens voor mij.

Wat betekent dat?

Dat onbekende gevoel komt weer in mijn borstkas naar boven terwijl mijn longen schreeuwen om lucht. Ik word er bang van. Zo erg dat ik me nog meer inspan, met als gevolg dat ik de pijn van de inspanning in mijn benen en borstkas voel en het koude zweet langs mijn rug loopt.

Ja. Niet aan toegeven, Grey.

Zorg dat je de controle houdt.

Als ik weer in mijn appartement ben, neem ik snel een douche en scheer ik me. Daarna kleed ik me aan. Mevrouw Jones is er als ik door de keuken loop op weg naar mijn studeerkamer.

'Goedemorgen, meneer Grey. Koffie?'

'Graag,' zeg ik zonder te stoppen. Ik heb een missie.

Achter mijn bureau zet ik mijn laptop aan en schrijf mijn antwoord aan Ana.

Van: Christian Grey
Onderwerp: Eindelijk!
Datum: 31 mei 2011 07:30
Aan: Anastasia Steele

Anastasia,

Ik vind het vervelend dat je open en eerlijk met me communiceert zodra we op afstand zitten. Waarom kun je dat niet als we samen zijn? Ja, ik ben rijk. Wen daar maar aan. Waarom zou ik geen geld aan jou mogen uitgeven? Je vader weet nu toch ook dat ik je vriend ben. Doen vriendjes dat dan niet? Omdat ik je Dominant ben, verwacht ik dat je alles accepteert wat ik aan je uitgeef, zonder tegen te stribbelen. Vertel het trouwens ook maar aan je moeder.

Op jouw opmerking dat je je een hoer voelt, weet ik niet wat ik moet zeggen. Ik weet dat je het niet zo geschreven hebt, maar je bedoelt het wel. Ik weet niet wat ik moet zeggen of doen om die gevoelens uit te roeien. Ik wil voor jou alleen het beste. Ik werk keihard voor mijn geld dus kan het naar eigen inzicht uitgeven.

Ik zou je alles kunnen geven wat je hartje begeert, Anastasia, en dat wil ik ook. Noem het maar een herverdeling van rijkdom, zo je wil. Of onthoud dat ik nooit zo over jou zou kunnen denken.

Ik ben boos dat jij jezelf blijkbaar wel zo ziet. Als vrolijke, gevatte, mooie jonge vrouw heb je toch echt een minderwaardigheidscomplex en ik denk erover om een afspraak voor je te maken bij dr. Flynn.

Sorry dat ik je bang heb gemaakt. De gedachte om jou angst aan te jagen, vind ik afschuwelijk. Denk je nu echt dat ik je in het ruim zou laten reizen? Ik heb je verdorie zelfs mijn privéjet aangeboden! Ja, het was een grapje, blijkbaar niet zo'n goeie. Toch windt het idee dat jij vastgebonden en gekneveld bent me op (dit is geen grapje – het is waar). Het krat kun je vergeten – kratten doen me niks. Ik weet dat je knevelen niet leuk vindt, we hebben het daar al over gehad. En als/wanneer ik je knevel zullen we erover praten.

Je lijkt te vergeten dat in Dominant-Onderdanigerelaties de Onder-danige de macht heeft. Dat ben jij. Ik herhaal het nog maar een keer: jij bent degene die de touwtjes in handen heeft. Niet ik. In het boothuis zei je nee. Ik kan je niet aanraken als jij nee zegt. Daarom hebben we een overeenkomst – over wat je wel en niet wil doen. Als we dingen proberen en je vindt het niet fijn, dan passen we de overeenkomst aan. Het is aan jou – niet aan mij. En als je niet vastgebonden en gekneveld wilt worden in een krat, dan ge-beurt het dus ook niet.

Ik wil mijn levensstijl met jou delen. Ik heb nog nooit iets zo graag gewild. Eerlijk gezegd ben ik onder de indruk van je, omdat zo'n onschuldig meisje het zou willen proberen. Dat betekent meer voor me dan je ooit zult weten. Je ziet niet dat ik ook betoverd ben door jou, al heb ik je dit al eindeloos vaak gezegd. Ik wil je niet kwijt. Ik word er zenuwachtig van dat je vijfduizend kilometer hebt gevlogen om mij een paar dagen niet te zien, omdat je niet helder kunt naden-ken als je bij me bent. Ik voel hetzelfde, Anastasia. Mijn verstand laat me in de steek als ik bij jou ben – zo diep voel ik voor jou.

Ik begrijp je bezorgdheid. Ik heb geprobeerd uit je buurt te blijven. Ik wist dat je onervaren was, maar ik had nooit zo achter je aan gezeten als ik had beseft hoe onschuldig je was – toch slaag je er nog steeds in om me te ontwapenen zoals nooit eerder iemand heeft gedaan. Bijvoorbeeld je mail: ik heb hem eindeloos gelezen en overgelezen om jouw standpunt te begrijpen. Drie maanden is een willekeurige periode. We kunnen er zes maanden van maken, of een jaar? Hoelang wil jij dat het duurt? Waar voel jij je prettig bij? Vertel het me.

Ik begrijp dat dit een enorme sprong in het diepe is voor je. Ik moet je vertrouwen verdienen, maar jij moet ook met me communi-ceren als ik dat niet doe. Je lijkt zo sterk en zelfstandig en dan lees ik wat je hier hebt geschreven en dan zie ik een andere kant van jou. We moeten elkaar leiden, Anastasia, en ik kan alleen maar jouw aanwijzingen opvolgen. Je moet eerlijk tegen me zijn en we moeten er allebei voor zorgen dat deze relatie werkt.

Je maakt je zorgen dat je niet onderdanig zou zijn. Misschien is dat inderdaad zo. Eigenlijk vertoon je alleen in de speelkamer het juiste gedrag voor een Onderdanige. Het lijkt alsof dat de enige plaats is waar je mij toestaat de juiste beheersing over je te hebben en de enige plaats waar je doet wat je gezegd wordt. 'Voorbeeldig', zou ik willen zeggen. Ik zou je nooit bont en blauw slaan. Ik ga voor roze. Buiten de speelkamer vind ik het leuk dat je me uitdaagt. Het is een nieuwe en verfrissende ervaring en ik zou dat niet willen veranderen. Dus ja, vertel me in wat voor opzicht je meer wilt. Ik zal proberen er open voor te staan en je de ruimte te geven die je nodig hebt en je alleen te laten terwijl je daar in Georgia bent. Ik verheug me op je volgende mail. Geniet ervan in de tussentijd. Maar niet te veel.

Christian Grey
Directeur, Grey Enterprises Holdings, Inc.

Ik klik op 'verzenden' en neem een slok koude koffie.

Nu moet je wachten, Grey. Afwachten wat ze zegt.

Ik stamp de keuken in om te kijken wat mevrouw Jones als ontbijt heeft klaargemaakt.

Taylor zit in de auto te wachten om me naar het werk te rijden.

'Wat wilde je nou gisteravond?' vraag ik hem.

'Het was niet belangrijk, meneer.'

'Goed,' antwoord ik en ik kijk uit het raam terwijl ik Ana en Georgia uit mijn gedachten probeer te bannen. Het mislukt volledig, maar er begint zich een idee te vormen.

Ik bel Andrea. 'Morgen.'

'Goedemorgen, meneer Grey.'

'Ik zit in de auto, kun je me met Bill doorverbinden?'

'Ja, meneer.'

Even later heb ik Bill aan de lijn.

'Meneer Grey.'

'Hebben jouw mensen naar Georgia gekeken als optie voor de locatie van het technische bedrijf? In het bijzonder naar Savannah?'

'Ik geloof het wel, meneer. Maar dat zal ik moeten nakijken.'

'Doe dat. Bel me terug.'

'Doe ik. Is dat alles?'

'Voor nu wel. Bedankt.'

Ik heb de hele dag vergaderingen en check af en toe mijn mail, maar er is niets van Ana. Ik vraag me af of de toon van mijn e-mail haar heeft afgeschrikt, of dat ze het druk heeft met andere dingen? *Welke andere dingen?* Het is onmogelijk om niet aan haar te denken. De hele dag wissel ik sms'jes uit met Caroline Acton, keur ik kleding die ze voor Ana heeft uitgezocht goed of af in de hoop dat Ana het mooi vindt: de stukken zullen haar stuk voor stuk prachtig staan.

Bill komt op ons gesprek terug met een mogelijke locatie voor ons bedrijf vlak bij Savannah. Ruth doet navraag.

Het wordt in elk geval niet in Detroit.

Elena belt en we besluiten te gaan eten in de Columbia Tower.

'Christian, je bent zo terughoudend over dat meisje,' zegt ze afkeurend.

'Vanavond vertel ik je alles. Ik heb het druk.'

'Je hebt het altijd druk.' Ze lacht. 'Tot acht uur.'

'Tot dan.'

Waarom zijn de vrouwen in mijn leven zo nieuwsgierig? Elena. Mijn moeder. Ana... Ik vraag me voor de honderdste keer af wat ze doet. En zie, daar is eindelijk een reactie van haar.

Van: Anastasia Steele
Onderwerp: Langdradig?
Datum: 31 mei 2011 19:08 EST
Aan: Christian Grey

Meneer, u bent een nogal praatzieke schrijver. Ik moet naar een etentje bij Bobs golfclub en ter informatie: ik rol met mijn ogen als ik eraan denk. Maar u en uw jeukende handjes zijn ver van mij vandaan, dus mijn achterste is nu even veilig. Ik ben in de wolken met je mail. Antwoord je zodra ik kan. Ik mis je nu al.

Fijne middag.

Je Ana

Het is geen 'nee' en ze mist me. Ik ben opgelucht en vind de toon van haar mail leuk. Ik stuur haar een antwoord.

Van: Christian Grey
Onderwerp: Je achterste
Datum: 31 mei 2011 16:10
Aan: Anastasia Steele

Beste mevrouw Steele,
Ik ben afgeleid door de titel van deze mail. Onnodig te zeggen dat hij *inderdaad* veilig is – voorlopig althans. Geniet van je etentje. Ik mis jou ook, met name je achterste en je scherpe tong. Mijn middag wordt saai, alleen opgevrolijkt door de gedachte aan jou en je rollende ogen. Ik geloof dat jij het was die me er terecht op wees dat ik dezelfde slechte eigenschap heb.

Christian Grey
Directeur & ogenroller
Grey Enterprises Holdings, Inc.

Een paar minuten later zit haar reactie in mijn inbox.

Van: Anastasia Steele
Onderwerp: Rollen met ogen
Datum: 31 mei 2011 19:14 EST
Aan: Christian Grey

Beste meneer Grey,
Houd op met mailen. Ik probeer me klaar te maken voor het etentje. Je leidt me heel erg af, zelfs aan de andere kant van het continent. En nu we het er toch over hebben – wie legt jou eigenlijk over de knie als je met je ogen rolt?
Je Ana

O, Ana, dat doe jij. Voortdurend.
Ik herinner me dat ze tegen me zei dat ik stil moest liggen en dat ze aan mijn schaamhaar trok terwijl ze naakt op me zat. Een opwindende gedachte.

Van: Christian Grey
Onderwerp: Je achterste
Datum: 31 mei 2011 16:18
Aan: Anastasia Steele

Beste mevrouw Steele,
Ik prefereer mijn titel nog steeds, op zo veel verschillende manieren. Gelukkig ben ik baas over mijn eigen lot en word ik door niemand gekastijd. Behalve soms door mijn moeder en natuurlijk door
dr. Flynn. En door jou.

Christian Grey
Directeur, Grey Enterprises Holdings, Inc.

Ik trommel met mijn vingers op het bureau terwijl ik op haar antwoord wacht.

Van: Anastasia Steele
Onderwerp: Kastijden... ik?
Datum: 31 mei 2011 19:22 EST
Aan: Christian Grey

Meneer,
Wanneer heb ik het ooit in mijn hoofd gehaald u te kastijden,
meneer Grey? Ik denk dat u me verwart met iemand anders...
wat bijzonder zorgelijk is. Nu moet ik me echt klaar gaan
maken.
Je Ana

Jij. Je kwelt me elke keer weer via de mail – en hoe zou ik je ooit
met iemand anders kunnen verwarren?

Van: Christian Grey
Onderwerp: Je achterste
Datum: 31 mei 2011 16:25
Aan: Anastasia Steele

Beste mevrouw Steele,
Dat doe je de hele tijd al, op papier. Mag ik je jurk dicht-ritsen?

Christian Grey
Directeur, Grey Enterprises Holdings, Inc.

Van: Anastasia Steele
Onderwerp: Niet voor onder de 18
Datum: 31 mei 2011 19:28 EST
Aan: Christian Grey

Ik zou liever willen dat je hem openritst.

Haar woorden gaan rechtstreeks naar mijn lul en geven onderweg groen licht.
Fuck.
Dit vraagt om – hoe noemde ze dat ook alweer? SCHREEUWERIGE HOOFDLETTERS.

Van: Christian Grey
Onderwerp: Pas op wat je wenst...
Datum: 31 mei 2011 16:31
Aan: Anastasia Steele

IK OOK.

Christian Grey
Directeur, Grey Enterprises Holdings, Inc.

Van: Anastasia Steele
Onderwerp: Hartkloppingen
Datum: 31 mei 2011 19:33 EST
Aan: Christian Grey

Langzaam...

Van: Christian Grey
Onderwerp: Kreunend
Datum: 31 mei 2011 16:35
Aan: Anastasia Steele

Ik wou dat ik bij je was.

Christian Grey
Directeur, Grey Enterprises Holdings, Inc.

Van: Anastasia Steele
Onderwerp: Zuchtend
Datum: 31 mei 2011 19:37 EST
Aan: Christian Grey

IK OOK.

Wie anders weet me via de e-mail op te winden?

Van: Anastasia Steele
Onderwerp: Zuchtend
Datum: 31 mei 2011 19:39 EST
Aan: Christian Grey

Ik moet gaan.
Later, schatje.

Ik grijns bij het zien van haar woorden.

Van: Christian Grey
Onderwerp: Plagiaat
Datum: 31 mei 2011 16:41
Aan: Anastasia Steele

Je hebt mijn tekst gejat.
En liet me toen zakken.
Geniet van je etentje.

Christian Grey
Directeur, Grey Enterprises Holdings, Inc.

Andrea klopt aan met nieuwe overzichten van Barney voor de tablet op zonne-energie die we ontwikkelen. Ze schrikt ervan dat ik blij ben om haar te zien. 'Bedankt, Andrea.'
   'Heel graag gedaan, meneer Grey.' Ze glimlacht nieuwsgierig naar me. 'Wilt u misschien koffie?'
   'Graag.'
   'Melk?'
   'Nee, dank je.'

Mijn dag is ineens stukken beter geworden. Ik heb Bastille twee keer omvergeschopt in twee rondjes kickboksen. Dat gebeurt anders nooit. Als ik na het douchen mijn jasje aantrek, ben ik klaar voor Elena en al haar vragen.
   Taylor verschijnt. 'Zal ik u brengen, meneer?'
   'Nee. Ik neem de R8.'
   'Prima, meneer.'
   Voordat ik vertrek, controleer ik mijn mail.

Van: Anastasia Steele
Onderwerp: Wat je zegt ben je zelf
Datum: 31 mei 2011 22:18 EST
Aan: Christian Grey

Meneer, het is eigenlijk Elliots tekst.
Hoezo zakken?
Je Ana

Flirt ze nu met me? Alweer?
En ze is mijn Ana. Alweer.

Van: Christian Grey
Onderwerp: Onafgedane zaken
Datum: 31 mei 2011 19:22
Aan: Anastasia Steele

Mevrouw Steele,
Je bent terug. Je ging onverwacht weg – net toen het interessant werd.
Elliot is niet heel origineel. Hij heeft die tekst vast van iemand gejat.
Hoe was het etentje?

Christian Grey
Directeur, Grey Enterprises Holdings, Inc.

Ik klik op 'verzenden'.

Van: Anastasia Steele
Onderwerp: Onafgedane zaken?
Datum: 31 mei 2011 22:26 EST
Aan: Christian Grey

Het diner was heel vullend. Je bent vast blij om te horen dat ik véél te veel gegeten heb.
Hoe bedoel je, net toen het interessant werd?

Ik ben blij dat ze eet...

Van: Christian Grey
Onderwerp: Onafgedane zaken, absoluut
Datum: 31 mei 2011 19:30
Aan: Anastasia Steele

Houd je je expres van de domme? Volgens mij vroeg je me net of ik je jurk wilde openritsen.
En ik zag er heel erg naar uit om dat te doen. Ik ben ook blij te horen dat je eet.

Christian Grey
Directeur, Grey Enterprises Holdings, Inc.

Van: Anastasia Steele
Onderwerp: Nou... gelukkig is het snel weer weekend

Datum: 31 mei 2011 22:36 EST
Aan: Christian Grey

Natuurlijk eet ik... Als ik bij jou ben voel ik me gewoon zo onzeker, dat ik dan geen eetlust meer heb.
En ik houd me nooit onbewust van de domme, meneer Grey.
Dat heb je nou inmiddels wel door, denk ik. :)

Ze heeft geen eetlust meer als ze bij mij is? Dat is foute boel. En ze steekt de draak met me. *Alweer.*

Van: Christian Grey
Onderwerp: Ik kan niet wachten
Datum: 31 mei 2011 19:40
Aan: Anastasia Steele

Dat zal ik onthouden, mevrouw Steele, en er ongetwijfeld mijn voordeel mee doen.
Het spijt me dat ik je eetlust wegneem. Ik dacht dat ik juist een zinnenprikkelend effect op je had. Ik heb dat namelijk wel zo ervaren en dat was heel plezierig.
Ik verheug me heel erg op de volgende keer.

Christian Grey
Directeur, Grey Enterprises Holdings, Inc.

Van: Anastasia Steele
Onderwerp: Taalgymnastiek
Datum: 31 mei 2011 22:36 EST
Aan: Christian Grey

Heb je weer met de thesaurus zitten spelen?

Ik bulder van het lachen.

Van: Christian Grey
Onderwerp: Mopperend

Datum: 31 mei 2011 19:40
Aan: Anastasia Steele

Je kent me heel goed, mevrouw Steele.

Ik ga uit eten met een oude vriend dus zit zo achter het stuur.

Later, schatje©.

Christian Grey
Directeur, Grey Enterprises Holdings, Inc.

Hoe graag ik ook door wil gaan met de plagerijtjes met Ana, ik wil niet te laat komen voor het etentje. Daar zou Elena niet blij mee zijn. Ik zet mijn laptop in de slaapstand, pak mijn portemonnee en telefoon en neem de lift naar de garage.

De Mile High Club zit op de penthouseverdieping van de Columbia Tower. De zon zakt achter de toppen van Olympic National Park en kleurt de lucht met een indrukwekkende mengeling van oranje-, roze- en opaaltinten. Het is prachtig. Ana zou dit uitzicht geweldig vinden. Ik moet haar een keer mee hiernaartoe nemen.

Elena zit aan een hoektafel. Ze zwaait even naar me en schenkt me een brede glimlach. De eerste kelner escorteert me naar haar tafel. Ze gaat staan en biedt haar wang aan.

'Hallo, Christian,' spint ze.

'Goedenavond, Elena. Je ziet er geweldig uit, zoals gewoonlijk.' Ik geef haar een kus op haar wang. Ze schudt haar sluike, platinablonde haar opzij. Dat doet ze altijd als ze een speelse bui heeft.

'Ga zitten,' zegt ze. 'Wat wil je drinken?' Ze heeft haar vingers en haar kenmerkende scharlakenrode nagels om een champagnefluit geslagen.

'Ik zie dat je al een Cristal hebt.'

'Nou, ik denk dat we iets te vieren hebben, jij niet?'

'Is dat zo?'

'Christian. Dat meisje. Vertel.'

'Ik wil graag een glas Mendocino sauvignon blanc,' zeg ik tegen de wachtende ober. Hij knikt en haast zich weg.

'Dus, geen reden voor een feestje?' Elena neemt een slokje champagne en trekt haar wenkbrauwen op.

'Ik snap niet waarom je er zo'n punt van maakt.'

'Ik maak er geen punt van. Ik ben nieuwsgierig. Hoe oud is ze? Wat doet ze?'

'Ze is net afgestudeerd.'

'O. Een beetje jong voor je?'

Ik trek een wenkbrauw op. 'Meen je dat nou? Wil je het dáárover hebben?'

Elena lacht.

'Hoe gaat het met Isaac?' vraag ik grijnzend.

Ze lacht opnieuw. 'Hij gedraagt zich.' Haar ogen fonkelen ondeugend.

'Wat saai voor je.' Mijn stem klinkt droog.

Ze glimlacht, gelaten. 'Hij is een braaf beestje. Zullen we bestellen?'

Halverwege de krabsoep verlos ik Elena uit haar lijden.

'Ze heet Anastasia, ze heeft literatuur aan WSU gestudeerd en ik heb haar ontmoet toen ze me kwam interviewen voor het universiteitsblad. Ik heb dit jaar de afstudeertoespraak gehouden.'

'Maakt ze deel uit van onze manier van leven?'

'Nog niet. Maar ik ben optimistisch.'

'Wauw.'

'Ja. Ze is naar Georgia gevlucht om erover na te denken.'

'Dat is een heel eind weg.'

'Ik weet het.' Ik kijk naar mijn soep en vraag me af hoe het met Ana gaat, wat ze doet, slapen, hoop ik... alleen. Als ik opkijk, staart Elena me onderzoekend aan. Aandachtig.

'Zo heb ik je nog nooit gezien,' zegt ze.

'Hoe bedoel je?'

'Je bent afwezig. Dat is niets voor jou.'

'Is het zo duidelijk?'

Ze knikt, haar blik wordt milder. 'Voor mij wel. Ik denk dat ze je wereld op zijn kop heeft gezet.'

Ik hap naar adem, maar verberg het door het glas naar mijn lippen te brengen.

Opmerkzaam, mevrouw Lincoln.
'Denk je dat?' mompel ik na mijn slok.
'Ja,' zegt ze en haar ogen kijken me onderzoekend aan.
'Ze is heel ontwapenend.'
'Ik geloof graag dat dat nieuw is. En ik wed dat je je zorgen maakt over wat ze in Georgia doet, wat ze denkt. Ik weet hoe je bent.'
'Ja. Ik wil dat ze de juiste beslissing neemt.'
'Je moet naar haar toe gaan.'
'Wat?'
'Pak het vliegtuig.'
'Meen je dat?'
'Als ze twijfelt. Gebruik je niet geringe charme.'
Ik snuif spottend.
'Christian,' berispt ze me, 'als je iets heel graag wilt, moet je erachteraan gaan en dan win je altijd. Dat weet je. Je denkt zo negatief over jezelf. Ik word er gek van.'
Ik zucht. 'Ik weet het niet.'
'Die arme meid verveelt zich daar waarschijnlijk dood. Ga. Dan krijg je je antwoord. Als het "nee" is, kun je verder, als het "ja" is, kun je genieten van het feit dat je bij haar jezelf kunt zijn.'
'Ze komt vrijdag terug.'
'Pluk de dag, schat.'
'Ze heeft gezegd dat ze me mist.'
'Zie je wel.' Haar ogen fonkelen van overtuiging.
'Ik zal erover nadenken. Nog wat champagne?'
'Graag,' zegt ze en ze glimlacht meisjesachtig naar me.

Wanneer ik terugrijd naar Escala, denk ik na over Elena's advies. Ik *zou* Ana *kunnen* opzoeken. Ze zei dat ze me miste... de privéjet is beschikbaar.
Thuis lees ik haar nieuwste e-mail.

Van: Anastasia Steele
Onderwerp: Geschikt gezelschap voor etentjes
Datum: 31 mei 2011 23:58 EST
Aan: Christian Grey

Ik hoop dat het etentje met je vriend gezellig was.
Ana
PS Was het Mrs. Robinson?

Shit.
Dit is het perfecte excuus. Dit vereist een persoonlijk antwoord. Ik bel Taylor en zeg dat ik Stephan en de Gulfstream morgenochtend nodig heb.
'Heel goed, meneer Grey. Waar gaat u naartoe?'
'*We* gaan naar Savannah.'
'Ja, meneer.' In zijn stem bespeur ik een vleugje geamuseerdheid.

Woensdag 1 juni 2011

Het is een interessante ochtend. We vertrokken om 11:30 uur vanaf Boeing Field, Stephan vliegt samen met zijn copiloot Jill Beighley en onze verwachte aankomsttijd in Georgia is 19:30 uur.

Het is Bill gelukt om morgen een vergadering te regelen met de Brownfield Redevelopment Authority in Savannah en misschien ontmoet ik die mensen vanavond al bij een borrel. Dus mocht Anastasia andere afspraken hebben of me niet willen spreken, dan is de reis niet helemaal voor niets geweest.

Ja, ja. Hou jezelf maar voor de gek, Grey.

Taylor heeft me gezelschap gehouden tijdens een lichte lunch en is nu bezig met de administratie. Ik moet nog veel lezen.

Het enige deel van deze som dat ik nog moet oplossen, is een ontmoeting regelen met Ana. Ik zie wel hoe dat uitpakt als we in Savannah zijn, ik hoop dat ik tijdens de vlucht op ideeën kom.

Ik haal mijn hand door mijn haar en voor het eerst in lange tijd doe ik een dutje terwijl de G550 op dik negenduizend meter hoogte in de richting van Savannah/Hilton Head International vliegt. Het geronk van de motoren is rustgevend en ik ben moe. Zo moe.

Dat komt door de nachtmerries, Grey.

Ik weet niet waarom ze tegenwoordig heftiger zijn. Ik doe mijn ogen dicht.

'Zo gedraag je je bij mij. Begrepen?'

'Ja, mevrouw.'

Ze gaat met haar scharlakenrode nagel over mijn borstkas.

Ik huiver en verzet me tegen de boeien terwijl het duister komt opzetten en mijn huid gloeit in het spoor van haar aanraking.

Maar ik maak geen geluid.

Ik heb het lef niet.

'Als je je gedraagt, laat ik je klaarkomen. In mijn mond.'

Fuck.

'Maar nu nog niet. We hebben nog een lange weg te gaan voor het zover is.'

Haar nagel krast over mijn huid, van de bovenkant van mijn borstbeen naar mijn navel.

Ik wil schreeuwen.

Ze pakt mijn gezicht vast, knijpt mijn mond open en kust me. Haar tong is veeleisend en nat.

Ze zwaait met de leren zweep.

Ik weet dat dit bijna niet te verdragen is.

Maar ik denk aan de beloning. Haar fucking mond.

Als de eerste slag doel treft en mijn huid tekent, verwelkom ik de pijn en de endorfine.

'Meneer Grey, we landen over twintig minuten,' vertelt Taylor me en ik schrik wakker. 'Gaat het, meneer?'

'Ja. Zeker. Bedankt.'

'Wilt u misschien wat water?'

'Graag.' Ik haal diep adem om mijn hartslag te verlagen en Taylor geeft me een glas koude Evian. Ik neem een welkome slok, blij dat alleen Taylor aan boord is. Ik droom niet vaak over mijn onstuimige tijd met Elena.

Buiten het raam is de lucht blauw en de weinige wolken kleuren roze in de vroege avondzon. Het licht hierboven is schitterend. Goudkleurig. Sereen. De ondergaande zon weerkaatst tegen de wolken. Even wilde ik dat ik in mijn zweefvliegtuig zat. Ik durf te wedden dat de thermiek hier fantastisch is.

Ja!

Dat moet ik doen: zweefvliegen met Ana. Dat valt toch zeker wel onder *meer?*

'Ik wil graag met Ana gaan zweefvliegen in Georgia – morgenochtend bij zonsopgang, als we een plek kunnen vinden waar dat kan. Maar later is ook goed.' Als het later wordt, moet ik mijn vergadering verzetten.

'Ik ga het regelen.'

'Geld speelt geen rol.'

'Goed, meneer.'

'Bedankt.'

Nu moet ik het alleen nog aan Ana vertellen.

Er staan twee auto's op ons te wachten als de G550 op het asfalt vlak bij de terminal van Signature Flight Support op de luchthaven stopt. Taylor en ik stappen uit het vliegtuig de verstikkende hitte in. *Verdomd*, zelfs op dit tijdstip is het broeierig. De vertegenwoordiger overhandigt Taylor de sleutels voor beide auto's. Ik trek een wenkbrauw naar hem op. 'Ford Mustang?'

'Dat is het enige wat ik op korte termijn kon vinden hier.' Taylor kijkt schaapachtig.

'Het is in elk geval een rode cabriolet. Ik hoop wel dat hij airconditioning heeft met deze hitte.'

'Hij zou van alle gemakken voorzien moeten zijn, meneer.'

'Mooi. Bedankt.' Ik neem de sleutels van hem over, pak mijn koerierstas en laat hem de rest van de bagage uit het vliegtuig halen en in de andere auto laden.

Ik geef Stephan en Beighley een hand en bedank ze voor de prettige vlucht. In de Mustang rijd ik de luchthaven af naar het centrum van Savannah, luisterend naar Bruce op mijn iPod via de geluidsinstallatie van de auto.

Andrea heeft een suite voor me geboekt in het Bohemian Hotel, met uitzicht over de Savannah River. Het is schemerig en het uitzicht vanaf het balkon is indrukwekkend: de rivier licht op en weerkaatst de geleidelijk in elkaar overgaande kleuren van de lucht en de lichten van de hangbrug en de kades. De lucht gloeit, de kleuren lopen van donkerpaars over in rozerood.

Het is bijna net zo mooi als de schemering over de Sound.

Maar ik heb geen tijd om van het uitzicht te genieten. Ik installeer mijn laptop, zet de airconditioning op maximaal en bel Ros voor een update.

'Waarom die plotselinge belangstelling voor Georgia, Christian?'

'Dat is persoonlijk.'

Ze snuift door de telefoon. 'Sinds wanneer laat jij je zaken door je privéleven leiden?'

Sinds ik Anastasia Steele heb ontmoet.

'Ik hou niet van Detroit,' snauw ik.

'Oké.' Ze stopt met zeuren.

'Ik spreek die mensen van Brownfield later misschien bij een drankje,' vul ik in een poging haar te sussen aan.

'Het zal wel, Christian. Er zijn nog een paar dingen die we moeten bespreken. De goederen zijn in Rotterdam aangekomen. Wil je er nog steeds mee doorgaan?'

'Ja. Regel het. Ik heb bij de lancering van End Global Hunger een belofte gedaan. Dit moet gebeuren, anders kan ik dat comité niet meer onder ogen komen.'

'Oké. Verder nog ideeën over de aankoop van een uitgeverij?'

'Ik twijfel nog.'

'Volgens mij heeft SIP wel potentieel.'

'Ja. Misschien. Ik wil er nog even over nadenken.'

'Ik heb een afspraak met Marco om over Lucas Woods te praten.'

'Oké, laat me weten hoe dat gaat. Bel me later.'

'Doe ik. Tot later.'

Ik vermijd het onvermijdelijke. Ik weet het. Maar ik besluit dat het beter is om mevrouw Steele met een volle maag aan te pakken – via de mail of de telefoon, dat weet ik nog niet – dus ik bestel wat te eten. Terwijl ik wacht, komt er een sms van Andrea binnen. Ze laat me weten dat de borrelafspraak niet doorgaat. Ik vind het prima. Ik zie ze morgenochtend wel, tenzij ik met Ana aan het zweefvliegen ben.

Voordat de roomservice komt, belt Taylor.

'Meneer Grey.'

'Taylor, ben je in het hotel?'

'Ja, meneer. Uw bagage wordt zo meteen naar boven gebracht.'

'Geweldig.'

'De Brunswick Zweefvereniging heeft een zweefvliegtuig beschikbaar. Ik heb Andrea gevraagd om hun uw vliegbrevet te faxen. Zodra de papieren zijn getekend, kunnen we van start.'

'Geweldig.'

'Ze zijn vanaf zes uur 's ochtends beschikbaar.'

'Nog beter. Laat ze vanaf die tijd klaarstaan. Stuur me het adres.'

'Komt in orde.'

Er wordt aangeklopt – mijn bagage en de roomservice zijn er tegelijkertijd. Het eten ruikt heerlijk: gegrilde groene tomaten, garnalen en polenta. Nou ja, het blijft het zuiden. Onder het eten bedenk ik mijn strategie voor Ana. Ik zou morgenochtend bij het ontbijt bij haar moeder langs kunnen gaan. Bagels meenemen. En haar dan meenemen om te gaan zweefvliegen. Dat is waarschijnlijk het beste plan. Ze heeft de hele dag niets van zich laten horen, dus ik denk dat ze boos is. Als ik het eten opheb, lees ik haar laatste bericht nog eens na.

Wat heeft ze eigenlijk tegen Elena? Ze weet niets over onze relatie. Wat er tussen ons is gebeurd, is lang geleden en nu zijn we gewoon vrienden. Ana heeft het recht niet om boos te zijn.

Als Elena er niet was geweest... God mag weten wat er dan met me zou zijn gebeurd.

Er klopt iemand aan. Het is Taylor.

'Goedenavond, meneer. Is uw kamer naar uw tevredenheid?'

'Ja, hij is prima.'

'Ik heb de papieren voor de Brunswick Zweefvereniging bij me.'

Ik bekijk de huurovereenkomst. Het ziet er prima uit. Ik teken en geef hem terug. 'Ik rij morgen zelf. Zie ik je daar?'

'Ja, meneer. Ik ben er vanaf zes uur.'

'Als er iets verandert, laat ik je het weten.'

'Zal ik uw koffer uitpakken, meneer?'

'Graag. Bedankt.'

Hij knikt en neemt mijn koffer mee naar de slaapkamer.

Ik ben onrustig en ik moet goed bedenken wat ik tegen Ana ga zeggen. Ik kijk op mijn horloge, het is twintig over negen. Ik heb dit echt lang uitgesteld. Misschien moet ik eerst even iets gaan drinken. Ik laat Taylor uitpakken en besluit naar de bar van het hotel te gaan voordat ik weer met Ros ga praten en Ana ga mailen.

Het is druk in de bar op het dak, maar ik vind een zitplaats aan het eind van de bar en bestel een biertje. Het is een hippe, moderne tent met sfeervolle verlichting en een ontspannen uitstraling. Ik kijk door de bar en vermijd oogcontact met de twee vrouwen die naast me zitten... Een beweging trekt mijn aandacht: een gefrustreerde zwaai van glanzend, kastanjebruin haar dat het licht vangt en breekt. *Het is Ana. Fuck.*

Ze zit met haar rug naar me toe tegenover een vrouw die alleen maar haar moeder kan zijn. De gelijkenis is opvallend.

Hoe groot is die verdomde kans?

Van alle kroegen... *Jezus.*

Ik kijk als verlamd naar hen. Ze drinken cocktails – Cosmopolitans, zo te zien. Haar moeder is ongelofelijk mooi: net zoals Ana, maar dan ouder, ze ziet eruit alsof ze achter in de dertig is, met lang, donker haar en ogen in dezelfde tint blauw als Ana. Ze heeft een bohemienachtige uitstraling... niet iemand die ik direct met de golfclubkliek zou associëren. Misschien heeft ze zich informeel aangekleed omdat ze met haar jonge, knappe dochter uit is.

Dit is onbetaalbaar.

Pluk de dag, Grey.

Ik vis mijn telefoon uit de zak van mijn spijkerbroek. Het is tijd om Ana te mailen. Dit wordt interessant. Ik ga haar stemming peilen... en kan toekijken hoe ze reageert.

Van: Christian Grey
Onderwerp: Gezelschap voor etentjes
Datum: 1 juni 2011 21:40
Aan: Anastasia Steele

Ja, ik ben gaan eten met Mrs. Robinson. Ze is gewoon een oude vriendin van me, Anastasia.
Ik zie ernaar uit je weer te zien. Ik mis je.

Christian Grey
Directeur, Grey Enterprises Holdings, Inc.

Haar moeder kijkt ernstig, misschien maakt ze zich zorgen over haar dochter, of misschien probeert ze informatie los te peuteren.

Succes, mevrouw Adams.

Heel even vraag ik me af of ze het over mij hebben. Haar moeder gaat staan, ik denk dat ze naar het toilet gaat. Ana kijkt in haar tasje en pakt haar BlackBerry.

Nu gaat het gebeuren...

Ze begint te lezen, met gebogen schouders. Ze strekt haar vingers en trommelt op tafel. Ze begint verwoed op de toetsen te drukken. Ik kan haar gezicht niet zien, dat is frustrerend, maar ze is volgens mij niet onder de indruk van wat ze net heeft gelezen. Even later legt ze de telefoon op tafel met een gebaar van afschuw, zo lijkt het. Dat is foute boel. Haar moeder komt terug en wenkt een van de obers voor nog een rondje. Ik vraag me af hoeveel ze al hebben gedronken. Ik kijk op mijn telefoon, en ja hoor, er is een reactie.

Van: Anastasia Steele
Onderwerp: EX-gezelschap voor etentjes
Datum: 1 juni 2011 21:42
Aan: Christian Grey

Ze is niet gewoon een oude vriend.
Heeft ze een andere tiener gevonden om haar tanden in te zetten?
Werd je te oud voor haar?
Is dat de reden dat jullie relatie is gestrand?

Wel verdomme? Ik onderdruk mijn woede terwijl ik lees.
Isaac is achter in de twintig.
Net als ik.
Hoe durft ze?
Komt het door de drank?
Tijd voor de onthulling, Grey.

Van: Christian Grey
Onderwerp: Voorzichtig...
Datum: 1 juni 2011 21:45
Aan: Anastasia Steele

Dit wil ik niet per e-mail bespreken.
Hoeveel Cosmopolitans ben je van plan te gaan drinken?

Christian Grey
Directeur, Grey Enterprises Holdings, Inc.

Ze kijkt onderzoekend naar haar telefoon, gaat plotseling rechtop zitten en kijkt de ruimte rond.

De show gaat beginnen, Grey.

Ik leg tien dollar op de bar en kuier naar hen toe.

We kijken elkaar aan. Ze wordt bleek – van schrik, denk ik – en ik weet niet hoe ze me zal begroeten. Of hoe ik me moet inhouden als ze iets over Elena zegt.

Ze stopt haar haren met bibberende vingers achter haar oren. Een duidelijk teken dat ze zenuwachtig is. 'Hoi,' zegt ze. Haar stem klinkt gespannen en schel.

'Hoi.' Ik buig voorover en kus haar wang. Ze ruikt heerlijk, al verstijft ze als ik met mijn lippen haar huid streel. Ze ziet er mooi uit, ze heeft een kleurtje gekregen en ze draagt geen bh. Haar borsten spannen zich onder de zijden stof van haar topje, maar worden door haar lange haren aan het zicht onttrokken.

Alleen voor mijn ogen bestemd, hoop ik.

En hoewel ze boos is, ben ik blij om haar te zien. Ik heb haar gemist.

'Christian, dit is mijn moeder, Carla.' Ana gebaart naar haar moeder.

'Mevrouw Adams, het is een eer u te ontmoeten.'

Haar moeder kan haar ogen niet van me afhouden.

Shit! Ze bekijkt me van top tot teen. *Negeer het maar, Grey.*

Na een onnodig lange pauze schudt ze mijn hand. 'Christian.'

'Wat doe je hier eigenlijk?' vraagt Ana beschuldigend.

'Ik kwam voor jou, natuurlijk. Ik logeer in dit hotel.'

'Logeer je hier?' piept ze.

Ja, ik kan het ook niet geloven. 'Nou, gisteren zei je nog dat je wilde dat ik hier was.' Ik probeer haar reactie te peilen. Tot nu toe is dat: zenuwachtig gewiebel, verstijven, een beschuldigende toon en een gespannen toon. Dit gaat niet goed. 'We doen er alles aan om het u naar uw zin te maken, mevrouw Steele,' voeg ik eraan toe, met een stalen gezicht, in de hoop haar stemming te verbeteren.

'Ga zitten, Christian, en neem wat te drinken,' zegt mevrouw Adams vriendelijk. Ze wenkt de ober.

Ik heb iets sterkers nodig dan bier. 'Ik wil graag een gin-tonic,' zeg ik tegen de ober. 'Hendricks, als je dat hebt, of anders Bombay

Sapphire. Komkommer bij de Hendricks en limoen bij de Bombay.'

'En nog twee Cosmopolitans, alsjeblieft,' zegt Ana terwijl ze me ongemakkelijk aankijkt.

En terecht. Ik vind dat ze al genoeg heeft gedronken.

'Pak er een stoel bij, Christian.'

'Dank u, mevrouw Adams.'

Ik doe wat ze zegt en ga naast Ana zitten.

'Dus je verblijft geheel toevallig in het hotel waar wij wat drinken?' Ana klinkt gespannen.

'Of jij zit toevallig net wat te drinken in het hotel waar ik verblijf. Ik heb net wat gegeten, loop hier naar binnen en zie jou plotseling. Ik was afgeleid, omdat ik liep te denken aan je laatste e-mail,' – ik kijk haar strak aan – 'ik kijk op en daar ben je. Als dat geen toeval is.'

Ana ziet er zenuwachtig uit. 'Mijn moeder en ik hebben vanmorgen gewinkeld en vanmiddag zijn we naar het strand geweest. Vanavond hadden we zin in een paar cocktails,' zegt ze haastig alsof ze zich moet verantwoorden waarom ze met haar moeder in een kroeg zit.

'Heb je dat topje gekocht?' vraag ik. Ze ziet er echt prachtig uit. Haar hemdje is smaragdgroen, ik heb de juiste keuze gemaakt – edelsteentinten – voor de kleding die Caroline Acton voor haar heeft geselecteerd. 'De kleur staat je goed. En je hebt ook een kleurtje van de zon. Je ziet er geweldig uit.' Ze krijgt een kleur en haar lippen krullen op door mijn compliment. 'Ik wilde je morgen komen opzoeken, maar nu zie ik je hier al.' Ik pak haar hand, want ik wil haar aanraken, en ik knijp er zachtjes in. Langzaam streel ik haar knokkels met mijn duim. Haar adem stokt.

Ja, Ana. Voel het.

Wees niet kwaad op me.

Ze kijkt me aan en ik word beloond met haar verlegen glimlach.

'Ik dacht, laat ik je eens verrassen. Maar zoals altijd, Anastasia, ben je me weer voor. Ik wil jullie niet lastigvallen. Ik drink even snel wat en dan ga ik weer. Ik moet nog wat werk afronden.' Ik weersta de neiging om haar knokkels te kussen. Ik weet niet wat ze haar moeder over ons heeft verteld, als ze dat al heeft gedaan.

'Christian, het is geweldig je eindelijk te ontmoeten. Ana spreekt altijd vol liefde over je,' zegt mevrouw Adams met een charmante glimlach.

'Echt waar?' Ik kijk naar Ana, die bloost.

Vol liefde, hè?

Dit is goed nieuws.

De ober zet de gin-tonic voor me neer.

'Hendricks, meneer.'

'Dank je.'

Hij serveert Ana en haar moeder nieuwe Cosmopolitans.

'Hoelang blijf je nog in Georgia, Christian?' vraagt haar moeder.

'Tot vrijdag, mevrouw Adams.'

'Heb je zin om morgenavond samen met ons te eten? En noem me alsjeblieft Carla.'

'Dat zou ik heel leuk vinden, Carla.'

'Uitstekend. Als jullie me even willen excuseren, ik moet naar het toilet.'

Daar was ze toch net al geweest?

Ik ga staan als ze wegloopt en ik ga weer zitten om de woedende mevrouw Steele onder ogen te komen. Ik pak opnieuw haar hand. 'Dus je bent boos op me omdat ik wat ben wezen eten met een oude vriendin.' Ik kus elke knokkel.

'Ja.' Ze is kortaf.

Is ze jaloers?

'We hebben allang geen seksuele relatie meer, Anastasia. Ik wil niemand anders dan jou. Snap je dat nu nog niet?'

'Ik zie haar als een kinderlokker, Christian.'

Mijn hoofdhuid begint van schrik te tintelen. 'Dat is erg bevooroordeeld. Zo zit het niet in elkaar.' Ik laat haar hand gefrustreerd los.

'O, hoe zit het dan in elkaar?' snauwt ze en steekt haar koppige kinnetje naar voren.

Komt het door de drank?

Ze gaat verder. 'Ze heeft misbruik gemaakt van een kwetsbare, vijftienjarige jongen. Als jij een vijftienjarig meisje zou zijn geweest en Mrs. Robinson een Mr. Robinson die je zou verleiden tot bdsm, zou dat dan oké zijn geweest? Als het bijvoorbeeld Mia zou zijn geweest?'

O, nou doet ze belachelijk. 'Ana, zo was het niet.'

Haar ogen flikkeren. Ze is echt kwaad. Waarom? Dit heeft niets met haar te maken. Maar ik wil hier in de bar geen gigantische ruzie. Ik matig mijn stem. 'Oké, zo was het niet wat mij betreft. Ze was de positieve invloed die ik op dat moment nodig had.' Grote god, ik zou waarschijnlijk dood zijn geweest als Elena er niet was geweest. Ik doe mijn best om mijn woede te onderdrukken.

Ze trekt rimpels in haar voorhoofd. 'Ik begrijp het niet.'

Leg haar het zwijgen op, Grey.

'Anastasia, je moeder komt zo weer terug. Ik vind het niet prettig om het er nu over te hebben. Later misschien. Als je me hier niet wilt hebben, ik heb een vliegtuig klaarstaan op Hilton Head. Ik kan zo weggaan.'

Ze kijkt paniekerig. 'Nee – niet weggaan. Alsjeblieft. Ik ben blij dat je er bent,' voegt ze er snel aan toe.

Blij? Ze houdt me voor de gek.

'Ik wil het je gewoon duidelijk maken,' zegt ze.' Ik ben boos omdat je zodra ik weg was, met haar uit eten ging. Denk eens na over hoe jij reageert wanneer ik bij José ben. José is een goede vriend. Ik heb nooit een seksuele relatie met hem gehad. Terwijl jij en zij...'

'Ben je jaloers?'

Hoe kan ik haar duidelijk maken dat Elena en ik vrienden zijn? Ze hoeft helemaal niet jaloers te zijn.

Mevrouw Steele is duidelijk bezitterig.

Het duurt even voordat ik besef dat ik dat fijn vind.

'Ja, en boos om wat ze je heeft aangedaan,' gaat ze verder.

'Anastasia, ze heeft me geholpen. Dat is alles wat ik erover te zeggen heb. En wat betreft je jaloezie, bekijk het eens vanuit mijn positie. Ik heb mezelf de afgelopen zeven jaar bij niemand hoeven te verantwoorden. Bij niemand. Ik doe wat ik wil, Anastasia. Ik hou van mijn onafhankelijkheid. Ik ben niet naar Mrs. Robinson gegaan om je te kwetsen. Ik ben naar haar toe gegaan omdat we zo nu en dan samen eten. Ze is een vriendin en een zakenpartner.'

Ze zet grote ogen op.

O. Heb ik dat niet verteld?

Waarom zou ik ook? Het heeft niets met haar te maken.

'Ja, we zijn zakenpartners. We hebben geen seks meer. Al jaren niet meer.'

'Waarom eigenlijk niet?'

'Haar man kwam erachter. Kunnen we het er een andere keer over hebben – ergens waar we iets meer privacy hebben?'

'Ik denk niet dat je me er ooit van kunt overtuigen dat ze niet een soort van pedofiel is.'

Verdomme, Ana! Nu is het genoeg!

'Ik zie haar niet zo. Dat heb ik nooit gedaan. En nu is het genoeg!' snauw ik.

'Hield je van haar?'

Wat?

'En hoe gaat het hier?' Carla is weer terug. Ana forceert een glimlach waarvan mijn maag zich omdraait.

'Prima, mam.'

Hield ik van Elena?

Ik neem een slok van mijn drankje. Ik aanbad haar als geen ander... maar hield ik van haar? Wat een belachelijke vraag. Ik weet niets van romantische liefde. Dat is het rozengeur en maneschijngedoe dat ze wil. De negentiende-eeuwse romans die ze altijd leest, hebben haar hoofd met die onzin gevuld.

Ik ben het zat.

'Nou, dames, ik ga jullie verlaten. Zet de drankjes maar op mijn naam, kamer 612. Ik bel je morgen even, Anastasia. Tot morgen, Carla.'

'O, het is zo geweldig dat iemand je bij je volledige naam noemt.'

'Een mooie naam voor een mooi meisje.' Ik schud Carla's hand, het compliment is oprecht, maar de glimlach op mijn gezicht niet.

Ana zegt niets. Ze kijkt me smekend aan, maar ik negeer haar. Ik zoen haar op haar wang. 'Later, schatje,' mompel ik in haar oor. Dan draai ik me om en loop door de bar terug naar mijn kamer.

Dat meisje provoceert me zoals nog nooit iemand heeft gedaan.

En ze is kwaad op me, misschien moet ze ongesteld worden. Ze zei dat ze dat deze week verwachtte.

Ik storm mijn kamer in, smijt de deur dicht en loop rechtstreeks naar het balkon. Het is warm buiten en ik haal diep adem. Ik snuif de prikkelende, zilte geur van de rivier op. Het is donker geworden en de rivier is inktzwart, net zoals de lucht... net als mijn stemming. Ik heb het niet eens over het zweefvliegen van morgen kunnen hebben. Ik leg mijn handen op de leuning van het balkon. De lichten op de oever en de brug verbeteren het uitzicht... maar mijn stemming niet.

Waarom verdedig ik een relatie die al begonnen was toen Ana nog op de basisschool zat? Het gaat haar niets aan. Ja, het was ongebruikelijk. Maar dat was alles.

Ik haal mijn handen door mijn haar. Dit reisje verloopt niet zoals ik had verwacht, integendeel. Misschien was het een vergissing om hier te komen. En dan te bedenken dat Elena me heeft aangemoedigd.

Mijn telefoon gaat en ik hoop dat het Ana is. Het is Ros.

'Ja,' snauw ik.

'Jeetje, Christian. Stoor ik soms?'

'Nee. Het spijt me. Wat is er?' *Rustig, Grey.*

'Ik wilde je even bijpraten over mijn gesprek met Marco. Maar als het nu niet uitkomt, bel ik morgenochtend wel terug.'

'Nee, het is prima.'

Er wordt aangeklopt. 'Wacht even, Ros.' Ik doe open, verwacht Taylor of een kamermeisje om het bed klaar te maken – maar het is Ana. Ze staat in de gang en ziet er verlegen en prachtig uit.

Ze is er.

Ik doe de deur verder open en gebaar dat ze binnen kan komen.

'Zijn alle ontslagpakketten afgerond?' vraag ik Ros en ik blijf Ana aankijken.

'Ja.'

Ana loopt de kamer in, ze kijkt behoedzaam naar me. Haar mond staat open, haar lippen zijn vochtig en haar ogen worden donkerder. *Wat is dit? Van gedachten veranderd?* Ik ken die blik. Het is verlangen. Ze wil me. En ik wil haar ook, al helemaal na ons ruzietje in de bar.

Waarom zou ze hier anders zijn?

'En de kosten?' vraag ik Ros.

'Bijna twee miljoen.'

Ik fluit door mijn tanden. 'Dat is een duur foutje geweest.'

'GEH krijgt de exploitatie van de glasvezelafdeling.' Ze heeft gelijk. Dat was een van onze doelen.

'En Lucas?' vraag ik.

'Hij was niet blij.'

Ik doe de minibar open en gebaar naar Ana dat ze zelf wat moet pakken. Ik laat haar alleen en loop de slaapkamer in.

'Wat heeft hij gedaan?'

'Hij schopte een scène.'

In de badkamer draai ik de kraan open en laat water in het enorme, verzonken, marmeren bad lopen. Ik doe er wat geurige badolie bij. Er passen zes mensen in het bad.

'Het grootste deel van het geld is voor hem,' breng ik Ros in herinnering terwijl ik de temperatuur van het water controleer. 'Hij heeft de overnamesom van het bedrijf. Hij kan altijd opnieuw beginnen.'

Ik draai me om en wil weglopen, maar bedenk me en besluit de kaarsen aan te steken die kunstig op de stenen bank staan opgesteld. *Kaarsen aansteken telt toch wel als 'meer'?*

'Nou ja, hij dreigt met advocaten, hoewel ik niet snap waarom. We hebben alles dichtgetimmerd. Hoor ik nou water?' vraagt Ros.

'Ja, ik laat het bad vollopen.'

'O? Zal ik ophangen?'

'Nee. Anders nog iets?'

'Ja, Fred wil met je praten.'

'Meen je dat?'

'Hij heeft Barneys nieuwe ontwerp bekeken.'

Terwijl ik terugloop naar de woonkamer, vertel ik hoe blij ik ben met Barneys oplossing voor het ontwerp van de tablet en vraag of Andrea me de gewijzigde overzichten kan sturen. Ana heeft een flesje sinaasappelsap gepakt.

'Is dit je nieuwe managementstijl: afwezig zijn?' vraagt Ros. Ik lach hardop, maar voornamelijk vanwege het drankje dat Ana heeft gekozen. *Slim meisje.* En ik zeg tegen Ros dat ik vrijdag pas weer op kantoor ben.

'Ben je echt van plan van gedachten te veranderen wat betreft Detroit?'

'Er is een stuk land waar ik interesse in heb.'

'Weet Bill dat?' Ros is bits.

'Ja, laat Bill maar bellen.'

'Doe ik. Heb je vanavond nog iets gedronken met de mensen van Savannah?'

Ik vertel haar dat ik ze morgen ontmoet. Ik klink verzoenender en let goed op mijn toon, want dit is een gevoelig punt voor Ros. 'Ik wil zien wat Georgia te bieden heeft als we erheen verhuizen.' Ik pak een glas van de plank, geef het aan Ana en wijs naar de emmer met ijs.

'Als hun beloningen aantrekkelijk genoeg zijn,' ga ik verder, 'denk ik dat we het moeten overwegen, hoewel ik niet zeker ben over die verdomde hitte hier.'

Ana schenkt haar drankje in.

'Het is te laat om hierover van gedachten te veranderen, Christian. Maar het geeft ons misschien wat speelruimte in Detroit,' peinst Ros.

'Dat is waar, Detroit heeft ook zo zijn voordelen en het is er een stuk koeler.'

Maar er spoken te veel geesten rond.

'Laat Bill me morgen maar bellen.' Het is al laat en ik heb bezoek.

'Maar niet te vroeg,' waarschuw ik. Ros wenst me goedenacht en ik hang op.

Ana kijkt me gereserveerd aan terwijl ik haar in me opneem. Haar weelderige haar valt over haar smalle schouders, het omlijst haar mooie, peinzende gezicht. 'Je hebt geen antwoord gegeven op mijn vraag,' mompelt ze.

'Nee. Dat klopt.'

'"Nee", je hebt geen antwoord gegeven op mijn vraag, of "nee", je hield niet van haar.'

Ze laat dit niet los. Ik leun tegen de muur en sla mijn armen over elkaar zodat ik ze niet om haar heen kan slaan. 'Wat doe je hier eigenlijk, Anastasia?'

'Dat zeg ik net.'

Verlos haar uit haar lijden, Grey.

'Nee, ik hield niet van haar.'

Haar schouders ontspannen zich, evenals haar gezicht. Het is wat ze wilde horen.

'Je bent echt een jaloers kreng, Anastasia. Wie had dat gedacht?'

Maar ben je mijn jaloerse kreng?

'Steekt u de draak met mij, meneer Grey?'

'Ik zou niet durven,' kaats ik terug.

'O, dat denk ik wel en ik denk dat je dat vaak genoeg doet.' Ze grijnst en zet haar perfecte tanden in haar onderlip.

Ze doet het met opzet.

'Stop alsjeblieft met op je lip te bijten. Je bent hier in mijn kamer, ik heb je bijna drie dagen niet gezien en ik ben lang onderweg geweest om bij je te zijn.' Ik moet zeker weten dat alles goed is tussen ons en doe dat op de enige manier die ik ken. Ik wil haar neuken, hard.

Mijn telefoon gaat over, maar ik leg hem weg zonder naar het scherm te kijken. Wie het ook is, het kan wachten.

Ik zet een stap in haar richting. 'Ik wil je, Anastasia. Nu. En jij wilt mij. Daarom ben je hier.'

'Ik moest het weten,' zegt ze.

'Wat ga je nu doen, nu je het weet? Ga je weg of blijf je?' vraag ik haar terwijl ik vlak voor haar ga staan.

'Ik blijf,' zegt ze terwijl haar blik zich in de mijne boort.

'Ik hoop het echt.' Ik kijk haar diep in de ogen en zie tot mijn verbazing dat haar irissen zich verwijden.

Ze wil me.

'Je was zo boos op me,' fluister ik.

Dit is onbekend terrein voor me, omgaan met haar boosheid, rekening houden met haar gevoelens.

'Ja.'

'Niemand is ooit eerder boos op me geweest, buiten mijn familie dan. Ik vind het wel leuk.' Zachtjes glijden mijn vingertoppen over haar gezicht naar haar kin. Ze sluit haar ogen en draait haar wang naar me toe. Ik buk me en wrijf mijn neus langs haar naakte schouder omhoog naar haar oor terwijl ik haar zoete geur in me opneem en mijn lichaam overspoeld wordt door genot. Mijn vingers glijden naar de achterkant van haar nek en woelen door haar haren.

'We moeten praten,' fluistert ze.

'Later.'

'Er is zoveel wat ik tegen je wil zeggen.'

'Dat heb ik ook.' Ik kus het plekje onder haar oor en trek aan haar haren zodat haar hoofd achterover knikt en haar hals vrijkomt. Mijn tanden en lippen glijden over haar kin naar haar nek en mijn lichaam rilt van verlangen. 'Ik wil je,' fluister ik als ik het plekje kus waar haar hartslag voelbaar is onder haar huid. Ze kreunt en pakt mijn armen beet. Even verstijf ik, maar ik blijf op mijn hoede. 'Bloed je?' vraag ik voor ik haar opnieuw kus. 'Ja,' zegt ze rustig. 'Doet het pijn?' 'Nee.' Ze klinkt gelaten en een beetje verlegen. Ik stop met kussen en kijk haar aan. Waarom is ze zo verlegen? Het is haar lichaam. 'Heb je je pil genomen?' 'Ja,' antwoordt ze. *Goed zo.* 'Kom op, we gaan in bad.'

In de overdreven luxueuze badkamer laat ik Ana's hand los. Het is er warm en vochtig, stoom kringelt op uit het schuim. Ik ben hier niet op gekleed, mijn linnen hemd en spijkerbroek plakken aan mijn huid.

Ana kijkt me aan, haar gezicht glimt van de nevel.

'Heb je een elastiekje bij je?' vraag ik. Losse haartjes plakken tegen haar vochtige wangen. Ze haalt er een uit haar zak.

'Maak je haar vast,' zeg ik en ik kijk toe hoe ze mijn bevel met snelle, efficiënte gebaren opvolgt.

Braaf meisje. Niet tegensputteren.

Wat ongehoorzame pieken ontsnappen uit haar paardenstaart, maar dat ziet er schattig uit. Ik draai de kraan dicht, pak haar hand en leid haar naar het andere deel van de badkamer, waar een grote vergulde spiegel boven de twee marmeren wastafels hangt. Mijn blik ontmoet de hare in de spiegel, ik ga achter haar staan en zeg dat ze haar sandalen moet uitdoen. Ze trekt ze snel uit en gooit ze op de vloer.

'Til je armen op,' fluister ik. Ik pak haar mooie topje bij de zoom vast en trek het over haar hoofd zodat haar borsten vrijkomen. Ik buig me voorover en maak de knoop en de rits van haar spijkerbroek los. 'Ik ga je hier in de badkamer nemen, Anastasia.'

Haar blik dwaalt in de spiegel af naar mijn mond en ze maakt haar lippen nat. In het zachte licht glanzen haar ogen van opwinding. Ik buig naar haar toe en kus haar zachtjes in haar nek. Ik haak mijn duimen onder de band van haar spijkerbroek en schuif die zachtjes naar beneden over haar goedgevormde billen terwijl ik ook haar slipje meetrek. Ik kniel achter haar en trek haar broek tot op haar voeten.

'Stap uit je spijkerbroek,' commandeer ik. Ze gehoorzaamt en houdt zich vast aan de rand van de wastafel. Ze is nu helemaal naakt en ik zit nog op mijn knieën, oog in oog met haar kont. Ik zie al voor me wat ik daar allemaal mee kan doen. Snel prop ik haar broek, slip en topje op een wit krukje onder de wastafel en richt me dan weer op haar. Tussen haar benen ontdek ik een blauw touwtje, ze heeft haar tampon nog in. Ik zoen en bijt haar zachtjes in haar billen voordat ik overeind kom. Onze ogen ontmoeten elkaar weer in de spiegel en ik leg mijn open hand op haar platte, zachte buik.

'Kijk nou eens. Je bent zo mooi. Voel zelf eens hoe je aanvoelt.' Haar ademhaling versnelt als ik haar handen pak en we samen met gespreide vingers over haar buik strelen.

'Voel eens hoe zacht je huid is,' fluister ik. Zachtjes beweeg ik haar handen in cirkels over haar lichaam in de richting van haar borsten.

'Voel eens hoe vol ze zijn.' Ik leg haar handen onder haar borsten zodat die in kommetjes lijken te liggen. Zachtjes plagend streel ik haar tepels met mijn duimen. Ze kreunt en kromt haar rug, haar borsten naar voren duwend. Ik knijp haar tepels tussen onze duimen en vingers, trek er zachtjes aan en geniet ervan als ik zie dat ze hard en groter worden.

Net als een bepaald deel van mijn lichaam.

Ze sluit haar ogen en kronkelt tegen me aan, haar billen tegen mijn erectie wrijvend. Ze kreunt met haar hoofd tegen mijn schouder.

'Goed zo, schatje,' mompel ik tegen haar nek, genietend van haar lichaam dat onder onze aanrakingen tot leven komt. Ik leid haar handen van haar heupen zachtjes naar haar schaamhaar, schuif mijn been tussen haar benen en duw haar voeten uit elkaar. Eén voor één laat ik haar handen over haar vagina glijden – steeds opnieuw – terwijl ik haar vingers telkens tegen haar clitoris duw.

Ze kreunt en in de spiegel zie ik hoe ze tegen me aan kronkelt.
Allemachtig, wat is ze goddelijk.
'Kijk eens hoe je gloeit, Anastasia.' Ik zoen en bijt haar in haar nek en schouder. Dan trek ik mijn handen abrupt terug terwijl ze nog steeds achteroverleunt. Als ik een stap achteruit zet, opent ze haar ogen.
'Ga door,' zeg ik en ik vraag me af wat ze gaat doen.
Even aarzelt ze, maar dan begint ze zichzelf – niet erg enthousiast – met één hand te strelen.
Oei, dit gaat niet lukken.
Snel trek ik mijn plakkerige shirt, spijkerbroek en boxershort uit, waardoor mijn harde pik tevoorschijn komt.
'Heb je liever dat ik het doe?' vraag ik. Haar ogen vlammen me tegemoet in de spiegel.
'Ja, alsjeblieft,' zegt ze met een begerige, smekende stem. Ik sla mijn armen om haar heen, mijn borst tegen haar rug, mijn lid tegen haar prachtige billen. Ik pak haar handen weer beet, wrijf ze één voor één over haar clitoris, duwend en strelend, sneller en sneller. Ze raakt meer en meer opgewonden en jammert zachtjes als ik in haar nek zuig en bijt. Ze begint te trillen op haar benen. Plotseling draai ik haar om zodat ze me aankijkt. Met een hand pak ik haar polsen beet en houd ze achter haar rug terwijl ik haar paardenstaart met mijn andere hand naar beneden trek zodat haar lippen de mijne raken. Ik kus haar, mijn mond begerig op de hare en geniet van haar smaak: sinaasappelsap en lieve, zoete Ana. Ze ademt onregelmatig, net als ik.
'Wanneer ben je ongesteld geworden, Anastasia?'
Ik wil je zonder condoom neuken.
'Gisteren,' zucht ze.
'Mooi.' Ik stap achteruit en draai haar weer om.
'Hou je vast aan de wastafel', commandeer ik. Ik pak haar bij haar heupen vast, til haar een stukje op en trek haar naar me toe zodat ze voorovergebogen staat. Mijn hand glijdt langs haar billen naar beneden, naar het blauwe touwtje. Met een ruk trek ik de tampon eruit en gooi hem in de wc. Ze zucht – geschokt, denk ik... Ik pak mijn lid vast en duw hem in haar. Mijn adem sist tussen mijn tanden door.

Fuck. Wat voelt ze goed. Zo goed. Huid tegen huid.
Ik krom mijn rug, glijd weer in haar, langzaam, terwijl ik elk geweldige, gladde plekje in haar voel. Ze kreunt en duwt zich tegen me aan.
O ja, Ana.
Ze houdt de marmeren wastafel stevig vast terwijl ik met mijn handen op haar heupen sneller begin te stoten. Sneller en sneller in haar ram. Haar opeis. Bezit van haar neem. *Niet jaloers zijn, Ana. De enige die ik wil, ben jij.*
Jij.
Jij.
Mijn vingers vinden haar clitoris en ik streel haar plagend, masseer haar zodat ze weer staat te trillen op haar benen. 'Goed zo, schatje,' mompel ik met een schorre stem, terwijl ik met een bezitterig ritme in haar stoot.
Niet tegensputteren. Geen weerstand bieden.
Haar benen verstijven als ik in haar beweeg en ze begint te trillen. Ze schreeuwt het uit als het orgasme haar overspoelt en me met haar meeneemt...
'O, Ana,' kreun ik als ik in haar kom en de wereld om ons heen vervaagt.
Fuck.
'O liefje! Zal ik ooit genoeg van je krijgen?' fluister ik terwijl ik me naar haar buig.
Langzaam laten we ons op de vloer zakken en ik sla mijn armen om haar heen. Nog steeds buiten adem legt ze haar hoofd tegen mijn schouder.
Lieve hemel.
Is het ooit zo heerlijk geweest?
Ik kus haar haren en ze wordt rustiger, sluit haar ogen. Haar ademhaling wordt weer normaal terwijl ze zich in mijn armen nestelt. We liggen zweterig en verhit in deze vochtige badkamer, maar ik zou nergens anders ter wereld willen zijn.
Ze schuift op. 'Ik bloed,' mompelt ze.
'Kan me niet schelen.' Ik wil haar niet laten gaan.
'Dat heb ik gemerkt,' klinkt het droogjes.
'Heb jij er last van?' *Dat zou niet mogen. Dit is natuurlijk.* Ik heb

maar één vrouw gekend die niets wilde weten van seks tijdens haar menstruatie, maar die onzin wil ik van haar niet horen.

'Nee, helemaal niet.' Ze kijkt me met haar helderblauwe ogen aan.

'Mooi. Kom, we gaan in bad.'

Ik maak me van haar los en ze trekt even haar wenkbrauw op als ze mijn borst ziet. Ze wordt bleek en kijkt me bedrukt aan.

'Wat is er?' vraag ik, gealarmeerd door haar blik.

'Je littekens. Die zijn niet van de waterpokken.'

'Nee, dat klopt,' antwoord ik op kille toon.

Ik wil het er niet over hebben.

Ik sta op, pak haar hand en trek haar omhoog. Haar ogen vullen zich met afschuw. En daarna zal ze medelijden hebben.

'Kijk me niet zo aan,' waarschuw ik haar, terwijl ik haar hand loslaat.

Ik wil je verdomde medelijden niet, Ana. Doe dit niet.

Ze kijkt naar haar handen, voelt zich terechtgewezen... hoop ik.

'Heeft zij dat gedaan?' Ze is haast niet te verstaan.

Ik kijk haar dreigend aan, zwijgend, terwijl ik mijn woede probeer in te slikken. Omdat ik niet reageer, moet ze me wel aankijken.

'Zij?' snauw ik haar toe. 'Mrs. Robinson?'

Ana verbleekt bij mijn woorden.

'Ze is geen beest, Anastasia. Natuurlijk heeft ze dat niet gedaan. Ik snap niet waarom je haar demoniseert.'

Om oogcontact te vermijden buigt ze haar hoofd. Dan loopt ze kordaat langs me heen en stapt in bad. Ze zakt weg in het schuim zodat ik haar lichaam niet meer kan zien. Met een open, berouwvolle blik in haar ogen zegt ze: 'Ik vroeg me gewoon af wat voor persoon je zou zijn geworden als je haar niet had ontmoet. Als zij je niet had geïntroduceerd in jouw... eh, manier van leven.'

Verdomme. We zijn weer bij Elena.

Ik loop naar het bad, glijd in het water en ga op de richel zitten zodat ze niet bij me kan. Ze kijkt me aan terwijl ze op een antwoord wacht. De stilte tussen ons wordt drukkender, tot ik het bloed in mijn oren hoor suizen.

Fuck.

Ze kijkt niet weg.

Stop hiermee, Ana!

Nee. Dit gaat niet gebeuren.

Ik schud mijn hoofd. *Hopeloze vrouw.*

'Als Mrs. Robinson er niet was geweest, dan was ik waarschijnlijk de kant van mijn biologische moeder opgegaan.' Kalm duwt ze een vochtige sliert haren achter haar oor. *Wat kan ik vertellen over Elena?* Ik denk aan onze relatie: Elena en ik. De wilde jaren. De geheimen. De verborgen vrijpartijen. De pijn. Het genot. De ontlading... De rust en de regelmaat die ze in mijn leven bracht. 'Ze hield van me op een manier die ik... aanvaardbaar vond,' mijmer ik, bijna in mezelf.

'Aanvaardbaar?' vraagt Ana ongelovig.

'Ja.'

Ana's gezicht straalt hoop uit.

Ze wil meer.

Jemig.

'Ze leidde me af van het vernietigende pad dat ik volgde.' Ik zeg het stilletjes. 'Het is heel moeilijk om in een ideaal gezin op te groeien als je zelf niet perfect bent.'

Ze haalt diep adem.

Verdomme. Ik wil hier niet over praten.

'Houdt ze nog altijd van je?'

Nee! 'Ik denk het niet, niet op die manier. Ik heb het je al vaak gezegd, het is allemaal lang geleden. Verleden tijd. Daar kan ik niets aan veranderen, ook al zou ik dat willen. Maar dat wil ik ook niet. Ze heeft me van mezelf gered. Ik heb hier nog nooit met iemand over gesproken. Behalve met dokter Flynn, natuurlijk. En de enige reden waarom ik er nu met jou over praat, is omdat ik wil dat je me vertrouwt.'

'Ik vertrouw je,' zegt ze, 'maar ik wil je beter leren kennen. Maar telkens als ik met je probeer te praten, leid je me af. Er is zoveel wat ik wil weten.'

'In hemelsnaam, Anastasia! Wat wil je dan weten? Wat moet ik doen?'

Ze staart naar haar handen in het water.

'Ik probeer je gewoon te begrijpen, maar jij bent zo'n groot raadsel. Ik heb nog nooit iemand zoals jij ontmoet. Ik ben blij dat je me vertelt wat ik wil weten.'

Vastberaden kruipt ze naar me toe en vlijt zich tegen me aan, huid tegen huid.

'Niet boos worden, alsjeblieft,' smeekt ze.

'Ik ben niet boos op je, Anastasia. Ik ben gewoon niet gewend aan dit soort gesprekken – aan zulke verhoren. Ik doe dat alleen met dokter Flynn en met...'

Verdomme.

'Met haar? Mrs. Robinson? Praat je met haar?' vervolgt ze terwijl ze rustig en diep ademhaalt.

'Ja.'

'Waarover?'

Ik draai me zo plotseling naar haar toe dat het water over de rand van het bad op de vloer klotst.

'Jij bent me anders wel een doordouwertje! Over het leven, het universum... zaken. Anastasia, Mrs. R. en ik kennen elkaar al heel lang. We kunnen over alles praten.'

'Over mij?' vraagt ze.

'Ja.'

'Waarom praat je over mij?' vraagt ze nukkig.

'Ik heb nog nooit iemand ontmoet zoals jij, Anastasia.'

'Wat bedoel je daarmee? Iemand die niet gewoon je papieren tekent, zonder vragen te stellen?'

Ik schud mijn hoofd. *Nee.* 'Ik heb advies nodig.'

'En dat krijg je van mevrouw Pedo?' snauwt ze.

'Anastasia... genoeg zo!' Ik schreeuw het bijna uit. 'Of je gaat over de knie. Ik heb helemaal geen seksuele of romantische gevoelens voor haar. Ze is een lieve, gewaardeerde vriendin en een zakenpartner. Meer niet. We delen een verleden waar ik heel veel aan heb gehad, hoewel het haar huwelijk heeft verkloot... maar dat deel van onze relatie is voorbij.'

Ze recht haar schouders. 'Hebben je ouders het nooit ontdekt?'

'Nee,' brom ik. 'Dat heb ik je toch verteld.'

Ze kijkt me bedachtzaam aan en ik vermoed dat ze beseft dat ze me tot het uiterste heeft gedreven.

'Ben je klaar?' vraag ik.

'Voorlopig wel.'

Goddank. Ze loog niet toen ze zei dat ze heel wat te vertellen had.

Maar we hebben het niet over datgene waar ik het over wil hebben. Ik wil weten waar ik sta. Of onze overeenkomst kans van slagen heeft.

Pluk de dag, Grey.

'Oké... mijn beurt nu. Je hebt niet gereageerd op mijn mail.' Ze duwt weer een pluk haar achter haar oor en schudt haar hoofd. 'Ik was van plan je te antwoorden, maar nu ben je hier, dus...'

'Had je gewild dat ik hier niet was geweest?' Ik houd mijn adem in.

'Nee, ik ben er blij om,' antwoordt ze.

'Mooi zo. Ik ben ook blij dat ik hier ben, ondanks je verhoor. Nu je me flink aan de tand mag voelen, denk je zeker dat je veilig bent, omdat ik helemaal hierheen ben gevlogen om je te zien? Daar trap ik niet in, mevrouw Steele. Ik wil weten hoe jij je voelt.'

Ze fronst haar wenkbrauwen. 'Dat zeg ik toch. Ik ben blij dat je er bent. Bedankt dat je helemaal hierheen bent gevlogen.' Ze klinkt eerlijk.

'Het genoegen is geheel aan mijn kant.' Ik buig voorover om haar te kussen. Ze opent zich voor me als een bloem, biedt zich aan, wachtend op meer.

Ik trek me terug. 'Nee. Ik denk dat ik eerst wat meer antwoorden wil voor we verdergaan.'

Ze zucht en kijkt me weer behoedzaam aan. 'Wat wil je weten?'

'Nou, om te beginnen: wat denk je over onze bijna-regeling?'

Ze trekt een pruilmondje, alsof er een onprettig antwoord gaat volgen.

Allemachtig!

'Ik denk niet dat ik dat kan volhouden, een weekend lang iemand anders zijn.' Ze kijkt naar haar handen, vermijdt mijn blik.

Dat is alvast geen 'nee'. Ik denk bovendien dat ze gelijk heeft.

Ik til haar kin op zodat ik haar in de ogen kan kijken.

'Nee, dat denk ik ook niet.'

'Lach je me nou uit?'

'Ja, maar op een goede manier.' Ik kus haar nog een keer. 'Je bent niet echt een geweldige Onderdanige.'

Haar mond valt open. Speelt ze de beledigde onschuld?

En dan lacht ze haar lieve, aanstekelijke lach en weet ik dat ze zich niet beledigd voelt.

'Misschien heb ik geen goede leraar.'

Je hebt je punt nu wel gemaakt, mevrouw Steele.

Ik lach met haar mee. 'Misschien moet ik inderdaad wat strenger voor je zijn.' Ik zoek haar blik. 'Was het zo erg toen ik je voor het eerst spankte?'

'Nee, niet echt,' antwoordt ze, lichtjes blozend.

'Het gaat hem eerder om het idee, niet?' dring ik aan.

'Ik denk het. Het is genieten van iets wat eigenlijk niet mag.'

'Ik had hetzelfde gevoel. Het duurt wel even voor je het doorhebt.' Eindelijk kunnen we erover praten. 'Je kunt altijd het stopwoord zeggen, Anastasia. Vergeet dat niet. En als jij de regels volgt, zodat ik de controle behoud en jij veilig bent, vinden we misschien wel de juiste manier.'

'Waarom wil je me onder controle houden?'

'Omdat dat een onbevredigde behoefte uit mijn puberteit vervult.'

'Dus is het een soort van therapie?'

'Zo heb ik het nog nooit bekeken, maar ja... ik denk het wel.'

Ze knikt. 'Maar, het probleem is... het ene moment zeg je "daag me niet uit" en vervolgens zeg je weer dat je dat juist wel wilt. Dat is moeilijk.'

'Dat begrijp ik, maar tot nog toe doe je het goed.'

'Maar ten koste van wat? Ik zit in de knoop hiermee.'

'Zo heb ik het graag.'

'Dat bedoel ik niet!' Ze slaat met haar vlakke hand op het water. Ik ben drijfnat.

'Maakte je me nou nat?'

'Ja,' antwoordt ze.

'Foei, mevrouw Steele.' Ik leg mijn arm om haar middel en trek haar op mijn schoot. Het water klotst weer over de badrand. 'Ik denk dat we voorlopig genoeg gepraat hebben.'

Met twee handen pak ik haar hoofd beet en kus haar. Mijn tong duwt haar lippen uit elkaar en zoekt dan de weg in haar mond, domineert. Haar vingers woelen door mijn haren, ze beantwoordt mijn kus, haar tong speelt met de mijne. Met één hand draai ik haar kin naar me toe terwijl ik haar met de andere optil tot ze schrijlings op me zit.

Ik adem diep in. Haar donkere, zwoele ogen kijken me wellustig aan. Ik pak haar polsen en houd ze met een hand achter haar rug. 'Ik ga je nu nemen,' fluister ik en ik til haar op zodat ze vlak boven mijn erectie hangt. 'Klaar?'

'Ja,' hijgt ze en langzaam laat ik haar op me zakken. Ik kijk haar aan terwijl ik haar vul. Ze kreunt en sluit haar ogen, duwt haar borsten naar voren.

Mijn god!

Ik span mijn heupen, til haar op en begraaf me nog dieper in haar. Ik leun naar voren tot mijn voorhoofd tegen het hare rust.

Wat voelt ze lekker aan!

'Laat mijn handen los, alsjeblieft,' fluistert ze.

Ik open mijn ogen en zie dat ze diep inademt door haar open mond.

'Raak me niet aan,' smeek ik. Ik laat haar handen los en grijp haar heupen vast. Ze pakt de rand van het bad beet en begint langzaam te bewegen. Op en neer. Heel traag. Ze doet haar ogen open en ziet dat ik naar haar kijk. Ze berijdt me. Ze buigt voorover, kust me, haar tong neemt bezit van mijn mond. Ik sluit genietend mijn ogen.

O ja, Ana.

Haar vingers woelen door mijn haren, ze trekt eraan en kust me. Haar natte tong verstrengelt zich met de mijne terwijl ze in me blijft bewegen. Ik houd haar heupen stevig vast en til haar op – sneller en sneller. Vaag ben ik me ervan bewust dat het water over de badrand heen klotst.

Maar het kan me niet schelen. Ik wil haar. Dit voelt zo goed. Deze prachtige vrouw die tegen mijn mond aan kreunt.

Op en neer. Op en neer. Steeds weer.

Ze geeft zich aan mij. Neemt me.

'Ah.' Het genot welt op in haar keel.

'Goed zo, schatje,' fluister ik terwijl ze het tempo opdrijft tot ze met een luide kreet klaarkomt.

Ik sla mijn armen om haar heen en verlies mezelf als ik in haar ontlaad.

'Ana, schatje!' schreeuw ik. Ik besef dat ik haar nooit meer kwijt wil.

Ze kust mijn oor.

'Dat was...' zucht ze.

'Ja...' Ik pak haar armen beet en duw haar achterover zodat ik haar kan bekijken. Ze ziet er slaperig en voldaan uit, en ik kan me voorstellen dat ik er net zo uitzie. 'Dank je,' fluister ik.

Ze kijkt me vragend aan.

'Dat je me niet hebt aangeraakt,' verduidelijk ik.

Haar gezicht ontspant zich en ze tilt haar hand op. Ik verstijf. Maar ze schudt haar hoofd en volgt mijn lippen met haar vinger.

'Je hebt me verteld dat daar de grens ligt. Dat begrijp ik.' Ze buigt zich voorover en kust me. Het duister steekt weer de kop op, het borrelt in mijn borst, ongekend en gevaarlijk.

'Kom, we gaan naar bed. Tenzij je naar huis moet?' Ik ben bang voor mijn eigen emoties.

'Nee. Ik moet niet weg.'

'Mooi. Blijf dan.'

Ik sta op om wat handdoeken te halen zodat ik die verwarrende gevoelens van me af kan schudden.

Ik sla een handdoek om haar heen, knoop er een rond mijn middel en gooi een andere op de natte vloer in een mislukte poging het water op te nemen. Ana loopt naar de wastafels terwijl ik het bad laat leeglopen.

Dit was een heel interessante avond.

Ze had gelijk. Praten is prima, hoewel ik eraan twijfel of we een oplossing hebben gevonden.

Ze poetst haar tanden met mijn tandenborstel, terwijl ik naar de slaapkamer loop. Ik heb een glimlach om mijn lippen. Ik pak mijn telefoon en zie dat Taylor me heeft gebeld.

Ik stuur hem een berichtje.

Alles oké?
Zweefvliegen: 6 uur.

Hij antwoordt onmiddellijk.

Daarom belde ik u. Het weer ziet er goed uit. Ik zie u daar dan wel. Fijne avond, meneer.

Mevrouw Steele gaat met me mee zweefvliegen. Een gelukzalig gevoel borrelt in me op en de grijns op mijn gezicht wordt nog breder als ze, gewikkeld in een handdoek, de badkamer uit komt lopen.

'Ik heb mijn tasje nodig,' zegt ze een beetje verlegen.

'Ik denk dat je die in de zitkamer hebt laten liggen.'

Op een drafje loopt ze ernaartoe en ik poets mijn tanden met de tandenborstel die net nog in haar mond zat.

In de slaapkamer maak ik mijn handdoek los en sla de dekens open. Ik ga liggen en wacht op Ana.

Ze verdwijnt in de badkamer en doet de deur achter zich dicht.

Even later is ze er weer. Ze laat haar handdoek vallen en gaat met een verlegen lachje naakt naast me liggen. We kijken elkaar aan. Allebei hebben we een kussen vast.

'Wil je gaan slapen?' vraag ik haar.

We moeten er morgen vroeg uit en het is al bijna elf uur.

'Nee. Ik ben niet moe,' antwoordt ze met een fonkeling in haar ogen.

'Wat wil je doen?' *Nog meer seks?*

'Praten.'

Nog meer praten. Lieve hemel!

Ik glimlach gelaten. 'Waarover?'

'Over dingen.'

'Wat voor dingen?'

'Jou.'

'Wat is er met mij?'

'Wat is je favoriete film?'

Ik hou wel van haar manier van verhoren. 'Op dit moment is dat *The Piano*.'

Ze werpt me een stralende blik toe. 'Natuurlijk. Dom van me. Zulke trieste, opwindende filmmuziek die je ongetwijfeld ook kunt spelen. Zo veel wapenfeiten, meneer Grey!'

'En het grootste ben jij, mevrouw Steele.'

Haar glimlach wordt groter. 'Dus ik ben nummer zeventien.'

'Zeventien?'

'Het aantal vrouwen met wie jij... eh... seks hebt gehad.'

Jemig. 'Niet precies.'

Haar glimlach verdwijnt. 'Je zei vijftien.'

'Ik had het over het aantal vrouwen in mijn speelkamer. Ik dacht dat je dat bedoelde. Je hebt me niet gevraagd met hoeveel vrouwen ik naar bed ben geweest.'

'O.' Ze staart me aan met grote ogen. 'Vanille?' vraagt ze.

'Nee. Jij bent mijn enige vanilleverovering.' En om de een of andere vreemde reden ben ik enorm blij met mezelf. 'Ik kan geen exact aantal noemen. Ik heb de score niet bijgehouden.'

'Waar hebben we het dan over? Tientallen, honderden... duizenden?'

'Tientallen. Het gaat over tientallen, doe normaal zeg!' Ik doe net alsof ik me beledigd voel.

'Allemaal Onderdanigen?'

'Ja.'

'Zit niet zo te grijnzen,' zegt ze uit de hoogte terwijl ze zelf tevergeefs probeert niet te lachen.

'Ik kan er niks aan doen. Je bent zo grappig.'

Ik voel me een beetje licht in het hoofd. We kijken elkaar stralend aan.

'Grappig als in "lollig" of als in "zonderling"?'

'Een beetje van allebei, denk ik.'

'Dat had ik niet van je verwacht,' lacht ze.

Ik kus het puntje van haar neus om haar voor te bereiden op wat ik ga zeggen.

'Dit zal een schok voor je zijn, Anastasia. Ben je er klaar voor?'

Ze kijkt me met haar grote ogen verwachtingsvol aan.

Vertel het haar.

'Het waren allemaal Onderdanigen in opleiding, toen ik zelf ook nog in opleiding was. Er zijn plaatsen in en rond Seattle waar je kunt leren wat ik doe.'

'O,' roept ze uit.

'Jep, ik heb betaald voor seks, Anastasia.'

'Dat is niet iets om trots op te zijn.' Ze geeft me op mijn kop. 'En je hebt gelijk, ik ben diep geschokt. En boos omdat ik jou niet kan choqueren.'

'Je hebt mijn ondergoed gedragen.'

'Heeft dat je gechoqueerd?'

'Ja. En je droeg geen slipje toen je mijn ouders ontmoette.'

Ze heeft er weer plezier in.

'Heeft dat je gechoqueerd?'

'Ja.'

'Het lijkt wel alsof ik je maar alleen kan choqueren als het om ondergoed gaat.'

'Je zei dat je nog maagd was. Dat was de grootste schok voor mij.'

'Ja, je had je gezicht moeten zien, een cameramoment.' Ze giechelt, haar gezicht licht op.

'Ik mocht je te lijf gaan met een rijzweepje.'

Ik spin zoals die verdomde Cheshire kat. Heb ik ooit naakt naast een vrouw in bed zo liggen praten?

'Heeft dat je gechoqueerd?'

'Jep.'

'Misschien laat ik het je nog wel een keer doen.'

'Dat hoop ik wel, mevrouw Steele. Dit weekend nog?'

'Oké,' antwoordt ze.

'Oké?'

'Ja. Dan ga ik weer naar de Rode Kamer van Pijn.'

'Je spreekt de naam uit.'

'Choqueert dat je?'

'Het feit dat ik dat leuk vind, ja.'

'Christian,' fluistert ze en de klank van mijn naam op haar lippen jaagt een warme gloed door mijn lichaam.

Ana.

'Ik wil morgen iets gaan doen.'

'Wat?'

'Een verrassing. Voor jou.'

Ze gaapt.

Genoeg. Ze is moe.

'Verveel ik je, mevrouw Steele?'

'Nooit,' bekent ze. Ik buig me over haar heen en druk snel een kus op haar lippen.

'Ga slapen,' commandeer ik en ik knip het lampje naast het bed uit.

Een paar minuten later hoor ik haar regelmatige ademhaling. Ze slaapt. Ik trek het laken over haar heen, draai me om en staar naar de draaiende plafondventilator.

Eigenlijk is praten niet zo moeilijk.
Vandaag ging het in ieder geval goed.
Dankjewel, Elena...
Met een tevreden glimlach sluit ik mijn ogen.

Donderdag 2 juni 2011

'Nee. Laat me niet alleen.' De gefluisterde woorden dringen in mijn lichte slaap tot me door en ik word wakker.

Wat was dat?

Ik kijk de kamer rond. Waar ben ik in hemelsnaam? O ja, in Savannah.

'Nee. Alsjeblieft. Laat me niet alleen.'

Wat?

Het is Ana.

'Ik ga nergens heen,' mompel ik verbaasd. Ik draai me op mijn zij en steun op mijn elleboog. Ze ligt opgerold als een bolletje naast me te slapen.

'Ik laat je niet alleen,' mompelt ze. Mijn hoofdhuid prikt. 'Ik ben blij dat te horen.'

Ze zucht.

'Ana?' fluister ik. Maar ze reageert niet. Ze houdt haar ogen dicht, nog diep in slaap. Ze droomt vast... maar waarover?

'Christian,' zegt ze.

'Ja?' antwoord ik automatisch.

Ze zwijgt, ze is duidelijk nog in slaap. Ik heb haar nog nooit horen praten in haar slaap.

Gefascineerd bestudeer ik haar gezicht, dat door het zachte licht uit de zitkamer een warme gloed krijgt. Even trekt ze haar wenkbrauw op alsof een onprettige gedachte haar kwelt, dan verzacht haar uitdrukking. Haar lippen wijken uit elkaar als ze inademt. Wat is ze mooi!

Ze wil niet dat ik wegga, en dat doet zij ook niet. De onbevangenheid van deze onbewuste bekentenis golft als een zachte zomerbries door mijn lichaam en zorgt voor een warm gevoel... en voor hoop.

Ze zal me niet verlaten.

Zo, je hebt je antwoord, Grey.

Ik kijk grinnikend naar haar. Ze lijkt tevreden en stopt met praten. Ik check de wekkerradio: drie minuten voor vijf.

Het is in elk geval tijd om op te staan. Ik ben gelukkig. Ik ga zweefvliegen. *Met Ana.* Ik ben gek op zweefvliegen. Snel druk ik een kus op haar slaap, sta op en loop naar de ruime zitkamer in de suite, waar ik een ontbijt bestel en het lokale weerbericht check. Alweer een hete dag met hoge luchtvochtigheid. Geen regen.

Ik douche snel, droog me af, gris Ana's kleren van het krukje in de badkamer en leg ze op een stoel naast het bed. Als ik haar slipje zie, bedenk ik dat mijn plan om haar ondergoed in beslag te nemen averechts heeft gewerkt.

Mevrouw Steele toch.

En dat al na onze eerste nacht samen...

'O, trouwens, ik draag jouw ondergoed.' En ze trekt mijn boxershort zo hoog op dat de woorden 'Polo' en 'Ralph' duidelijk zichtbaar boven de rand van haar spijkerbroek verschijnen.

Ik schud mijn hoofd, haal een boxershort uit de kast en leg die op de stoel. Ik vind het leuk als ze mijn kleren draagt.

Ze mompelt weer wat en ik meen het woord 'kooi' te horen.

Waar heeft ze het in hemelsnaam over?

Ze verroert zich niet en slaapt rustig verder terwijl ik me aankleed. Als ik mijn T-shirt aantrek, wordt er op de deur geklopt. Het ontbijt is er: broodjes, koffie voor mij en Twinings English Breakfast Tea voor Ana. Gelukkig hebben ze haar favoriete thee in dit hotel.

Het is tijd om mevrouw Steele wakker te maken.

'Aardbei,' mompelt ze als ik me naast haar op het bed zet.

Wat wil ze met dat fruit?

'Anastasia,' roep ik zachtjes.

'Ik wil nog.'

Dat weet ik en ik wil ook nog.

'Kom, schatje.' Ik probeer haar wakker te porren.

Ze moppert.

'Nee. Ik wil je aanraken.'

Jemig. 'Wakker worden!'

Ik buig me over haar heen en bijt haar zachtjes in haar oorlel.

'Nee.' Ze knijpt haar ogen stevig dicht.

'Wakker worden, liefje.'

'O nee,' protesteert ze.

'Tijd om op te staan, schatje. Ik ga het lampje aandoen.' Ik buig me voorover. Meteen baadt ze in een poel van zacht licht. Ze knijpt haar ogen half dicht.

'Nee,' jammert ze. Haar onwil om wakker te worden is grappig en raar. In mijn vorige relaties wist een slaperige Onderdanige dat ze gestraft kon worden.

Ik snuffel aan haar oor en fluister: 'Ik wil samen met jou de zon zien opgaan.' Ik geef haar een kus op haar wang, op haar gesloten ogen, op het topje van haar neus en op haar lippen.

Haar ogen openen zich trillend.

'Goedemorgen, schoonheid.'

En dan sluit ze ze weer. Ze moppert wat en ik kijk lachend op haar neer. 'Jij bent duidelijk geen ochtendmens.'

Ze opent één oog, probeert scherp te stellen en bestudeert mijn gezicht.

'Ik dacht dat je seks wilde,' zegt ze en ze klinkt duidelijk opgelucht.

Ik onderdruk een glimlach. 'Anastasia, ik wil altijd seks met jou. Het is hartverwarmend om te weten dat jij hetzelfde voelt.'

'Ja, natuurlijk, maar niet op dit late uur.' Ze trekt haar kussen in haar armen.

'Het is niet laat, het is vroeg. Kom op – opstaan. We vertrekken. Ik hou de seks van je tegoed.'

'Ik had zo'n mooie droom.' Ze zucht en kijkt me aandachtig aan.

'Waarover?'

'Over jou.' Ze bloost.

'En wat deed ik dit keer?'

'Je probeerde me aardbeien te voeren,' antwoordt ze met een benepen stemmetje.

Dat verklaart het gemompel over aardbeien.

'Daar zouden we dokter Flynn eens flink op los kunnen laten. Vooruit, kleed je aan. Douchen kunnen we later nog wel.'

Ze protesteert, maar gaat toch overeind zitten. Ze merkt niet dat het laken van haar naakte bovenlichaam is gegleden. Ik voel dat ik hard word. Ze ziet eruit om op te vreten met haar verwarde haren die in golvende krullen over haar schouders op haar blote borsten vallen. Ik negeer mijn opwinding en sta op om plaats voor haar te maken.

'Hoe laat is het?' vraagt ze slaperig.

'Halfzes in de ochtend.'

'Het voelt als halfdrie 's nachts.'

'We hebben niet veel tijd. Ik heb je zo lang mogelijk laten slapen. Kom.' Ik zou haar het bed uit willen sleuren en haar zelf aankleden. Ik kan niet wachten om te gaan vliegen.

'Kan ik niet eerst even douchen?'

'Als jij gaat douchen, dan wil ik ook en we weten allebei wat er dan gaat gebeuren... dan is de dag voorbij. Kom.'

Ze werpt me een lijdzame blik toe. 'Wat gaan we doen?'

'Dat is een verrassing, heb ik je toch al gezegd.'

Ze schudt haar hoofd, maar ze straalt. Ze is gelukkig.

'Oké.'

Ze klimt uit bed, zich niet bewust van haar naakte lichaam, en ziet haar kleren op de stoel. Ik ben blij dat ze niet zo timide meer is, misschien omdat ze nog half slaapt. Ze glipt in mijn boxershort en grijnst breed naar me.

'Ik laat je even je gang gaan, nu je wakker bent.' Ik laat haar alleen zodat ze zich kan aankleden en loop terug naar de ruime zitkamer, ga zitten aan de kleine tafel en schenk een kop koffie in.

Een paar minuten later komt ze bij me zitten.

'Eet,' commandeer ik terwijl ik haar gebaar plaats te nemen. Ze staart me aan, roerloos, haar ogen glazig.

'Anastasia.' Nadrukkelijk zeg ik haar naam om haar uit haar dagdroom te halen.

Haar wimpers trillen even als ze terugkeert van waar ze ook mag zijn geweest.

'Ik neem een kop thee. Mag ik een croissantje meenemen voor later?' vraagt ze hoopvol.

Ze gaat dus niet eten.

'Verknal het nu niet, Anastasia.'

'Ik eet later wel als mijn maag wakker is. Rond halfacht, oké?'

'Oké.'

Ik kan haar tenslotte niet dwingen.

Ze gedraagt zich opstandig en koppig. 'Ik wil met mijn ogen naar je rollen,' zegt ze.

O Ana, kom maar op!

'Ga vooral je gang, dan kan mijn dag helemaal niet meer stuk.' Ze staart naar de sprinklerinstallatie aan het plafond.

'Nou, van billenkoek zou ik wel wakker worden, denk ik,' zegt ze alsof ze erover nadenkt.

Overweegt ze dit nou echt? Zo werkt het niet, Anastasia!

'Aan de andere kant wil ik ook weer niet dat je helemaal verhit raakt, het is hier al warm genoeg,' lacht ze zeemzoet.

'Je daagt me weer uit, zoals gewoonlijk, mevrouw Steele.' Mijn stem klinkt raar. 'Drink je thee.'

Ze gaat zitten en nipt aan haar kopje.

'Drink het op. We moeten gaan.'

Ik wil vertrekken, want het is nog een eind rijden.

'Waar gaan we naartoe?'

'Dat zie je vanzelf.'

Haal die grijns van je gezicht, Grey.

Gefrustreerd gaat ze zitten pruilen. Zoals altijd is mevrouw Steeles nieuwsgierigheid niet te stuiten.

Ik denk dat ze het in haar topje en spijkerbroek koud zal hebben als we straks de lucht in gaan.

'Drink je thee,' commandeer ik, waarna ik opsta.

In de slaapkamer zoek ik een sweater voor haar. Dat moet voldoende zijn.

Ik bel de receptie en vraag ze de auto voor te rijden.

'Ik ben klaar,' zegt ze als ik de ruime zitkamer binnen kom.

'Die zal je nodig hebben,' zeg ik en ik gooi haar de sweater toe. Verrast kijkt ze me aan.

'Vertrouw me nu maar.'

Ik plant een vluchtige kus op haar lippen. Terwijl ik haar hand beetpak, open ik de deur van de suite en lopen we naar de liften. De liftjongen – Brian, volgens zijn badge – staat te wachten.

'Goedemorgen,' zegt hij en hij tikt opgewekt tegen zijn uniformpet. De deuren van de lift gaan open en ik werp Ana een vluchtige blik toe. Ik kan het niet helpen dat ik moet grijnzen.

Geen geintjes in de lift vanochtend.

Terwijl we naar beneden suizen probeert ze niet te lachen. Met een blos op haar wangen tuurt ze naar de vloer. Ze weet precies wat er door mijn hoofd gaat.

Als we richting uitgang lopen, wenst Brian ons nog een fijne dag. De hotelbediende wacht bij de Mustang. Ana trekt haar wenkbrauw op, onder de indruk van de GT500.

Ja hoor, het wordt een leuk ritje, ook al is het dit keer in een Mustang.

'Weet je, soms is het geweldig om mij te zijn,' plaag ik en met een diepe buiging open ik het portier voor haar.

'Waar gaan we naartoe?'

'Dat zie je vanzelf.'

Ik ga achter het stuur zitten en rijd de auto de oprijlaan af. Bij het stoplicht stel ik de navigatie snel in op het adres van het vliegveld. Hij stuurt ons naar de 1-95, buiten Savannah. Via een knopje aan het stuur zet ik mijn iPod aan en meteen galmt er een prachtige melodie door de auto.

'Wat is dit?' vraagt Ana.

'Dit komt uit *La Traviata*. Een opera van Verdi.'

'*La Traviata*? Daar heb ik wel eens van gehoord. Maar ik kan me niet herinneren waar. Wat betekent het?'

Ik werp haar een veelbetekenende blik toe.

'Letterlijk betekent het "de vrouw die op het slechte pad is geraakt". De opera is gebaseerd op het boek van Alexandre Dumas, *La dame aux camélias*.'

'Ah, dat heb ik gelezen.'

'Dat dacht ik al.'

'De gedoemde minnares,' zegt ze met weemoed in haar stem.

'Een nogal deprimerend verhaal,' gaat ze verder.

'Te deprimerend?'

Dat willen we niet hebben, mevrouw Steele, vooral niet nu ik zo'n goed humeur heb.

'Wil jij wat muziek kiezen? Dit staat er allemaal op mijn iPod.'

Ik tik iets in op het scherm en de afspeellijst verschijnt.

'Kies jij maar wat,' bied ik aan terwijl ik me afvraag of er in iTunes iets naar haar smaak bij zit.

Ze bestudeert de lijst en scrolt er geconcentreerd doorheen. Ze tikt een nummer aan en Verdi's lieflijke strijkers ruimen plaats voor de dreunende beat van Britney Spears.

'"Toxic", vind je niet?' merk ik een tikkeltje wrang op.

Probeert ze me iets vertellen?

Heeft ze het over mij?

'Ik heb geen idee waar je het over hebt,' antwoordt ze onschuldig.

Vindt ze misschien dat ik een waarschuwingsbord moet dragen?

Mevrouw Steele wil spelletjes spelen.

Mooi zo.

Ik zet de muziek wat zachter. Het is nog wat vroeg voor deze remix én voor een waarschuwingsbord.

'Meneer, deze Onderdanige vraagt beleefd de iPod van de Meester.'

Ik kijk even op van de spreadsheet die ik aan het lezen ben en kijk naar haar als ze naast me knielt, haar ogen op de grond gericht. Ze is dit weekend ongelooflijk geweest. Hoe kan ik dit weigeren?

'Natuurlijk, Leila, neem maar. Ik denk dat hij in het docking station zit.'

'Dankjewel, Meester,' zegt ze terwijl ze met haar gebruikelijke elegantie overeind komt. Ze kijkt me niet aan.

Braaf meisje.

En met niets anders om het lijf dan haar rode naaldhakken trippelt ze naar het docking station en haalt haar beloning.

'Ik heb dat nummer niet op mijn iPod gezet, hoor,' zeg ik luchtig en meteen trap ik het gaspedaal in, waardoor we in onze stoelen achterover worden gedrukt. Maar ik hoor Ana's licht geïrriteerde zucht boven het lawaai van de motor uit. Terwijl Britney maar doorgaat op haar eigen wulpse manier, friemelt Ana met haar vingers aan haar dij.

Ik voel dat ze gespannen is, hoewel ze gewoon door het raam naar buiten schijnt te kijken. Terwijl het eerste ochtendlicht valt op de I-95, slikt de Mustang de kilometers weg. Er is geen verkeer op de snelweg. Ana slaakt weer een zucht als Damien Rice begint te zingen.

Verlos haar uit haar lijden, Grey.

Ik weet niet zeker of het met mijn goed humeur, ons gesprek van de vorige nacht of het feit dat ik op het punt sta te gaan vliegen te maken heeft, maar ik wil haar vertellen wie het nummer op de iPod heeft gezet.

'Het was Leila.'

'Leila?'

'Een ex. Zij heeft dit nummer op mijn iPod gezet.'

'Een van de vijftien exen?'

Ze richt nu al haar aandacht op me, hongerig naar informatie.

'Ja.'

'Hoe is dat geëindigd?'

'We hebben het uitgemaakt.'

'Waarom?'

'Zij wilde meer.'

'En jij niet?'

Ik werp een blik op haar en schud mijn hoofd.

'Ik heb nooit meer gewild, tot ik jou tegenkwam.'

Ze beloont me met een verlegen lach.

Ja, Ana. Jij bent niet de enige die meer wil.

'Wat is er met de overige veertien gebeurd?' wil ze weten.

'Zal ik een lijstje maken? Gescheiden, onthoofd, overleden?'

'Je bent Hendrik de Achtste niet,' geeft ze me een standje.

'Oké. Ik heb maar vier langdurige relaties gehad, op Elena na.'

'Elena?'

'Mrs. Robinson voor jou.'

Ze zwijgt even en ik voel dat ze me onderzoekend aankijkt. Ik houd mijn ogen op de weg voor me gericht.

'Wat is er met die vier gebeurd?' vraagt ze.

'Je bent zo nieuwsgierig, zo belust op informatie, mevrouw Steele,' plaag ik haar.

'O, is dat zo, Meneer Wanneer-Moet-Je-Ongesteld-Worden?'

'Anastasia, een man moet dat soort dingen weten.'

'Is dat zo?'

'Ja.'

'Waarom?'

'Omdat ik niet wil dat je zwanger wordt.'

'Dat wil ik ook niet. In elk geval niet de eerstvolgende jaren,' klinkt het een beetje triest.

Natuurlijk, kinderen zal ze met een ander krijgen... Wat een naar idee... Ze is van mij.

'Dus die vier anderen, wat is er met ze gebeurd?' dringt ze aan.

'Eentje heeft iemand anders ontmoet. De andere drie wilden – meer. Ik was toen niet op zoek naar meer.'

Waarom heb ik in hemelsnaam deze slapende honden wakker gemaakt?

'En de anderen?'

'Dat is gewoon niks geworden.'

Ze knikt en staart uit het raam, terwijl Aaron Nevilles 'Tell It Like It Is' door de boxen klinkt.

'Waar gaan we naartoe?' vraagt ze opnieuw.

We zijn er nu bijna.

'Naar een vliegveld.'

'We gaan toch niet terug naar Seattle?' klinkt het paniekerig.

'Nee, Anastasia.'

Ik moet lachen om haar reactie.

'We gaan genieten van mijn op één na favoriete tijdverdrijf.'

'Op één na?'

'Jep. Ik heb je vanmorgen al verteld wat mijn favoriete hobby is.'

Haar gezicht verraadt dat ze totaal niet weet waar ik het over heb.

'Genieten van jou, mevrouw Steele. Dat staat zonder twijfel boven aan mijn lijstje. Op welke manier dan ook.'

Ze buigt haar hoofd. Naast haar mond trilt een spiertje.

'Nou, dat staat ook hoog boven aan mijn lijstje van leuke, kinky prioriteiten,' legt ze uit.

'Blij dat te horen.'

'Dus, een vliegveld?'

Ik kijk haar stralend aan.

'Zweefvliegen. We vliegen het ochtendgloren tegemoet, Anastasia.'

Ik sla nu rechts af naar het vliegveld en rijd tot aan de hangaar van de Brunswick Zweefvereniging, waar ik de auto stilzet.

'Ben je er klaar voor?' vraag ik.

'Vlieg jij?'

'Ja.'

Haar gezicht gloeit van opwinding.

'Ja, zeker!'

Wat hou ik van haar ongeremde enthousiasme bij elke nieuwe ervaring. Ik buig voorover en geef haar een kus.

'Weer een primeur, mevrouw Steele.'

Buiten is het koel, maar niet koud. De hemel kleurt opaal en helder aan de horizon. Ik loop om de auto heen en doe Ana's portier open. Hand in hand lopen we naar de voorkant van de hangaar. Daar staat Taylor al te wachten, naast een man met een baard in een short en sandalen.

'Meneer Grey, dit is uw piloot, Mark Benson,' zegt Taylor.

Ik laat Ana's hand los zodat ik die van Benson kan schudden. De man heeft een wilde blik in zijn ogen.

'Het is een ideale ochtend om te vliegen, meneer Grey,' zegt Benson. 'De wind heeft een snelheid van tien knopen en komt uit het noordoosten, dus moet de thermiek langs de kust u een poosje in de lucht kunnen houden.'

Benson is een Brit met een stevige handdruk.

'Klinkt geweldig,' antwoord ik en ik kijk naar Ana die een grapje maakt met Taylor.

'Kom, Anastasia.'

'Tot later,' zegt ze tegen Taylor.

Ik negeer haar losse houding tegenover mijn personeel en stel haar voor aan Benson.

'Meneer Benson, dit is mijn vriendin, Anastasia Steele.'

'Aangenaam,' zegt ze, waarop Benson haar met een aanstekelijke glimlach een hand geeft.

'Insgelijks,' zegt hij. 'Als u me wilt volgen.'

'Gaat u maar voor.'

Ik pak Ana's hand beet terwijl we naast Benson lopen.

'Ik heb de Blaník L-23 klaargezet. Dat is er een van de oude stempel, maar hij vliegt schitterend.'

'Prima. Ik heb leren vliegen in een Blaník. Een L-13,' vertel ik Benson.

'Het kan niet fout gaan met een Blaník. Ik ben een grote fan.' Hij steekt twee duimen naar me op. 'Hoewel ik de L-23 liever zie bij luchtacrobatiek.'

Ik knik instemmend.

'Ik sleep je met mijn Piper Pawnee,' gaat hij verder. 'Ik klim tot drieduizend voet en dan trekken jullie los. Dan heb je voldoende tijd om te vliegen.'

'Ik hoop het. De wolken zien er in ieder geval veelbelovend uit.'

'Het is nog wat te vroeg in de ochtend voor thermiek. Maar je weet maar nooit. Dave, mijn maatje, zal zo de vleugel vasthouden. Hij zit op de plee.'

'Oké.'

Ik ga ervan uit dat hij met 'plee' de wc bedoelt.

'Vlieg je al lang?'

'Sinds mijn dienst bij de RAF. Maar met deze taildraggers vlieg ik nog maar vijf jaar. U weet toch dat we op frequentie CTAF122.3 zitten?'

'Weet ik,' knik ik.

De L-23 lijkt nog in goede staat te zijn en ik maak een mentale notitie van haar FAA-registratie: November, Papa, Three, Alpha.

'Eerst moeten we je parachute aantrekken.' Benson haalt uit de cockpit een parachute voor Ana tevoorschijn.

'Dat doe ik wel,' stel ik voor en ik neem het harnas van Benson over voordat hij de kans krijgt Ana aan te raken.

'Ik zorg wel voor de ballast,' zegt Benson, die vriendelijk lachend naar het vliegtuig loopt.

'Jij vindt het altijd wel heerlijk om me vast te binden,' zegt Ana terwijl ze haar wenkbrauw optrekt.

'Dat weet je nog niet half, mevrouw Steele. Hier, stap maar in deze bandjes.'

Ik houd de beenbandjes voor haar open. Ze zoekt steun en pakt mijn schouder vast. Ik verstijf, verwacht dat dat verstikkende, sombere gevoel weer de kop opsteekt, maar dat gebeurt niet. Vreemd... ik weet nooit hoe ik zal reageren op haar aanraking. Als de bandjes om haar dijen zitten, laat ze me los. Ik trek de schouderbanden over haar armen en gesp de parachute vast.

Mijn god, wat ziet ze er goed uit in een harnas.

Ik zie meteen voor me hoe ze met gespreide armen aan de karabijnhaken in de speelkamer hangt en ik met haar mond en vagina kan doen wat ik wil. Maar ophangen is voor haar net een brug te ver. 'Zo moet het lukken,' mompel ik terwijl ik het beeld uit mijn hoofd probeer te verdrijven. 'Heb je dat elastiekje van gisteren nog?'

'Wil je dat ik mijn haar in een staart doe?' vraagt ze.

'Ja.'

Ze doet wat haar wordt gevraagd. Voor de verandering.

'Vooruit, instappen dan maar.'

Ik geef haar een hand en ze klimt op de achterste stoel.

'Nee, voorin. De piloot zit achterin.'

'Maar dan kun je toch niets zien.'

'Ik zie genoeg.'

Ik zal haar zien genieten. Althans, dat hoop ik.

Ze klimt naar voren en ik buig me voorover in de cockpit om haar in haar stoel vast te maken, het harnas te sluiten en de riemen aan te trekken.

'Hmm... twee keer op een ochtend. Ik ben een geluksvogel,' fluister ik terwijl ik haar een zoen geef. Ze kijkt me stralend en met een verwachtingsvolle blik in haar ogen aan.

'Het zal niet lang duren – twintig, dertig minuten hooguit. De thermiek is niet zo goed zo vroeg in de ochtend, maar het is wel adembenemend mooi. Je bent toch niet zenuwachtig?'

'Opgewonden,' zegt ze met een brede glimlach op haar lippen.

'Mooi.'

Ik streel haar wang met mijn wijsvinger, trek zelf een parachute aan en klim in de stoel van de piloot.

Benson komt eraan met de ballast voor Ana en hij checkt haar bandjes nog een keer.

'Jep. Dat zit allemaal vast. Eerste keer?' vraagt hij.

'Ja.'

'Je zult het geweldig vinden.'

'Dank u wel, meneer Benson,' zegt Ana.

'Noem me maar Mark,' antwoordt hij terwijl hij haar – fuck – een knipoogje geeft.

'Oké?' vraagt hij mij.

'Jep. We kunnen,' zeg ik, ongeduldig om de lucht in te gaan en hem bij mijn meisje weg te halen. Benson knikt, doet de klep van de cockpit dicht en loopt naar de Piper. Rechts van mij zie ik dat Dave, Bensons maatje, de vleugel optilt. Snel test ik alles nog even, de pedalen (ik hoor het richtingsroer achter me bewegen), de controle-stick – van links naar rechts (een snelle blik op de vleugels, ik zie dat het rolroer beweegt) en de controlestick – vrij naar voren en achte-ren (ik hoor dat ook het hoogteroer reageert).

Oké. We zijn klaar.

Benson klimt in de Piper en bijna onmiddellijk begint de propel-ler te draaien, een luid, krassend geluid op deze rustige ochtend. Even later rijdt het vliegtuig een stukje vooruit zodat de sleepkabel wordt aangespannen, en dan vertrekken we. Terwijl de Piper aan snelheid wint, zorg ik er met het rolroer en het richtingsroer voor dat de vleugels horizontaal blijven. Dan pak ik de controlestick beet en net voor Benson gaan we de lucht in.

'Daar gaan we, schatje,' schreeuw ik naar Ana terwijl we hoogte winnen.

'Brunswick Traffic, Delta Victor, heading two-seven-zero,' hoor ik Benson over de radio zeggen. Ik negeer hem terwijl we hoger en hoger klimmen. De l-23 gedraagt zich goed en ik kijk naar Ana. Haar hoofd draait van links naar rechts terwijl ze een glimp van het uitzicht probeert op te vangen. Ik zou haar gezicht willen zien.

We vliegen richting het westen, weg van de opkomende zon en ik zie dat we de i-95 kruisen. Ik ben dol op de rust die hierboven heerst, weg van alles en iedereen, alleen de zwever en ik, zoekend naar thermiek... Nog nooit heb ik dit met iemand gedeeld. Het licht is geweldig, diffuus, echt zoals ik het graag wilde... voor Ana en voor mij.

Op de hoogtemeter zie ik dat we bijna op drieduizend voet zitten en dat we 105 knopen vliegen. De krakende stem van Benson deelt over de radio mee dat we de juiste hoogte hebben bereikt en dat we ons kunnen lostrekken.

'Begrepen. Ik trek los,' roep ik in de radio en ik trek de gele knop uit. De Piper verdwijnt en ik maakt een lichte bocht naar het zuid-westen met de wind in de rug. Ana lacht hardop. Aangemoedigd door haar reactie draai ik wat bochten in de hoop thermiek te vin-den boven de kustlijn of onder de lichte, roze wolken die misschien voor thermiek kunnen zorgen, zelfs op dit vroege tijdstip.

'Hou je goed vast!' schreeuw ik. Ik voel me eindeloos gelukkig en omdat ik haar wat wil plagen, duik ik naar beneden in een rolvlucht.

Ze gilt luidkeels, haar handen schieten naar boven tot tegen het plexiglas van de koepel. Als we weer horizontaal vliegen, juicht ze enthousiast. Dat is de mooiste reactie die een man kan krijgen en ik deel haar vreugde.

'Ik ben blij dat ik vanmorgen niets heb gegeten!' roept ze.

'Ja, achteraf gezien is dat maar goed ook, want ik ga het nog een keer doen.'

Dit keer houdt ze zich vast aan haar harnas en kijkt ze meteen naar de aarde onder haar. Ze giechelt en dat geluid mengt zich met de fluitende wind.

'Prachtig, hè?' roep ik.

'Ja.'

Ik weet dat het niet lang meer duurt, want er is niet veel thermiek – maar het kan me niet schelen. Ana geniet ervan... en ik ook.

'Zie je de stick voor je? Pak hem maar beet.'

Ze probeert haar hoofd naar me toe te draaien, maar haar riemen zitten te vast.

'Vooruit, Anastasia. Pak 'm beet,' dring ik aan.

Mijn stick beweegt in mijn handen, waardoor ik weet dat zij de hare beetpakt.

'Goed vasthouden. Hou 'm recht. Zie je de middelste meter voor je? Hou de naald precies in het midden.'

We vliegen nog steeds horizontaal, het giertouwtje in de koepel hangt loodrecht.

'Goed zo, meisje!'

Mijn Ana. Altijd in voor een uitdaging. En om de een of andere vreemde reden ben ik ontiegelijk trots op haar.

'Ik had niet durven dromen dat je mij ooit de controle zou geven,' roept ze.

'Je weet niet half wat ik je allemaal zou laten doen, mevrouw Steele. Ik neem het nu weer over.'

Ik pak de stick weer vast en draai het vliegtuig naar het vliegveld omdat we hoogte beginnen te verliezen. Via de radio vertel ik Benson, of wie er ook in het toestel zit, dat we gaan landen en dan maak ik nog een grote bocht om hoogte te verliezen.

'Hou je vast, schatje. Dit wordt best hobbelig.'

Ik maak opnieuw een duik en breng de L-23 in lijn met de lan-

445

dingsbaan terwijl we het grasveld beneden ons naderen. We landen met een schok en ik slaag erin om beide vleugels mooi horizontaal te houden tot we met een knarsend geluid aan het einde van de landingsbaan tot stilstand komen. Ik open de klep van de koepel, maak mijn harnas los en klim uit het vliegtuig.

Ik rek me uit, stap uit mijn parachute en lach naar mijn blozende mevrouw Steele. 'En, hoe vond je het?' vraag ik terwijl ik vooroverbuig om haar los te maken van de stoel en de parachute.

'Dat was heel bijzonder. Dankjewel,' fluistert ze met ogen die fonkelen van plezier.

'Was het "meer"?' Ik bid dat ze de hoop in mijn stem niet hoort.

'Veel meer.' Ze straalt en ik voel me apetrots.

'Kom.' Ik steek mijn hand uit en help haar uit het vliegtuig. Zodra ze naast de zwever staat, pak ik haar beet en druk haar tegen me aan. De adrenaline giert zo door mijn lijf dat het onmiddellijk op haar zachte lichaam reageert. Razendsnel gaan mijn handen door haar haren en ik trek haar hoofd naar achteren zodat ik haar kan kussen.

Mijn hand volgt haar ruggengraat naar beneden, duwt haar tegen mijn groeiende erectie en mijn mond neemt haar in een lange, smachtende, bezitterige kus.

Ik wil haar.

Hier.

Nu.

Op het gras.

Ze beantwoordt mijn hartstocht, gaat met haar handen door mijn haar, trekt eraan, smeekt om meer en opent zich voor me als een bloem in de ochtend.

Ik maak me los. Ik heb behoefte aan lucht en moet mijn verstand terugvinden.

Niet midden in een veld!

Benson en Taylor zijn in de buurt.

Haar ogen lichten op, smeken om meer.

Kijk niet zo naar me, Ana!

'Ontbijt,' fluister ik, voordat ik iets doe waar ik spijt van krijg. Ik draai me om, pak haar hand en samen lopen we terug naar de auto.

'En het vliegtuig dan?' vraagt ze terwijl ze me probeert bij te houden.

'Dat regelt iemand anders wel.' Daar betaal ik Taylor voor.

'Nu gaan we iets eten. Kom.'

Met een brede glimlach huppelt ze nog nagenietend naast me mee, ik geloof niet dat ik haar ooit zo gelukkig heb gezien. Het werkt aanstekelijk en ik kan me ook niet heugen eerder zo vrolijk te zijn geweest. Ik kan het niet helpen dat er een grote, stompzinnige grijns op mijn gezicht zit als ik het portier van de auto voor haar openhoud.

Met Kings of Leon schellend uit de boxen stuur ik de Mustang weg van het vliegveld, naar de I-95.

Als we over de snelweg rijden, gaat het alarm van Ana's Black-Berry af.

'Wat is dat?' vraag ik.

'Alarm voor mijn pil,' mompelt ze.

'Goed zo. Ik haat condooms.'

Ik houd haar vanuit mijn ooghoeken in de gaten en meen te zien dat ze met haar ogen rolt, maar ik weet het niet zeker.

'Ik vond het fijn dat je me als je vriendin voorstelde aan Mark,' zegt ze, van onderwerp veranderend.

'Dat ben je toch?'

'Is dat zo? Ik dacht dat je een Onderdanige wilde.'

'Dat dacht ik ook, Anastasia, en dat wil ik ook. Maar ik heb je al gezegd dat ik ook meer wil.'

'Ik ben erg blij dat je meer wilt,' zegt ze.

'We proberen het u naar de zin te maken, mevrouw Steele,' plaag ik haar terwijl ik het parkeerterrein van het International House of Pancakes opdraai – mijn vaders heimelijke pleziertje.

'IHOP?' vraagt ze ongelovig.

De Mustang komt bulderend tot stilstand.

'Ik hoop dat je honger hebt.'

'Hier zou ik jou nooit verwachten.'

'Mijn vader nam ons hier vaak mee naartoe als mijn moeder weg was voor een medische conferentie.' We nemen tegenover elkaar plaats in een cabine. 'Het was ons geheimpje.' Ik pak de menukaart en kijk naar Ana. Ze duwt haar haren achter haar oren en zit te kijken wat ze wil bestellen. Vol verwachting likt ze over haar lippen. Ik probeer de reactie van mijn lichaam hierop te onderdrukken. 'Ik weet wat ik wil,' fluister ik en ik vraag me af of ze met me mee naar het toilet zou gaan. Ze kijkt me met donkere ogen aan.

'Ik weet wat jij wilt,' mompelt ze. Zoals gewoonlijk gaat mevrouw Steele geen enkele uitdaging uit de weg.

'Hier?'

Weet je dat zeker, Ana?

Haar ogen dwalen door het rustige restaurant en boren zich dan in de mijne, donker en vol zinnelijke belofte.

'Niet op je lip bijten,' waarschuw ik.

Hoe graag ik het ook wil, ik ga haar niet nemen op de toiletten van de IHOP. Ze verdient beter, en ik eerlijk gezegd ook.

'Niet hier, niet nu. Als ik je hier niet kan nemen, breng me dan ook niet in de verleiding.'

We worden onderbroken.

'Hoi, ik ben Leandra. Wat kan ik voor jullie... eh... doen vandaag, vanochtend?'

Mijn god. Ik negeer de roodharige serveerster.

'Anastasia?' dring ik aan.

'Dat zei ik toch al, ik wil hetzelfde als jij.'

Jemig!

Ze zou net zo goed tegen mijn kruis kunnen praten.

'Zal ik zo nog even terugkomen?' vraagt de serveerster.

'Nee. We weten al wat we willen.'

Ik kan mijn ogen niet van Ana afhouden. 'Graag twee porties pannenkoeken met ahornsiroop en bacon erbij, twee jus d'orange, een zwarte koffie met magere melk en English Breakfast-thee, als je dat hebt.'

Ana lacht.

'Dank u wel, meneer. Is dat alles?' vraagt Leandra ademloos, van haar stuk gebracht. Ik ruk mijn aandacht van Ana weg en kijk de serveerster aan met een blik in mijn ogen die haar meteen wegjaagt.

'Weet je, het is eigenlijk niet eerlijk,' begint Ana zachtjes terwijl ze met haar vinger achtjes op de tafel tekent.

'Wat is niet eerlijk?'

'Hoe ontwapenend je kunt zijn. Tegenover vrouwen. Mij.'

'Ben ik ontwapenend tegen jou?' vraag ik verbaasd.

'Altijd.'

'Het zijn maar blikken, Anastasia.'

'Nee, Christian, het is veel meer dan dat.'

Ze heeft het helemaal verkeerd en ik zeg haar nog een keer hoe ontwapenend ik haar vind. Ze trekt haar wenkbrauw op. 'Ben je daarom van gedachten veranderd?'

'Van gedachten veranderd?'

'Ja – over... eh... ons.'

Ben ik van gedachten veranderd? Ik denk dat ik alleen mijn grenzen heb verlegd, dat is alles. 'Ik geloof niet dat ik echt van gedachten ben veranderd. We moeten gewoon onze eisen bijstellen, onze grenzen opnieuw definiëren, zo je wil. Dit kan zeker wat worden. Ik wil dat je onderdanig bent in mijn speelkamer. Ik zal je straffen als je de regels aan je laars lapt. Maar verder... nou ja, ik denk dat het allemaal bespreekbaar is. Dat zijn mijn eisen, mevrouw Steele. Wat heb je daarop te zeggen?'

'Dus ik mag bij je slapen? In jouw bed?'

'Is dat wat je wilt?'

'Ja.'

'Goed dan. Ik slaap trouwens uitstekend als jij in mijn bed ligt. Ik had geen idee dat ik dat kon.'

'Ik was bang dat je bij me weg zou gaan als ik niet overal mee zou instemmen,' zegt ze bleekjes.

'Ik ga nergens heen, Anastasia. Trouwens...'

Hoe kan ze dat nou denken?

Ik moet haar geruststellen. 'We volgen jouw advies, jouw grenzen: een compromis. Dat heb je me gemaild. En tot dusver kan ik er wel mee leven.'

'Ik vind het geweldig dat je meer wilt.'

'Dat weet ik,' zeg ik hartelijk.

'Hoe weet je dat?'

'Geloof me nou maar, ik weet het gewoon.' *Je hebt het me in je slaap verteld.*

Op dat moment komt de serveerster met ons ontbijt en ik kijk toe hoe Ana alles verslindt. 'Meer' schijnt voor haar prima te werken.

'Dit is heerlijk,' zegt ze.

'Ik vind het fijn als je honger hebt.'

'Dat komt door al die lichaamsbeweging gisteravond en de opwinding vanochtend.'

'Dat was opwindend, niet?'

'Het was ongelofelijk, meneer Grey,' zegt ze terwijl ze het laatste stukje pannenkoek in haar mond propt.

'Mag ik je trakteren?' vraagt ze.

'Hoe bedoel je?'

'Nou, op dit ontbijt...'

Ik snuif.

'Ik dacht het niet.'

'Alsjeblieft, ik wil het graag.'

'Probeer je me helemaal te ontmannen?' Ik trek mijn wenkbrauw waarschuwend op.

'Dit is waarschijnlijk de enige plek die ik kan betalen.'

'Anastasia, dat waardeer ik enorm. Echt waar. Maar nee.'

Geïrriteerd tuit ze haar lippen en ik vraag de roodharige serveerster om de rekening.

'Niet boos worden,' waarschuw ik haar.

Ik kijk op mijn horloge: het is halfnegen. Ik heb om kwart over elf een vergadering met de Brownfield Redevelopment Authority. We moeten dus jammer genoeg terug naar de stad. Even overweeg ik de vergadering af te blazen omdat ik de hele dag met Ana wil doorbrengen, maar nee... dat kan niet. Ik loop achter dit meisje aan, terwijl ik me moet concentreren op mijn bedrijf.

Prioriteiten, Grey!

Hand in hand lopen we naar de auto. We zien eruit als een gewoon stel. Ze verdrinkt haast in mijn sweater, maar ze ziet er casual, ontspannen en mooi uit – en... ze hoort bij mij. De drie mannen die IHOP binnen komen lopen, werpen haar goedkeurende blikken toe. Maar daar is ze zich niet van bewust, zelfs niet als ik mijn arm om haar heen sla om te laten zien dat ze van mij is. Ze heeft er echt geen idee van hoe mooi ze is. Ik open het portier van de auto voor haar en ze bedankt me met een stralende lach.

Hier zou ik best aan kunnen wennen.

Ik tik het adres van haar moeder in op het scherm en rijd dan in noordelijke richting over de I-95 terwijl we naar de Foo Fighters luisteren. Ana tikt het ritme met haar voet mee. Dit is de muziek waar ze van houdt – echte Amerikaanse rock. Het is nu drukker op de snelweg, heel wat forenzen rijden in de richting van de stad. Maar ik vind het helemaal niet erg, ik ben graag bij haar... ik wil haar hand vasthouden, haar knie aanraken, van haar glimlach genieten. Ze vertelt me over haar vorige bezoekjes aan Savannah, ze houdt net als ik niet van de hitte, maar haar ogen lichten op als ze het over haar moeder heeft. Ik kan niet wachten om haar vanavond samen met haar moeder en stiefvader te zien.

Met spijt in het hart stop ik voor het huis. Ik zou de hele dag willen spijbelen, de laatste twaalf uur waren... leuk.

Meer dan leuk, Grey. Subliem!

'Wil je binnenkomen?' vraagt ze.

'Ik moet aan het werk, Anastasia, maar vanavond kom ik terug. Hoe laat?'

Ze stelt zeven uur voor, kijkt me dan aan, haar ogen stralend en vol leven. 'Dank je... voor dat "meer".'

'Graag gedaan, Anastasia.' Ik buig voorover om haar te kussen en ik adem haar bedwelmend zoete geur in.

'Ik zie je straks.'

'Probeer me maar eens tegen te houden,' fluister ik.

Ze stapt uit, nog steeds in mijn sweater, en zwaait naar me. Ik rijd terug naar het hotel... Ik voel me leeg zonder haar...

Op mijn kamer bel ik Taylor.

'Meneer Grey.'

'Ja... bedankt voor vanmorgen.'

'Graag gedaan, meneer.' Hij klinkt verrast.

'Ik ben om kwart voor elf klaar om naar de vergadering te gaan.'

'Ik zal zorgen dat de auto klaarstaat.'

'Bedankt.'

Ik verwissel mijn spijkerbroek voor mijn pak, maar laat mijn favoriete stropdas naast mijn laptop liggen terwijl ik bij de roomservice koffie bestel.

Ik lees en beantwoord mijn e-mails, drink koffie en overweeg om Ros te bellen; het is echter nog veel te vroeg voor haar. Ik lees al het papierwerk door dat Bill heeft gestuurd: Savannah lijkt een goede vestigingsplaats te zijn voor een nieuw kantoor. Ik check opnieuw mijn e-mail en zie een nieuw bericht van Ana.

Van: Anastasia Steele
Onderwerp: Zweven in tegenstelling tot zwepen
Datum: 2 juni 2011 10:20
Aan: Christian Grey

Jij weet tenminste hoe je een meisje moet vermaken.
Dank je,
Ana x

Ik moet lachen om het onderwerp en door de kus begin ik te glimmen. Ik beantwoord het bericht meteen.

Van: Christian Grey
Onderwerp: Zweven tegenover zwepen
Datum: 2 juni 2011 10:24
Aan: Anastasia Steele

Ik heb beide liever dan je gezwets. Ik heb het ook naar mijn zin gehad.
Maar dat is altijd zo wanneer jij bij me bent.

Christian Grey
Directeur, Grey Enterprises Holdings, Inc.

Haar reactie komt vrijwel meteen.

Van: Anastasia Steele
Onderwerp: ZWETSEN
Datum: 2 juni 2011 10:26
Aan: Christian Grey

IK ZWETS NIET. En als dat wel zo was, dan is het niet erg galant van je om me daarop te wijzen.

Je bent geen heer van stand, meneer Grey! En je bent nog wel in het verre zuiden!
Ana

Ik grinnik.

Van: Christian Grey
Onderwerp: Praten in je slaap
Datum: 2 juni 2011 10:28
Aan: Anastasia Steele

Ik heb nooit beweerd een heer te zijn, Anastasia. Ik denk dat ik je dat meerdere malen heb bewezen. Ik ben niet onder de indruk van je SCHREEUWERIGE hoofdletters.
Maar ik moet wel iets bekennen: nee – je zwetst niet, maar je praat in je slaap. Heel fascinerend.
Wat is er met mijn kusje gebeurd?

Christian Grey
Boef & directeur, Grey Enterprises Holdings, Inc.

Dit maakt haar vast razend.

Van: Anastasia Steele
Onderwerp: Spraakwaterval
Datum: 2 juni 2011 10:32
Aan: Christian Grey

Je bent een vuilak en een boef – zeker geen heer.
En wat heb ik dan gezegd? Geen kusjes voordat je het me hebt verteld!

O, dit kan nog lang duren...

Van: Christian Grey
Onderwerp: Een pratende Doornroosje

Datum: 2 juni 2011 10:35
Aan: Anastasia Steele

Het zou niet erg galant van me zijn om dat te vertellen. Daarvoor heb ik al op m'n kop gekregen. Maar als je je gedraagt, dan vertel ik het je misschien vanavond wel. Ik heb nu een bespreking. Later, schatje.

Christian Grey
Directeur, vuilak & boef, Grey Enterprises Holdings, Inc.

Met een grote grijns knoop ik mijn das om, grijp mijn jasje en ga naar beneden op zoek naar Taylor.

Iets meer dan een uur later rond ik de vergadering met Brownfield Redevelopment Authority af. Georgia heeft veel te bieden en het bestuur heeft GEH een paar serieuze fiscale stimuli beloofd. Er wordt op de deur geklopt en Taylor komt de kleine vergaderzaal binnen. Hij ziet er grimmig uit, maar wat zorgwekkender is, is dat hij nooit een van mijn vergaderingen onderbreekt. Mijn nekharen gaan overeind staan.

Ana? Is alles goed met haar?

'Mijn excuses,' zegt hij tegen ons allemaal.

'Ja, Taylor?' vraag ik.

Hij komt op me af en fluistert discreet in mijn oor. 'We hebben een probleem met Leila Williams.'

Leila? Wat in godsnaam? Maar ik ben blij dat er niets met Ana is.

'Excuseert u mij, alstublieft?' vraag ik aan de twee mannen en twee vrouwen van Brownfield.

In de gang klinkt Taylors stem ernstig terwijl hij zich nogmaals excuseert voor het onderbreken van mijn vergadering.

'Het geeft niet. Wat is er gebeurd?'

'Mevrouw Williams is per ambulance onderweg naar de spoedeisende hulp van Seattle Free Hope.'

'Ambulance?'

'Ja meneer. Ze heeft ingebroken in het appartement en heeft voor de ogen van mevrouw Jones een zelfmoordpoging gedaan.'

Fuck. 'Zelfmoord?' *Leila? In mijn appartement?*

'Ze heeft haar pols doorgesneden. Mevrouw Jones is met haar mee in de ambulance. Ze zei dat de ambulancebroeders er op tijd waren en dat mevrouw Williams buiten levensgevaar is.'

'Waarom Escala? Waarom voor de ogen van mevrouw Jones?' Ik ben in shock.

Taylor schudt zijn hoofd. 'Ik heb geen idee, meneer. En mevrouw Jones ook niet. Ze kreeg geen zinnig woord uit mevrouw Williams. Kennelijk wil ze alleen met u praten.'

'Fuck.'

'Zeker, meneer,' reageert Taylor neutraal. Ik haal mijn handen door mijn haar terwijl ik de gevolgen van Leila's daad probeer te overzien. Wat moet ik in godsnaam doen? Waarom kwam ze naar me toe? Wilde ze me zien? Waar is haar man? Wat is er met hem gebeurd?

'Hoe gaat het met mevrouw Jones?'

'Ze is geschrokken.'

'Dat verbaast me niks.'

'Ik vond dat u dit moest weten, meneer.'

'Ja. Absoluut. Bedankt,' mompel ik afwezig. Ik kan het niet geloven. Leila leek gelukkig toen ze me voor het laatst mailde, zes of zeven maanden geleden. Maar hier in Georgia krijg ik geen antwoorden op mijn vragen. Ik zal terug moeten gaan en met haar moeten praten. Uitvinden waarom ze dit gedaan heeft. 'Zeg tegen Stephan dat hij de privéjet gereedmaakt. Ik moet naar huis.'

'Doe ik.'

'We vertrekken zo snel mogelijk.'

'Ik wacht in de auto op u.'

'Bedankt.'

Taylor loopt in de richting van de uitgang en pakt zijn telefoon. Het duizelt me.

Leila. Wat de...?

Ze is al een paar jaar uit mijn leven. We stuurden elkaar af en toe een e-mail. Ze trouwde. Ze leek gelukkig te zijn. Wat is er gebeurd?

Ik loop de vergaderzaal weer binnen, excuseer mezelf en stap daarna buiten de benauwende hitte in, waar Taylor in de auto wacht.

'Het vliegtuig is over drie kwartier klaar. We kunnen teruggaan naar het hotel, inpakken en vertrekken,' licht hij me in.

'Prima,' antwoord ik, dankbaar voor de airconditioning in de auto.

'Ik moet mevrouw Jones bellen.'

'Dat heb ik al geprobeerd, maar ik kreeg haar voicemail. Ik denk dat ze nog in het ziekenhuis is.'

'Oké, dan bel ik haar later.' Dit kan mevrouw Jones niet gebruiken op een donderdagmorgen. 'Hoe is Leila het appartement binnen gekomen?'

'Dat weet ik niet, meneer.' Taylor kijkt me via de achteruitkijkspiegel aan. Zijn gezicht staat zowel verontschuldigend als grimmig.

'Ik zal dat zo snel mogelijk uitzoeken.'

Onze koffers zijn gepakt en we zijn onderweg naar Savannah/Hilton Head International als ik Ana bel, maar ze neemt tot mijn ergernis niet op. Tobbend staar ik naar buiten terwijl we naar de luchthaven rijden. Ik hoef niet lang te wachten tot ze me terugbelt.

'Anastasia.'

'Hoi,' zegt ze. Haar stem klinkt hijgerig en het is zo fijn om haar te horen.

'Ik moet terug naar Seattle. Er is iets tussengekomen. Ik ben nu op weg naar het vliegveld. Verontschuldig me alsjeblieft bij je moeder. Ik moet het avondeten overslaan.'

'Niets ernstigs, hoop ik?'

'Er is een probleem waar ik echt even mijn aandacht op moet richten. Ik zie je morgen. Ik stuur Taylor wel om je van Sea-Tac op te halen als ik zelf niet kan komen.'

'Oké,' zucht ze. 'Ik hoop dat je het allemaal kunt oplossen. Goeie vlucht.'

Ik zou willen dat ik niet hoefde te gaan.

'Jij ook, schatje,' fluister ik en ik hang dan op voordat ik van gedachten kan veranderen en blijf.

Ik bel Ros terwijl we naar de startbaan taxiën.

'Christian, hoe gaat het in Savannah?'

'Ik zit in het vliegtuig op weg naar huis. Er is een probleem dat ik moet oplossen.'

'Iets bij GEH?' vraagt Ros gealarmeerd.

'Nee. Het is privé.'

'Kan ik iets doen?'

'Nee. Ik zie je morgen.'

'Hoe ging je vergadering?'

'Goed, maar ik moest het eerder afbreken. Ik ben benieuwd wat ze op papier zetten. Misschien heb ik toch liever Detroit, alleen al omdat het daar koeler is.'

'Is het daar zo heet?'

'Verstikkend. Ik moet ophangen. Ik bel je later nog wel voor een update.'

'Goede reis, Christian.'

Tijdens de vlucht stort ik me op mijn werk om me af te leiden van het probleem dat thuis op me wacht. Tegen de tijd dat we landen, heb ik drie verslagen gelezen en vijftien e-mails getikt. Onze auto staat al klaar en Taylor rijdt rechtstreeks door de stromende regen naar Seattle Free Hope. Ik moet Leila spreken en erachter komen wat er in godsnaam aan de hand is. Hoe dichter we bij het ziekenhuis komen, hoe bozer ik word.

Waarom doet ze me zoiets aan?

Als ik uit de auto stap, valt de regen met bakken uit de hemel, het weer is al even somber als mijn humeur. Ik haal een keer diep adem om mijn woedeaanval onder controle te krijgen en loop naar de toegangsdeuren. Bij de ontvangstbalie vraag ik naar Leila Reed.

'Bent u familie?' De dienstdoende verpleegkundige kijkt me streng aan, haar mond samengeknepen en zuur.

'Nee,' zucht ik. Dit gaat moeilijk worden.

'Het spijt me, dan kan ik u niet helpen.'

'Ze heeft in mijn appartement geprobeerd haar pols door te snijden. Het lijkt me dat ik dan op zijn minst het recht heb om te weten waar ze is,' sis ik tussen mijn tanden door.

'Sla niet zo'n toon tegen me aan!' snauwt ze. Ik kijk haar boos aan. Ik kom geen stap verder met dit mens.

'Waar is jullie spoedeisende hulp?'

'Meneer, we kunnen niets voor u doen als u geen familie bent.'

'Maakt niet uit, ik vind het zelf wel,' grom ik en ik storm door de dubbele deuren. Ik weet dat ik mijn moeder zou kunnen bellen die dit voor me zou kunnen afhandelen, maar dan zou ik moeten uitleggen wat er is gebeurd.

Op de SEH wemelt het van de artsen en verpleegkundigen en de triage ligt vol patiënten. Ik klamp een jonge verpleegkundige aan en schenk haar mijn mooiste glimlach. 'Hallo, ik ben op zoek naar Leila Reed, zij is eerder vandaag opgenomen. Kunt u mij vertellen waar zij is?'

'En u bent?' vraagt ze terwijl er een blos op haar wangen verschijnt.

'Haar broer,' lieg ik gladjes, haar reactie negerend.

'Deze kant op, meneer Reed.' Ze wurmt zich tussen de mensen door naar de balie en kijkt in de computer. 'Ze ligt op de tweede verdieping, op de afdeling Psychiatrie. Neem de lift aan het einde van de gang.'

'Dank u.' Ik beloon haar met een knipoog. Ze stopt een lok haar achter haar oor en schenkt me een flirterige glimlach waardoor ik moet denken aan een bepaald meisje dat ik in Georgia heb achtergelaten.

Als ik op de tweede verdieping uit de lift stap, voel ik onmiddellijk dat er iets mis is. Aan de andere kant van wat vergrendelde deuren lijken, kammen twee beveiligers en een verpleegkundige de gang uit en controleren elke kamer. Mijn nekharen gaan overeind staan, maar ik loop naar de ontvangstbalie en doe net alsof ik niets van de commotie in de gaten heb.

'Kan ik u helpen?' vraagt een jonge man met een ring door zijn neus.

'Ik kom voor Leila Reed. Ik ben haar broer.'

De jongen verbleekt. 'O, meneer Reed. Komt u alstublieft mee.'

Ik volg hem naar een wachtruimte en ga op de plastic stoel zitten die hij me wijst. Ik zie dat de stoel is vastgeschroefd aan de vloer. 'De arts komt zo bij u.'

'Waarom kan ik haar niet zien?' vraag ik.

'Dat legt de dokter u zo uit,' antwoordt hij met een behoedzame blik. Hij verlaat de ruimte voordat ik door kan vragen.

Shit. Misschien ben ik al te laat.

Die gedachte maakt me misselijk. Ik sta op en begin door de

kleine ruimte te ijsberen terwijl ik nadenk over een telefoontje naar mevrouw Jones, maar ik hoef niet lang te wachten. Een jonge man met korte dreads en donkere, intelligente ogen komt binnen. Is hij haar arts?

'Meneer Reed?' vraagt hij.

'Waar is Leila?'

Hij kijkt mij even inschattend aan, zucht dan en wapent zichzelf. 'Ik ben bang dat ik dat niet weet,' antwoordt hij. 'Ze is erin geslaagd ertussenuit te knijpen.'

'Wat?'

'Ze is weg. Ik heb geen idee hoe, maar ze is weg.'

'Weg?' roep ik vol ongeloof uit. Ik plof neer op een van de stoelen. Hij komt tegenover me zitten.

'Ja. Ze is verdwenen. We zijn haar nu aan het zoeken.'

'Is ze nog op de afdeling?'

'Dat weten we niet.'

'En wie ben jij?' vraag ik.

'Ik ben dokter Azikiwe, de dienstdoende psychiater.'

Hij ziet er veel te jong uit om psychiater te zijn. 'Wat kunt u me over Leila vertellen?' vraag ik.

'Nou, ze is binnengebracht na een mislukte zelfmoordpoging. Ze heeft geprobeerd een van haar polsen door te snijden in het huis van een ex-vriend. Zijn huishoudster heeft haar hier gebracht.'

Ik voel het bloed uit mijn gezicht wegtrekken. 'En?' vraag ik. Ik moet meer weten.

'Dat is alles wat we weten. Ze zei dat het een inschattingsfout was en dat ze oké was, maar we wilden haar hier houden ter observatie en haar nog meer vragen stellen.'

'Hebt u met haar gepraat?'

'Ja.'

'Waarom heeft ze het gedaan?'

'Ze zei dat het een noodkreet was. Niets meer. Ze schaamde zich dat ze er zo'n spektakel van had gemaakt en wilde naar huis. Ze zei dat ze geen zelfmoord wilde plegen. Ik geloofde haar. Ik vermoed dat het een spontane ingeving was.'

'Hoe kón u haar laten ontsnappen?' Ik haal mijn hand door mijn haar in een poging mijn frustraties weg te strijken.

'Ik heb geen idee hoe ze weg heeft kunnen komen. Er komt een intern onderzoek. Als ze contact met u opneemt, adviseer ik u haar dringend te verzoeken terug te komen. Ze heeft hulp nodig. Mag ik u iets vragen?'

'Natuurlijk,' stem ik afwezig toe.

'Heeft uw familie een voorgeschiedenis met psychische aandoeningen?' Ik frons en herinner me dan dat hij het natuurlijk over Leila's familie heeft.

'Ik weet het niet. Mijn familie is erg gesloten over dat soort zaken.'

Hij kijkt bezorgd. 'Weet u iets over deze ex-vriend?'

'Nee,' antwoord ik net iets te snel. 'Hebt u met haar man gesproken?'

De dokter kijkt verrast. 'Is ze getrouwd?'

'Ja.'

'Dat heeft ze ons niet verteld.'

'O. Nou ja, ik zal hem bellen. Ik zal uw tijd niet verder verdoen.'

'Maar ik wil u nog meer vragen...'

'Ik ga liever naar haar op zoek. Ze is er duidelijk slecht aan toe,' zeg ik terwijl ik opsta.

'Maar die man...'

'Ik zal hem bellen.' Dit leidt nergens toe.

'Maar dat zouden wij moeten doen...' Ook dokter Azikiwe staat op.

'Ik kan u niet verder helpen. Ik moet haar vinden,' voeg ik er op weg naar de deur aan toe.

'Meneer Reed...'

'Tot ziens,' mompel ik terwijl ik me uit de wachtruimte haast en expres de lift vermijd. Ik neem de brandtrap met twee treden tegelijk. Ik heb een hekel aan ziekenhuizen. Een herinnering van vroeger komt boven: ik ben klein, bang en stom en de geur van desinfectiemiddel en bloed drijft mijn neus binnen.

Ik huiver.

Als ik het ziekenhuis buiten stap, sta ik een moment stil en laat de stortregen die herinnering wegwassen. Het is een stressvolle middag geweest, maar de regen is in ieder geval verfrissend vergeleken met de hitte in Savannah. Taylor komt voorrijden om me op te pikken.

'Naar huis,' zeg ik als ik instap. Nadat ik mijn gordel heb vast-gemaakt, bel ik Welch.

'Meneer Grey,' gromt hij.

'Welch, ik heb een probleem. Je moet iemand voor me vinden: Leila Reed, geboren Williams.'

Mevrouw Jones is bleek en stil terwijl ze me bezorgd aankijkt. 'Bent u klaar met eten, meneer?' vraagt ze.

Ik knik.

'Heeft het gesmaakt?'

'Ja, natuurlijk,' antwoord ik en ik glimlach eventjes. 'Maar na alle gebeurtenissen van vandaag heb ik geen trek. Hoe gaat het met je?'

'Prima, meneer Grey. Het was een complete schok. Ik wil nu ge-woon bezig blijven.'

'Ik begrijp het. Bedankt voor de maaltijd. Als je je iets herinnert, laat het me weten.'

'Natuurlijk. Maar zoals ik al zei, ze wilde alleen met u praten.'

Waarom? Wat wil ze dat ik doe?

'Bedankt dat je de politie niet hebt gebeld.'

'De politie is niet wat dat meisje nu nodig heeft. Ze heeft hulp nodig.'

'Dat klopt. Ik zou willen dat ik wist waar ze was.'

'U vindt haar wel,' antwoordt ze met zo veel vertrouwen dat het me verrast.

'Heb je nog iets nodig?' vraag ik.

'Nee, meneer Grey, het gaat prima.' Ze tilt het bord met mijn half opgegeten maaltijd op en brengt het naar het aanrecht.

Het nieuws van Welch over Leila is frustrerend. Het spoor loopt dood. Ze is niet in het ziekenhuis en ze weten nog steeds niet hoe ze heeft kunnen ontsnappen. Iets in mij bewondert dat, ze was altijd al uitgekiend. Maar wat heeft haar zo ongelukkig gemaakt dat ze dit doet? Ik leun met mijn hoofd op mijn handen. Wat een dag... van stralend tot absurd. Zwevend met Ana en nu deze zooi om op te lossen. Taylor tast in het duister over hoe Leila in het appartement heeft kunnen komen en ook mevrouw Jones heeft geen idee. Blijk-baar marcheerde Leila de keuken in en eiste ze te weten waar ik was. Toen mevrouw Jones zei dat ik er niet was, gilde ze: 'Hij is weg!' en sneed haar pols door met een stanleymes. Gelukkig was de snee niet diep.

Ik gluur naar mevrouw Jones, die de keuken schoonmaakt. Mijn bloed stolt in mijn aderen. Leila had haar kunnen verwonden. Misschien was het Leila's doel om mij pijn te doen. *Maar waarom?* Ik wrijf in mijn ogen in een poging me te herinneren of iets in ons laatste contact me een aanwijzing kan geven waarom ze ontspoord is. Tot mijn teleurstelling kan ik niets bedenken en met een zucht loop ik naar mijn studeerkamer.

Terwijl ik ga zitten, trilt mijn telefoon. Ik heb een berichtje.

Ana?

Het is Elliot.

Hé topspeler, potje poolen?

Poolen met Elliot betekent dat hij langskomt en al mijn bier opdrinkt. Eerlijk gezegd ben ik niet in de stemming.

Aan het werk. Volgende week?

Zeker. Voordat ik op vakantie ga.

Ik maak je in.

Later.

Ik gooi mijn telefoon op het bureau en verdiep me in Leila's dossier, op zoek naar iets wat een aanwijzing kan zijn over waar ze is. Ik vind het adres en telefoonnummer van haar ouders, maar niets over haar man. Waar is hij? Waarom is zij niet bij hem?

Ik heb geen zin om haar ouders te bellen en hen te waarschuwen. Ik bel Welch en geef hem het nummer, hij kan wel uitvinden of zij contact met hen heeft opgenomen of niet.

Als ik mijn laptop aanzet, zie ik een e-mail van Ana.

Van: Anastasia Steele
Onderwerp: Veilig aangekomen?

Datum: 2 juni 2011 22:32 EST
Aan: Christian Grey

Meneer,
Laat me alsjeblieft even weten of je veilig bent aangekomen. Begin me een beetje zorgen te maken. Denk aan je.
Je Ana x

Voor ik er erg in heb, ligt mijn vinger op het kusje dat ze me heeft gezonden.
Ana.
Klef, Grey. Klef. Doe normaal.

Van: Christian Grey
Onderwerp: Sorry
Datum: 2 juni 2011 19:36
Aan: Anastasia Steele

Beste mevrouw Steele,
Ik ben veilig aangekomen. Het spijt me dat ik je dat niet even heb laten weten. Ik wil niet dat je je zorgen maakt. Het is geweldig te weten dat je zoveel om me geeft. Ik denk ook aan jou en ik kijk ernaar uit je morgen weer te zien.

Christian Grey
Directeur, Grey Enterprises Holdings, Inc.

Ik druk op verzenden en wens dat ze nu hier was. Ze vrolijkt mijn thuis op, mijn leven... mij. Ik schud mijn hoofd bij deze bizarre gedachten en bekijk mijn andere e-mails.
Een ping laat me weten dat er een nieuw bericht van Ana is.

Van: Anastasia Steele
Onderwerp: De situatie
Datum: 2 juni 2011 22:40 EST
Aan: Christian Grey

Beste meneer Grey,
Het is zeer duidelijk dat ik veel om je geef. Hoe kun je daaraan
twijfelen?
Ik hoop dat je 'situatie' is opgelost.
Je Ana x
PS Ga je me nog vertellen wat ik zei in mijn slaap?

Ze geeft veel om me? Dat is fijn. Ineens komt dat vreemde gevoel,
dat ik de hele dag niet heb gevoeld, naar boven drijven en verspreidt zich in mijn borst. Daaronder zit een bron van pijn die ik
niet wil erkennen en niet wil openen. Het gevoel brengt een herinnering boven van een jonge vrouw die haar lange, donkere haar
borstelt...
Fuck.
Stop, Grey, niet verdergaan.
Ik beantwoord Ana's e-mail en besluit haar ter afleiding te plagen.

Van: Christian Grey
Onderwerp: Het Recht tot Zwijgen
Datum: 2 juni 2011 19:45
Aan: Anastasia Steele

Beste mevrouw Steele,
Ik vind het zeer prettig dat je je zorgen om me maakt. De 'situatie'
hier is nog niet opgelost.
Wat betreft je PS is het antwoord – nee.

Christian Grey
Directeur, Grey Enterprises Holdings, Inc.

Van: Anastasia Steele
Onderwerp: Ontoerekeningsvatbaarheid
Datum: 2 juni 2011 22:48 EST
Aan: Christian Grey

Ik hoop dat het leuk was, maar je moet weten dat ik geen enkele
verantwoording kan accepteren voor iets wat ik zeg wanneer ik

niet bij bewustzijn ben. Je zult me wel verkeerd hebben verstaan. Een man van jouw leeftijd moet wel enigszins doof zijn.

Voor de eerste keer sinds ik terug ben in Seattle, lach ik. Wat is ze toch een welkome afleiding.

Van: Christian Grey
Onderwerp: Schuld bekennen
Datum: 2 juni 2011 19:52
Aan: Anastasia Steele

Beste mevrouw Steele,
Sorry, maar kunt u wat harder praten? Ik kan u niet verstaan.

Christian Grey
Directeur, Grey Enterprises Holdings, Inc.

Haar antwoord volgt direct.

Van: Anastasia Steele
Onderwerp: Weer ontoerekeningsvatbaar
Datum: 2 juni 2011 22:54 EST
Aan: Christian Grey

Je maakt me helemaal gek.

Van: Christian Grey
Onderwerp: Dat hoop ik wel...
Datum: 2 juni 2011 19:59
Aan: Anastasia Steele

Beste mevrouw Steele,
Dat is precies wat ik vrijdagavond van plan ben om te doen. Ik kijk ernaar uit.
;)

Christian Grey
Directeur, Grey Enterprises Holdings, Inc.

Ik zal iets extra speciaals voor mijn kleine freak moeten verzinnen.

Van: Anastasia Steele
Onderwerp: Grrrrr
Datum: 2 juni 2011 23:02 EST
Aan: Christian Grey

Ik ben nu officieel boos op je. Een goedenacht.
Mevrouw A.R. Steele

Wat... Zou ik dit van iemand anders pikken?

Van: Christian Grey
Onderwerp: Wild Katje
Datum: 2 juni 2011 20:05
Aan: Anastasia Steele

Je gaat toch niet tegen me snauwen, mevrouw Steele?
Ik heb een eigen kat tegen mopperpotjes.

Christian Grey
Directeur, Grey Enterprises Holdings, Inc.

Ze reageert niet. Vijf minuten gaan voorbij, niets. Zes... Zeven.
Verdomme. Ze meent het. Hoe kan ik haar vertellen dat ze in haar slaap zei dat ze me niet zou verlaten? Ze denkt vast dat ik gek ben.

Van: Christian Grey
Onderwerp: Wat Je Zei In Je Slaap
Datum: 2 juni 2011 20:20
Aan: Anastasia Steele

Anastasia,
Ik heb liever dat je de woorden die je zei in je slaap zegt wanneer je bij bewustzijn bent. Daarom zeg ik het je niet. Ga slapen. Je moet goed uitgerust zijn voor wat ik morgen voor je in petto heb.

Christian Grey
Directeur, Grey Enterprises Holdings, Inc.

Ze geeft geen antwoord. Ik hoop dat ze eindelijk eens een keer doet wat haar wordt opgedragen en dat ze is gaan slapen. Kort denk ik na over wat we morgen zouden kunnen doen, maar het is allemaal te opwindend, dus duw ik de gedachte weg en concentreer ik me weer op mijn e-mail.

Maar ik moet toegeven dat ik me iets lichter voel na wat gedol via e-mail met mevrouw Steele. Zij is goed voor mijn duistere, donkere ziel.

Vrijdag 3 juni 2011

Ik kan niet slapen. Het is na tweeën en ik staar al een uur naar het plafond. Vannacht word ik echter niet uit mijn slaap gehouden door mijn slapende nachtmerries, maar door een sluimerende. *Leila Williams.* De rookmelder aan het plafond knippert naar me. Het groene lichtje drijft de spot met me.

Verdomme!

Ik doe mijn ogen dicht en laat mijn gedachten de vrije loop. Waarom is Leila suïcidaal? Waar heeft ze last van? In haar wanhopige ellende weerklinkt een jongere, ongelukkigere ik. Ik probeer mijn herinneringen te onderdrukken, maar de boosheid en frustratie van mijn eenzame tienerjaren sluimeren aan de oppervlakte en willen niet weggaan. Het herinnert me aan mijn pijn en aan hoe ik in mijn jeugd iedereen aanviel. Zelfmoord plegen schoot destijds vaak door mijn hoofd, maar ik hield het tegen. Ik weerstond het voor Grace. Ik wist dat ze er kapot van zou zijn. Ik wist dat ze zichzelf de schuld zou geven als ik het daadwerkelijk zou doen en ze had zoveel voor mij gedaan... hoe zou ik haar dat kunnen aandoen? En toen ik Elena ontmoette... veranderde alles.

Terwijl ik opsta, druk ik al deze angstaanjagende gedachten weg. Ik heb behoefte aan pianomuziek.

Ik heb behoefte aan Ana.

Als ze het contract had getekend en alles was volgens plan gegaan, dan was ze nu bij me geweest, boven, in slaap. Ik zou haar wakker kunnen maken en mezelf dan in haar verliezen... of, volgens onze nieuwe overeenkomst, zou ik haar neuken en haar vervolgens in slaap zien vallen.

Wat zou zij van Leila denken?

Terwijl ik op de pianokruk ga zitten, bedenk ik me dat Ana Leila nooit zal ontmoeten en dat is maar goed ook. Ik weet hoe ze over Elena denkt. God weet hoe ze over een ex zal denken... een onvoorspelbare ex. Dit is wat ik niet kan rijmen: Leila was gelukkig, ondeugend en vrolijk toen ik haar kende. Ze was een buitengewone Onderdanige. Ik dacht dat ze zich ergens had gesetteld en gelukkig was getrouwd. Uit haar e-mails bleek niet dat er iets scheef zat. Wat is er misgegaan? Ik begin te spelen... en mijn troebele gedachten verdwijnen één voor één totdat ik alleen met mezelf en de muziek ben.

Leila verwent mijn pik met haar mond.
Haar vaardige mond.
Haar handen zijn vastgebonden op haar rug.
Haar haar is gevlochten.
Ze zit op haar knieën.
Haar ogen afgewend. Bescheiden. Verleidelijk.
Ze ziet me niet.
En plotseling is zij Ana.
Ana op haar knieën voor me. Naakt. Schitterend.
Mijn pik in haar mond.
Maar Ana kijkt me aan.
Haar felle blauwe ogen zien alles.
Zien mij. Mijn ziel.
Zij ziet de duisternis en het monster daaronder.
Haar ogen worden groot van afschuw en plotseling verdwijnt ze.

Shit! Ik word met een schok en een pijnlijke erectie die slap wordt zodra ik Ana's gekwetste blik uit mijn droom terughaal wakker. *Wat is dit?* Ik heb zelden geile dromen. *Waarom nu dan wel?* Ik kijk op de klok en zie dat mijn wekker over een paar minuten af zal gaan. Het ochtendlicht kruipt tussen de gebouwen omhoog terwijl ik opsta. Ik ben al rusteloos, ongetwijfeld het resultaat van mijn zorgelijke droom, dus ik besluit te gaan hardlopen om wat energie kwijt te raken. Er zijn geen nieuwe e-mails, geen berichten, geen updates over Leila. Het appartement is stil als ik wegga. Mevrouw Jones is nog nergens te bekennen. Ik hoop dat ze wat is bijgekomen van de gebeurtenissen van gisteren.

Ik doe de glazen deuren in de lobby open, stap de zachte, zonnige morgen in, en kijk voorzichtig de straat door. Tijdens het hardlopen controleer ik alle stegen en portieken waar ik langskom en kijk ik achter geparkeerde auto's in de hoop Leila te zien.

Waar ben je, Leila Williams?

Ik draai het volume van de iPod open en mijn voeten stampen over de stoep.

Olivia is buitengewoon irritant vandaag. Ze heeft mijn koffie gemorst, een belangrijk telefoontje gemist, en ze blijft maar naar me loeren met die grote bruine ogen van haar.

'Bel Ros terug,' blaf ik naar haar. 'Of beter nog, zorg dat ze hierheen komt.' Ik doe de deur van mijn kantoor dicht en loop terug naar mijn bureau. Ik moet toch eens proberen mijn humeur niet af te reageren op mijn personeel.

Welch heeft geen nieuws, behalve dat Leila's ouders denken dat hun dochter nog steeds in Portland bij haar man is. Er wordt op de deur geklopt.

'Binnen.' Ik hoop dat het in godsnaam niet Olivia is. Ros steekt haar hoofd om de deur.

'Je wilde me spreken?'

'Ja, zeker. Kom binnen. Hoe staat het met Woods?'

Ros vertrekt iets voor tienen. Alles loopt op rolletjes: Woods heeft de deal geaccepteerd en de hulpzending voor Darfur is klaar om naar München te worden gebracht als voorbereiding op de luchtbrug. Er is nog geen nieuws uit Savannah over hun aanbod.

Ik check mijn e-mail en zie een welkom bericht van Ana.

Van: Anastasia Steele
Onderwerp: Op weg naar huis
Datum: 3 juni 2011 12:53 EST
Aan: Christian Grey

Beste meneer Grey,
Ik zit wederom eersteklas, waarvoor ik je dank. Ik tel de minuten

tot ik je weer zie vanavond. Misschien moet ik je wel martelen om achter de waarheid te komen over mijn nachtelijke bekentenissen.

Je Ana x

Mij martelen? *O, mevrouw Steele, ik denk dat het juist andersom zal zijn.* Omdat ik veel te doen heb, reageer ik kort.

Van: Christian Grey
Onderwerp: Op weg naar huis
Datum: 3 juni 2011 09:58
Aan: Anastasia Steele

Anastasia, ik kijk ernaar uit je weer te zien.

Christian Grey
Directeur, Grey Enterprises Holdings, Inc.

Maar Ana is niet tevreden.

Van: Anastasia Steele
Onderwerp: Op weg naar huis
Datum: 3 juni 2011 13:01 EST
Aan: Christian Grey

Liefste meneer Grey,
Ik hoop dat alles goed is betreffende de 'situatie'. De toon in je e-mail baart me zorgen.
Ana x

Ik krijg ten minste nog een kus. Ze zal nu toch wel in de lucht zitten?

Van: Christian Grey
Onderwerp: Op weg naar huis
Datum: 3 juni 2011 10:04
Aan: Anastasia Steele

Anastasia,
De 'situatie' is nog niet goed. Ben je al in de lucht? Zo ja, dan
moet je niet e-mailen. Je brengt jezelf in gevaar en bent in directe
overtreding van de regels betreffende je persoonlijke veiligheid. Ik
meende wat ik zei over straffen.

Christian Grey
Directeur, Grey Enterprises Holdings, Inc.

Ik sta op het punt om Welch op te bellen voor een update, maar
dan klinkt er een ping – weer Ana.

Van: Anastasia Steele
Onderwerp: Overdreven
Datum: 3 juni 2011 13:06 EST
Aan: Christian Grey

Beste meneer Mopperkont,
De deuren van het vliegtuig zijn nog steeds open. We hebben
ongeveer tien minuten vertraging. Mijn veiligheid en die van mijn
medepassagiers is gegarandeerd. Je kunt je jeukende handjes weer
in je broekzak steken, hoor.
Mevrouw Steele

Een aarzelende glimlach trekt om mijn lippen. *Meneer Mopperkont,
hè?* En geen kus *O nee.*

Van: Christian Grey
Onderwerp: Verontschuldigingen – Jeukende handjes weer
opgeborgen
Datum: 3 juni 2011 10:08
Aan: Anastasia Steele

Ik mis jou en je bijdehante opmerkingen, mevrouw Steele.
Ik wil dat je veilig thuiskomt.

Christian Grey
Directeur, Grey Enterprises Holdings, Inc.

Van: Anastasia Steele
Onderwerp: Verontschuldigingen geaccepteerd
Datum: 3 juni 2011 13:10 EST
Aan: Christian Grey

De deuren gaan nu dicht. Je zult niks meer van me horen, zeker
gezien je doofheid.
Later.
Ana x

Mijn kus is terug. *Wat een opluchting.* Met tegenzin maak ik mijn
blik los van het computerscherm en pak mijn telefoon om Welch
te bellen.

Om één uur sla ik Andrea's aanbod voor lunch aan mijn bureau af.
Ik moet er even tussenuit. De muren van mijn kantoor komen op
me af en ik denk dat dat komt doordat er geen nieuws over Leila is.
Ik maak me zorgen over haar. *Verdomme, ze wilde me zien.* Ze besloot mijn huis als haar podium te gebruiken. Hoe kan ik dit nou
niet persoonlijk opvatten? Waarom stuurde ze me geen e-mail of
belde ze me niet? Als ze problemen had, zou ik haar hebben kunnen
helpen. Ik zou haar hebben geholpen... dat heb ik al eerder gedaan.
Ik heb frisse lucht nodig. Ik loop langs Olivia en Andrea, die allebei druk bezig lijken te zijn, maar ik vang toch Andrea's bezorgde
blik op als ik in de lift stap.
Buiten is het een vrolijke, drukke middag. Ik haal diep adem en
ruik de kalmerende geur van het zoute water van de Puget Sound.
Misschien moet ik de rest van de dag vrij nemen? Maar dat gaat
niet. Ik heb een afspraak met de burgemeester vanmiddag. Het is
frustrerend, ik zie hem morgen op het gala van de Kamer van Koophandel.
Het gala!
Plotseling heb ik een idee en met een vernieuwde doelgericht-
heid loop ik naar een klein winkeltje dat ik ken.

Na mijn afspraak met de burgemeester loop ik ongeveer tien straten terug naar Escala omdat Taylor de auto gebruikt om Ana van het vliegveld te halen. Mevrouw Jones is in de keuken als ik de woonkamer binnen kom.

'Goedenavond, meneer Grey.'

'Hallo, mevrouw Jones. Hoe was je dag?'

'Goed, dank u, meneer.'

'Voel je je al beter?'

'Ja, meneer. De kleren voor mevrouw Steele zijn aangekomen... Ik heb ze uitgepakt en opgehangen in de kast op haar kamer.'

'Geweldig. Nog geen teken van leven van Leila?' Stomme vraag: ze zou me hebben gebeld.

'Nee, meneer. Ook dit is gearriveerd.' Ze houdt een kleine rode cadeautas omhoog.

'Mooi.' Ik neem de tas van haar aan en negeer de geamuseerde twinkeling in haar ogen.

'Voor hoeveel personen avondeten?'

'Twee, alsjeblieft. En mevrouw Jones...'

'Meneer?'

'Wil je het bed in de speelkamer met de satijnen lakens opmaken?'

Ik hoop echt dat ik Ana daar dit weekend een keer in kan krijgen.

'Ja, meneer Grey,' antwoordt ze wat verrast. Ze gaat terug naar de keuken om verder te gaan waarmee ze bezig was en laat mij enigszins verbaasd over haar gedrag achter.

Misschien keurt mevrouw Jones het niet goed, maar dit wil ik van Ana.

In mijn studeerkamer haal ik het doosje van Cartier uit de tas. Het is een cadeau voor Ana dat ik haar morgen voor het gala wil geven: een paar oorringen. Simpel. Elegant. Mooi. Precies zoals zij. Ik glimlach. Op haar gympen en in spijkerbroek heeft ze een jongensachtige charme.

Ik hoop dat ze mijn cadeautje aanneemt. Als mijn Onderdanige heeft ze geen keus, maar met onze alternatieve regeling weet ik niet wat haar reactie zal zijn. Hoe dan ook, het wordt interessant. Ze verrast me altijd. Terwijl ik het doosje in mijn bureaula leg, klinkt er een ping uit mijn laptop. Barneys meest recente tabletontwerpen zitten in mijn inbox en ik kan niet wachten om ze te zien.

Vijf minuten later belt Welch.

'Meneer Grey,' piept hij.

'Ja. Wat is er?'

'Ik heb met Russell Reed gepraat, de man van mevrouw Reed.'

'En?' Ik ben meteen ongerust. Ik storm mijn studeerkamer uit naar de woonkamer en ga voor de grote ramen staan.

'Hij zegt dat zijn vrouw op bezoek is bij haar ouders,' vertelt Welch.

'Wat?'

'Inderdaad.' Welch klinkt al net zo geërgerd als ik.

De aanblik van Seattle aan mijn voeten, wetende dat mevrouw Reed alias Leila Williams daar ergens rondzwerft, vergroot mijn frustratie. Ik hark met mijn vingers door mijn haar.

'Misschien heeft ze hem dat wel verteld.'

'Misschien,' antwoordt hij, 'maar we hebben tot nu toe dus niets gevonden.'

'Geen spoor?' Ik kan niet geloven dat ze zomaar kan verdwijnen.

'Niets. Maar als ze ook maar iets doet zoals een pinautomaat gebruiken, een cheque inwisselen of inloggen op haar sociale media, vinden we haar.'

'Oké.'

'We zouden graag de beveiligingsbeelden van rond het ziekenhuis willen bekijken. Dat kost geld en neemt wat tijd in beslag. Is dat goed?'

'Ja.' Mijn huid tintelt... en niet vanwege het telefoontje. Om de een of andere reden voel ik dat ik word bekeken. Als ik me omdraai, zie ik Ana in de deuropening van de kamer staan terwijl ze mé nauwkeurig bestudeert. Haar voorhoofd gefronst en haar lippen getuit. Ze draagt een kort, zeer kort rokje. Ze is een en al ogen en benen... vooral benen. Ik stel me voor hoe ze die om mijn middel slaat.

Verlangen, rauw en oprecht, zet mijn bloed in vuur en vlam terwijl ik naar haar staar.

'We maken er gelijk werk van,' zegt Welch.

Ik rond het gesprek af, mijn ogen vastgehaakt in die van Ana, en ik loop op haar af terwijl ik mijn jasje uitdoe en stropdas losmaak, en op de bank gooi.

Ana.

Ik sla mijn armen om haar heen, grijp haar paardenstaart en trek hem naar achteren zodat haar begerige lippen naar de mijne omhoog komen. Ze smaakt naar hemel en thuis en herfst en Ana. Haar geur dringt mijn neus binnen, terwijl ik alles van haar neem wat haar warme, zoete mond te bieden heeft. Mijn borst vult zich van verwachting en honger als onze tongen zich verstrengelen. Ik wil mezelf in haar verliezen, het rotte einde van mijn week vergeten, alles vergeten behalve haar heerlijke lichaam.

Met mijn lippen koortsachtig tegen de hare gedrukt, trek ik het haarelastiekje uit haar paardenstaart terwijl haar vingers door mijn haar woelen. Plotseling word ik overvallen door mijn wanhopige behoefte naar haar. Ik trek me terug en kijk neer op een gezicht dat vol passie staat.

Ik voel hetzelfde. *Wat doet ze met me?*

'Wat is er?' hijgt ze.

Het antwoord is duidelijk, het klinkt duidelijk in mijn hoofd. *Ik heb je gemist.*

'Ik ben zo blij dat je terug bent. Ga met me douchen. Nu.'

'Ja,' antwoordt ze met hese stem. Ik pak haar hand en we lopen naar de badkamer. Ik zet de douche aan en kijk haar dan aan. Ze is schitterend. Haar ogen staan helder en glanzen van verwachting terwijl ze naar me kijkt. Mijn blik glijdt omlaag naar haar blote benen. Ik heb haar nog nooit in zo'n kort rokje gezien, met zo veel blote huid in het zicht, en ik weet niet of ik het goed vind. *Ze is enkel voor mijn ogen bestemd.*

'Leuk rokje. Lekker kort.' *Te kort.* 'Je hebt mooie benen.' Ik trek mijn schoenen en sokken uit en zonder het oogcontact te verbreken, doet zij hetzelfde.

Vergeet de douche. Ik wil haar nu.

Ik stap op haar af, grijp haar hoofd en we lopen achteruit tot ze tegen de betegelde muur staat. Haar lippen vallen open als ze ademhaalt. Terwijl ik haar gezicht vasthoud en mijn vingers door haar haar laat gaan, kus ik haar: haar wang, haar hals, haar mond. Ze is als nectar waar ik geen genoeg van krijg. Haar ademhaling stokt in haar keel en ze pakt mijn armen vast, maar haar aanraking is niet bedoeld om afstand te scheppen. Alleen Ana is er, zo mooi en onschuldig als ze maar kan zijn, terwijl ze me terugkust met een passie die even fel is als de mijne.

Mijn bloed pompt vol verlangen, mijn erectie is pijnlijk. 'Ik wil je nu. Hier... snel, hard,' hijg ik terwijl mijn hand over haar naakte dij naar boven onder haar rok glijdt. 'Ben je nog ongesteld?'

'Nee.'

'Mooi.' Ik trek haar rokje over haar heupen, haak beide duimen in haar katoenen slipje, val op mijn knieën op de grond en trek het lapje stof naar beneden.

Ze snakt naar adem als ik haar heupen beetpak en haar dijen onder haar schaamhaar kus. Mijn handen glijden naar de achterkant van haar dijen, waardoor ik haar benen uit elkaar duw en haar clitoris aan mijn tong overlever. Als ik mijn sensuele aanval begin, grijpen haar vingers mijn haar beet. Mijn tong kwelt haar. Ze kreunt en haar hoofd valt achterover tegen de muur.

Ze ruikt verrukkelijk. Ze smaakt nog beter.

Terwijl ze kreunt en hijgt, duwt ze haar heupen op naar mijn dwingende, aanhoudende tong en beginnen haar benen te trillen.

Genoeg. Ik wil in haar zijn.

Ik wil mijn huid tegen haar huid voelen, net als in Savannah. Ik laat haar los, sta op, pak haar gezicht beet, verover haar verraste en teleurgestelde mond met de mijne en kus haar hard. Ik rits mijn gulp open en til haar op door haar onder haar dijen vast te pakken. 'Sla je benen om me heen, schatje.' Mijn stem is ruw en indringend. Zodra ze doet wat ik zeg, stoot ik naar voren en glijd in haar.

Ze is van mij. Ze is goddelijk.

Terwijl ze zich aan me vastklampt, snikt ze terwijl ik me in haar stort... eerst langzaam, maar dan opbouwend als mijn lichaam de controle overneemt, me naar voren drijft, me in haar drijft, sneller en sneller, harder en harder, mijn gezicht tegen haar hals. Ze kreunt en ik voel haar om me heen versnellen. Op het moment dat ze in een orgasme explodeert en het uitschreeuwt, ben ik verloren, in haar, in ons. Het gevoel dat ze om me heen samentrekt, duwt me over het randje en ik kom diep en hard in haar klaar. Ik grom haar naam onverstaanbaar.

Ik kus haar hals en wil me niet terugtrekken voordat ze weer gekalmeerd is. We staan in een wolk van stoom en mijn overhemd en broek plakken tegen mijn lijf, maar het doet me niets. Ana's ademhaling wordt rustiger en ze voelt zwaarder in mijn armen nu ze ontspant. Haar gezichtsuitdrukking is frivool en beduusd als ik uit haar glijd, dus houd ik haar goed vast tot ze weer stevig op haar voeten staat. Haar lippen krullen zich op in een aantrekkelijke glimlach.

'Het lijkt wel alsof je blij bent me te zien,' zegt ze.

'Ja, mevrouw Steele. Volgens mij is dat wel duidelijk. Kom – dan gaan we douchen.'

Ik kleed me vlug uit en als ik naakt ben, begin ik de knopen van Ana's blouse open te maken. Haar ogen gaan van mijn handen naar mijn gezicht.

'Hoe was je reis?' vraag ik.

'Goed, dank je,' antwoordt ze een beetje hees. 'Bedankt nog voor het eersteklasticket. Het is echt een veel prettigere manier van reizen.' Ze haalt snel adem terwijl ze zichzelf wapent. 'Ik heb een nieuwtje,' zegt ze.

'O?' Wat komt er nu? Ik trek haar blouse uit en laat het kledingstuk boven op mijn kleren vallen.

'Ik heb een baan.' Ze klinkt terughoudend.

Waarom? Dacht ze dat ik boos zou worden? Natuurlijk heeft ze een baan gevonden. Mijn borst zwelt van trots. 'Gefeliciteerd, mevrouw Steele. Ga je me ook nog vertellen waar?' vraag ik met een glimlach.

'Weet je dat dan niet?'

'Waarom zou ik dat weten?'

'Met jouw stalkerscapaciteiten. Ik dacht dat je misschien wel...' Ze stopt om mijn gezicht te bestuderen.

'Anastasia, ik zal me nooit bemoeien met jouw carrière, tenzij je het me vraagt natuurlijk.'

'Dus je weet niet bij welk bedrijf?'

'Nee. Ik weet dat er vier uitgeverijen zijn in Seattle... Ik neem aan dat het een van die vier is.'

'SIP,' verkondigt ze.

'O, de kleinste. Goed gedaan.' Het is het bedrijf dat Ros heeft aangeduid als rijp voor overname. Dit wordt makkelijk.

Ik kus Ana's voorhoofd. 'Slimme meid. Wanneer begin je?'

'Maandag.'

'Zo snel al? Dan kan ik er beter van profiteren dat je nu nog hier bent. Draai je om.'

Ze gehoorzaamt onmiddellijk. Ik trek haar bh en rok uit, neem haar borsten in mijn handen en kus haar schouder. Terwijl ik tegen haar aan leun, snuffel ik met mijn neus in haar haren. Haar geur dringt mijn neus binnen, rustgevend, bekend en uniek Ana. Het gevoel van haar lichaam tegen het mijne is zowel kalmerend als opwindend. Ze is echt alles.

'Je bedwelmt me, mevrouw Steele, en je kalmeert me ook. Wat een heerlijke combinatie.' Dankbaar dat ze bij me is, kus ik haar haar. Dan pak ik haar hand en trek haar onder de hete douche.

'Au,' gilt ze en ze sluit haar ogen terwijl ze terugdeinst van de stomende waterval.

'Het is alleen maar een beetje heet water,' grijns ik haar toe. Ze opent één oog, tilt haar kin op en geeft zich langzaam over aan de hitte.

'Draai je om,' commandeer ik. 'Ik wil je wassen.' Ze doet wat ik zeg en ik knijp wat douchegel in mijn hand, wrijf even tot het schuimt en begin haar schouders te masseren.

'Ik moet je nog iets vertellen,' zegt ze, haar schouders aanspannend.

'O ja?' Ik houd mijn stem vriendelijk. *Waarom is ze zo gespannen?* Mijn handen glijden over haar hals naar haar mooie borsten.

'De fototentoonstelling van José wordt donderdag in Portland geopend.'

'Ja, en?' *Die fotograaf weer?*

'Ik heb gezegd dat ik kom. Zou je met me mee willen gaan?' De woorden rollen uit haar mond alsof ze bang is om ze uit te spreken. *Een uitnodiging?* Ik sta versteld. Ik krijg enkel uitnodigingen van mijn familie, werk en Elena.

'Hoe laat?'

'Het begint om halfacht 's avonds.'

Dit telt duidelijk als *meer*. Ik kus haar oor en fluister: 'Oké.' Haar schouders ontspannen als ze tegen me aan leunt. Ze lijkt haast opgelucht en ik weet niet goed of ik geamuseerd of boos moet zijn. Ben ik echt zo onbenaderbaar?

'Vond je het moeilijk om het me te vragen?'

'Ja. Hoe weet je dat?'

'Anastasia, je hele lijf ontspande zich zojuist.' Ik weet mijn irritatie te verbergen.

479

'Nou ja, je bent nogal, eh... jaloers aangelegd.'

Ja, ik ben jaloers. De gedachte dat Ana met iemand anders is... verwarrend. Zeer verwarrend. 'Dat klopt. En dat kun je maar beter goed onthouden. Maar dank je voor de uitnodiging. We gaan wel met Charlie Tango.'

Ze grijnst snel naar me terwijl mijn handen over haar lichaam glijden. Het lichaam dat ze aan mij heeft gegeven, en aan niemand anders.

'Zal ik jou nu wassen?' vraagt ze. Dat amuseert me.

'Nee, doe dat maar niet.' Ik kus haar nek en spoel haar rug af.

'Zal ik je ooit mogen aanraken?' Haar stem is een zacht verzoek, maar het houdt de duisternis die me plotseling overvalt en mijn keel dichtknijpt niet tegen.

Nee.

Ik probeer het te verdrijven door Ana's billen te omvatten en me erop te concentreren. Haar verdomd mooie kont. Mijn lichaam reageert zeer primitief... in strijd met de duisternis. Ik heb haar nodig. Ik heb haar nodig om mijn angst weg te jagen.

'Zet je handen tegen de muur, Anastasia. Ik ga je nog een keer nemen,' fluister ik, en met een verbaasde blik op mij spreidt ze haar handen tegen de tegels. Ik grijp haar heupen en trek haar van de muur af. 'Hou je vast, Anastasia,' waarschuw ik haar terwijl het water over haar rug stroomt.

Ze buigt haar hoofd en zet zichzelf schrap terwijl mijn handen door haar schaamhaar strijken. Ze draait en wrijft haar billen tegen mijn opwinding.

Fuck! En daarmee verdwijnt de rest van mijn angst.

'Wil je dit?' vraag ik terwijl mijn vingers haar plagen. Als antwoord beweegt ze haar billen tegen mijn erectie. Ik glimlach. 'Zeg het me,' eis ik met strenge stem.

'Ja.' Haar bevestiging snijdt door het stromende water en houdt de duisternis op afstand.

O, schatje.

Ze is nog steeds nat van net... van mij, van haarzelf... ik heb geen idee. In stilte richt ik een dankwoordje aan dokter Green: geen condooms meer. Ik glijd in Ana en maak haar langzaam en bewust opnieuw tot de mijne.

Ik wikkel haar in een badjas en kus haar grondig. 'Droog je haar af,' beveel ik terwijl ik haar de föhn overhandig, die ik zelf nooit gebruik. 'Heb je trek?'

'Ik ben uitgehongerd,' geeft ze toe. Ik weet niet of ze dat meent of dat ze het zegt om me te plezieren, maar het doet me zeker goed. 'Mooi zo. Ik ook. Ik zal kijken hoe ver mevrouw Jones is met het eten. Je hebt tien minuten. Kleed je niet aan.' Ik kus haar nog een keer en loop dan richting de keuken.

Mevrouw Jones staat iets te wassen in de gootsteen. Ze kijkt op als ik over haar schouder loer.

'Venusschelpen, meneer Grey,' verklaart ze.

Heerlijk. Pasta alle vongole, een van mijn favorieten.

'Tien minuten?' vraag ik.

'Twaalf,' antwoordt ze.

'Prima.'

Ze schenkt me een bepaalde blik als ik naar mijn studeerkamer loop, maar ik negeer het. Ze heeft me wel eens in minder dan mijn badjas gezien... wat is het probleem?

Ik lees wat e-mails en controleer mijn telefoon om te zien of er nieuws is over Leila. Niets... maar sinds Ana hier is, voel ik me minder hopeloos dan eerst.

Ana komt op hetzelfde moment de keuken binnen als ik, ongetwijfeld gelokt door de overheerlijke geur van ons diner. Als ze mevrouw Jones ziet, grijpt ze de kraag van haar badjas om hem dicht te houden.

'Precies op tijd,' zegt mevrouw Jones. Ze serveert onze maaltijd in twee grote kommen en zet ze op de ontbijtbar.

'Zit,' zeg ik en ik wijs naar een van de barkrukken. Ana's grote ogen kijken van mij naar mevrouw Jones.

Ze is slecht op haar gemak.

Schatje, ik heb personeel. Wen eraan.

'Wijn?' vraag ik in een poging om haar af te leiden.

'Graag,' antwoordt ze gereserveerd terwijl ze op de kruk gaat zitten.

Ik open een fles sancerre en schenk twee smalle glazen vol.

'Er ligt kaas in de koelkast als u wilt, meneer,' zegt mevrouw Jones. Ik knik en ze loopt de keuken uit, duidelijk tot opluchting van Ana. Ik ga zitten.

'Proost,' zeg ik en ik hef mijn glas.

'Proost,' antwoordt Ana en onze kristallen glazen zingen als we proosten. Ze neemt een hap van haar eten en maakt een waarderend geluid achter in haar keel. Misschien is ze écht uitgehongerd.

'Ga je me het nog vertellen?' vraagt ze.

'Wat vertellen?' Mevrouw Jones heeft zichzelf overtroffen. De pasta smaakt overheerlijk.

'Wat ik zei in mijn slaap.'

Ik schud mijn hoofd. 'Eet. Je weet dat ik het fijn vind om naar je te kijken als je eet.'

Ze pruilt overdreven. 'Je bent zo pervers,' roept ze ademloos uit. *O, schatje, je moest eens weten.* En dan komt er een idee in me op: misschien kunnen we vanavond iets nieuws uitproberen in de speelkamer. Iets leuks.

'Vertel me eens over die vriend van je,' vraag ik.

'Vriend?'

'De fotograaf.' Ik houd mijn stem kalm, maar ze kijkt me even gefronst aan.

'Nou, we hebben elkaar op de eerste dag aan de universiteit ontmoet. Hij studeert ingenieurswetenschappen, maar fotografie is zijn passie.'

'En?'

'En dat was het.' Haar ontwijkende antwoorden irriteren me.

'Niets anders?'

Ze zwiept haar haar over haar schouder. 'We zijn goed bevriend. Het bleek dat mijn en zijn vader samen in het leger hebben gezeten voordat ik geboren was. Ze zijn weer in contact gekomen met elkaar en zijn nu beste vrienden.'

O. 'Jouw vader en zijn vader?'

'Ja.' Ze draait meer pasta om haar vork heen.

'Juist.'

'Het is heerlijk.' Ze schenkt me een voldane glimlach en haar badjas valt een stukje open, waardoor de bolling van haar borst tevoorschijn komt. Door het uitzicht wordt mijn pik hard.

'Hoe voel je je?' vraag ik.

'Prima,' antwoordt ze.

'Nog wat meer?'

'Meer?'

'Meer wijn?' *Meer seks? In de speelkamer?*

'Een klein beetje, alsjeblieft.'

Ik schenk haar nog wat sancerre in. Ik wil niet dat we allebei te veel drinken als we nog gaan spelen.

'Hoe gaat het met de eh... situatie waarvoor je naar Seattle moest?' *Leila. Shit.* Daar wil ik nu niet over praten. 'Uit de hand gelopen. Maar dat is niet iets waar jij je zorgen om hoeft te maken, Anastasia. Ik heb plannen met jou vanavond.'

Ik wil zien of onze overeenkomst voor ons allebei goed kan uitpakken.

'O?'

'Ja. Ik wil dat je over een kwartier klaarstaat in mijn speelkamer.'

Ik sta op en bekijk ondertussen nauwkeurig haar reactie. Ze neemt vlug een slokje van haar wijn terwijl haar ogen groot worden. 'Je kunt je voorbereiden op je kamer. Trouwens, de inloopkast hangt nu vol kleren voor je. En daar wil ik geen discussie over.'

Haar mond vormt een verraste o. Ik kijk haar streng aan om haar uit te dagen iets te zeggen. Maar verrassend genoeg zegt ze niets en ik loop naar mijn studeerkamer om een korte e-mail naar Ros te sturen waarin ik haar vertel dat ik zo snel mogelijk de overname van SIP in gang wil zetten.

Ik lees een paar e-mails van mijn werk, maar zie niets in mijn inbox dat over mevrouw Reed gaat. Ik druk de gedachte aan Leila weg, ze heeft me de afgelopen vierentwintig uur non-stop beziggehouden. Vanavond is het tijd om me op Ana te concentreren... en wat lol te maken.

Als ik terugkom in de keuken is Ana verdwenen. Ik neem aan dat ze zich boven gereedmaakt.

In mijn kamer trek ik mijn badjas uit en schiet ik in een van mijn favoriete spijkerbroeken. Ondertussen komen er beelden van Ana in mijn badkamer bovendrijven... haar gladde rug, en dan haar handen tegen de tegels gedrukt terwijl ik haar neuk.

Man, dat meisje heeft uithoudingsvermogen.

Laten we eens zien hoeveel.

Met een opgewekt gevoel pak ik mijn iPod uit de woonkamer en ren de trap op naar de speelkamer.

Als ik Ana zoals afgesproken knielend bij de deur, met haar gezicht richting de kamer (ogen neergeslagen, benen uiteen, alleen een slipje aan) vind, ben ik opgelucht.

Ze is er nog steeds, ze is dapper.

Daarna voel ik trots: ze heeft mijn instructies tot in de puntjes opgevolgd. Het is lastig mijn glimlach te verbergen.

Mevrouw Steele deinst niet terug voor een uitdaging.

Ik doe de deur achter me dicht en zie dat haar badjas aan het haakje hangt. Op blote voeten loop ik langs haar heen en leg mijn iPod op de ladekast. Ik heb besloten dat ik haar van al haar zintuigen ga beroven, behalve van aanraking. Eens kijken hoe ze daarmee omgaat. Het bed is met satijnen lakens opgemaakt.

De leren handboeien zitten op hun plaats.

Uit een van de lades haal ik een haarelastiekje, een masker, een handschoen van bont, oordopjes en de handige zender die Barney voor mijn iPod heeft ontworpen. Ik leg de voorwerpen in een nette rij naast elkaar, sluit de zender op de iPod aan en laat Ana wachten.

Afwachten is onderdeel van het creëren van een scène. Als ik tevreden ben, loop ik op haar af en buig me over haar heen. Ana's hoofd is gebogen, het zachte licht laat haar haren glanzen. Ze ziet er bescheiden en schitterend uit, de verwezenlijking van een Onderdanige.

'Je ziet er prachtig uit.' Ik omvat haar gezicht met mijn handen en til haar hoofd op totdat haar blauwe ogen mijn grijze kijkers ontmoeten. 'Je bent een schitterende vrouw, Anastasia. En je bent helemaal van mij,' fluister ik. 'Sta op.'

Ze beweegt wat stijf als ze gaat staan. 'Kijk me aan,' beveel ik. Als ik in haar ogen kijk, weet ik dat ik in haar serieuze, gefascineerde blik zou kunnen verdrinken. Ik heb haar volledige aandacht. 'We hebben geen contract getekend, Anastasia. Maar we hebben wel grenzen afgesproken. En ik wil benadrukken dat we stopwoorden hebben, oké?'

Ze knippert een paar keer, maar blijft stil.

'Noem ze op,' commandeer ik.

Ze aarzelt.

O, dat volstaat echt niet.

'Wat zijn de stopwoorden, Anastasia?'

'Geel.'

'En?'

'Rood.'

'Onthoud ze goed.'

Ze tilt haar wenkbrauw minachtend op en staat op het punt iets te zeggen.

O nee. Niet in mijn speelkamer.

'Hierbinnen hoef je niet zo'n grote mond te hebben, mevrouw Steele. Of ik zal je erin neuken terwijl je op je knieën zit. Begrepen?' Hoe aantrekkelijk die gedachte ook is, eerst wil ik haar gehoorzaamheid krijgen.

Ze slikt haar ongenoegen weg.

'Nou?'

'Ja, meneer,' mompelt ze snel.

'Brave meid. Het is niet mijn bedoeling dat je het stopwoord gebruikt omdat je pijn hebt. Wat ik met je van plan ben, zal heftig zijn. Heel heftig, en je zult me moeten leiden. Heb je dat begrepen?'

Haar gezichtsuitdrukking blijft onbewogen en geeft niets weg.

'Dit gaat om aanraking, Anastasia. Je zult me niet kunnen zien of horen. Maar je zult me wel kunnen voelen.' Ik negeer haar verwarde blik en loop naar de cd-speler op de ladekast en zet hem aan.

Nu moet ik nog een nummer kiezen. Dan denk ik ineens aan ons gesprek in de auto nadat ze in mijn bed in het Heathman had geslapen. Eens kijken of ze van Tudor-koormuziek houdt.

'Ik ga je aan het bed vastbinden, Anastasia. Maar eerst doe ik je een masker op en,' ik laat haar de iPod zien, 'je zult me niet kunnen horen. Je zult alleen maar de muziek kunnen horen die ik voor je afspeel.'

Ik denk verbazing op haar gezicht te zien, maar weet het niet zeker.

'Kom.' Ik leid haar naar het voeteneinde van het bed. 'Ga hier staan.' Ik buig me voorover, adem haar zoete geur in en fluister in haar oor: 'Wacht hier. Hou je ogen op het bed gericht. Stel jezelf voor dat je hier vastgebonden ligt, helemaal overgeleverd aan mijn genade.'

Haar adem stokt.

Ja, schatje. Denk er maar over na. Ik weersta de verleiding om een zachte kus op haar schouder te planten. Ik moet eerst haar haar vlechten en een strengenzweepje pakken. Ik pak het haarelastiekje van de ladekast en van het rek mijn favoriete zweepje dat ik in de achterzak van mijn broek steek.

Als ik me omdraai om achter haar te gaan staan, pak ik zachtjes haar haar en vlecht het. 'Hoewel ik van je vlechten hou, Anastasia, ben ik nu veel te ongeduldig. Dus daarom moeten we het maar met eentje doen.' Ik wikkel het elastiekje aan het uiteinde en trek aan de vlecht zodat ze een stap achteruit moet zetten en tegen me aan komt te staan. Ik wikkel het uiteinde om mijn pols en trek de vlecht naar rechts zodat haar hoofd buigt en haar hals zichtbaar wordt. Ik snuffel met mijn neus van haar oorlelletje naar haar schouder terwijl ik zachtjes zuig en bijt.

Hmm... Ze ruikt zo lekker.

Ze rilt en er klinkt een zachte kreun uit haar keel.

'Ssst,' waarschuw ik. Ik haal het zweepje uit mijn broekzak en reik om haar heen, waarbij mijn armen over de hare strijken. Dan laat ik haar het zweepje zien.

Ik hoor haar naar adem snakken en zie haar vingers trillen.

'Pak het vast,' fluister ik, wetende dat ze dat wil doen. Ze brengt haar hand omhoog, aarzelt, maar laat dan haar vingers door de zachte, suède draden glijden. Het is opwindend. 'Dit ga ik gebruiken. Het doet geen zeer, maar het brengt je bloed naar de oppervlakte van je huid en zorgt ervoor dat je heel gevoelig wordt. Wat zijn de stopwoorden, Anastasia?'

'Eh... geel en rood, meneer,' mompelt ze, gefixeerd op de zweep.

'Brave meid. En denk erom, het grootste deel van je angst zit in je hoofd.' Ik gooi het zweepje op het bed en laat mijn vingers langs haar middel glijden. Langs de zachte ronding van haar heupen en dan haak ik ze in haar slipje. 'Dit zal je niet nodig hebben.' Ik trek het omlaag langs haar benen en kniel achter haar neer. Ze zoekt houvast bij de pilaar van het bed om onhandig uit haar slipje te stappen.

'Sta stil,' beveel ik en ik kus haar billen en bijt haar zachtjes. 'Liggen, op je rug.' Ik sla haar op haar kont, waardoor ze geschrokken opspringt en zich naar het bed haast. Ze gaat liggen en kijkt me aan, haar ogen vol opwinding... en een beetje vragend, denk ik.

'Handen boven je hoofd.'

Ze doet wat haar gezegd wordt. Ik pak het masker, de oordopjes, iPod en afstandsbediening van de kast. Terwijl ik naast haar op bed ga zitten, laat ik haar de iPod met de zender zien. Haar blik glijdt van mijn gezicht naar het toestel en weer terug.

'Hierdoor wordt datgene wat op de iPod staat, doorgestuurd naar het systeem in de kamer. Ik hoor hetzelfde als wat jij hoort en ik kan het bedienen met een afstandsbediening.'

Als ze alles heeft gezien, stop ik de oordopjes in haar oren en leg ik de iPod op het kussen. 'Til je hoofd op.' Ze gehoorzaamt en ik schuif het masker over haar ogen. Ik pak haar linkerhand en maak haar pols met de leren handboei aan de linkerhoek van het hoofdeinde vast. Ik laat mijn vingers haar uitgestrekte arm strelen, waardoor ze begint te kronkelen. Als ik langzaam rond het bed loop, volgt haar hoofd het geluid van mijn voetstappen. Ik maak ook haar rechterpols vast.

Ana's ademhaling verandert, wordt onregelmatig en sneller door haar halfgeopende lippen. Haar hals wordt roze en ze kronkelt en tilt haar heupen afwachtend op.

Mooi.

Bij het voeteneinde van het bed grijp ik haar enkels. 'Til je hoofd nog eens op,' beveel ik. Ze doet gelijk wat ik zeg en ik trek haar naar beneden zodat haar armen volledig gestrekt zijn.

Er ontsnapt een zachte kreun aan haar lippen en weer tilt ze haar heupen op.

Ik boei beide enkels vast aan de hoeken bij het voeteneinde zodat ze uitgespreid voor me ligt en ik zet een stap naar achteren om het uitzicht te bewonderen.

Fuck.

Heeft ze er ooit zo geil uitgezien?

Ze is compleet en volledig aan mijn genade overgeleverd. Die wetenschap is bedwelmend en even bewonder ik haar vrijgevigheid en moed.

Ik sleur mezelf weg van het boeiende uitzicht en pak de handschoen van konijnenbont van de kast. Voordat ik hem aantrek, druk ik op de afstandsbediening. Er klinkt een gesis en dan begint de veertigstemmige muziek. De engelachtige stem van de zangeres klinkt door de speelkamer en over de lekkere mevrouw Steele.

Bij het horen van de muziek ligt ze stil.

Ik loop om het bed heen en neem haar helemaal in me op.

Ik strek mijn arm en streel haar nek met de handschoen. Ze haalt scherp adem en trekt aan haar boeien, maar ze blijft stil en vraagt me ook niet te stoppen. Langzaam laat ik mijn gehandschoende hand langs haar hals glijden, over haar borstbeen en dan over haar borsten. Ik geniet van haar ingehouden kreun. Ik draai rondjes om haar borsten, trek zachtjes aan haar tepels en haar kreun van waardering moedigt me aan om mijn hand te laten zakken. Expres langzaam verken ik haar lichaam: haar buik, haar heupen, haar dijen en haar benen. De muziek zwelt aan, meer stemmen voegen zich bij het koor in perfecte harmonie met mijn glijdende hand. Ik bekijk haar mond om te bepalen hoe ze zich voelt, ze opent hem van plezier, dan bijt ze op haar lip. Wanneer ik mijn hand door haar schaamhaar laat gaan, knijpt ze haar billen samen en drukt ze zichzelf tegen mijn hand.

Hoewel ik meestal wil dat ze stil blijft liggen, glimlach ik om deze beweging.

Mevrouw Steele geniet hiervan. Ze is gretig.

Als ik haar borsten weer streel, worden haar tepels harder door de aanraking met de handschoen.

Perfect.

Nu haar huid overgevoelig is, doe ik de handschoen af en pak ik het zweepje. Voorzichtig laat ik de draadjes met kraaltjes aan het einde over haar huid slepen in hetzelfde patroon: over haar hals, borsten, buik, door haar schaamhaar en langs haar benen. Terwijl steeds meer zangers meezingen, til ik het zweepje wat op en laat de strengen tegen haar buik zwiepen. Ze schreeuwt het uit, ik denk uit verrassing, maar ze zegt het stopwoord niet. Ik geef haar even om de sensatie te laten bezinken en sla haar dan opnieuw... iets harder dit keer.

Ze trekt aan haar boeien en schreeuwt het nog een keer uit, een ongecontroleerde schreeuw... maar niet het stopwoord. Ik sla de zweep over haar borsten en ze buigt haar hoofd achterover en schreeuwt geluidloos. Haar mond is slap, terwijl ze kronkelt op het rode satijn.

Nog steeds klinkt het stopwoord niet. Ana omarmt haar innerlijke freak.

Ik voel me duizelig van verrukking terwijl ik de strengen van de zweep steeds opnieuw op haar laat vallen en zie hoe haar huid met elke slag roder wordt. Wanneer het gezang stopt, stop ik ook. *Jezus. Wat ziet ze er lekker uit.* Ik begin opnieuw als de muziek harder wordt, als alle stemmen samen zingen. Ik sla de zweep over haar heen, opnieuw en opnieuw, en ze kronkelt na elke slag.

Wanneer de laatste noten door de kamer klinken, stop ik en laat ik de zweep op de grond vallen. Ik ben buiten adem, hijgend van lust. *Fuck.* Ze ligt op het bed, hulpeloos, haar huid behoorlijk roze, en ze hijgt ook.

O, schatje. Ik klim op het bed tussen haar benen en kruip over haar heen terwijl ik mezelf boven haar houd. Als de muziek opnieuw begint en de eenzame stem een zoete, hemelse noot zingt, volg ik hetzelfde patroon als de handschoen en de zweep... maar dit keer met mijn mond. Ik kus en zuig en aanbid elke centimeter van haar lichaam. Ik plaag haar tepels totdat ze glanzen van mijn speeksel en hard omhoog staan. Onder me kronkelt ze voor zover de boeien dat toestaan en kreunt ze. Mijn tong trekt een spoor over haar buik, rond haar navel, alsof ik haar was. Haar proef. Haar aanbid. Ik ga verder naar beneden, door haar schaamhaar naar haar zoete, opgezwollen clitoris die erom smeekt door mijn tong aangeraakt te worden. Ik draai rond en rond, doe mezelf tegoed aan haar geur en haar reactie, totdat ik haar onder me voel trillen.

O nee. Nog niet, Ana. Nog niet. Ik stop en ze uit haar teleurstelling in stilte.

Ik kniel tussen haar benen en open mijn rits om mijn erectie te bevrijden. Dan buig ik voorover en maak voorzichtig haar linkerenkel los. Ze krult haar been om me heen in een soort liefkozing terwijl ik haar andere enkel ook losmaak. Zodra ze bevrijd is, masseer en kneed ik haar benen vanaf haar kuiten tot haar dijen. Ze kronkelt onder me, heft haar heupen in hetzelfde ritme als het gezang van Tallis, terwijl mijn duimen hun weg vinden naar de binnenkant van haar dijen, die vochtig zijn van haar opwinding.

Ik verbijt een grom, grijp haar heupen, til haar omhoog en in een snelle, ruwe beweging begraaf ik mezelf in haar.

Fuck.
Ze is zacht en heet en nat en haar lichaam klopt om me heen, op het randje.
Nee. Te vroeg. Veel te vroeg.
Ik stop, houd mezelf stil boven en in haar terwijl het zweet op mijn voorhoofd parelt.

'Alsjeblieft,' schreeuwt ze uit en ik verstevig mijn greep op haar terwijl ik de neiging onderdruk om in haar te bewegen en mezelf in haar te verliezen. Ik doe mijn ogen dicht zodat ik haar niet in al haar glorie onder me kan zien liggen en concentreer me op de muziek. Pas als ik mezelf weer onder controle heb, begin ik langzaam opnieuw te bewegen. Als de intensiteit van het muziekstuk toeneemt, bouw ik langzaam het tempo op, in samenspel met de kracht en het ritme van de muziek. Ik geniet van elke centimeter die ik in haar ben.

Ze balt haar vuisten, buigt haar hoofd achterover en kreunt.
Ja.
'Alsjeblieft,' smeekt ze tussen haar tanden door.
Ik hoor je, schatje.
Ik leg haar terug op het bed en strek me over haar uit waarbij ik mijn gewicht op mijn ellenbogen laat rusten. Ik stoot ritmisch in haar en verlies mezelf in haar en in de muziek.
Lieve, dappere Ana.
Het zweet gutst van mijn rug.
Kom op, schatje.
Alsjeblieft.
En eindelijk explodeert ze om me heen, schreeuwt haar bevrijding uit en duwt me in een intens, uitputtend orgasme waarin ik mezelf helemaal verlies. Ik zak boven op haar in elkaar terwijl mijn wereld uit elkaar schuift en weer bij elkaar komt. Die onbekende emotie komt weer boven in mijn borst en verteert me.

Ik schud mijn hoofd in een poging dat onheilspellende en verwarrende gevoel te laten verdwijnen. Ik grijp naar de afstandsbediening en zet de muziek uit.
Geen Tallis meer.
De muziek heeft absoluut bijgedragen aan wat een bijna buitenaardse ervaring was. Ik frons, probeer mijn gevoelens onder controle

te houden, maar ik faal daarin. Ik glij uit Ana en strek me uit om haar handen los te maken.

Ze zucht en strekt haar vingers. Voorzichtig doe ik het masker af en haal ik de oordopjes uit haar oren. Grote blauwe ogen staren me aan.

'Hoi,' fluister ik.

'Hoi terug,' antwoordt ze speels en verlegen. Haar reactie is betoverend en ik buig me voorover om haar zachtjes een kus op haar lippen te geven.

'Goed gedaan.' Mijn stem is zwaar van trots. Ze heeft het gedaan. Ze accepteerde het. Ze accepteerde alles.

'Draai je om.'

Haar ogen worden groot van schrik.

'Ik ga alleen je schouders masseren.'

'O... oké.'

Ze draait zich om en ploft met gesloten ogen op het bed neer. Ik zit schrijlings op haar en masseer haar schouders.

Een aangename grom resoneert diep in haar keel.

'Wat was dat voor muziek?' vraagt ze.

'Het heet *Spem in alium*, en het is van Thomas Tallis.'

'Het was... overdonderend.'

'Ik heb er altijd al een keer op willen neuken.'

'Nog een primeur, meneer Grey?'

Ik grinnik. 'Inderdaad, mevrouw Steele.'

'Nou, het is voor mij ook de eerste keer dat ik erop geneukt ben,' zegt ze met een slaperige stem.

'Jij en ik, we geven elkaar heel wat primeurs.'

'Wat heb ik tegen je gezegd in mijn slaap, Chris... eh, meneer?'

Niet weer. *Verlos haar uit haar lijden, Grey.*

'Je hebt heel veel dingen gezegd, Anastasia. Je had het over kooien en aardbeien... dat je meer wilde... en dat je me miste.'

'Is dat alles?' Ze klinkt opgelucht.

Waarom zou ze opgelucht zijn?

Ik strek me naast haar uit zodat ik haar gezicht kan zien.

'Wat dacht je dan dat je had gezegd?'

Ze opent kort haar ogen en doet ze dan onmiddellijk weer dicht.

'Dat ik vond dat je lelijk was, verwaand, en dat je waardeloos was in bed.' Ze doet één blauw oog open en kijkt me daarmee behoedzaam aan.

O... ze liegt.

'Nou, natuurlijk ben ik dat ook allemaal, maar nu ben ik pas echt geïntrigeerd. Wat verberg je voor me, mevrouw Steele?'

'Ik verberg helemaal niets.'

'Anastasia, je bent een hopeloze leugenaar.'

'Ik dacht dat je me aan het lachen zou gaan maken na de seks, maar dit is niet echt grappig.'

Haar antwoord komt onverwacht en ik geef haar een onwillige glimlach. 'Ik kan geen moppen vertellen.'

'Meneer Grey! Eindelijk iets wat je niet kunt?' Ze beloont me met een grote, gemene grijns.

'Nee, ik ben een waardeloze moppentapper,' zeg ik alsof het iets is waar ik trots op ben.

Ze giechelt. 'Ik kan ook geen moppen vertellen.'

'Dat is geweldig om te horen,' fluister ik en ik kus haar. Maar ik wil nog steeds weten waarom ze opgelucht was. 'En je houdt iets voor me verborgen, Anastasia. Misschien moet ik je wel martelen om het eruit te krijgen.'

'Ha!' De lucht tussen ons wordt gevuld met haar lach. 'Ik denk dat je me genoeg gemarteld hebt.'

Haar reactie veegt de lach van mijn gezicht en haar blik wordt onmiddellijk zachter. 'Misschien laat ik je me wel opnieuw op die manier martelen,' zegt ze verlegen.

Opluchting overspoelt me. 'Dat zou ik erg fijn vinden, mevrouw Steele.'

'We doen ons best u te behagen, meneer Grey.'

'Ben je oké?' vraag ik, nederig en bezorgd tegelijk.

'Meer dan oké,' glimlacht ze verlegen.

'Je bent geweldig.' Ik kus haar voorhoofd en klim van het bed als dat onheilspellende gevoel me opnieuw overvalt. Ik schud het van me af, rits mijn gulp dicht en steek mijn hand uit om haar van het bed te helpen.

Als ze staat, trek ik haar in mijn armen en kus haar. Ik geniet van haar smaak.

'Bed,' mompel ik en ik leid haar naar de deur. Ik wikkel haar in de badjas die ze daar heeft opgehangen en voordat ze kan protesteren, til ik haar op en draag haar de trap af naar beneden, naar mijn slaapkamer.

'Ik ben zo moe,' mompelt ze als ze eenmaal in mijn bed ligt.

'Ga slapen,' fluister ik en ik sla mijn armen om haar heen. Ik doe mijn ogen dicht en vecht nogmaals tegen het verontrustende gevoel dat door mijn borst stroomt. Het voelt als heimwee en thuiskomen tegelijk... en het is ongelofelijk angstaanjagend.

Zaterdag 4 juni 2011

De zomerbries streelt plagend mijn haar, als de lenige vingers van een geliefde.

Mijn geliefde.

Ana.

Ik word met een schok wakker, verward. Mijn slaapkamer is gehuld in duisternis en Ana ligt naast me te slapen, haar ademhaling zacht en regelmatig. Ik duw mezelf op één elleboog op en haal een hand door mijn haar met het vreemde gevoel dat iemand zojuist precies hetzelfde al gedaan heeft. Ik kijk de kamer rond, turend in de donkere hoeken, maar Ana en ik zijn alleen.

Vreemd. Ik zou zweren dat er iemand was. Iemand heeft me aangeraakt.

Het was maar een droom.

Ik schud de verontrustende gedachte van me af en kijk hoe laat het is. Het is na halfvijf 's ochtends. Als ik terug op mijn kussen plof, mompelt Ana iets en draait zich naar me toe, nog steeds in een diepe slaap. Ze ziet er sereen en beeldschoon uit.

Ik staar naar het plafond, waar het knipperende groene lichtje van de rookmelder me weer eens tart. We hebben geen contract. En toch is Ana er. Hier, naast me. *Wat betekent dat?* Hoe moet ik met haar omgaan? Zal ze zich aan mijn regels houden? Ik moet zeker weten dat ze veilig is. Ik wrijf over mijn gezicht. Dit is onbekend terrein voor me, ik heb er geen controle over en het voelt ongemakkelijk.

Ik denk opeens aan Leila.

Shit.

Mijn gedachten jagen: Leila, werk, Ana... en ik weet dat ik niet meer in slaap zal vallen. Ik sta op, trek een pyjamabroek aan, doe de slaapkamerdeur dicht en loop de woonkamer in, naar mijn piano.

Chopin spelen is mijn ontspanning, de sombere noten sluiten aan op mijn stemming en ik speel ze steeds opnieuw. Een kleine beweging in de hoek van mijn gezichtsveld trekt mijn aandacht en als ik opkijk zie ik dat Ana naar me toe komt, met aarzelende stappen. 'Je zou nog in bed moeten liggen,' mompel ik, maar speel ondertussen door.

'Jij ook,' kaatst ze terug. Haar blik is ferm en vastberaden, maar in mijn veel te grote badjas ziet ze er klein en kwetsbaar uit. Ik onderdruk een glimlach.

'Krijg ik nu op m'n kop, mevrouw Steele?'

'Ja, meneer Grey, dat klopt.'

'Ik kan niet slapen.'

Ik heb te veel aan mijn hoofd en ik wil liever dat ze terug naar bed gaat en in slaap valt. Ze zal wel moe zijn van gisteren. Ze negeert mijn slechte humeur en gaat naast me op de pianokruk zitten, haar hoofd op mijn schouder.

Het is zo'n teder, intiem gebaar dat ik even vergeet waar ik ben in de prelude, maar ik speel door en voel me vrediger omdat ze bij me is.

'Wat was dat?' vraagt ze als ik klaar ben.

'Chopin. Prelude Opus 28, nummer 4. In E-mineur, mocht het je interesseren.'

'Ik ben altijd geïnteresseerd in wat jij doet.'

Lieve Ana. Ik kus haar haar. 'Ik wilde je niet wakker maken.'

'Dat heb je ook niet gedaan,' zegt ze, zonder haar hoofd te bewegen. 'Speel dat andere stuk eens.'

'Welk andere?'

'Dat stuk van Bach dat je speelde toen ik hier voor het eerst was.'

'O, de Marcello.'

Ik kan me niet herinneren wanneer ik voor het laatst iets op verzoek heb gespeeld. De piano is voor mij een afgezonderd instrument, alleen voor mij. Mijn familie heeft me in geen jaren horen spelen. Maar omdat ze het vraagt, zal ik spelen voor mijn lieve Ana. Mijn vingers strelen de toetsen en de spookachtige melodie echoot door de woonkamer.

'Waarom speel je alleen maar van die droevige muziek?' vraagt ze.

Is het droevig?

'Dus je was pas zes toen je begon met spelen?' Ze gaat door met haar kruisverhoor, terwijl ze haar hoofd optilt en me bestudeert. Haar gezicht is open en nieuwsgierig, zoals gewoonlijk. En wie ben ik om haar na gisteravond iets te weigeren?

'Ik heb piano leren spelen om mijn nieuwe moeder een plezier te doen.'

'Zodat je beter in die perfecte familie zou passen?' Mijn woorden uit het openhartige gesprek in Savannah echoën in haar zachte stem.

'Zo zou je het kunnen zeggen.' Ik wil hier niet over praten en het verrast me hoeveel persoonlijke informatie ze over me heeft weten te verzamelen. 'Waarom ben je eigenlijk wakker? Moet je niet herstellen van de inspanningen van gisteren?'

'Voor mij is het al acht uur. En ik moet mijn pil nemen.'

'Goed onthouden,' mijmer ik. 'Alleen jij kan zoiets verzinnen als tijdsgebonden anticonceptiepillen slikken in een andere tijdszone. Misschien moet je een halfuurtje wachten en dan morgen nog een halfuurtje. Zodat je ze uiteindelijk op een fatsoenlijk tijdstip kunt slikken.'

'Goed idee,' zegt ze. 'Maar wat kunnen we dan in dat halve uur doen?'

Nou, ik zou je kunnen neuken op deze piano.

'Ik kan wel een paar dingen bedenken.' Mijn stem klinkt verleidelijk.

'Aan de andere kant zouden we ook kunnen praten.' Ze glimlacht uitdagend.

Ik heb geen zin om te praten. 'Ik geef de voorkeur aan wat ik in gedachten heb.' Ik wring mijn arm om haar middel, til haar op schoot en druk mijn neus in haar haren.

'Jij hebt altijd liever seks dan een gesprek.' Ze lacht.

'Dat klopt. Vooral met jou.' Haar handen krullen rond mijn biceps, maar het duister houdt zich onbeweeglijk en stil. Ik overlaad haar met een spoor van kusjes, van de aanzet van haar oor naar haar hals. 'Misschien wel op de piano,' mompel ik terwijl mijn lichaam reageert op het mentale beeld van haar, naakt en wijdbeens erbovenop terwijl haar haren over de rand hangen.

'Ik wil wel eerst even iets duidelijk hebben.' Ze fluistert in mijn oor.

'Altijd zo happig op informatie, mevrouw Steele. Wat wil je duidelijk hebben?' Haar huid voelt zacht en warm op mijn lippen als ik haar badjas met mijn neus van haar schouder duw.

'Ons,' zegt ze, en het simpele woordje klinkt als een gebed.

'Hmm. Wat is er met ons?' Ik pauzeer. *Waar wil ze heen?*

'Het contract.'

Ik stop en staar in haar sluwe blik. *Waarom doet ze dit juist nu?* Mijn vingers glijden over haar wang.

'Nou, ik denk dat het contract nietig is, jij niet?'

'Nietig?' zegt ze, en haar lippen verzachten in een vage glimlach.

'Nietig.' Ik spiegel haar gezichtsuitdrukking.

'Maar je wilde zo graag.' Onzekerheid vertroebelt Ana's ogen.

'Nou, dat was ervoor. Hoe dan ook, de regels zijn niet nietig en gelden nog steeds.' Ik moet weten of je je veilig voelt.

'Ervoor? Voor wat?'

'Voor...' Voor dit allemaal. Voordat je mijn wereld op zijn kop zette, voordat je met me naar bed ging. Voordat je je hoofd op mijn schouder legde achter de piano. Het is allemaal... 'Meer,' mompel ik terwijl ik het inmiddels vertrouwde, weeïge gevoel onderdruk.

'O,' zegt ze, en ik denk dat ze tevreden is.

'Trouwens, we zijn nu al twee keer in de speelkamer geweest en je hebt het nog niet op een lopen gezet.'

'Verwacht je dat dan van me?'

'Jij doet niets wat ik verwacht, Anastasia.'

De v tussen haar wenkbrauwen is terug. 'Dus, voor de goede orde: je wilt dat ik me wel gewoon aan de regels in het contract houd, maar niet aan de rest van het contract?'

'Behalve in de speelkamer. Ik wil dat je de geest van het contract volgt in de speelkamer, en ja, ik wil dat je te allen tijde de regels volgt. Dan weet ik dat je veilig bent. En dan kan ik je hebben wanneer ik wil,' voeg ik er oneerbiedig aan toe.

'En als ik een van de regels overtreed?' vraagt ze.

'Dan zal ik je moeten straffen.'

'Maar heb je daar mijn toestemming niet voor nodig?'

'Ja, dat klopt.'

'En als ik nee zeg?' houdt ze aan.

Waarom doet ze zo eigenwijs?

'Als je nee zegt, dan zeg je nee. Dan moet ik een manier vinden om je over te halen.' Ze hoort dit te weten. Ze liet me haar geen billenkoek geven in het boothuis, en ik wilde wel. Maar het mocht wel later die avond... met haar toestemming.

Ze staat op en loopt naar de deur van de woonkamer en even denk ik dat ze ervandoor gaat, maar ze draait zich om, haar gezicht vol ongeloof. 'Dus het straffen blijft.'

'Ja, maar alleen wanneer je de regels overtreedt.' Dit is glashelder voor mij. Waarom niet voor haar?

'Die moet ik dan nog maar eens herlezen,' zegt ze, ineens heel zakelijk.

Wil ze dit nu doen?

'Ik zal ze wel voor je pakken.'

In mijn studeerkamer start ik de computer op en print de regels, me afvragend waarom we het hier om vijf uur 's ochtends over hebben.

Ze staat bij de gootsteen en drinkt een glas water als ik terugkom met de uitdraai. Ik ga op een kruk zitten en wacht terwijl ik naar haar kijk. Haar rug is stram en gespannen, dit voorspelt weinig goeds. Als ze zich omdraait, schuif ik het vel papier over het kookeiland naar haar toe.

'Alsjeblieft.'

Ze scant de regels snel. 'Dus ik moet je nog steeds gehoorzamen?'

'O. Ja.'

Ze schudt haar hoofd en een ironische glimlach trekt aan de hoeken van haar mond terwijl ze haar ogen naar boven schieten.

O ja.

Mijn humeur klaart op.

'Rolde je nou zojuist met je ogen, Anastasia?'

'Mogelijk. Het hangt ervan af hoe je reageert.' Ze kijkt zowel argwanend als geamuseerd.

'Hetzelfde als altijd.' Als ze me haar laat spanken...

Ze slikt en haar ogen worden verwachtingsvol groter. 'Dus...'

'Ja?'

'Je wilt me nu billenkoek geven.'

'Ja. En dat ga ik doen ook.'

'O echt waar, meneer Grey?' Ze slaat haar armen over elkaar, haar kin uitdagend omhoog gestoken.

'Ga je me tegenhouden?'

'Je zult me eerst te pakken moeten krijgen.' Ze begint verleidelijk te glimlachen, wat mijn pik direct aanspreekt.

Ze wil graag spelen.

Haar zorgvuldig in de gaten houdend laat ik mezelf van de kruk af glijden. 'O echt waar, mevrouw Steele?' De lucht tussen ons knettert bijna van de spanning.

Welke kant zal ze op rennen?

Haar ogen zijn op de mijne gericht, overlopend van opwinding. Haar tanden plagen haar onderlip.

'En je bijt weer op je lip.' *Doet ze het expres?* Ik beweeg langzaam naar links.

'Dat durf je niet,' hoont ze. 'Jij rolt per slot van rekening ook met je ogen.' Met haar blik op mij gefixeerd beweegt ook zij naar links.

'Ja, maar met dit spelletje heb je zojuist de lat weer wat hoger gelegd wat betreft opwinding.'

'Ik ben best snel, hoor,' plaagt ze.

'Dat ben ik ook.'

Hoe maakt ze alles toch zo spannend?

'Kom je rustig mee?'

'Doe ik dat ooit?' Ze grijnst en hapt in het aas.

'Mevrouw Steele, wat bedoel je?' Ik sluip haar achterna rond het kookeiland. 'Voor jou zal het erger zijn als ik je moet komen halen.'

'Maar dan moet je me wel eerst te pakken zien te krijgen, Christian, en ik ben zeker niet van plan me door jou te laten pakken.'

Meent ze dit?

'Anastasia, je kunt vallen en jezelf pijn doen. En daarmee ben je in directe overtreding van regel nummer zeven, nu zes.'

'Ik ben al in gevaar sinds ik jou heb ontmoet, meneer Grey, regels of geen regels.'

'Ja, dat klopt.'

Misschien is dit geen spel. Probeert ze me iets duidelijk te maken? Ze aarzelt en ik haal plotseling uit om haar te pakken. Ze gilt en schiet rond het kookeiland, naar de relatieve veiligheid van de overkant van de eettafel. Met haar lippen geopend en haar ogen argwanend en uitdagend tegelijk, glijdt de badjas van een van haar schouders. Ze ziet er geil uit. Echt verdomd geil.

Ik sluip langzaam op haar af en ze deinst achteruit.

'Je weet wel hoe je een man moet afleiden, Anastasia.'

'We doen ons best, meneer Grey. Waar leid ik je dan van af?'

'Het leven. Het universum.' *Vermiste ex-Onderdanigen. Werk. Onze afspraak. Alles.* 'Je leek met je gedachten heel ver weg toen je piano aan het spelen was.'

Ze trekt zich niet terug. Ik stop en sla mijn armen over elkaar heen terwijl ik mijn strategie opnieuw bepaal. 'We kunnen dit de hele dag blijven doen, schatje. Maar ik krijg je toch wel te pakken en dan zal het voor jou alleen maar erger zijn.'

'Nee hoor, dat lukt je toch niet,' zegt ze met absolute stelligheid.

Ik frons. 'Je zou bijna denken dat je helemaal niet wilt dat ik je te pakken krijg.'

'Dat wil ik ook niet. Daar gaat het nu juist om. Ik denk over straf op dezelfde manier als jij denkt over mijn aanraking.'

En uit het niets kruipt het duister over me heen, mijn huid insnoerend, een ijzig spoor van wanhoop achterlatend.

Nee. Nee. Ik kan er niet tegen om aangeraakt te worden. Nooit.

'Denk je er zo over?' Het voelt alsof ze me heeft aangeraakt, met haar nagels witte sporen op mijn borst heeft achtergelaten.

Ze knippert een paar keer met haar ogen, beoordeelt mijn reactie en als ze weer iets zegt is haar stem vriendelijk.

'Nee. Zoveel doet het me niet, maar het geeft je een idee.' Haar blik is ongerust.

Wel verdomme! Dit werpt een heel nieuw licht op onze relatie. 'O,' mompel ik, omdat ik niks anders kan bedenken.

Ze haalt diep adem en komt op me af, en als ze voor me staat kijkt ze op, haar ogen brandend van angst.

'Heb je er zo'n hekel aan?' fluister ik.

Dit is het einde. We zijn echt onverenigbaar.

Nee. Dat weiger ik te geloven.

'Nou... Nee,' zegt ze en ik word overspoeld door opluchting. 'Nee,' gaat ze verder. 'Ik heb er tegenstrijdige gevoelens over. Ik vind het niks, maar ik heb er ook geen hekel aan.'

'Maar gisteravond, in de speelkamer, toen...'

'Ik doe het voor jou, Christian, omdat jij het nodig hebt. Ik niet. Je hebt me gisteravond geen pijn gedaan. Dat was in een heel andere context en dat kan ik wel rationaliseren. Ik vertrouw je. Maar als je me wilt straffen ben ik bang dat je me pijn gaat doen.'

Fuck. Zeg het.

Het uur van de waarheid, Grey.

'Ik wil je pijn doen. Maar niet zo erg dat je het niet meer kunt verdragen.' Ik zou nooit te ver gaan.

'Waarom?'

'Ik heb het gewoon nodig,' fluister ik. 'Ik kan het je niet vertellen.'

'Kun je dat niet of wil je dat niet?'

'Ik wil het niet.'

'Dus je weet wel waarom?'

'Ja.'

'Maar je gaat het me niet vertellen.'

'Als ik dat doe, dan ren je gillend weg en kom je nooit meer terug. Dat risico kan ik niet nemen, Anastasia.'

'Je wilt dat ik blijf.'

'Meer dan je weet. Ik zou het niet kunnen verdragen je te verliezen.'

Ik kan de afstand tussen ons niet meer verdragen. Ik grijp haar vast zodat ze niet weg kan rennen en ik neem haar in mijn armen, mijn lippen op zoek naar de hare. Ze beantwoordt mijn verlangen, tuit haar mond naar de mijne en kust me terug met dezelfde passie en hoop en verlangen. Het zwevende duister trekt weg en ik vind rust.

'Ga niet bij me weg,' fluister ik tegen haar lippen. 'Je zei in je slaap dat je me nooit zou verlaten en je smeekte me jou nooit in de steek te laten.'

'Ik wil ook niet weg,' zegt ze, maar haar ogen vinden de mijne, op zoek naar antwoorden. En ik ben ontbloot, mijn lelijke, gescheurde ziel staat te kijk.

'Laat het me zien,' zegt ze.

En ik weet niet wat ze bedoelt.

'Wat?'

'Laat me zien hoeveel pijn het kan doen.'

'Wat?' Ik leun achterover en staar haar vol ongeloof aan.

'Straf me. Ik wil weten hoe erg het kan zijn.'

O nee. Ik laat haar los en stap buiten haar bereik.

Ze staart me aan: open, eerlijk, ernstig. Ze biedt zich weer aan, ze ligt voor het grijpen, om mee te doen wat ik wil. Ik ben verbijsterd. Wil ze dit verlangen echt voor me vervullen? Ik kan het niet geloven. 'Wil je het proberen?'

'Ja, dat zei ik toch.' Haar blik is vastberaden.

'Ana, je bent zo verwarrend.'

'Ik ben ook in de war. Ik probeer het te snappen. En dan zullen jij en ik voor altijd weten of ik dit aankan. En als ik het aankan, dan kun jij misschien...'

Ze stopt, en ik zet nog een stap achteruit. Ze wil me aanraken. *Nee.*

Maar als we dit doen, dan weet ik het. Dan weet zij het.

We zijn hier veel eerder beland dan ik dacht.

Kan ik dit?

En op dat moment weet ik dat ik niets liever wil... Er is niets wat het monster in mij meer kan bevredigen.

Voordat ik van gedachten kan veranderen, grijp ik haar arm en neem haar mee naar boven, naar de speelkamer. Bij de deur stop ik. 'Ik zal je laten zien hoe erg het kan zijn en dan kun je zelf beslissen. Ben je er klaar voor?'

Ze knikt, met in haar ogen de koppige vastberadenheid die ik inmiddels zo goed ken.

Het zij zo.

Ik doe de deur open, grijp snel een riem van het rek en leid haar naar de bank in de hoek van de kamer.

'Buig over de bank heen,' beveel ik stilletjes.

Ze gehoorzaamt, zwijgend.

'We zijn hier omdat je ja hebt gezegd, Anastasia. En je bent van me weggerend. Ik ga je zes keer slaan, en je moet samen met mij tellen.'

Ze zegt nog steeds niets.

Ik vouw de zoom van haar badjas over haar rug en ontbloot haar prachtige naakte kont. Ik glijd met mijn handpalm over haar billen en de bovenkant van haar dijen en er gaat een rilling van genot door me heen.

Dit is het. Wat ik wil. Waar ik naartoe heb gewerkt.
'Ik doe dit zodat je weet dat je nooit meer van me weg moet ren-
nen, hoe opwindend dat ook is. En je rolde ook nog met je ogen. Je
weet wat ik daarvan vind.' Ik haal diep adem, geniet van het moment
en probeer mijn bonkende hart onder controle te krijgen.
Ik heb dit nodig. Dit is wat ik doe. En we zijn er eindelijk.
Ze kan dit.
Ze heeft me nog nooit teleurgesteld.
Terwijl ik haar met een hand op haar onderrug op haar plek houd,
schud ik met de riem. Ik haal nog eens diep adem en richt me op
mijn taak.
Ze gaat niet weg. Ze heeft erom gevraagd.
Dan haal ik uit en sla dwars over beide billen, hard.
Ze gilt, geschokt.
Maar ze heeft het getal nog niet geroepen... Of het stopwoord.
'Tellen, Anastasia!' gebied ik.
'Eén!' roept ze.
Oké... geen stopwoord.
Ik sla haar opnieuw.
'Twee!' schreeuwt ze.
Goed zo, gooi het eruit, schatje.
Ik sla haar nog eens.
'Drie!' Ze jammert.
Er staan drie strepen over haar achterwerk.
Ik maak er vier van.
Ze schreeuwt het getal, luid en duidelijk.
Niemand kan je horen, schatje. Schreeuw zoveel je wil.
Ik bewerk haar weer met de riem.
'Vijf,' snikt ze, en ik wacht tot ze het stopwoord zegt.
Dat doet ze niet.
Nog eentje om het af te leren.
'Zes,' fluistert Ana, haar stem geforceerd en hees.
Ik laat de riem vallen en zwelg in mijn zoete, euforische ontlading.
Ik ben versuft, ademloos en eindelijk verzadigd. O, dit prachtige
meisje, mijn prachtige meisje. Ik wil elke centimeter van haar li-
chaam zoenen. We zijn er. Waar ik wil zijn. Ik reik naar haar en trek
haar in mijn armen.

'Laat me los… nee…' Ze worstelt zich los uit mijn greep, kruipt van me weg, duwend en trekkend en vliegt me uiteindelijk aan als een woeste tijgerin. 'Raak me niet aan!' sist ze. Haar gezicht is vlekkerig en besmeurd met tranen, haar neus loopt en haar haren vormen een donkere, klitterige wirwar, maar ze zag er nog nooit zo fabelachtig… en tegelijk zo kwaad uit.

Haar woede stort als een vloedgolf over me heen.

Ze is boos. Echt boos.

Oké, op woede had ik niet gerekend.

Geef haar even. Wacht tot de endorfine gaat werken.

Ze veegt haar tranen weg met de rug van haar hand. 'Is dit nu echt wat je graag ziet? Mij, zo? Op deze manier?' Ze veegt haar neus aan de mouw van haar badjas af.

Mijn euforie verdwijnt. Ik voel me verbijsterd, compleet hulpeloos en verlamd door haar boosheid. Het huilen ken ik en begrijp ik wel, maar deze woede… ergens diep vanbinnen raakt het iets, en ik wil daar niet aan denken.

Ga daar niet heen, Grey.

Waarom vroeg ze niet of ik op wilde houden? Ze heeft het stopwoord niet gezegd. Ze verdiende straf. Ze rende van me weg. Ze rolde met haar ogen. *Dit gebeurt er als je me tart, liefje.*

Ze kijkt me dreigend aan. Blauwe ogen, wijd open en helder, vol pijn en woede en een plotselinge, kille beschouwing van de situatie.

Shit. Wat heb ik gedaan?

Het is ontnuchterend.

Ik ben uit het veld geslagen, loop langs de rand van een gevaarlijke afgrond, wanhopig op zoek naar woorden om het goed te maken, maar mijn hoofd is leeg.

'Je bent een gestoorde idiote klootzak, weet je dat?' snauwt ze.

Ik hap naar adem en het voelt alsof ze *mij* met een riem heeft geslagen… *Fuck!*

Ze ziet me hoe ik echt ben.

Ze heeft het monster gezien.

'Ana,' fluister ik smekend. Ik wil dat ze ophoudt. Ik wil haar vasthouden en de pijn laten verdwijnen. Ik wil dat ze huilt in mijn armen.

'Niks "Ana"! Je moet je shit eens gaan oplossen, Grey!' bijt ze me toe. Ze loopt de speelkamer uit en doet de deur zacht achter zich dicht. Verbijsterd staar ik naar de deur, haar woorden klinken nog in mijn oren.

Je bent een gestoorde idiote klootzak.

Er is nog nooit iemand bij me weggelopen. *Wat heeft dit in godsnaam te betekenen?* Werktuiglijk haal ik een hand door mijn haar en probeer haar reactie te begrijpen, en de mijne. Ik heb haar gewoon laten gaan. Ik ben niet boos... *Ik ben... wat?* Ik buk om de riem op te rapen, loop naar de muur en hang hem aan zijn haakje. Dat was, zonder twijfel, een van de meest bevredigende momenten van mijn leven. Een minuut geleden voelde ik me lichter, de drukkende onzekerheid was voor mij verdwenen.

Het is klaar. We zijn er.

Nu ze weet wat erbij komt kijken, kunnen we door.

Ik heb het haar gezegd. Mensen als ik doen iemand graag pijn.

Maar alleen vrouwen die ervan genieten.

Ik voel me steeds ongemakkelijker.

Haar reactie – dat beeld van haar gepijnigde, tergende blik is terug, ongevraagd verschijnt het voor mijn ogen. Het schrijnt. Ik ben eraan gewend om vrouwen aan het huilen te maken, dat is wat ik doe.

Maar Ana?

Ik zak op de vloer en leun met mijn hoofd tegen de muur, mijn armen op mijn knieën gevouwen. Laat haar maar huilen. Ze zal zich er beter door voelen. Zo gaat dat met vrouwen, is mijn ervaring. Geef haar even de tijd en bied dan nazorg. Ze zei het stopwoord niet. Ze vroeg erom. Ze wilde het weten, nieuwsgierig als altijd. Het is gewoon de nuchtere realiteit, meer niet.

Je bent een gestoorde idiote klootzak.

Terwijl ik mijn ogen sluit, glimlach ik zonder blij te zijn. *Ja Ana, dat ben ik inderdaad, en nu weet je het.* Nu kunnen we verder met onze relatie... onze overeenkomst. Wat dit ook is.

Mijn eigen gedachten stellen me niet gerust en mijn ongemakkelijke gevoel groeit. Haar gekwetste ogen die naar me staren, woedend, beschuldigend, vol medelijden... Ze ziet me hoe ik echt ben.

Een monster.

Flynns uitspraak komt in me op: *Blijf niet hangen in het negatieve, Christian.*

Ik sluit mijn ogen opnieuw en zie Ana's getergde gezicht voor me. *Wat ben ik een dwaas.* Dit was te snel. Veel, veel te snel. *Fuck.* Ik stel haar wel gerust. Ja – laten huilen, en dan geruststellen. Ik was boos omdat ze van me wegrende. *Waarom deed ze dat? Verdomme.* Ze is zo anders dan elke vrouw die ik ooit gekend heb. Natuurlijk reageert ze niet hetzelfde als de anderen. Ik moet haar zien, vasthouden. We komen hier wel doorheen. Ik vraag me af waar ze is.

Shit!

Paniek overvalt me. Stel dat ze weg is? Nee, dat zou ze nooit doen. Niet zonder afscheid te nemen. Ik sta op en ren de kamer uit en de trap af. Ze zit niet in de woonkamer – dan zal ze wel in bed liggen. Ik ren naar mijn slaapkamer.

Het bed is leeg.

Pure angst barst uit in het diepst van mijn buik. Nee, ze kan niet weg zijn! De trap op – ze moet op haar kamer zijn. Ik ren met drie treden tegelijk de trap op en stop, ademloos, voor haar deur. Ze zit binnen te huilen.

O godzijdank.

Ik leun met mijn hoofd tegen de deur, overweldigd door opluchting.

Ga niet weg. De gedachte daaraan is afschuwelijk. Ze moet gewoon huilen.

Rustiger ademhalend ga ik naar de badkamer naast de speelkamer om wat arnicazalf, ibuprofen en een glas water te halen, en ga dan terug naar haar kamer.

Binnen is het nog donker, hoewel de ochtend een vale streep aan de horizon is en het duurt even voordat ik mijn mooie meisje vind. Ze ligt opgerold midden op het bed, klein en kwetsbaar, stilletjes snikkend. Het geluid van haar verdriet scheurt door me heen en maakt me ademloos. Mijn Onderdanigen hebben me nooit op zo'n manier geraakt – zelfs niet als ze huilden. Ik snap het niet. Waarom voel ik me zo verloren? Ik leg de arnica, het water en de ibuprofen

neer, til de deken op, glijd naast haar in bed en pak haar vast. Ze verstijft, haar hele lichaam schreeuwt: *Raak me niet aan!* De ironie ont-
gaat me niet.

'Stil maar,' fluister ik in een vergeefse poging om haar tranen te
stoppen en haar te kalmeren. Ze reageert niet.

Ze blijft als bevroren liggen, onbeweeglijk.

'Maak geen ruzie met me, Ana, alsjeblieft.' Ze ontspant even,
waardoor ik haar in mijn armen kan nemen, en ik begraaf mijn neus
diep in haar heerlijk geurende haar. Ze ruikt zo zoet als altijd, haar
geur kalmeert mijn zenuwen. En ik druk een tedere kus in haar nek.
'Haat me niet,' mompel ik terwijl ik mijn lippen op haar keel druk,
haar proevend. Ze zegt niets, maar langzaam verandert haar gehuil
in zacht snuffende snikken. Eindelijk is ze stil. Ik denk dat ze misschien in slaap is gevallen, maar kan mezelf er niet toe zetten om te
kijken, ik wil haar niet storen. Gelukkig is ze in elk geval gekalmeerd.

De ochtend komt en gaat en het diffuse licht wordt helderder en
dringt met het vorderen van de ochtend de kamer binnen. We liggen nog altijd stilletjes in bed. Mijn gedachten dwalen af terwijl ik
mijn meisje in mijn armen houd en ik kijk naar het veranderende
licht. Ik kan me de laatste keer dat ik gewoon lag en de tijd voorbij
liet kruipen en mijn gedachten liet gaan niet herinneren. Het is
ontspannend, me voorstellen wat we de rest van de dag zouden
kunnen gaan doen. Misschien moet ik haar meenemen naar The
Grace.

Ja. We kunnen vanmiddag gaan zeilen.

Als ze nog met je wil praten, Grey.

Ze beweegt, een zenuwtrekje van haar voet, en ik weet dat ze
wakker is.

'Ik heb ibuprofen en zalf voor je meegenomen.'

Eindelijk reageert ze. Ze draait zich langzaam om in mijn armen
om me aan te kijken. Door pijn getekende ogen richten zich op de
mijne, haar blik intens, vragend. Ze neemt de tijd om me te onderzoeken, alsof ze me voor de eerste keer ziet. Het is verontrustend
omdat ik, zoals gewoonlijk, geen idee heb wat ze denkt of wat ze
ziet. Maar ze is zeker rustiger en ik verwelkom het sprankje hoop
dat haar blik met zich meebrengt. Vandaag wordt misschien toch
nog een goede dag.

Ze streelt mijn wang en haalt haar vingers langs mijn kaak, mijn stoppels kietelend. Ik sluit mijn ogen, genietend van haar aanraking.

Het is nog zo nieuw, dit gevoel, aangeraakt worden en ervan genieten dat haar onschuldige vingers zacht mijn gezicht strelen, de duisternis stil. Ik vind het niet erg dat ze mijn gezicht aanraakt... of haar vingers door mijn haren haalt.

'Het spijt me,' zegt ze.

Haar zachte woorden verrassen me. Biedt ze me haar excuses aan?

'Hoezo?'

'Wat ik heb gezegd.'

Opluchting overspoelt mijn lichaam. Ze heeft me vergeven. Bovendien, wat ze in haar woede zei, klopt – ik ben ook een gestoorde idiote klootzak.

'Je hebt me helemaal niets nieuws verteld.' En voor het eerst in zo veel jaar bied ik mijn excuses aan. 'Het spijt me dat ik je pijn heb gedaan.'

Haar schouders gaan een beetje omhoog en ze glimlacht flauwtjes. Ik heb gratie gekregen. We zijn veilig. Het is oké. Ik ben opgelucht.

'Ik heb erom gevraagd,' zegt ze.

Dat heb je zeker, schatje.

Ze slikt nerveus. 'Ik denk niet dat ik alles kan zijn wat jij wilt,' geeft ze toe, haar ogen wijd opengesperd met hartgrondige oprechtheid.

De wereld staat stil.

Fuck.

Het is helemaal niet oké.

Grey, los dit op.

'Je bent alles wat ik wil dat je bent.'

Ze fronst. Haar ogen zijn roodomrand en ze is zo bleek, bleker dan ik haar ooit heb gezien. Het is op een vreemde manier ontroerend. 'Ik begrijp het niet,' zegt ze. 'Ik ben niet gehoorzaam, en je kunt er verdomd zeker van zijn dat ik *dat* nooit meer toesta. En dat is wat je nodig hebt, dat heb je zelf gezegd.'

En daar is hij. Haar genadeslag. Ik ben te ver gegaan. Nu weet ze het – en alle discussies die ik met mezelf heb gehad voordat ik eraan begon dit meisje te veroveren, komen weer terug. Dit leven is niks voor haar. Hoe kan ik haar zo bederven? Ze is te jong, te onschuldig, te... *Ana*.

Mijn dromen zijn niets meer dan dat... dromen. Dit gaat niet werken.

Ik doe mijn ogen dicht, ik kan niet naar haar kijken. Het is waar, ze is beter af zonder mij. Nu ze het monster heeft gezien, weet ze dat ze niet met hem kan vechten. Ik moet haar bevrijden, haar eigen weg laten gaan. Het wordt niks tussen ons.

Concentreer je, Grey.

'Je hebt gelijk. Ik moet je laten gaan. Ik ben niet goed voor je.'

Haar pupillen worden groter. 'Ik wil niet weg,' fluistert ze. Tranen wellen op in haar ogen, glinsterend op lange, donkere wimpers.

'Ik wil ook niet dat je gaat,' antwoord ik, omdat het de waarheid is en dat gevoel – dat onheilspellende, angstaanjagende gevoel – is terug en het overrompelt me. De tranen lopen opnieuw over haar wangen. Teder veeg ik een vallende traan weg met mijn duim, en voordat ik het weet tuimelen de woorden naar buiten. 'Ik ben weer gaan leven sinds ik jou heb ontmoet.' Met mijn duim volg ik de vorm van haar onderlip. Ik wil haar kussen, hard. Haar laten vergeten. Haar doen duizelen. Haar opwinden – ik weet dat ik het kan. Maar iets houdt me tegen – haar argwanende, gekwetste blik. Waarom zou ze gekust willen worden door een monster? Misschien duwt ze me weg, en ik weet niet of ik nog meer afwijzing kan verdragen. Haar woorden spoken door mijn hoofd, trekkend aan een duistere, onderdrukte herinnering.

Je bent een gestoorde idiote klootzak.

'Ik ook,' fluistert ze. 'Ik ben verliefd op je geworden, Christian.'

Ik herinner me hoe Carrick me leerde duiken. Mijn tenen die de rand van het zwembad vastklampen als ik buigend het water in val – en nu val ik opnieuw, de diepte in, in slow motion.

Het is onmogelijk dat ze zo over me denkt.

Niet mij. *Nee!*

Ik hap naar lucht, getergd door haar woorden die met hun enorme gewicht op mijn borst drukken. Ik duik dieper en dieper, de duisternis verwelkomt me. Ik kan de woorden niet horen. Ik kan niet met ze omgaan. Ze weet niet wat ze zegt, wie ze voor zich heeft – *wat* ze voor zich heeft.

'Nee.' Mijn stem is rauw met gepijnigd ongeloof. 'Je kunt niet van me houden, Ana. Nee... dat is verkeerd.' Ik moet haar hierin corrigeren. Ze kan niet houden van een monster. Ze kan niet houden van een gestoorde idiote klootzak. Ze moet weg. Ze moet eruit – en op dat moment wordt alles kristalhelder. Dit is mijn eurekamoment. Ik kan haar niet gelukkig maken. Ik kan niet zijn wat ze nodig heeft. Ik kan dit niet door laten gaan. Dit moest stoppen. Het had nooit mogen beginnen.

'Niet goed? Waarom is het niet goed?'

'Kijk nou eens naar jezelf. Ik kan je niet gelukkig maken.' De kwelling is duidelijk te horen in mijn stem terwijl ik dieper en dieper in de afgrond zink, wanhopig.

Niemand kan van mij houden.

'Maar je maakt me wel gelukkig,' zegt ze, niet begrijpend.

Anastasia Steele, kijk naar jezelf. Ik moet eerlijk tegen haar zijn. 'Niet op dit moment, niet door te doen wat ik doe.'

Haar wimpers fladderen over haar grote ogen, die me met een gepijnigde blik aandachtig bestuderen terwijl ze zoekt naar de waarheid. 'We komen er nooit uit, hè?'

Ik schud mijn hoofd omdat ik niets weet te zeggen. Het komt neer op onverenigbaarheid, opnieuw. Ze doet haar ogen dicht, alsof ze pijn heeft, en als ze ze weer open doet staan ze helderder, vol daadkracht. Haar tranen zijn gestopt. En het bloed begint door mijn hoofd te dreunen terwijl mijn hart bonst. Ik weet wat ze gaat zeggen. Ik ben bang voor wat ze gaat zeggen.

'Nou... dan kan ik maar beter gaan.' Ze huivert als ze rechtop gaat zitten.

Nu? Ze kan nu niet gaan.

'Nee, niet weggaan.' Ik bevind me in een vrije val, dieper en dieper in de afgrond. Haar vertrek voelt als een monumentale vergissing. Mijn vergissing. Maar ze kan niet blijven als ze zich zo voelt, dat kan gewoon niet.

'Het heeft geen zin om te blijven,' zegt ze en ze klimt behoedzaam uit bed, nog in haar badjas gewikkeld. Ze gaat echt weg. Ik kan het niet geloven. Ik klauter uit bed om haar tegen te houden, maar haar blik nagelt me aan de grond – haar ogen staan zo kil, zo hard, zo afstandelijk – helemaal niet mijn Ana.

'Ik ga me aankleden en ik wil graag wat privacy,' zegt ze. Hoe vlak en leeg klinkt haar stem als ze zich omdraait en weggaat, de deur achter zich dichtdoet. Ik staar naar de gesloten deur.

Dit is de tweede keer vandaag dat ze bij me wegloopt.

Ik ga rechtop zitten en wieg mijn hoofd in mijn handen, probeer rustig te worden, probeer mijn gevoelens te rationaliseren.

Ze houdt van me?

Hoe heeft dit kunnen gebeuren? Hoe?

Grey, jij verdomde dwaas.

Was dit niet altijd al een risico, met iemand zoals zij? Iemand die goed is, en onschuldig en moedig. Een risico dat ze de echte ik pas zou zien als het te laat is. Dat ik haar zo zou laten lijden?

Waarom doet dit zo veel pijn? Het voelt alsof ik een klaplong heb. Ik volg haar de kamer uit. Ze mag dan wel privacy willen, maar als ze bij me weggaat heb ik kleren nodig.

Als ik op mijn slaapkamer ben, staat ze onder de douche en dus trek ik snel een spijkerbroek en een T-shirt aan. Ik kies voor zwart – dat past bij mijn stemming. Ik pak mijn telefoon en dwaal door het appartement, in de verleiding om achter de piano te gaan zitten en er een of ander treurig muziekstuk uit te hameren. Maar in plaats daarvan sta ik midden in de kamer en voel niets.

Leeg.

Concentreer je, Grey! Dit is de juiste beslissing. Laat haar gaan.

Mijn telefoon trilt. Het is Welch. Heeft hij Leila gevonden?

'Welch.'

'Meneer Grey, ik heb nieuws.' Zijn stem raspt door de telefoon. Die kerel moet stoppen met roken.

'Heb je haar gevonden?' Mijn humeur klaart een beetje op.

'Nee, meneer.'

'Wat is er dan?' *Waarom bel je in godsnaam?*

'Leila is weg bij haar man. Hij heeft het eindelijk toegegeven. Hij heeft zijn handen van haar af getrokken.'

Dit is inderdaad nieuws.

'Aha.'

'Hij heeft wel een idee waar ze is, maar hij wil wat vangen. Vraagt zich af wie er zo geïnteresseerd is in zijn vrouw. Al is dat niet hoe hij haar noemde.'

Ik vecht tegen mijn opkomende woede. 'Hoeveel wil hij?'
'Hij zei tweeduizend.'
'Wat zei hij?' schreeuw ik en ik ga door het lint. Waarom heeft hij niet gewoon meteen toegegeven dat Leila bij hem weg was? 'Nou, dan had hij ons verdomme wel eens de waarheid mogen vertellen. Wat is zijn nummer? Ik moet hem bellen... Welch, dit is godverdomme een gigantische blunder.'

Ik kijk op. Ana staat ongemakkelijk te dralen bij de deur van de woonkamer. Ze heeft een spijkerbroek en een lelijke sweater aangetrokken. Ze is een en al grote ogen, een strak gezicht, met haar koffer naast haar.

'Vind haar,' snauw ik en ik hang op. Welch handel ik later wel af. Ana loopt naar de bank en haalt de laptop, haar telefoon en haar autosleutels uit haar rugzak. Ze haalt diep adem, stapt naar de keuken en legt alle drie de dingen op het aanrecht.

Wat krijgen we nou? Ze geeft haar spullen terug?

Ze draait zich naar me om, vastberadenheid helder op haar smalle, asgrauwe gezicht. Het is haar koppige blik, die ik zo goed ken.

'Ik heb het geld nodig dat Taylor voor mijn Kever heeft gekregen.' Haar stem klinkt kalm, maar monotoon.

'Ana, ik wil die spullen niet, die zijn voor jou.' Dit kan ze me niet aandoen. 'Neem ze alsjeblieft van me aan.'

'Nee, Christian. Ik heb ze alleen maar geaccepteerd omdat het moest – en ik wil ze niet meer.'

'Ana, wees redelijk!'

'Ik wil niets wat me herinnert aan jou. Ik heb alleen het geld nodig dat Taylor voor mijn auto heeft gekregen.' Haar stem is vrij van elke emotie.

Ze wil me vergeten.

'Probeer je me nu echt pijn te doen?'

'Nee, dat doe ik niet. Ik probeer mezelf te beschermen.'

Natuurlijk – ze probeert zichzelf te beschermen tegen het monster.

'Alsjeblieft, Ana, neem die spullen mee.'

Haar lippen zijn zo bleek.

'Christian, ik heb geen zin in ruzie – ik heb alleen het geld nodig.'

Geld. Uiteindelijk komt het altijd weer neer op dat verdomde geld.

'Is een cheque ook goed?' snauw ik.

'Ja. Ik denk wel dat die wordt gedekt.'

Ze wil geld. Ik geef haar geld. Ik storm de studeerkamer in en kan me nauwelijks beheersen. Zittend aan het bureau bel ik Taylor.

'Goedemorgen, meneer Grey.'

Ik negeer zijn groet. 'Hoeveel heb je gekregen voor de vw van Ana?'

'Twaalfduizend dollar, meneer.'

'Zoveel?' Ondanks mijn kille gemoed ben ik verrast.

'Het is een klassieker,' zegt hij bij wijze van uitleg.

'Bedankt. Kun je mevrouw Steele nu naar huis brengen?'

'Uiteraard. Ik kom eraan.'

Ik hang op en haal mijn chequeboekje uit de bureaula. Terwijl ik dat doe, herinner ik me mijn gesprek met Welch over Leila's verdomde klootzak van een echtgenoot.

Het gaat altijd over dat verdomde geld!

In mijn woede verdubbel ik het bedrag dat Taylor voor die rammelbak gekregen heeft en prop de cheque in een envelop.

Als ik terugkom, staat ze nog steeds bij het kookeiland, bijna kinderlijk. Ik geef haar de envelop en mijn boosheid ebt weg.

'Taylor heeft er een goede prijs voor gekregen. Het is een klassieker,' mompel ik verontschuldigend. 'Vraag het hem maar. Hij brengt je naar huis.' Ik knik naar waar Taylor staat te wachten.

'Dank je, maar ik kan zelf wel thuiskomen.'

Nee! Neem die lift aan, Ana. Waarom doet ze dit?

'Ga je me nou in alles tarten?'

'Waarom zou ik een levenslange gewoonte veranderen?' Ze werpt me een blanco blik toe.

Dat is het in een notendop – waarom onze overeenkomst van begin af aan verdoemd was. Ze is hier gewoon niet voor gemaakt en diep vanbinnen heb ik het altijd geweten. Ik doe mijn ogen dicht.

Ik ben zo'n idioot.

Ik probeer een zachtere aanpak en onderhandel met haar.

'Alsjeblieft, Ana, laat Taylor je naar huis brengen.'

'Ik haal de auto, mevrouw Steele,' verkondigt Taylor met stille dwang en hij vertrekt. Misschien luistert ze naar hem. Ze kijkt om, maar hij is al naar de kelder om de auto te halen.

Ze draait zich weer naar mij, haar ogen opeens wijd open. En ik houd mijn adem in. Ik kan echt niet geloven dat ze gaat. Dit is de laatste keer dat ik haar zal zien en ze kijkt zo sip. Het raakt me diep dat ik degene ben die verantwoordelijk is voor die blik. Ik zet een aarzelende stap vooruit. Ik wil haar nog een keer vasthouden en smeken om te blijven.

Ze zet een stap achteruit, een beweging die maar al te duidelijk maakt dat ze me niet wil. Ik heb haar afgeschrikt. Ik blijf staan. 'Ik wil niet dat je gaat.'

'Ik kan niet blijven. Ik weet wat ik wil en jij kunt me niet geven wat ik wil, en ik kan jou niet geven wat jij wilt.'

O alsjeblieft Ana – laat me je nog een keer vasthouden. Je zoete, zoete geur ruiken. Je in mijn armen voelen. Ik stap weer op haar af, maar ze heft haar handen op, me tegenhoudend.

'Niet doen, alsjeblieft.' Ze deinst terug, paniek staat in haar gezicht gegrift. 'Ik kan dit niet.' Ze pakt haar koffer en rugzak en gaat naar de foyer. Ik volg gedwee en hulpeloos in haar kielzog, mijn ogen op haar tengere figuur gericht.

In de foyer laat ik de lift komen. Ik kan mijn ogen niet van haar afhouden... Haar delicate, elfachtige gezicht, die lippen, de manier waarop haar donkere wimpers uitwaaieren en een schaduw over haar bleke, bleke wangen werpen. Woorden schieten tekort als ik elk detail in me op probeer te nemen. Ik heb geen flitsende zinnen, geen snelle grap, geen arrogante bevelen. Ik heb niets – niets behalve een gapende leegte in mijn borst.

De liftdeuren gaan open en Ana stapt meteen naar binnen. Ze kijkt naar me om – en heel even glijdt haar masker af, en daar is het: mijn pijn weerspiegeld op haar prachtige gezicht.

Nee... Ana, ga niet weg.

'Dag, Christian.'

'Ana... tot ziens.'

De deuren gaan dicht en ze is weg.

Ik zak langzaam op de vloer en houd mijn hoofd in mijn handen. De leegte is nu hol en stekend en overweldigt me.

Grey, wat heb je in godsnaam gedaan?

Als ik weer opkijk, brengen de schilderijen in mijn foyer, mijn Madonna's, een vreugdeloze glimlach op mijn lippen. Het ideaalbeeld van het moederschap. Ze staren allemaal naar hun baby, of kijken onheilspellend op me neer.

Terecht dat ze zo naar me kijken. Ana is weg. Ze is echt weg. Het beste wat me ooit is overkomen. Nadat ze zei dat ze nooit weg zou gaan. Ze heeft me beloofd dat ze nooit weg zou gaan. Ik sluit mijn ogen, ban die levenloze, medelijdende blikken uit mijn gedachten en leg mijn hoofd tegen de muur. Oké, ze zei het in haar slaap – en ik, sukkel die ik ben, geloofde haar. Diep vanbinnen heb ik altijd al geweten dat ik niet goed voor haar was, en zij te goed voor mij. Dit is hoe het moet zijn.

Maar waarom voel ik me dan zo kut? Waarom doet dit zo veel pijn?

De bel die de lift aankondigt, duwt mijn ogen weer open en mijn hartslag schiet omhoog. Ze is terug. Ik blijf als verlamd zitten en wacht tot de deuren openschuiven. Taylor stapt naar buiten en blijft even staan.

Jezus. Hoelang zit ik hier al?

'Mevrouw Steele is thuis, meneer Grey,' zegt hij op een toon alsof het feit dat ik moedeloos op de grond lig de normaalste zaak van de wereld is.

'Hoe ging het met haar?' vraag ik zo onaangedaan als ik kan, hoewel ik het echt graag wil weten.

'Ze was overstuur, meneer,' zegt hij, zonder welke emotie dan ook.

Ik knik, hem wegkijkend. Maar hij gaat niet weg.

'Kan ik nog iets voor u doen, meneer?' vraagt hij, veel te vriendelijk naar mijn zin.

'Nee.' *Ga weg. Laat me alleen.*

'Meneer,' zegt hij en dan vertrekt hij, mij onderuitgezakt op de vloer van de foyer achterlatend.

Hoe graag ik hier ook de hele dag zou willen blijven zitten, zwelgend in mijn wanhoop, dat kan niet. Ik heb een update van Welch nodig en ik moet Leila's dweil van een echtgenoot bellen.

En ik moet douchen. Misschien spoelt een douche deze pijn wel weg.

Staand raak ik de houten tafel aan die de foyer domineert, en volg afwezig het delicate inlegwerk met mijn vingers. Ik had mevrouw Steele hier graag op geneukt. Ik doe mijn ogen dicht en stel me voor hoe ze wijdbeens op deze tafel ligt, haar hoofd achterover, mond in extase open, haar weelderige haren over de rand. Shit, ik word al hard als ik eraan denk.

Fuck.

De pijn in mijn maag wordt erger.

Ze is weg, Grey. Wen er maar aan.

Puttend uit jaren van opgelegde zelfdiscipline hijs ik mijn lichaam omhoog.

De douche is gloeiend heet, de temperatuur net een fractie onder pijnlijk, precies zoals ik het fijn vind. Ik sta onder de waterval, probeer haar te vergeten en hoop dat deze hitte haar uit mijn hoofd kan branden en haar geur van mijn lichaam spoelt.

Als ze weggaat, komt ze niet terug.

Nooit.

Ik was mijn haar met verbeten vastberadenheid.

Opgeruimd staat netjes.

En ik zuig wat lucht naar binnen.

Nee. Opgeruimd staat niet netjes.

Ik wend mijn gezicht naar het stromende water. Het staat helemaal niet netjes, ik ga haar missen. Ik druk mijn voorhoofd tegen de tegels. Gisteravond was ze hier nog met mij. Ik staar naar mijn handen, mijn vingers strelen de strook mortel tussen de tegels waar gisteren haar handen tegen de muur lagen.

Verdomme.

Ik draai het water uit en stap uit de douchecabine. Terwijl ik een handdoek omwikkel, realiseer ik het me opeens: elke dag wordt donkerder en leger, omdat zij er niet meer is.

Nooit meer grappige, lollige mails.

Nooit meer haar bijdehante opmerkingen.

Nooit meer nieuwsgierigheid.

Haar helderblauwe ogen zullen me niet meer met slecht verhuld plezier opnemen... of geschokt... of wellustig. Ik staar naar de tobbende, knorrige eikel die naar me terug staart in de badkamerspiegel.

'Wat heb je in godsnaam gedaan, klootzak?' snauw ik naar hem. Hij papegaait de woorden met ziedende minachting. De smeerlap knippert met zijn ogen naar me, grote grijze ogen, rauw van ellende.

'Ze is beter af zonder je. Je kan niet zijn wat zij wil. Je kan haar niet geven wat ze nodig heeft. Ze wil hartjes en bloemetjes. Ze verdient iets beters dan jij, verknipte lul.'

Verafschuwd door het beeld dat naar me loert draai ik me van de spiegel weg.

Laat scheren maar zitten vandaag.

Ik droog me af bij de ladekast en pak wat ondergoed en een schoon shirt. Als ik me omdraai, zie ik een doos op mijn kussen liggen. Het tapijt wordt opnieuw onder me vandaan getrokken en legt weer eens de afgrond daaronder bloot. Het monster wacht met zijn kaken open op me en mijn woede verandert in angst.

Het is iets van haar. Wat zou ze mij nou geven? Ik laat mijn kleren vallen, haal diep adem, ga op bed zitten en pak de doos.

Het is een zweefvliegtuig. Een modelbouwdoos van een Blaník L-23. Een handgeschreven briefje valt van de doos af en dwarrelt op bed.

Dit herinnert me aan een gelukkige tijd.
Dank je.
Ana

Het is het perfecte cadeau van het perfecte meisje.

Een pijnscheut trekt door me heen.

Waarom is dit zo pijnlijk? *Waarom?*

Een lang verloren, lelijke herinnering roert zich, probeert zijn tanden in het hier en nu te zetten. Nee. Dat is geen plek waar ik in gedachten naartoe wil. Ik sta op, gooi de doos op bed en kleed me haastig aan. Als ik klaar ben, pak ik de doos en het briefje en ga naar mijn studeerkamer. Vanuit mijn troon kan ik dit beter afhandelen.

Mijn gesprek met Welch is kort. Mijn gesprek met Russell Reed – de miserabele leugenachtige klootzak die met Leila trouwde – is korter. Ik wist niet dat ze tijdens een dronken weekend in Vegas getrouwd zijn. Geen wonder dat hun huwelijk al na achttien maanden strandde. Ze heeft hem twaalf weken geleden verlaten. *Waar ben je nu dan, Leila Williams? Wat heb je uitgespookt?*

Ik concentreer me op Leila, zoek naar een of andere aanwijzing uit ons verleden die me kan vertellen waar ze is. Ik moet het weten. Ik moet weten of ze veilig is. En waarom ze hierheen kwam. Waarom ik?

Zij wilde meer en ik niet, maar dat is lang geleden. Het was makkelijk toen ze wegging – onze overeenkomst werd met wederzijdse instemming beëindigd. Sterker nog, onze hele overeenkomst was voorbeeldig: precies zoals het hoort. Ze was ondeugend als ze bij me was, opzettelijk, en niet het geknakte wezentje dat mevrouw Jones beschreef. Ik herinner me hoezeer ze genoot van onze sessies in de speelkamer. Ze was dol op de kink. Een herinnering komt boven – ik bind haar grote tenen aan elkaar, haar voeten naar binnen draaiend zodat ze haar rug niet aan kan spannen om aan de pijn te ontkomen. Ja, al die shit vond ze geweldig, en ik ook. Ze was een fantastische Onderdanige. Maar ze had nooit zo mijn aandacht als Anastasia Steele.

Ze leidde me nooit zo af als Ana.

Ik staar naar de modelbouwset op mijn bureau en volg de randen van de doos met mijn vinger, wetende dat Ana's vingers die ook hebben aangeraakt.

Mijn lieve Anastasia.

Wat een contrast vorm je met alle andere vrouwen die ik heb gekend. De enige vrouw die ik ooit achterna heb gezeten en de ene vrouw die me niet kan geven wat ik wil.

Ik snap het niet.

Ik ben tot leven gekomen sinds ik haar ken. Deze afgelopen weken waren de opwindendste, onvoorspelbaarste, fascinerendste van mijn leven. Ik ben meegenomen uit mijn monochrome wereld naar een andere, kleurrijke wereld – en toch kan ze niet zijn wat ik nodig heb.

Ik leg mijn hoofd in mijn handen. Ze zal nooit houden van wat ik doe. Ik heb geprobeerd mezelf ervan te overtuigen dat we naar het hardere werk toe zouden kunnen groeien, maar dat gaat niet gebeuren, nooit. Ze is beter af zonder me. Wat moet ze met een verknipt monster dat het niet kan verdragen aangeraakt te worden?

En toch gaf ze me dit attente cadeau. Wie doet dat voor mij, buiten mijn familie? Ik bestudeer de doos opnieuw en maak hem open.

Alle plastic delen van het vliegtuig zitten vast op een raamwerk, verpakt in cellofaan. Herinneringen van haar kreetjes in het zweefvliegtuig tijdens de vlucht komen in me op – haar handen opgestoken, schrap tegen het glazen dak. Ik kan een glimlach niet onderdrukken.

God, wat was dat leuk – het equivalent van aan haar vlechten trekken op de speelplaats. Ana met vlechten... Ik onderdruk die gedachte onmiddellijk. Daar wil ik niet heen, onze eerste keer in bad. En alles waar ik mee achterblijf is de wetenschap dat ik haar nooit meer zal zien.

De afgrond gaapt open.

Nee. Niet weer.

Ik moet dit vliegtuig bouwen. Het zal me afleiden. Ik scheur het cellofaan open terwijl ik de instructies doorlees. Ik heb lijm nodig, modelbouwlijm. Ik zoek door mijn bureaulades.

Shit. Weggestopt achter in een van de lades vind ik de roodleren doos met de Cartier-oorbellen. Ik heb nooit de kans gekregen ze aan haar te geven – en nu kan het niet meer.

Ik bel Andrea en laat een bericht achter op haar telefoon met de vraag of ze vanavond af kan zeggen. Ik kan het gala niet bezoeken, niet zonder mijn date.

Ik maak het roodleren doosje open en bekijk de oorbellen. Ze zijn prachtig: eenvoudig maar elegant, net als de betoverende mevrouw Steele... die me vanochtend verliet omdat ik haar strafte... omdat ik haar te veel forceerde. Ik schud opnieuw mijn hoofd. Maar ze stond het toe. Ze hield me niet tegen. Ze liet het toe omdat ze van me *houdt.* De gedachte is beangstigend en ik wijs hem resoluut af. Het kan niet. Het is simpel: niemand kan zich zo over mij voelen. Niet als ze me kennen.

Doorgaan, Grey. Concentreer je.

Waar is die verdomde lijm? Ik leg de oorbellen terug in de la en zet mijn zoektocht voort. Niets.

Ik piep Taylor op.

'Meneer Grey?'

'Ik heb wat modelbouwlijm nodig.'

Hij pauzeert even. 'Voor wat voor soort model, meneer?'

'Een modelzweefvliegtuig.'

'Balsahout of plastic?'

'Plastic.'

'Ik heb nog wat. Ik breng het naar beneden, meneer.'

Ik bedank hem, een beetje verbaasd dat hij modelbouwlijm heeft.

Even later klopt hij op de deur.

'Kom binnen.'

Hij stapt mijn studeerkamer binnen en zet het kleine plastic flesje op mijn bureau. Hij gaat niet weg en ik moet het vragen.

'Waarom heb je dit?'

'Ik bouw wel eens een vliegtuig.' Zijn gezicht wordt rood.

'O?' Mijn nieuwsgierigheid is gewekt.

'Vliegen was mijn eerste liefde, meneer.'

Ik begrijp het niet.

'Kleurenblind,' legt hij mat uit.

'Dus toen ging je bij de marine?'

'Ja, meneer.'

'Bedankt hiervoor.'

'Geen probleem, meneer Grey. Hebt u al gegeten?'

Zijn vraagt overrompelt me.

'Ik heb geen honger, Taylor. Doe me een lol, ga lekker weg, breng de middag door met je dochter en ik zie je morgen wel weer. Ik zal je niet meer lastigvallen.'

Hij wacht even en mijn irritatie neemt toe. *Ga dan.*

'Het gaat wel.' *Jezus*, mijn stem is gebroken.

'Meneer.' Hij knikt. 'Ik kom morgenavond terug.'

Ik knik hem vlug toe en hij is weg.

Wanneer heeft Taylor me voor het laatst iets te eten aangeboden? Ik moet er verlepter uitzien dan ik dacht. Mokkend pak ik de lijm.

Het zweefvliegtuig ligt in mijn handpalm. Ik bewonder het met een voldaan gevoel, met vage herinneringen aan die vlucht. Anastasia was onmogelijk wakker te krijgen – ik glimlach bij de herinnering – en toen ze eenmaal wakker was, was ze moeilijk, ontwapenend en prachtig, en grappig.

Jezus, dat was leuk: haar meisjesachtige opwinding tijdens de vlucht, het kirren en na afloop onze kus.

Het was mijn eerste poging tot *meer*. Het is buitengewoon dat ik in zo'n korte tijd zo veel gelukkige herinneringen heb verzameld. De pijn komt opnieuw boven – zeurend, stekend, me herinnerend aan alles wat ik verloren heb.

Concentreer je op het zweefvliegtuig, Grey.

Nu moet ik de stickers op hun plek plakken, het zijn priegelige krengen.

Eindelijk zit het laatste onderdeel op zijn plek en de lijm droogt. Mijn zweefvliegtuig heeft zijn eigen registratienummer. November. Negen. Vijf. Twee. Echo. Charlie.

Echo Charlie.

Ik kijk op en het licht dimt. Het is laat. Mijn eerste gedachte is dat ik dit aan Ana kan laten zien.

Geen Ana meer.

Ik druk mijn kaken op elkaar en rek mijn stijve lijf uit. Terwijl ik langzaam opsta, besef ik dat ik de hele dag nog niet gegeten of gedronken heb, en mijn hoofd bonst.

Ik voel me kut.

Ik kijk op mijn telefoon in de hoop dat ze gebeld heeft, maar ik heb alleen een sms van Andrea gekregen.

CC Gala gecanc.
Hoop dat het goed gaat.
A

Terwijl ik Andrea's bericht lees, trilt de telefoon. Mijn hartslag piekt meteen, maar zakt dan weer als ik zie dat het Elena is.

'Hallo.' Ik doe geen moeite om mijn teleurstelling te verbergen.

'Christian, dat is toch geen manier van begroeten? Waar zit je mee?' blaft ze, maar haar stem is vol humor.

Ik staar uit het raam. Het schemert boven Seattle. Even vraag ik me af wat Ana aan het doen is. Ik wil niet aan Elena vertellen wat er is gebeurd, ik wil het niet hardop uitspreken en het daarmee de waarheid maken.

'Christian? Wat scheelt eraan? Vertel het me.' Haar toon verandert naar bruusk en geërgerd.

'Ze is bij me weg,' mompel ik somber.

'O.' Elena klinkt verrast. 'Zal ik langskomen?'

'Nee.'

Ze haalt diep adem. 'Dit leven is niet voor iedereen weggelegd.'

'Weet ik.'

'Jezus Christian, je klinkt belabberd. Wil je een hapje gaan eten?'

'Nee.'

'Ik kom eraan.'

'Nee, Elena. Ik ben waardeloos gezelschap. Ik ben moe en ik wil alleen zijn. Ik bel je van de week.'

'Christian... het is beter zo.'

'Weet ik. Tot ziens.'

Ik hang op. Ik wil niet met haar praten, zij heeft me overgehaald om naar Savannah te vliegen. Misschien wist ze dat dit zou gebeuren. Ik frons naar de telefoon, gooi hem op mijn bureau en ga op zoek naar iets te eten en drinken.

Ik bekijk de inhoud van mijn koelkast.

Niks ziet er lekker uit.

In de kast vind ik een zak zoutjes, ik maak die open en eet de ene na de andere snack terwijl ik naar het raam loop. Buiten is het nacht geworden, lampjes blinken en twinkelen door de stromende regen. De wereld draait gewoon door.

Ga verder met je leven, Grey.

Ga verder met je leven.

Zondag 5 juni 2011

Ik staar naar het plafond van de slaapkamer. De slaap gaat me uit de weg. Ik word gekweld door Ana's geur, die nog in mijn beddengoed zit. Ik leg haar kussen op mijn gezicht om haar geur in te ademen. Het is een marteling, het is hemels en even overweeg ik dood door verstikking.

Doe normaal, Grey.

Ik speel de gebeurtenissen van die ochtend opnieuw in mijn hoofd af. Zouden ze zich anders hebben kunnen afwikkelen? Ik heb de regel dat ik dit nooit doe omdat het verspilde energie is, maar vandaag ben ik op zoek naar aanwijzingen voor waar ik de fout in ben gegaan. En het maakt niet uit hoe ik het speel, ik voel tot in mijn botten dat we vroeg of laat toch in deze situatie beland zouden zijn. Of het nou vanochtend, over een week, over een maand of over een jaar zou zijn gebeurd. Het is maar goed dat het nu gebeurde, voordat ik Anastasia nog meer pijn kon doen.

Ik denk aan haar, opgekruld in haar kleine witte bed. Ik kan me haar niet voorstellen in het nieuwe appartement, ik ben er nooit geweest, maar ik stel me haar voor in die kamer in Vancouver waar ik een keer met haar heb geslapen. Ik schud mijn hoofd. Dat was de beste nachtrust die ik in jaren had gehad. De wekkerradio vertelt me dat het 02:00 uur is. Ik heb hier twee uur met tollend hoofd gelegen. Ik haal diep adem, inhaleer haar geur nog een keer en sluit mijn ogen.

Mammie kan me niet zien. Ik sta voor haar. Ze kan me niet zien.
Ze slaapt met haar ogen open. Of ze is ziek.
Ik hoor iets klingelen. Zijn sleutels. Hij is terug.
Ik ren weg, verstop me en maak mezelf klein onder de tafel in de keuken. Mijn autootjes zijn bij me.
Bam. De deur slaat dicht en de klap doet me opspringen.

Door mijn vingers zie ik mammie. Ze draait haar hoofd om hem te kunnen zien. Dan ligt ze te slapen op de bank. Hij draagt zijn grote laarzen met de glimmende gespen en staat bij haar te schreeuwen. Hij slaat mammie met een riem. *Sta op! Sta op! Je bent een verknipte teef. Je bent een verknipte teef.* Mammie maakt een geluid. Een kermend geluid. *Hou op. Hou op mammie te slaan. Hou op mammie te slaan.* Ik ren naar hem toe en sla hem en sla hem en sla hem. Maar hij lacht en slaat me in mijn gezicht. Nee! Mammie schreeuwt. *Je bent een verknipte teef.* Mammie maakt zich klein. Klein, net als ik. En dan is ze stil. *Je bent een verknipte teef. Je bent een verknipte teef. Je bent een verknipte teef.* Ik zit onder de tafel. Ik heb mijn vingers in mijn oren gestopt en doe mijn ogen dicht. Het geluid houdt op. Hij draait zich om en ik zie zijn laarzen als hij de keuken in stormt. De riem heeft hij bij zich, hij slaat hem tegen zijn been. Hij probeert me te vinden. Hij bukt en grijnst. Hij ruikt vies. Naar roken en drinken en nare geuren. *Daar zit je, kleine rotzak.*

Een kil gejammer maakt me wakker. Ik ben nat van het zweet en mijn hart bonst. Ik zit recht overeind in bed. *Fuck.* Het griezelige geluid kwam van mij. Ik haal diep adem om rustig te worden en probeer de herinnering aan de geur van zweet en goedkope bourbon en muffe Camel-sigaretten van me af te schudden. *Je bent een verknipte idiote klootzak.* Ana's woorden klinken in mijn hoofd. Net als de zijne. *Fuck.* Ik kon de crackhoer niet helpen. Ik heb het geprobeerd. Verdomme, ik heb het geprobeerd. *Daar zit je, kleine rotzak.* Maar Ana kon ik helpen. Ik heb haar laten gaan. Ik moest haar laten gaan.

Zij had al deze shit niet nodig.

Ik werp een blik op de klok: het is 03:30 uur. Ik ga naar de keuken en nadat ik een groot glas water heb gedronken, loop ik naar de piano.

Met een ruk word ik weer wakker en het is licht – het zonlicht van de vroege ochtend vult de kamer. Ik droomde over Ana: Ana die me kuste, haar tong in mijn mond, mijn vingers in haar haar terwijl ik haar verrukkelijke lichaam tegen me aan druk, haar handen vastgebonden boven haar hoofd.

Waar is ze? Een zoet ogenblik lang vergeet ik alles wat er gisteren is gebeurd – dan komt de herinnering terug.

Ze is weg.

Fuck. Het bewijs van mijn verlangen drukt in de matras – maar de herinnering aan haar heldere ogen, troebel van pijn en vernedering toen ze wegging, lost dat probleem snel op.

Me klote voelend lig ik op mijn rug en staar naar het plafond, mijn armen achter mijn hoofd. De dag strekt zich voor me uit en voor het eerst in jaren weet ik niet wat ik met mezelf aan moet. Ik kijk weer op de klok. Het is 05:58 uur.

Ach wat, ik kan net zo goed een stukje gaan hardlopen.

Prokofjevs aankomst van de Montagues en Capulets tettert in mijn oren als ik door de vroege ochtendstilte van Fourth Avenue over de stoep raas. Alles doet zeer – mijn longen barsten haast, mijn hoofd dreunt, mijn hart pompt en de zeurende, doffe pijn van gemis vreet aan mijn binnenste. Ik kan niet wegrennen van deze pijn, ook al probeer ik het. Ik stop om andere muziek op te zetten en inhaleer kostbare lucht in mijn longen. Ik wil iets... gewelddadigs. 'Pump It' van de Black Eyed Peas, ja. Ik voer het tempo op.

Ik merk dat ik over Vine Street ren en ik weet dat het krankzinnig is, maar ik hoop dat ik haar zal zien. Als ik haar straat nader, slaat mijn hart steeds sneller. Ik ben niet geobsedeerd – ik wil gewoon zeker weten dat alles goed met haar is. Nee, dat is niet waar. Ik wil haar bizar graag zien. Eindelijk in haar straat. Ik loop langs haar gebouw.

Alles is stil – een Oldsmobile rolt door de straat, twee mensen laten hun hond uit – maar er is geen teken van leven in haar appartement. Ik steek de straat over en pauzeer op de stoep aan de overkant. Dan duik ik het portiek van een flat in om op adem te komen.

De gordijnen van één kamer zijn dicht, de andere open. Misschien is dat haar kamer. Misschien slaapt ze nog, als ze er überhaupt is. Een nachtmerrie ontvouwt zich in mijn hoofd: ze is uitgegaan gisteravond, is dronken geworden, iemand tegengekomen...

Nee.

Gal komt in mijn keel omhoog. De gedachte aan haar lichaam in andermans handen, een of andere klootzak die zich wentelt in de warmte van haar glimlach, haar laat giechelen, haar aan het lachen maakt, haar klaar laat komen. Het vergt al mijn zelfbeheersing om niet door de voordeur haar appartement in te stormen om te kijken of ze er is, en of ze alleen is.

Je hebt dit over jezelf afgeroepen, Grey.

Vergeet haar. Ze is niks voor jou.

Ik trek mijn Seahawks-pet over mijn gezicht en ren verder door Western Avenue. Mijn jaloezie is rauw en boos, het vult het gapende gat. Ik haat het. Het beroert iets diep in mijn geest wat ik echt niet wil verkennen. Ik voer mijn snelheid op en ren weg van die herinnering, weg van de pijn, weg van Anastasia Steele.

Het schemert boven Seattle. Ik sta op en rek me uit. Ik heb de hele dag in mijn studeerkamer aan mijn bureau gezeten. Het was een productieve dag. Ros heeft ook hard gewerkt. Ze heeft zich voorbereid en heeft een eerste opzet van het businessplan en de intentieovereenkomst voor SIP gestuurd.

Dan kan ik Ana tenminste in de gaten houden.

De gedachte is even pijnlijk als aantrekkelijk.

Ik heb twee patentaanvragen, een paar contracten en een nieuw designplan gelezen en becommentarieerd en terwijl ik me in de details daarvan verdiepte, heb ik niet aan haar gedacht. Het kleine zweefvliegtuig staat nog steeds op mijn bureau, me tartend, me aan betere tijden herinnerend. Ik stel me voor dat ze in de deuropening van mijn studeerkamer staat, in een van mijn T-shirts, een en al lange benen en blauwe ogen, vlak voordat ze me verleidde.

Nog een eerste keer.

Ik mis haar.

Daar. Ik geef het toe. Ik kijk op mijn telefoon, tevergeefs hopend op een bericht van haar. Ik heb alleen een sms van Elliot.

Bier, kanjer?

Ik antwoord:

Nee. Druk bezig.

Elliot antwoordt meteen.

Krijg de klere dan maar.

Ja. Krijg de klere. Niets van Ana: geen gemiste oproep. Geen e-mail. De zeurende pijn in mijn maag wordt erger. Ze gaat me echt niet bellen. Ze wilde ervandoor. Ze wilde bij me weg, en ik geef haar geen ongelijk. *Het is beter zo.* Ik ga voor een korte pauze naar de keuken. Mevrouw Jones is terug. De keuken is schoongemaakt en er staat een pan op het vuur. Ruikt lekker... maar ik heb geen honger. Net als ik kijk wat de pot schaft, komt ze binnen.

'Goedenavond, meneer.'

'Mevrouw Jones.'

Ze aarzelt en lijkt verrast te zijn. Door mij? *Shit, ik moet er vreselijk uitzien.*

'Kip chasseur?' vraagt ze op onzekere toon.

'Prima,' mompel ik.

'Voor twee?' vraagt ze.

Ik staar haar aan en ze kijkt beschaamd.

'Voor één.'

'Tien minuten?' zegt ze met weifelende stem.

'Mij best.' Mijn stem is kil.

Ik draai me om en wil weggaan.

'Meneer Grey?' Ze houdt me tegen.

'Wat is er, mevrouw Jones?'

'Er is niets. Sorry dat ik u stoorde.' Ze loopt naar het fornuis om in de kip te roeren en ik ga nog eens onder de douche.

Jezus, zelfs mijn personeel heeft door dat er iets niet in de haak is.

Maandag 6 juni 2011

Ik wil niet naar bed. Het is al na middernacht en ik ben moe, maar ik blijf achter de piano zitten en speel steeds weer de Marcello van Bach. Nog eens en nog eens, terwijl ik haar hoofd op mijn schouder voel en haar zoete geur bijna kan ruiken.

Ze zei verdomme toch dat ze het zou proberen! Ik stop met spelen en leg mijn hoofd in mijn handen. Mijn ellebogen rammen op de toetsen en produceren twee valse akkoorden. Ze zei dat ze het zou proberen, maar ging al bij de eerste horde onderuit. En toen ging ze ervandoor. *Waarom heb ik haar zo hard geslagen?*

Diep vanbinnen weet ik het antwoord: omdat ze erom vroeg en ik te onstuimig en egoïstisch was om die verleiding, die uitdaging te weerstaan. Ik greep de kans om een stap verder te komen, naar het punt dat ik voor ogen had. En zij gebruikte geen stopwoord en ik deed haar meer pijn dan ze kon verdragen – terwijl ik haar had beloofd dat ik dat nooit zou doen.

Wat ben ik toch een idioot. Hoe kan ze me nu nog vertrouwen? Ze heeft gelijk dat ze is weggegaan.

Waarom zou ze überhaupt bij mij willen zijn?

Ik overweeg om flink dronken te worden. Ik ben al sinds mijn vijftiende niet dronken geweest – nou ja, een keertje dan, toen ik eenentwintig was. Ik heb er een hekel aan om de controle te verliezen: ik weet wat alcohol met een mens kan doen. De herinneringen laten een rilling over mijn rug lopen en ik sluit mijn geest ervoor af. Het is tijd om naar bed te gaan.

Als ik in bed lig, bid ik dat ik een droomloze slaap zal hebben... maar als me dat niet gegund is, wil ik tenminste over haar dromen.

Mammie ziet er mooi uit vandaag. Ze gaat zitten en laat mij haar haren borstelen. Ze kijkt in de spiegel naar me en schenkt me haar speciale glimlach. Die glimlach die helemaal alleen voor mij is. Er klinkt een hard geluid. Iets valt kapot. Hij is terug. Nee! *Waar zit je godverdomme, hoer? Heb hier een vriend in nood en jij gaat ervoor zorgen dat hij zich beter voelt.* Mammie komt overeind, pakt mijn hand en duwt me haar kledingkast in. Ik ga op haar schoenen zitten en probeer stil te zijn en mijn oren en ogen zo stevig mogelijk dicht te doen. De kleren ruiken naar mammie. Ik vind het een fijne geur. Ik vind het fijn om hier te zijn. Weg van hem. Hij loopt te brullen. *Waar is die kleine etterbak?* Hij grijpt mijn haren en sleurt me uit de kast. *Jij mag ons feestje niet verpesten, pokkenkind.* Hij slaat mammie hard in het gezicht. *Zorg goed voor mijn vriend en je krijgt wat je toekomt, hoer.* Mammie kijkt me aan en ik zie tranen in haar ogen. Niet huilen, mammie. Een andere man komt de kamer in. Een grote man met vettige haren. De grote man glimlacht naar mammie. Ik word een andere kamer in getrokken. Hij duwt me omlaag en ik knal pijnlijk met mijn knieën tegen de vloer. *Wat moet ik nou met jou, kleine etterbak?* Hij ruikt smerig. Hij ruikt naar bier en staat een sigaret te roken.

Ik word wakker. Mijn hart slaat heftig tegen mijn borstbeen alsof ik veertig straten door gerend heb, op de vlucht voor mijn demonen. Ik spring uit bed in de hoop de nachtmerrie terug te drijven naar de diepste diepten van mijn bewustzijn en haast me naar de keuken om een glas water te pakken.

Ik moet Flynn zien. De nachtmerries zijn erger dan ooit. Ik had geen last van nachtmerries toen Ana naast me lag.

Verdomme.

Het is nooit in me opgekomen om met een van mijn Onderdanigen te slapen. In elk geval had ik er geen behoefte aan. Was ik misschien bang dat ze me 's nachts zouden aanraken? Ik weet het niet. Er was een onschuldig meisje voor nodig om me te laten zien hoe vredig het kan zijn.

Ik had al eerder naar mijn Onderdanigen zitten kijken terwijl ze sliepen, maar dat was altijd een soort voorspel voor wat seksuele verlichting. Ik weet nog dat ik uren naar de slapende Ana kon zitten kijken toen ze in het Heathman overnachtte. Hoe langer ik naar haar keek, hoe mooier ze werd: haar gave huid in het zwakke licht, haar donkere haar dat als een waterval over haar witte kussen uitgespreid lag en de manier waarop haar wimpers zachtjes trilden in haar slaap. Haar mond was dan halfopen en ik kon haar tong zien als die naar buiten krulde om over haar lippen te likken. Het was ontzettend opwindend om alleen al naar haar te kijken. En als ik dan uiteindelijk naast haar ging liggen, luisterend naar haar ademhaling en kijkend naar het op en neer gaan van haar borsten bij elke ademhaling, dan sliep ik goed... zo verdomd goed.

Als een zombie wandel ik de studeerkamer in en pak het zweefvliegtuigje op. Het maakt me aan het glimlachen en troost me. Ik ben trots omdat ik het heb gemaakt en voel me idioot vanwege hetgene dat ik ermee wil doen. Het was haar laatste cadeau voor mij. Haar eerste cadeau was... ja, wat?

Natuurlijk. *Zijzelf.*

Ze offerde zichzelf op voor mijn verlangens. Mijn hebzucht. Mijn lusten. Mijn ego... mijn vervloekte, verwoeste ego.

Zal deze pijn verdomme ooit nog weggaan?

Met een wat onnozel gevoel neem ik het zweefvliegtuigje mee naar bed.

'Wat wilt u eten?', vraagt mevrouw Jones.

'Alleen koffie, mevrouw Jones.'

Ze aarzelt. 'Meneer, u hebt ook al geen avondmaaltijd gehad.'

'Dus?'

'Misschien hebt u iets onder de leden.'

'Alleen koffie, mevrouw Jones. Alstublieft.' Ik sluit me voor haar af – dit gaat haar niets aan.

Ze trekt een zuinig mondje, maar knikt en gaat aan de slag met de espressomachine.

Ik loop naar de studeerkamer, raap mijn werkpapieren bij elkaar en zoek een luchtkussenenvelop.

Ik bel Ros vanuit de auto.

'Goed werk wat betreft SIP, maar het zakelijke plan moet nog even worden herzien. Laten we een bod uitbrengen.'

'Christian, dat is wel snel.'

'Ik wil juist snel toeslaan. Ik heb je mijn ideeën over het openingsbod gemaild. Ik ben vanaf halfacht op kantoor. Kunnen we dan afspreken?'

'Als je echt zeker van je zaak bent.'

'Dat ben ik.'

'Oké. Ik bel Andrea wel om een afspraak te maken. Ik heb de statistieken voor Detroit versus Savannah.'

'Uitkomst?'

'Detroit.'

'Oké.'

Shit... niet Savannah.

'We praten straks verder.' Ik hang op.

Piekerend leun ik achterover op de achterbank van de Audi terwijl Taylor door het verkeer raast. Ik vraag me af hoe Anastasia vanmorgen naar haar werk gaat. Misschien heeft ze gisteren wel een auto gekocht, hoewel ik dat betwijfel. Ik vraag me af of zij zich net zo ellendig voelt als ik... Ik hoop van niet. Misschien heeft ze zich wel gerealiseerd dat ik niet meer dan een idiote verliefdheid was.

Ze kan niet van me houden.

En zeker nu niet, na alles wat ik haar heb aangedaan. Nog nooit heeft iemand gezegd van me te houden, op mam en pap na uiteraard, maar dat is hun ouderlijke plicht. Flynns zeurende woorden over de onvoorwaardelijke liefde van ouders – zelfs voor geadopteerde kinderen – bonken door mijn hoofd. Maar ik ben er nooit van overtuigd geweest, ik ben voor hen niet meer dan één grote teleurstelling.

'Meneer Grey?'

'Sorry, wat is er?'

Taylor staat al naast de auto en houdt het portier voor me open. Zijn gezicht staat bezorgd.

'We zijn er, meneer.'

Fuck... hoelang staan we hier al? 'Bedankt. Ik laat je nog weten hoe laat ik je vanavond verwacht.'

Concentratie, Grey.

Andrea en Olivia kijken op als ik de lift uit kom. Olivia knippert met haar ogen en duwt een lok haar achter een oor. *Jezus, ik ben echt klaar met die idiote meid.* Hr moet haar maar naar een andere afdeling overplaatsen.

'Koffie, alsjeblieft, Olivia, en een croissant.'

Ze veert op om mijn bevelen uit te voeren.

'Andrea, bel Welch, Barney, Flynn en dan Bastille voor me. Ik wil absoluut niet gestoord worden, zelfs niet door mijn moeder, alleen als... alleen als Anastasia Steele belt. Begrepen?'

'Ja, meneer. Wilt u uw agenda even inzien?'

'Nee. Ik wil eerst koffie en iets te eten.' Ik frons in de richting van Olivia, die zich met een slakkengangetje naar de lift begeeft.

'Komt in orde, meneer Grey,' roept Andrea me achterna terwijl ik de deur naar mijn kantoor open.

Uit mijn aktetas pak ik de luchtkussenenvelop waar mijn dierbaarste bezit in zit – het zweefvliegtuigje. Ik zet het op mijn bureau en mijn gedachten dwalen af naar mevrouw Steele.

Ze begint vandaag aan haar nieuwe baan en zal nieuwe mensen ontmoeten... nieuwe mannen. De gedachte is deprimerend. Ze zal me vergeten.

Nee, ze zal me niet vergeten. Een vrouw vergeet de man die haar heeft ontmaagd nooit, of ben ik nou gek? Ik zal altijd een plekje in haar herinneringen hebben, alleen al daarom. Maar ik wil niet alleen een herinnering zijn: ik wil in haar gedachten blijven. Ik *moet* in haar gedachten blijven. Wat kan ik doen?

Na een klopje op de deur steekt Andrea haar hoofd om de deurpost. 'Koffie en croissants voor u, meneer Grey.'

'Kom binnen.'

Terwijl ze naar mijn bureau loopt, valt haar blik op het zweefvliegtuig, maar ze houdt wijselijk haar mond. Ze zet het ontbijt op mijn bureau.

Zwarte koffie. *Super, Andrea.* 'Bedankt.'

'Ik heb een boodschap achtergelaten voor Welch, Barney en Bastille. Flynn zou binnen vijf minuten terugbellen.'

'Prima. Ik wil dat je alle sociale afspraken van deze week afzegt. Geen lunches, niets in de avond. Zorg dat je Barney aan de telefoon krijgt en zoek het nummer van een goede bloemist voor me.'

Ze schrijft alles rap op een notitieblok.

'Meneer, we maken gebruik van de bloemist *Arcadia's Roses*. Wilt u dat ik iemand uit uw naam bloemen stuur?'

'Nee, ik wil alleen het nummer. Ik regel het zelf. Dat is alles.'

Ze knikt en loopt meteen weg, alsof ze niet snel genoeg mijn kantoor uit kan zijn. Een paar tellen later gaat de telefoon. Het is Barney.

'Barney, ik wil dat je een standaard maakt voor een modelzweef-vliegtuigje.'

Tussen twee vergaderingen door bel ik de bloemist en bestel twee dozijn witte rozen voor Ana, die vanavond bij haar thuis afgeleverd worden. Dan hoeft ze zich niet ongemakkelijk te voelen op haar werk.

En zal ze me niet kunnen vergeten.

'Wilt u een berichtje bij de bloemen doen, meneer?' vraagt de bloemist.

Een berichtje voor Ana?

Wat moet ik zeggen?

Kom terug. Het spijt me. Ik zal je nooit meer slaan.

De woorden komen onverhoopt bij me op en maken me aan het fronsen.

'Eh... iets in de geest van "Gefeliciteerd met je eerste werkdag. Ik hoop dat het goed ging."' Mijn blik valt op het zweefvliegtuigje.

'"En dank je voor het zweefvliegtuigje. Dat was heel erg attent van je. Het heeft een mooi plekje op m'n bureau. Christian."'

De bloemist leest nog eens voor wat ik zojuist heb doorgegeven. Verdomme, dit is zo niet wat ik tegen haar willen zeggen.

'Verder nog iets, meneer Grey?'

'Nee, dank u.'

'Graag gedaan, meneer, en nog een fijne dag.'

Ik kijk nijdig naar de telefoon. *Fijne dag, m'n reet.*

'Hé man, wat is er met jou aan de hand?' Claude komt overeind van de stoot die ik hem net heb verkocht en die hem achterover tegen de grond heeft geworpen. 'Je bent goed op dreef vanmiddag, Grey.' Langzaam staat hij met de sierlijkheid van een roofdier dat zijn prooi in de gaten houdt op. We zijn aan het sparren in de fitness-ruimte in de kelder van Grey House. Er is verder niemand.

'Ik ben pisnijdig,' sis ik.

Zijn gezicht staat neutraal als we om elkaar heen cirkelen. 'Het is niet echt slim om de ring in te stappen terwijl je met je gedachten ergens anders bent,' merkt Claude op. Hij klinkt geamuseerd, maar wendt zijn blik geen moment af.

'Volgens mij gaat het prima.'

'Haal meer uit je linkerkant. Bescherm je rechterkant. Vuist omhoog, Grey.'

Hij haalt uit en raakt me tegen mijn schouder, waardoor ik bijna mijn evenwicht verlies.

'Concentratie, Grey. Leg dat verdomde werk van je even naast je neer. Of gaat het om een meisje? Een lekker wijf dat je eindelijk uit je ijstijd heeft weten te krijgen?' Hij probeert me te provoceren en het werkt: ik geef hem een trap in zijn zij en twee drop punches. Hij wankelt achteruit terwijl zijn dreads alle kanten op springen.

'Bemoei je verdomme met je eigen zaken, Bastille.'

'Wauw, ik denk dat we de bron van de pijn hebben aangeboord,' roept Claude triomfantelijk. Hij haalt onverwachts uit, maar ik doorzie zijn actie, blokkeer de slag en antwoord met een stoot en een snelle trap. Ditmaal springt hij, duidelijk onder de indruk, achteruit.

'Wat er op dit moment ook voor gedoe aan de gang is in je beschermde rijkeluiswereldje, Grey, het werkt. Kom maar op.'

O, hij gaat eraan. Ik val aan.

Het is niet druk op de weg als Taylor me naar huis rijdt.

'Taylor, kunnen we een omweg maken?'

'Waarnaartoe, meneer?'

'Kun je langs de woning van mevrouw Steele rijden?'

'Ja, meneer.'

Ik ben aan de pijn gewend geraakt. Hij lijkt er altijd te zijn, net als oorsuizen. Tijdens vergaderingen is de pijn gedempt, minder indringend aanwezig, pas als ik alleen ben met mijn gedachten, vlamt hij weer op en raast door me heen. Hoelang houdt die pijn nog aan? Als we haar woning naderen, slaat mijn hart op hol.

Misschien zie ik haar wel.

Die mogelijkheid is zowel opwindend als verontrustend. Ik besef dat ik sinds ze weggegaan is alleen nog maar aan haar heb gedacht. Haar afwezigheid is een goede vriend geworden die nooit van mijn zijde wijkt.

'Langzaam rijden,' instrueer ik Taylor als we het gebouw waar ze woont naderen.

De lichten zijn aan.

Ze is thuis!

Ik hoop dat ze alleen is. En me mist.

Heeft ze mijn bloemen ontvangen?

Ik wil op mijn telefoon kijken of ze me een sms heeft gestuurd, maar ik kan mijn blik niet van haar appartement lostrekken, want stel dat ze voor het raam verschijnt en ik het mis. Gaat het goed met haar? Denkt ze aan me? Ik wil weten hoe haar eerste werkdag was.

'Nog een keer, meneer?' vraagt Taylor terwijl we langzaam voorbijrijden en het appartement aan mijn zicht wordt onttrokken.

'Nee.' Nu ik de lucht uit mijn longen laat ontsnappen, realiseer ik me pas dat ik al die tijd mijn adem heb ingehouden. Terwijl we terug naar Escala rijden, ga ik mijn e-mails en berichtjes na in de hoop dat er iets van haar tussen zit... maar helaas. Er is wel een berichtje van Elena.

Alles oké?

Ik negeer het.

Het is stil in mijn appartement. Dat is me nooit eerder opgevallen. De aanwezigheid van Anastasia heeft de stilte luider gemaakt.

Nippend van mijn cognac slenter ik lusteloos naar mijn bibliotheek. Het is ironisch dat ik haar deze kamer nooit heb laten zien, terwijl ze zo van literatuur houdt. Een deel van me verwacht hier troost te vinden omdat aan deze kamer geen herinneringen aan ons samen verbonden zijn. Ik kijk naar al mijn boeken, netjes in rekken en gecatalogiseerd, en mijn ogen dwalen af naar de biljarttafel. Zou ze kunnen biljarten? Ik neem aan van niet.

Ik word overvallen door een beeld van haar, zittend op de groene biljarttafel, haar benen gespreid. Er hangen hier geen herinneringen aan ons, maar mijn geest heeft er geen enkele moeite mee levendige erotische beelden van de lieftallige mevrouw Steele te creëren.

Ik kan het niet langer verdragen.

Ik drink mijn glas cognac in één teug leeg en loop de kamer uit.

Dinsdag 7 juni 2011

We zijn aan het neuken. Keihard. Tegen de badkamerdeur aan. Ze is van mij. Ik stoot diep in haar, steeds opnieuw. Het is goddelijk: hoe ze voelt, ruikt, proeft. Ik grijp haar haren met gebalde vuist vast en houd haar op haar plek, houd haar billen vast. Haar benen zijn om mijn middel gevouwen. Ze kan niet bewegen, ik heb haar volkomen klemgezet. Om me heen gewikkeld als zijde. Haar vingers trekken aan mijn haren. O ja. Ik ben thuis, zij is thuis. Hier wil ik zijn... in haar... Ze. Is. Van. Mij. Haar spieren spannen zich aan als ze klaarkomt, ze verkrampt om me heen, haar hoofd in haar nek. Kom voor me! Ze schreeuwt het uit en ik volg haar voorbeeld... o ja, mijn lieve, kleine Anastasia. Ze glimlacht, slaperig, verzadigd – en o zo sexy. Ze recht haar rug en staart me met die speelse glimlach rond haar lippen aan. Dan duwt ze me weg en begint zonder een woord te zeggen achteruit te lopen. Ik grijp haar vast en het volgende moment zijn we in de speelkamer. Ik houd haar tegen de bank gedrukt. Ik til mijn arm op om haar te straffen, met de riem in mijn hand... en dan verdwijnt ze. Ze staat bij de deur. Haar gezicht wit, gechoqueerd en somber. Stilletjes loopt ze van me weg... De deur is verdwenen en ze glipt steeds verder van me weg. Ze houdt smekend haar handen uitgestoken. *Kom bij me*, fluistert ze, maar nog steeds beweegt ze van me weg en vervaagt... ze verdwijnt voor mijn ogen... steeds vager... en dan is ze weg. Nee! schreeuw ik. Nee! Maar ik heb geen stem. Ik heb niets. Ik kan niet praten. Ik kan opnieuw geen woord uitbrengen...

Verward word ik wakker.
Shit, het was een droom. Weer zo'n levendige droom.
Maar dit keer was hij anders.

Kut! Het plakt tussen mijn benen. Een fractie van een seconde voel ik die lang vergeten, maar o zo vertrouwde steek van angst en verrukking – maar Elena heeft mij nu niet in haar macht. *Jezus Christus*, wat een teringzooi. Dit is me al sinds mijn vijftiende, misschien zelfs zestiende niet meer gebeurd. In het donker zink ik terug in het kussen, walgend van mezelf. Ik trek mijn T-shirt uit en veeg mezelf schoon. Overal ligt zaad. Ik merk dat ik ondanks het knagende verlies in mijn maag in mezelf zit te grijnzen. Deze natte droom was het waard. En de rest... Verdomme. Ik draai me om en ga weer slapen.

Hij is weg. Mammie zit op de bank. Ze is stil. Ze kijkt naar de muur en knippert af en toe met haar ogen. Ik sta voor haar, maar ze ziet me niet. Ik zwaai en ze ziet me, maar ze wuift me weg. Nee, wurm, nu niet. Hij doet mammie pijn. Hij doet mij pijn. Ik haat hem. Hij maakt me zo boos. Het is het fijnst als ik met mammie alleen ben. Dan is ze van mij. Mijn mammie. Mijn buikje doet pijn. Het heeft weer honger. Ik ben in de keuken en zoek naar koekjes. Ik trek de stoel naar de kast en klim erop. Ik vind een doos toastjes. Iets anders ligt er niet in de kast. Ik ga op de stoel zitten en open de doos. Er zitten nog twee toastjes in. Ik eet ze op. Ze zijn lekker. Ik hoor hem. Hij is terug. Ik spring op, ren naar mijn slaapkamer en klim in bed. Ik doe alsof ik slaap. Hij prikt me met een vinger. *Blijf hier, pokkenkind. Ik ga die hoer van een moeder van je neuken. Ik wil jouw lelijke klotegezicht de rest van de avond niet zien. Begrepen?* Als ik niet antwoord, slaat hij me in mijn gezicht. *Of ik brandmerk je, kleine etterbak.* Nee. Nee. Dat wil ik niet. Ik wil niet branden. Dat doet pijn. Begrepen, achterlijk kind? Ik weet dat hij wil dat ik ga huilen. Maar dat is moeilijk. Ik kan geen enkel geluid uitbrengen. Hij slaat me met zijn vuist...

De angst giert door mijn lijf als ik opnieuw wakker word. Ik blijf hijgend in het zwakke ochtendlicht liggen, wachtend tot mijn hartslag weer regelmatig wordt en de zure smaak van angst uit mijn mond verdwijnt. *Zij redde je van dit soort nachten, Grey.*

Je had nooit last van deze herinneringen toen zij bij je was. Waarom heb je haar laten gaan?

Ik werp een blik op de wekker. 05:15 uur. Tijd om een rondje te gaan hardlopen.

Het gebouw ziet er naargeestig uit. Het staat nog in de schaduw en is nog niet aangeraakt door de vroege ochtendzon. Toepasselijk. Het geeft precies weer hoe ik me voel. Het is donker in haar appartement, de gordijnen van de kamer van gisteravond zijn gesloten. Het moet haar slaapkamer zijn.

Ik hoop met heel mijn hart dat ze in haar eentje ligt te slapen. Ik stel me haar voor, opgerold als een egel op haar witte, ijzeren bed, een klein hoopje Ana. Droomt ze over mij? Bezorg ik haar nachtmerries? Is ze me al vergeten?

Ik heb me nog nooit zo ellendig gevoeld, zelfs niet toen ik nog een tiener was. Misschien voordat ik een Grey was... ik word teruggegooid in mijn herinneringen. Nee, nee, toch niet ook als ik wakker ben? Dit wordt me te veel. Ik trek de capuchon van mijn jas verder over mijn hoofd en leun tegen de granieten muur, verborgen in het portiek van het gebouw tegenover dat van haar. Opeens krijg ik een akelig toekomstbeeld: zal ik hier over een week nog staan, over een maand... een jaar? Kijkend, wachtend, alleen maar om een glimp op te vangen van het meisje dat ooit van mij was? Het doet zeer. Ik ben geworden waar zij mij altijd van heeft beschuldigd: haar stalker.

Zo kan het niet verdergaan. Ik moet haar zien. Zien dat alles goed met haar is. Ik moet dat laatste beeld dat ik van haar heb uit mijn geest zien te bannen – gekwetst, vernederd, verslagen... wegvluchtend van mij.

Ik moet een manier zien te bedenken.

In Escala wacht mevrouw Jones me ongeduldig op.

'Hier heb ik niet om gevraagd.' Ik staar naar de omelet die ze voor me heeft neergezet.

'Dan gooi ik hem wel weg, meneer Grey,' zegt ze terwijl haar hand al naar het bord beweegt. Ze weet dat ik een hekel aan verspilling heb, maar mijn harde blik schrikt haar allerminst af.

'Dit heb je expres gedaan, mevrouw Jones.' Bemoeizuchtig mens. Dan schenkt ze me een klein, triomfantelijk glimlachje. Ik frons mijn wenkbrauwen naar haar en met de nachtmerrie van de afgelopen nacht nog vers in mijn geheugen verslind ik mijn ontbijt.

Zou ik Ana gewoon kunnen bellen om gedag te zeggen? Of zou ze dan meteen ophangen? Mijn blik dwaalt af naar het zweefvliegtuigje op mijn bureau. Ze wilde met me breken. Ik zou dat moeten respecteren en haar met rust moeten laten. Maar ik wil haar stem horen. Heel even overweeg ik haar toch gewoon te bellen en dan meteen op te hangen, puur om haar stem even te horen.

'Christian? Christian, is alles goed?'

'Sorry, Ros, wat zei je?'

'Je bent afgeleid. Zo heb ik je nog nooit meegemaakt.'

'Er is niets,' val ik uit.

Shit. Concentratie, Grey. 'Wat zei je nou?'

Ros bekijkt me wantrouwig. 'Ik zei dat SIP financieel lastiger ligt dan we aanvankelijk dachten. Weet je zeker dat je ermee door wilt gaan?'

'Ja.' Mijn toon is fel. 'Dat weet ik zeker.'

'Hun team is hier vanmiddag om de belangrijkste voorwaarden van de overeenkomst te tekenen.'

'Fijn. En hoe staat het ervoor met ons voorstel voor Eamon Kavanagh?'

Ik sta piekerend door de houten lamellen heen naar Taylor te staren, die voor de deur van Flynns kantoor geparkeerd staat. Het is laat in de middag en Ana beheerst nog steeds hardnekkig mijn gedachten.

'Christian, ik vind het allerminst erg betaald te worden om je de hele tijd alleen naar buiten te zien staren, maar ik denk niet dat het uitzicht de reden is dat je hier bent,' zegt Flynn.

Als ik me naar hem omdraai, zit hij me beleefd en geduldig te observeren. Ik zucht en loop naar zijn bank.

'Ik heb weer nachtmerries. Erger dan ze ooit geweest zijn.'

Flynn tilt een wenkbrauw op. 'Dezelfde nachtmerries?'

'Ja.'

'Wat is er veranderd?' Hij houdt zijn hoofd een beetje schuin terwijl hij op mijn antwoord wacht. Als ik blijf zwijgen, gaat hij zelf verder. 'Christian, je ziet eruit als een uitgekotst vogeltje. Ik merk aan je dat er iets gebeurd is.'

Ik voel me weer net zoals bij Elena, een deel van me wil het hem niet vertellen omdat het dan echt wordt.

'Ik heb een meisje ontmoet.'

'En?'

'Ze is bij me weggegaan.'

Hij kijkt verbaasd. 'Er zijn al eerder vrouwen bij je weggegaan. Waarom is het nu anders?'

Ik staar hem wezenloos aan.

Waarom is het nu anders? *Omdat Ana anders was.*

Mijn gedachten lopen ineens over en vormen een kleurrijke brij: ze was geen Onderdanige. We hadden geen contract. Ze was onervaren op seksueel gebied. Zij was de eerste vrouw van wie ik meer wilde dan alleen seks. Jezus, alle eerste keren heb ik met haar beleefd: het eerste meisje naast wie ik heb geslapen, de eerste maagd, de eerste die me heeft voorgesteld aan haar familie, de eerste die met me in Charlie Tango vloog, de eerste met wie ik ben gaan zweefvliegen.

Ja... anders.

Flynn haalt me uit mijn gedachten. 'Het is een simpele vraag, Christian.'

'Ik mis haar.'

Zijn gezichtsuitdrukking blijft vriendelijk en bezorgd, maar hij laat niet merken wat hij denkt.

'Heb je nooit eerder een vrouw met wie je een relatie had gemist?'

'Nee.'

'Dus er was iets anders aan haar,' stelt hij.

Ik haal mijn schouders op, maar hij dringt aan.

'Had je een contractuele relatie met haar? Was ze een Onderdanige?'

'Ik hoopte dat ze dat zou worden, maar het was niets voor haar.'

Flynn kijkt me fronsend aan. 'Ik begrijp het niet.'

'Ik heb een van mijn eigen regels overtreden. Ik heb achter dit meisje aangezeten omdat ik dacht dat ze geïnteresseerd zou zijn, maar het bleek niets voor haar te zijn.'

'Vertel me wat er is gebeurd.'

De sluizen openen zich en ik vertel hem wat er in de afgelopen maand allemaal is gebeurd, vanaf het moment dat Ana mijn kantoor binnen gestruikeld kwam tot de zaterdagochtend dat ze bij me is weggegaan.

'Ik snap het. Er is zo te horen heel wat gebeurd sinds we elkaar voor het laatst spraken.' Hij wrijft over zijn kin en bestudeert me. 'Ik zie een aantal dingen hier, Christian. Maar op dit moment wil ik me voornamelijk richten op hoe jij je voelde toen ze zei dat ze van je hield.'

Met een fluitend geluid zuig ik mijn longen vol lucht terwijl ik vanbinnen verkramp van angst.

'Geschokt,' fluister ik.

'Natuurlijk.' Hij schudt zijn hoofd. 'Je bent niet zo'n monster als je denkt dat je bent. Je bent het volkomen waard om van gehouden te worden, Christian. En dat weet je. Ik heb het je al vaak genoeg gezegd. Het zit alleen maar in je hoofd dat je denkt dat niet te zijn.'

Ik houd mijn blik strak op hem gericht en negeer de opmerking.

'En hoe voel je je nu?' vraagt hij.

Verloren. Ik voel me verloren.

'Ik mis haar. Ik wil haar zien.' Wederom zit ik op de biechtstoel mijn zonden te bekennen: het inktzwarte verlangen dat ik naar haar heb, alsof ze een verslaving is.

'Dus ondanks het feit dat zij, zoals jij het nu voelt, jouw behoeftes niet kan vervullen, mis je haar?'

'Ja. Het is niet zomaar een gevoel, John. Ze kan niet zijn wat ik wil dat ze voor mij is en ik kan niet voor haar zijn wat zij wil.'

'Weet je dat heel zeker?'

'Ze is bij me weggelopen.'

'Ze is bij je weggelopen omdat je haar met een riem sloeg. Kun je het haar kwalijk nemen dat ze jouw voorkeuren niet deelt?'

'Nee.'

'Heb je er al eens over nagedacht een normale relatie met haar te beginnen, op haar manier?'

Wat? Ik staar hem aan, gechoqueerd.

Hij vervolgt: 'Vond je een seksuele relatie met haar bevredigend?'

'Ja, duh,' sneer ik geïrriteerd.

Hij negeert mijn toon. 'Vond je het bevredigend haar te slaan?'

'Heel erg.'

'Zou je dat nog eens willen doen?'

Haar dat nog eens aandoen? En haar nog eens zien weglopen?

'Nee.'

'En waarom niet?'

'Omdat dit niets voor haar is. Ik heb haar pijn gedaan. Echt heel erg... en zij kan niet... ze wil niet...' Een moment val ik stil. 'Ze vond het niet lekker. Ze was kwaad. Echt verdomde kwaad.' De uitdrukking op haar gezicht, de pijn in haar ogen zullen me nog lang achtervolgen... en ik wil nooit meer degene zijn die die blik in haar ogen veroorzaakt.

'Verbaast je dat?'

Ik schud mijn hoofd. 'Ze was woest,' fluister ik. 'Ik heb haar nog niet eerder zo kwaad gezien.'

'Hoe voelde je je toen?'

'Hulpeloos.'

'En dat is een gevoel dat jou bekend is, hè?' suggereert hij.

'Bekend? Waarvan?' *Wat bedoelt hij?*

'Herken je jezelf dan helemaal niet? Je verleden?' Zijn vraag haalt me regelrecht onderuit.

Fuck, we hebben dit al zo vaak besproken.

'Nee. Dit is anders. De relatie die ik met mevrouw Lincoln had, was compleet anders.'

'Ik heb het niet over mevrouw Lincoln.'

'Over wie dan wel?' Mijn stem is niet meer dan een fluistering omdat ik opeens inzie waar hij naartoe wil.

'Dat weet je best.'

Ik snak naar adem en voel me zo machteloos en boos als een weerloos kind. Ja, de woede. Die diepgewortelde, krankzinnig makende woede... en angst. De duisternis woelt nijdig diep in me.

'Dat is niet hetzelfde,' sis ik door mijn samengeklemde kaken terwijl ik mijn best moet doen mijn woede onder controle te houden.

'Nee, dat klopt,' stemt Flynn in.

Maar het beeld van haar woede schuift ongewenst weer voor mijn geestesoog.

Is dat nu echt wat je graag ziet? Ik, zo? Op deze manier?

Het beteugelt mijn woede enigszins.

'Ik heb je door, dokter, maar het is geen eerlijke vergelijking. Zij heeft me gevraagd het haar te laten zien. Ze is verdomme een volwassen vrouw. Ze had een stopwoord kunnen gebruiken. Ze had me kunnen zeggen te stoppen. Dat heeft ze niet gedaan.'
'Ik weet het, ik weet het.' Hij heft zijn handen op. 'Ik probeer alleen heel voorzichtig een knelpunt naar voren te brengen, Christian. Je hebt veel woede in je en daar heb je ook alle reden toe. Ik ga dat nu niet allemaal opnieuw naar boven halen – het is duidelijk dat je hieronder lijdt en het hele doel van deze sessies is jou op een punt te krijgen waarop je jezelf wat meer accepteert en je wat prettiger over jezelf voelt.' Na een korte stilte gaat hij verder: 'Dit meisje...'
'Anastasia,' mompel ik kribbig.
'Anastasia. Ze heeft duidelijk een enorm effect op je gehad. Het feit dat ze bij je weg is gegaan, heeft jouw verlatingsangst en je PTSS weer naar boven gehaald. Zij betekent duidelijk veel meer voor je dan jij wilt toegeven.'
Ik slik iets weg. *Doet het daarom zo'n pijn? Omdat ze meer betekent, zoveel meer?*
'Je moet je concentreren op wat jij wilt,' vervolgt Flynn. 'En als ik je zo hoor, denk ik dat je bij dit meisje wilt zijn. Je mist haar. Wil je bij haar zijn?'
Bij Ana zijn?
'Ja,' fluister ik.
'Dan moet je je op dat doel concentreren. Dit gaat terug naar alles waar ik op heb lopen hameren in de afgelopen paar sessies, de oplossingsgerichte therapie. Als ze verliefd op je is, zoals ze beweert, dan heeft zij het nu ook moeilijk. Dus ik herhaal mijn vraag: heb je al eens overwogen een wat conventionelere relatie met dit meisje aan te gaan?'
'Nee, nog niet.'
'Waarom niet?'
'Omdat het nooit in me op is gekomen dat dat kan.'
'Nou ja, als zij niet bereid is jouw Onderdanige te worden, kun jij niet de rol van Dominant spelen.'
Ik verval weer in staren. Het is geen rol – het is wie ik ben. En uit het niets herinner ik mij een eerdere e-mail van me. Mijn woorden: *Je lijkt te vergeten dat in Dominant-Onderdanigerelaties de Onderdanige*

de macht heeft. Dat ben jij. Ik herhaal het nog maar een keer: jij bent degene die de touwtjes in handen heeft. Niet ik. Als zij dit niet wil doen... dan kan ik het ook niet.

Hoop ontvlamt in mijn borst.

Zou ik dat kunnen?

Zou ik een normale relatie met Anastasia kunnen hebben?

Mijn hoofdhuid trekt zich samen.

Fuck. Het zou kunnen.

Als ik het zou kunnen, zou ze me dan terug willen?

'Christian, je hebt al laten zien dat je een buitengewoon succesvolle man bent, ondanks je problemen. Je bent een zeldzaam individu. Als je je eenmaal op een doel concentreert, dan ga je ervoor en bereik je het, en doorgaans overtref je daarbij zelfs je eigen verwachtingen. Na wat ik vandaag van je heb gehoord, is het me duidelijk dat jij je erop hebt geconcentreerd om Anastasia daar te krijgen waar jij haar wilde hebben, maar daarbij totaal geen acht hebt geslagen op haar onervarenheid en haar gevoelens. Het lijkt erop dat je er zo op gebrand bent geweest jouw doel te behalen, dat je de reis hebt gemist die jullie samen aan het maken waren.'

De afgelopen maand flitst aan me voorbij: hoe ze struikelend mijn kantoor binnenkwam, hoe ik haar in verlegenheid bracht bij Clayton's, haar grappige gevatte e-mails, haar vlotte babbel... de manier waarop ze giechelde... haar stille kracht en opstandigheid, haar moed, en ik besef dat ik van elke minuut heb genoten. Elke gekmakende, afleidende, amusante, sensuele, zinnelijke minuut ervan – ja, met volle teugen. We hebben een fantastische reis gemaakt, wij tweetjes – nou ja, ik in ieder geval wel.

Dan worden mijn gedachten donkerder.

Ze weet nog niet half hoe verdorven en duister mijn ziel werkelijk is, ze kent het ware monster erachter nog niet – misschien moet ik haar met rust laten.

Ik ben haar niet waard. Ze kan niet van me houden.

Maar op het moment dat ik dat denk, weet ik dat ik de kracht niet heb om bij haar vandaan te blijven... als ze mij wil hebben.

Flynn roept me weer tot orde. 'Christian, denk er maar eens over na. Onze tijd zit er weer op. Ik wil je over een paar dagen weer zien en dan gaan we enkele andere obstakels die je noemde bespreken.

Ik laat Janet wel met Andrea bellen om een afspraak te maken.' Hij komt overeind en ik weet dat het tijd is om te vertrekken. 'Je hebt me heel wat stof gegeven om over na te denken,' laat ik hem weten. 'Als dat niet zo was, zou ik mijn werk niet goed doen. Een paar daagjes maar, Christian. Er is nog zoveel meer om over te praten.' Hij schudt me de hand en schenkt me een bemoedigende glimlach. Ik vertrek met een klein sprankje hoop.

Ik sta op mijn balkon en kijk over de lichtjes van Seattle uit. Hierboven ben ik afgesloten van de wereld, weg van alles. Hoe noemde zij het?

Mijn ivoren toren.

Normaal gesproken vind ik het heerlijk vredig, maar de laatste tijd wordt mijn gemoedsrust danig om zeep geholpen door een zekere blauwogige dame.

'Heb je er al eens over nagedacht een normale relatie met haar te beginnen, op haar manier?' Flynns woorden spoken door mijn hoofd en fluisteren me zo veel mogelijkheden toe.

Zou ik haar terug kunnen winnen? De gedachte jaagt me de stuipen op het lijf.

Ik neem een slok van mijn cognac. Waarom zou ze me terug willen? Zal ik ooit kunnen zijn wat zij wil dat ik ben? Ik blijf me aan mijn hoop vasthouden. Ik moet een manier zien te vinden.

Ik heb haar nodig.

Iets trekt mijn aandacht – een beweging, een schaduw in mijn ooghoek. Ik trek rimpels in mijn voorhoofd. Wel verdomd... Ik draai me naar de schaduw toe, maar zie niets. Fijn, ik begin me ook al dingen in te beelden. Ik giet de cognac in mijn keel en loopt terug naar de woonkamer.

Woensdag 8 juni 2011

Mammie! Mammie! Mammie ligt op de grond te slapen. Ze slaapt al heel lang. Ik borstel haar haren, want ik weet dat ze dat fijn vindt. Ze wordt maar niet wakker. Ik probeer haar wakker te schudden. Mammie! Mijn buikje doet pijn. Het heeft honger. Hij is er niet. Ik heb dorst. In de keuken zet ik een stoel voor het aanrecht en ik drink wat uit de kraan. Het water spettert op mijn blauwe trui. Mammie slaapt nog steeds. Mammie, word wakker! Ze ligt heel stil. Ze voelt koud aan. Ik leg mijn dekentje over haar heen en ga naast haar liggen, op het plakkerige groene vloerkleed. Mammie slaapt nog steeds. Ik heb twee speelgoedautootjes. Ze racen over de vloer waar mammie slaapt. Ik denk dat mammie ziek is. Ik zoek iets te eten. In de vriezer liggen doperwten. Ze zijn heel koud. Ik eet ze langzaam op. Mijn buikje doet er pijn van. Ik slaap naast mammie. De doperwten zijn op. Er ligt nog iets in de vriezer. Het ruikt gek. Ik lik eraan en mijn tong blijft plakken. Ik eet het langzaam op. Het smaakt vreselijk vies. Ik drink wat water. Ik speel met mijn auto's en slaap naast mammie. Mammie voelt zo koud, en ze wil maar niet wakker worden. De deur zwaait open. Ik dek mammie toe met mijn dekentje. Hij is er. *Fuck. Wat is hier in godsnaam gebeurd? O, dat achterlijke kutwijf. Shit. Fuck. Aan de kant, rotkind.* Hij schopt me en mijn hoofd slaat tegen de vloer. Mijn hoofd doet pijn. Hij belt iemand en vertrekt. Hij doet de deur op slot. Ik ga naast mammie liggen. Mijn hoofd doet zo'n pijn. De politieagente is er. Nee. Nee. Nee. Raak me niet aan. Raak me niet aan. Raak me niet aan. Ik blijf hier bij mammie. Nee. Blijf bij me vandaan. De politieagente heeft mijn dekentje en pakt me beet. Ik gil. Mammie! Mammie! Ik wil mijn mammie! Ik heb geen woorden meer. Ik kan de woorden niet zeggen. Mammie kan me niet horen. Ik heb geen woorden.

Ik word hard hijgend wakker, zuig grote hoeveelheden lucht naar binnen en kijk om me heen. O godzijdank, ik lig in mijn eigen bed. Langzaam ebt de angst weg. Ik ben zevenentwintig, geen vier meer. Deze onzin moet ophouden. Ik had mijn nachtmerries onder controle. Eens in de zo veel weken kwam er misschien eentje voor, maar niet zoals dit – elke nacht weer.

Sinds ze bij me weg is gegaan.

Ik draai me om en ga plat op mijn rug liggen en staar naar het plafond. Toen zij naast me lag, sliep ik goed. Ik heb haar nodig, in mijn leven en in mijn bed. Zij was de dag voor mijn nacht. Ik ga haar terugkrijgen.

Hoe?

'Heb je er al eens over nagedacht een normale relatie met haar te beginnen, op haar manier?'

Ze wil hartjes en bloemen. Kan ik haar dat geven? Ik probeer me de romantische momenten in mijn leven te herinneren... en er is niets... behalve met Ana. Het 'meer'. Het zweefvliegtuig, ihop, de vlucht met Charlie Tango.

Misschien kan ik dit inderdaad wel. Ik zak weer weg terwijl ik in mijn hoofd een mantra opdreun: *ze is van mij, ze is van mij....* en ik ruik haar, voel haar zachte huid, proef haar lippen en hoor haar gekreun. Uitgeput begin ik te dromen, een erotische droom over Ana.

Ik ontwaak vrij abrupt weer. Mijn hoofdhuid tintelt en even heb ik het gevoel dat datgene wat mij wakker heeft gemaakt niet van binnen, maar van buiten kwam. Ik ga rechtop zitten en wrijf over mijn hoofd terwijl ik langzaam de kamer rond kijk.

Ondanks de natte droom heeft mijn lichaam zich netjes gedragen. Elena zou tevreden geweest zijn. Ze stuurde me gisteren een berichtje, maar Elena is wel de laatste persoon met wie ik wil praten. Er is maar één ding dat ik nu wil doen. Ik sta op en trek mijn hardloopkleding aan.

Ik ga kijken hoe het met Ana is.

Op het geronk van een bestelbusje en het vals klinkende gefluit van een man die zijn hond uitlaat na is het stil op straat. Haar appartement is gehuld in duisternis, de gordijnen van haar kamer zijn gesloten. Ik verstop me weer op mijn stalkerplekje en tuur omhoog naar de ramen, denkend, piekerend. Ik moet een plan bedenken. Een plan om haar terug te krijgen.

Als de eerste zonnestralen van de dag haar raam verlichten, zet ik mijn iPod loeihard en met Moby daverend in mijn oren ren ik terug naar Escala.

'Een croissant graag, mevrouw Jones.'

Ze lijkt te schrikken. Ik trek een wenkbrauw op.

'Met gekonfijte abrikozen?' vraagt ze, zich herpakkend.

'Alsjeblieft.'

'Ik zal er een paar voor u opwarmen, meneer Grey. Hier is uw koffie.'

'Bedankt, mevrouw Jones.'

Ze glimlacht. Alleen omdat ik een croissant wil? Als haar dat gelukkig maakt, zal ik ze vaker eten.

Achter in de Audi broed ik op een plan. Ik moet oog in oog komen te staan met Ana Steele om mijn plan om haar terug te winnen te kunnen starten. Ik bel Andrea, wetend dat ze om kwart over zeven nog niet achter haar bureau zit. Ik laat een voicemailbericht achter. 'Andrea, zodra je op kantoor bent, wil ik mijn agenda voor de komende dagen even met je doornemen.' Tada – stap één van mijn offensief is tijd voor Ana vrijmaken in mijn agenda. Wat staat er deze week in vredesnaam allemaal gepland? Op dit moment weet ik het echt niet. Normaal gesproken heb ik alles op een rijtje, maar de laatste tijd is het een grote chaos in mijn hoofd. Nu heb ik een missie waar ik me op kan concentreren. *Je kunt dit, Grey.*

Diep vanbinnen wens ik echter dat ik net zo moedig was als mijn vastberadenheid doet lijken. Ik voel de spanning prikken in mijn lijf. Zal het me lukken Ana ervan te overtuigen bij me terug te komen? Zal ze naar me luisteren? Ik hoop het. Dit moet lukken. Ik mis haar.

'Meneer Grey, ik heb al uw afspraken deze week afgezegd, behalve die ene voor morgen – ik weet niet wat de afspraak precies inhoudt. Er staat "Portland" in uw agenda, meer niet.'

Ja! De fotograaf, verdomme!

Ik sta te glunderen. Andrea's wenkbrauwen wippen ervan omhoog. 'Bedankt, Andrea. Dat is alles voor nu. Stuur Sam naar me toe.'

'Natuurlijk, meneer Grey. Wilt u nog wat koffie?'

'Graag.'

'Met melk?'

'Ja. Latte. Bedankt.'

Ze glimlacht beleefd en loopt weg.

Het begin is er! Zo gaat-ie goed! De fotograaf! En nu?

Mijn ochtend bestond uit vergadering na vergadering en mijn personeel heeft me zenuwachtig in de gaten gehouden, wachtend tot de bom zou barsten. Goed, dat is de laatste paar dagen mijn modus operandi geweest, maar vandaag voel ik me helderder, kalmer en meer aanwezig, in staat om alles het hoofd te bieden.

Het is nu lunchtijd. Mijn work-out met Bastille ging goed. De enige domper is dat er geen nieuws is over Leila. Het enige wat we weten, is dat ze bij haar man weg is en dat ze overal en nergens kan zijn. Als ze weer boven water komt, zal Welch haar wel vinden.

Ik sterf van de honger. Olivia zet een bord op mijn bureau neer.

'Uw broodje, meneer Grey.'

'Kip en mayonaise?'

'Eh...'

Ik staar haar aan. Ze krijgt het maar niet voor elkaar.

Olivia komt met een stuntelige verontschuldiging.

'Ik zei kip *met mayonaise*, Olivia. Is dat nou echt zo moeilijk?'

'Het spijt me, meneer Grey.'

'Het is al goed. Ga maar.'

Ze kijkt opgelucht, maar weet niet hoe snel ze mijn kantoor uit moet komen.

Ik bel Andrea.

'Meneer?'

'Wil je even komen?'

Andrea verschijnt in de deuropening met een kalme, efficiënte uitstraling.

'Ik wil dat meisje weg hebben.'

Andrea recht haar rug. 'Meneer, Olivia is de dochter van senator Blandino.'

'Al was ze verdomme de koningin van Engeland, zorg dat ze verdwijnt.'

'Ja, meneer.' Andrea verschiet van kleur.

'Kijk maar of je iemand anders kunt vinden om je te helpen,' vervolg ik op een vriendelijker toon. Ik wil Andrea te vriend houden.

'Ja, meneer Grey.'

'Bedankt. Dat was het.'

Ze glimlacht en ik weet dat het weer goed is. Ze is een goede assistent, ik wil niet dat ze ontslag neemt omdat ik me als een klootzak gedraag. Ze laat me alleen met mijn broodje kip – zonder mayonaise – en mijn plan van aanpak.

Portland.

Ik weet hoe een e-mailadres van een werknemer van sip eruitziet. Ik denk dat Anastasia beter reageert op het geschreven woord, dat is immers altijd al zo geweest. Hoe moet ik beginnen?

~~Beste Ana~~

Nee.

~~Beste Anastasia~~

Nee.

~~Beste mevrouw Steele~~

Shit!

Een halfuur later zit ik nog steeds naar een leeg computerscherm te kijken. Wat moet ik in godsnaam zeggen?

Kom terug... alsjeblieft?

~~Vergeef me.~~

~~Ik mis je.~~

~~Laten we het op jouw manier proberen.~~

Ik laat mijn hoofd in mijn handen zinken. Waarom is dit zo lastig?

Houd het simpel, Grey. Geen geouwehoer.

Ik haal diep adem en tik een e-mail. *Ja... dat kan ermee door.* Andrea belt me.

'Mevrouw Bailey is er voor u, meneer.'
'Vraag haar om nog even te wachten.'
Ik hang op en blijf enkele seconden zitten terwijl mijn hart heftig tekeergaat. Dan druk ik op verzenden.

Van: Christian Grey
Onderwerp: Morgen
Datum: 8 juni 2011 14:05
Aan: Anastasia Steele

Beste Anastasia

Sorry dat ik je op je werk stoor. Ik hoop dat het goed gaat. Heb je mijn bloemen ontvangen?

Morgen is de opening van de expositie van jouw vriend, en ik weet bijna zeker dat je nog geen tijd hebt gehad om een nieuwe auto te kopen, en het is een lange rit. Ik zou je er met plezier mee naartoe nemen – mocht je dat willen.

Laat maar weten.

Christian Grey
Directeur, Grey Enterprises Holdings, Inc.

Ik kijk naar mijn inbox.
En kijk.
En kijk... en word met de seconde onrustiger.
Ik sta op en begin door mijn kantoor te ijsberen – maar daardoor verlies ik het zicht op mijn computer. Terug achter het scherm kijk ik opnieuw of ik mail heb.
Niks.
Om mezelf wat af te leiden, laat ik mijn vingers over de vleugels van het zweefvliegtuigje glijden.
Jezus Christus, Grey, doe normaal.
Kom op, Anastasia, geef antwoord. Ze is altijd zo snel geweest met reageren. Ik kijk op mijn horloge... 14:09 uur.
Vier minuten!
Nog steeds niks.

Opnieuw kom ik overeind, loop nog een keer mijn kantoor op en neer en kijk voor mijn gevoel om de drie seconden op mijn horloge. Tegen 14:20 uur ben ik de wanhoop nabij. Ze gaat niet antwoorden. Ze haat me echt... en dat kan ik haar niet eens kwalijk nemen. Dan hoor ik een ping uit mijn computer komen. Mijn hart schiet in mijn keel. *Verdomme!* De e-mail is van Ros, die zegt dat ze terug naar haar kantoor is gegaan. En dan zie ik het, in mijn inbox, het magische regeltje: *Van: Anastasia Steele.*

Van: Anastasia Steele
Onderwerp: Morgen
Datum: 8 juni 2011 14:25
Aan: Christian Grey

Hallo Christian

Bedankt voor de bloemen, ze zijn erg mooi. Ja, ik zou graag een lift willen. Dank je.

Anastasia Steele
Assistente van Jack Hyde, Redacteur, SIP

Een gevoel van opluchting giert door mijn lijf. Ik sluit mijn ogen en geniet.

YES!

Ik lees haar e-mail nog eens aandachtig door, op zoek naar aanwijzingen, maar zoals gewoonlijk heb ik geen enkel idee wat ze denkt. De toon is vriendelijk genoeg, maar daar is ook alles mee gezegd. Gewoon alleen maar vriendelijk.

Pluk de dag, Grey.

Van: Christian Grey
Onderwerp: Morgen
Datum: 8 juni 2011 14:27
Aan: Anastasia Steele

Beste Anastasia

Hoe laat zal ik je komen ophalen?

Christian Grey
Directeur, Grey Enterprises Holdings, Inc.

Ik hoef niet lang op een antwoord te wachten.

Van: Anastasia Steele
Onderwerp: Morgen
Datum: 8 juni 2011 14:32
Aan: Christian Grey

Josés expositie begint om halfacht. Hoe laat stel je voor?

Anastasia Steele
Assistente van Jack Hyde, Redacteur, SIP

We kunnen met Charlie Tango gaan.

Van: Christian Grey
Onderwerp: Morgen
Datum: 8 juni 2011 14:34
Aan: Anastasia Steele

Beste Anastasia

Portland is best ver weg. Ik haal je op om 17:45 uur. Ik verheug
me erop je te zien.

Christian Grey
Directeur, Grey Enterprises Holdings, Inc.

Van: Anastasia Steele
Onderwerp: Morgen
Datum: 8 juni 2011 14:38
Aan: Christian Grey

Ik zie je wel verschijnen dan.

Anastasia Steele
Assistente van Jack Hyde, Redacteur, SIP

Mijn plan om haar terug te winnen is goed van start gegaan. Ik voel me opgetogen, het bloesempje hoop is uitgegroeid tot een rijpe Japanse kers. Ik bel Andrea.

'Mevrouw Bailey is terug naar haar kantoor gegaan, meneer Grey.'

'Dat weet ik, ik heb een e-mail van haar gehad. Zeg Taylor dat hij binnen een uur hier moet zijn.'

'Jawel, meneer.'

Ik hang op. Anastasia werkt voor een man die Jack Hyde heet. Ik wil meer over hem weten. Ik bel Ros.

'Christian.' Ze klinkt behoorlijk boos. *Pech gehad.*

'Hebben wij toegang tot de werknemersbestanden van SIP?'

'Nog niet, maar daar kan ik wel aan komen.'

'Graag. Vandaag nog als je tijd hebt. Ik wil alles weten wat er te weten valt over Jack Hyde en over iedereen die voor hem gewerkt heeft.'

'Mag ik vragen waarom?'

'Nee.'

Het is een moment stil aan de andere kant van de lijn.

'Christian, wat is er toch de laatste tijd met je aan de hand?'

'Ros, doe het maar gewoon, oké?'

Ze zucht. 'Oké. Kunnen we dan nu onze vergadering over het voorstel betreffende de Taiwanese scheepwerf houden?'

'Is goed. Ik moest een belangrijk telefoontje plegen. Het duurde langer dan verwacht.'

'Ik kom er zo aan.'

Als Ros vertrekt, volg ik haar het kantoor uit.

'Washington State University, volgende week vrijdag,' zeg ik tegen Andrea, die een reminder op haar notitieblok neerpent.

'En ik mag met de bedrijfsheli?' Ros springt nog net niet op en neer van enthousiasme.

'Helikopter,' corrigeer ik haar.

'Wat jij wilt, Christian.' Ze rolt met haar ogen terwijl ze de lift in stapt en dat maakt me aan het glimlachen.

Andrea wacht tot Ros weg is en kijkt mij dan afwachtend aan.

'Bel Stephan – ik vlieg morgenavond met Charlie Tango naar Portland en ik wil dat hij hem terug naar Boeing Field vliegt,' leg ik Andrea uit.

'Ja, meneer Grey.'

Ik zie Olivia nergens. 'Is ze weg?'

'Olivia?' vraagt Andrea.

Ik knik.

'Ja.' Ze lijkt opgelucht.

'Waarnaartoe?'

'Financiën.'

'Goed gedaan. Dan zal senator Blandino ook niet zo snel zeuren.'

Aan Andrea's gezicht zie ik dat ze blij is met het compliment.

'Ben je al bezig iemand anders te zoeken?' vraag ik.

'Ja, meneer. Ik heb drie kandidaten uitgenodigd voor morgen-ochtend.'

'Prima. Is Taylor er?'

'Ja, meneer.'

'Annuleer de rest van mijn afspraken voor vandaag. Ik ga eropuit.'

'Eropuit?' brengt ze verrast uit.

'Ja.' Ik grijns. 'Eropuit.'

'Waar wilt u naartoe, meneer?' vraagt Taylor terwijl ik het me op de achterbank van de auto gemakkelijk maak.

'De Apple Store.'

'Die op Forty-Fifth?'

'Ja.' Ik ga een iPad voor Ana kopen. Ik leun achterover, doe mijn ogen dicht en bedenk wat voor apps en liedjes ik voor haar zal downloaden en installeren. Ik zou 'Toxic' kunnen doen. Ik grijns bij de gedachte. Nee, ik denk dat niet ze dat zal waarderen. Ze zou heel erg boos worden, en voor het eerst sinds lange tijd maakt de ge-dachte aan een boze Ana me aan het glimlachen. Boos zoals ze in Georgia was, niet zoals afgelopen zaterdag. Ik ga verzitten. Daar wil ik niet aan denken. Ik richt mijn gedachten weer op mogelijke lied-

jes en heb me in dagen niet zo opgewekt gevoeld. Mijn telefoon
gaat af en mijn hartslag schiet weer omhoog.

Mag ik hopen?

Hé. Klootzak. Bier?

Fuck. Een berichtje van mijn broer.

Nee. Te druk.

Je hebt het altijd druk.
Ik ga morgen naar Barbados.
Om te ONTSPANNEN, weet je.
Ik zie je als ik terug ben.
En dan drinken we dat biertje!!!

Laters, Lelliot.
Behouden reis.

Het was een vermakelijke avond vol muziek, een nostalgische reis
door mijn iTunes om een playlist voor Anastasia te maken. Ik zie
weer voor me hoe ze in mijn keuken stond te dansen, ik zou willen
dat ik wist waar ze toen naar luisterde. Ze zag er volslagen idioot uit,
en zo ontzettend schattig. Dat was nadat ik haar voor het eerst had
geneukt.

Nee. Nadat ik voor de eerste keer de liefde met haar had bedre-
ven?

Het voelt allebei niet goed.

Ik herinner me haar vurige pleidooi op de avond dat ik haar aan
mijn ouders voorstelde. *'Ik wil dat je de liefde met me bedrijft.'* Hoe geschokt ik was door die eenvoudige opmerking – en alles wat ze in
feite wilde, was mij aanraken. Ik huiver bij de gedachte. Ik moet
haar duidelijk zien te maken dat dit echt een harde grens voor mij
is – ik mag niet worden aangeraakt.

Ik schud mijn hoofd. *Je loopt op de zaken vooruit, Grey.* Je moet
eerst deze deal zien te sluiten. Ik controleer de inscriptie op de iPad.

Anastasia – dit is voor jou.
Ik weet wat je wilt horen.
De muziek die hierop staat, zegt wat ik wil zeggen.
Christian

Misschien geeft dit de doorslag. Ze wil hartjes en bloemen, misschien komt dit in de buurt. Ik schud mijn hoofd echter, want ik heb echt geen idee. Ik wil haar zoveel zeggen, als ze tenminste wil luisteren. En zo niet, dan zeggen de liedjes het voor mij. Ik hoop alleen dat ze me de kans geeft ze aan haar te geven. Maar als mijn voorstel haar niet bevalt, als de gedachte bij me te zijn haar niet bevalt, wat moet ik dan? Misschien ben ik niet meer dan een handig ritje naar Portland voor haar. Met die deprimerende gedachte loop ik naar mijn slaapkamer voor wat broodnodige nachtrust.

Mag ik hopen?

Ja, dat durf ik verdomme.

Donderdag 9 juni 2011

De dokter houdt haar handen omhoog. *Ik zal je geen pijn doen. Ik moet even naar je buikje kijken. Hier.* Ze geeft me een koud, rond, zuigend ding en laat me ermee spelen. *Die doe je op je buikje en ik zal je niet aanraken en dan kan ik naar je buikje luisteren.* De dokter is lief... de dokter is mammie. Mijn nieuwe mammie is mooi. Ze is net een engel. Een dokter-engel. Ze aait door mijn haren. Ik mag ijs en taart van haar eten. Ze schreeuwt niet als ze brood en appels verstopt in mijn schoenen vindt. Of onder mijn bed. Of onder mijn kussen. *Lieverd, er staat eten in de keuken. Zeg het maar tegen mij of papa als je honger hebt. Wijs het maar aan met je vinger. Denk je dat je dat kunt?* Er is nog een andere jongen. Lelliot. Hij is gemeen. Dus sla ik hem. Maar mijn nieuwe mammie vindt het niet leuk als we vechten. Er is een piano. Ik vind het geluid mooi. Ik sta bij de piano en druk op de witte en zwarte dingen. Het geluid van de zwarte is raar. Mevrouw Kathie zit naast me aan de piano. Ze leert me zwarte en witte noten. Ze heeft lang bruin haar en lijkt op iemand die ik ken. Ze ruikt naar bloemen en appeltaart. Ze ruikt naar goed. Ze laat de piano mooi klinken. Ze is lief tegen me. Ze glimlacht en ik speel. Ze glimlacht en ik voel me gelukkig. Ze glimlacht en ze is Ana. Mooie Ana, die bij me zit terwijl ik een fuga, een prelude, een adagio, een sonate speel. Ze zucht, haar hoofd rustend op mijn schouder, glimlachend. *Ik hou ervan naar je te luisteren als je piano speelt, Christian. Ik hou van je, Christian.* Ana. Blijf bij me. Je bent van mij. Ik hou ook van jou.

Met een schok word ik wakker. *Vandaag krijg ik haar terug.*

Woord van dank

Mijn dank gaat uit naar:

Anne Messitte voor haar begeleiding, gevoel voor humor en geloof in mij. Ik ben haar eeuwig dankbaar voor alle tijd die ze voor me heeft vrijgemaakt en voor haar onvermoeibare inzet om mijn proza uit te pluizen en recht te strijken.

Tony Chirico en Russell Perreault, die steeds voor me klaarstonden, en het fantastische redactie- en designteam dat dit boek naar de eindstreep heeft geholpen: Amy Brosey, Lydia Buechler, Katherine Hourigan, Andy Hughes, Claudia Martinez en Megan Wilson.

Niall Leonard voor zijn liefde, steun en begeleiding en voor het feit dat hij de enige man is die me echt, echt aan het lachen krijgt.

Valerie Hoskins, mijn agent, zonder wie ik nog steeds bij de tv zou werken. Bedankt voor alles.

Kathleen Blandino, Ruth Clampett en Belinda Willis: bedankt voor het proeflezen.

De Lost Girls voor hun waardevolle vriendschap en de therapie.

De Bunker Babes voor hun voortdurende humor, wijsheid, steun en vriendschap.

De FP-dames voor hun hulp bij mijn amerikanismen.

Peter Branston voor zijn hulp wat betreft KOT.

Brian Brunetti voor zijn uitleg over vliegen met een helikopter.

Professor Dawn Carusi voor hulp bij mijn inzicht in het Amerikaanse systeem van hoger onderwijs.

Professor Chris Collins voor zijn college over geowetenschap.

Doctor Raina Sluder voor haar inzichten in gedragswetenschap.

En ten slotte, heel belangrijk, mijn kinderen. Ik houd meer van jullie dan ik in woorden kan uitdrukken. Jullie brengen zo veel geluk in mijn leven en dat van anderen om jullie heen. Jullie zijn prachtige, grappige, slimme, invoelende jongemannen en ik ben zo trots op jullie.